Un homme d'influence

DU MÊME AUTEUR

Analyse économique de la Vie politique, PUF, 1973.

Modèles politiques, PUF, 1974.

L'Anti-économique (avec Marc Guillaume), PUF, 1975.

La Parole et l'Outil, PUF, 1976.

Bruits, PUF, 1977.

La Nouvelle Économie française, Flammarion, 1978.

L'Ordre cannibale, Grasset, 1979.

Les Trois Mondes, Fayard, 1981.

Histoires du Temps, Fayard, 1982.

La Figure de Fraser, Fayard, 1984.

Jacques Attali

UN HOMME
D'INFLUENCE

Sir Siegmund Warburg
(1902-1982)

Fayard

Les appels de notes renvoient à la bibliographie en fin de volume

Un homme d'influence

Ce matin-là, 22 mars 1933, vers midi, en entrant dans l'immeuble imposant et familier, Siegmund est inquiet. Deux jours plus tôt, plusieurs de ses amis, journalistes et banquiers républicains, ont été arrêtés chez eux, en pleine nuit, sans mandat, « pour être mis en sûreté dans leur propre intérêt », a dit la police. La veille, il a assisté à la séance de rentrée du nouveau Parlement, qui s'est tenue, après l'incendie du Reichstag, dans la chapelle du fort de Potsdam, là où se trouve le tombeau de Frédéric le Grand. Il a été horrifié de voir un socialiste se faire conspuer, bousculer, puis expulser brutalement par des nazis qui avaient tout simplement oublié d'inviter les députés de gauche. Et, en arrivant à la Wilhelmstrasse, les appels au meurtre antisémites sur le mur d'en face ne le rassurent pas. Comment, dans ces conditions, pourrait-il partir le lendemain pour New York en laissant sa femme et ses deux enfants à Berlin ? Deux heures plus tôt, de son bureau à la banque, il a téléphoné au ministre des Affaires étrangères, le voisin de son enfance, pour lui comme un oncle, le baron von Neurath. L'appel n'a pas surpris : cela fait près d'un an qu'ils travaillent ensemble sur les affaires financières internationales, où l'Allemagne joue serré et gagne souvent, depuis plus d'un siècle, grâce aux Warburg. Siegmund a demandé un rendez-vous urgent, que von

7

Neurath lui a accordé sans même lui en demander l'objet[175].

Comme d'habitude, le baron le reçoit fort aimablement, venant l'accueillir lui-même dans le salon d'attente. Diplomate cultivé, ambassadeur devenu ministre des Affaires étrangères, il a, avec l'élégance de la haute noblesse de Souabe, cette assurance du professionnel dont les politiciens ne savent ni ne peuvent se passer. La visite de son ami n'a pour lui rien d'exceptionnel : confirmé à son poste par le nouveau Chancelier Adolf Hitler, il a demandé à Siegmund, qui a accepté, de continuer de l'aider. Dès qu'ils sont seuls, von Neurath questionne[207] :

— D'où viens-tu, cher ami, Amsterdam ou Hambourg ? Voilà des jours que je ne t'ai vu.

— Non, répond Siegmund. Je n'ai pas bougé d'ici, mais j'ai été assez occupé à préparer mon voyage. Tu sais que je pars demain pour New York ; et c'est d'ailleurs à cause de cela que je désirais te voir. Pour une fois, je voudrais te parler de ce qui se passe ici, et non pas à l'étranger. Et ce que j'y vois m'ennuie beaucoup. Est-ce que tu sais, toi, ministre des Affaires étrangères, que des gens sont arrêtés chez eux au beau milieu de la nuit et envoyés en prison sans aucun mandat d'arrêt ? Est-ce que tu es au courant de ce qui s'est passé hier au Parlement ?

— Oui, je sais tout cela. De telles choses arrivent de temps en temps, de nos jours. C'est très déplaisant, mais c'est l'inévitable tribut qu'il nous faut payer à la révolution nationale. Nul ne le regrette autant que moi. Mais, tu sais, je suis ministre des Affaires étrangères, pas de l'Intérieur : qu'est-ce que j'y peux ?

— Comment, qu'est-ce que tu y peux ? Mais tu sais bien que ces arrestations sont inconstitutionnelles, et que le Chancelier, qui les a décidées lui-même, viole le serment qu'il vient de prêter sur la Constitution. Tu ne peux pas laisser faire ça ! Tu dois immédiatement aller voir le Président Hindenburg et lui rappeler que l'article 19 de la

Constitution de Weimar l'autorise — et même l'oblige — à renvoyer ce Chancelier parjure. Qu'il ne s'inquiète de rien : l'armée l'appuiera, lui, son maréchal en chef ; et tout le monde sait que von Blomberg, le ministre de la Reichswher, n'est pas vraiment nazi. A mon avis, d'ailleurs, il ferait un excellent chancelier. Hindenburg t'écoute, d'habitude ; il t'écoutera encore, tu dois aller le voir sur le champ et lui dire tout cela. »

Von Neurath le regarde longuement sans répondre. Puis, détachant ses mots et baissant les yeux, il répond dans l'étrange dialecte souabe commun à leur jeunesse :

— Oui, c'est vrai, tu as raison, c'est ce que je devrais faire... Mais je ne peux pas. Vois-tu, mon jeune ami, je ne suis moi-même pas nazi et je suis considéré maintenant comme politiquement suspect ; je dois donc me montrer très prudent. Non, je ne peux rien faire. »

Puis, regardant Siegmund droit dans les yeux, toujours en souabe :

— Bonne chance, et adieu. »

Siegmund se lève sans un mot. En quittant la Wilhelm-strasse, il ne voit même plus les oriflammes, les croix gammées, les inscriptions sur le mur d'en face. Sans retourner à la banque, abandonnant son chauffeur, il rentre chez lui à pied.

« Politiquement suspect ». C'est fini.

En arrivant à son domicile, sa décision est prise, irréversible et brutale, comme toutes celles qui compteront dans sa vie : il demande à sa femme de partir le jour même pour Stockholm avec leurs enfants, chez ses parents : « Tu ne reviendras plus jamais ici. Attends-moi là-bas. Reprends tout de suite la nationalité suédoise. On ne sait jamais : si tu restais allemande, je pourrais, moi, être bloqué en Allemagne. Je te dirai plus tard où nous irons nous installer. Quant à moi, je pars tout de suite pour Hambourg, voir Max, et de là pour New York. Je te téléphonerai. » Dans les deux heures qui suivent, Eva, Anna et

9

George Warburg partent pour Stockholm. La frontière est passée sans encombres.

Siegmund part ce même après-midi pour Hambourg, en train, retrouver le cousin de son père, Max Warburg, qu'il appelle « mon oncle », le chef de la dynastie. Le vieux banquier le reçoit, dans son bureau d'acajou, tard dans la soirée, dans l'immeuble magnifique de la banque, au 75 de la Ferdinandstrasse.

— Tu n'es pas encore parti ? Ton bateau est sur le point de lever l'ancre.

— J'y vais, mon oncle. J'y vais. Mais je ne reviendrai plus ni à Hambourg ni à Berlin. Ne m'en veux pas, j'abandonne. Je ne sais pas encore où je vais m'installer, mais, de New York, je ne rentrerai pas ici. Il faudra que tu m'aides à monter quelque chose ailleurs.

— Tu es fou, pourquoi fais-tu cela ?

— J'en ai assez, ce Hitler fera ce qu'il dit depuis dix ans, il nous tuera tous. J'ai vu von Neurath ce matin ; même lui se considère comme politiquement suspect et n'ose plus rien faire. Tu te rends compte ? Lui, « politiquement suspect » ! C'en est trop. L'Allemagne, notre Allemagne est perdue. Dans trois ans au plus, Hitler fera la guerre à l'Angleterre et massacrera tous les Juifs. Il faut partir.

— Mais non, Siegmund, ce que tu dis est absurde. Jamais ils ne nous toucheront. Schacht est de nouveau le patron de la Reichsbank. C'est une garantie, non ? Hier encore, il m'a dit que nous étions protégés et qu'il ne nous arriverait rien. Hitler ne veut pas la guerre, et l'Angleterre non plus ; Schacht m'a dit...

— Schacht, Schacht ! Tu te fais des illusions. Tu as tort de continuer à travailler avec lui ; il est passé dans leur camp, peut-être même sans le savoir, depuis plus d'un an. Je ne crois pas un mot de ce qu'il te dit, je n'y crois plus.

— Siegmund, tu ne peux pas partir. Tu ne peux pas

abandonner Berlin, il y a beaucoup de travail à y faire. Et tu me succéderas bientôt ici. En outre, tu ne peux pas quitter l'Allemagne. Notre famille y est installée depuis plus de trois siècles. C'est notre pays. Nous portons le nom d'une ville de ce pays. Et puis, nous sommes responsables des Juifs, ici. Tu ne peux pas les abandonner. Qui va s'occuper d'eux, sinon nous ? Tu sais bien tout ce que nous avons commencé avec la Palestine : c'est très délicat, j'ai besoin de toi pour çela. Il n'y a d'ailleurs que toi qui connaisses cette filière. Il faut rester, il y a encore beaucoup de Juifs à sortir de ce pays.

— Non, mon oncle, c'est toi qui les trompes en restant. En te voyant travailler avec Schacht et les autres, ils croient qu'ils sont à l'abri, que rien ne les menacera jamais. Ils se raccrochent à n'importe quel espoir. Tu ne leur donnes pas un bon exemple. Je m'en vais et il faudrait que tu penses à partir, toi aussi, et tous les Warburg. Ils comprendront alors qu'il faut qu'ils en fassent tous autant, avant le chaos. »

Cinquante ans plus tard, le 12 janvier 1983, au Guildhall de Londres, a lieu une étrange cérémonie. En présence de Lady Warburg, de ses deux enfants et de tout le personnel de la première banque d'affaires européenne, est dévoilé un portrait de Sir Siegmund Warburg, peint dix ans auparavant et que la famille offre à la banque ce jour-là, quelques semaines après la mort du fondateur. La cérémonie est brève. On écoute en grand silence trois brefs discours : celui du jeune successeur désigné, David Scholey, anglais jusqu'au bout des ongles, celui du vieil ami des mauvais jours, Henry Grunfeld, financier juif allemand débarqué comme lui presque sans un sou dans le Londres méfiant des années trente ; enfin celui du nouveau président de la Banque, un brillant universitaire devenu lord anglais, Eric Roll.

Entre chacun de ces discours, un orchestre joue l'une des trois mélodies préférées de Sir Siegmund : une aria de Bach, l'adagio d'un Concerto pour violon de Mozart, et l'aria du *Water Music* de Haendel[216].

Le dernier mot est celui de Lord Roll, citant le célèbre vers de Shakespeare : « Il était un homme, prenez-le comme tel, je n'en verrai jamais un autre de cette envergure. »

Né avec le siècle dans une très ancienne famille de banquiers juifs influente depuis plus d'un siècle de Berlin à New York et de Hambourg à Tokyo, Siegmund, à l'exemple de ses plus grands ancêtres, commence sa carrière comme banquier et conseiller du Prince, en Allemagne. Dans les tourbillons de Weimar qui ruinent son père, il participe aux tortueux financements des réparations allemandes. Et lorsque l'économie de la dette laisse place à l'économie de la guerre, l'avènement de Hitler l'envoie à Londres, avec son nom pour tout capital. Il y fonde une petite société financière, y aide à inventer les modes de financement des Alliés en guerre, et contribue à briser ceux de l'Allemagne au moment où Hitler détruit, avec son peuple, la banque que sa famille a mis plus de deux siècles à bâtir.

Après la guerre, tout recommence. Il relève le nom de la famille, crée à Londres sa propre banque, S.G. Warburg and Co. En vingt ans, il y devient le premier banquier de la City et le conseiller du Prince, il invente les principales techniques de la finance d'aujourd'hui — des offres publiques d'achat aux euro-émissions —, redevient universel à New York et à Francfort, à Genève et à Hambourg, bouleverse les méthodes de formation des élites industrielles et organise la concentration de la presse et de l'industrie automobile. Mais, également bien avant les autres, il voit se profiler l'impuissance de l'Europe, la rébellion du Tiers Monde, la montée du Japon et les difficultés d'Israël.

Alors, guetteur devenu lui-même signe, sans le savoir peut-être, quarante ans presque jour pour jour après son premier exil, il quitte de nouveau un monde qui a fait sa fortune mais dont il sent venir la fin. Et c'est de Suisse, dont il fait le centre d'une ultime aventure, qu'il continue de tirer jusqu'à sa mort bien des fils de notre temps, de New York au Caire, de Tokyo à Jérusalem.

Étrange destin d'un homme presque seul, dont l'obsession unique est de relever son nom et d'en prolonger l'influence, au cœur des principaux cyclones de ce siècle. Vigile d'un temps de barbarie, jamais résigné à sa défaite. Prince de la finance, aventurier du siècle, écouté des hommes de pouvoir sans jamais en être un lui-même, il a vécu l'une de ces très grandes vies à l'ombre desquelles rien ne pousse.

Homme d'influence sur ces autres hommes qui prétendent, eux, avoir du pouvoir sur les choses : ainsi aime-t-il à se vouloir lui-même ; comme son cousin Max qui l'a si profondément marqué, comme le Joseph des Écritures et celui de Thomas Mann qu'il place plus haut que tout.

Mais la réalité de son influence est difficile à connaître : comme ces guetteurs de tous les temps, vigiles des menaces de leur monde et conseillers des Princes, il aime à rester secret, pour se protéger de leurs foudres, passionné de faire, plus que de faire savoir, et de réussir plus que de signer son œuvre.

Dans l'histoire des formes du monde, depuis les sociétés religieuses jusqu'aux empires et aux sociétés plus récentes, ont existé quelques hommes de ce genre, *bruits* de l'ordre, pouvoir sur le pouvoir. Hommes de divination, puis hommes d'armes, d'argent et d'art, ils ont su, plus libres que d'autres, prévoir les bifurcations possibles, hors des lois du temps ; et ils ont pu parfois, d'une brève impulsion, d'un enseignement, d'un conseil ou d'une œuvre, faire basculer un pan du monde, modifier le cours des choses, en changer les lois, ou, pour le moins, rester en aval des flots du temps.

Souvent, alors qu'ils ont cru, par leur vision, leur force ou leur raison, exercer un pouvoir au-delà du possible, ils ont échoué. Alors, comme tous les prophètes du malheur, ils ont été accusés des maux qu'ils avaient voulu conjurer en les annonçant.

Dans les deux derniers siècles, l'homme dont l'influence est la plus certaine, plus encore que l'artiste ou l'industriel, est le financier, c'est-à-dire celui qui s'intéresse, de près ou de loin, à financer les Princes ; comme le prêtre ou l'homme d'armes en d'autres temps, il parie sur l'évolution des choses et des pouvoirs, et tente d'influer pour qu'advienne ce qu'il souhaite. Il fournit aux hommes d'ambition les moyens matériels de leurs espérances, et, pour être sûr de rentrer dans son dû, cherche à deviner ce que sera le monde au moment où il s'attend à recouvrer l'argent prêté. Mais il espère en la raison, qui doit créer les conditions de l'exactitude de son calcul : le financier n'est pas le spéculateur. Il ne joue pas, il raisonne. Et c'est cela qui souvent fait sa ruine face aux folies des puissants.

Sans doute certains seront-ils surpris de voir surgir ici, au premier rang de l'Histoire, dans les faibles marges laissées par le jeu des peuples et le caprice des tyrans, une galaxie de gens à peine connus, de grand talent et de grand caractère, presque toujours très riches, pas toujours de haute morale, en tout cas liés entre eux en un réseau dense et quasi dynastique, aristocratie parallèle fichée au cœur de tous les régimes. Et de découvrir qu'autant que les princes et les politiques, ces Warburg, Rothschild, Schiff, Lehmann, Melchior, Hambro ou Mayer, mais aussi ces Bardi, Fugger, Morgan, Baring, ou un Abs, un Monnet, un Cuccia, un Rockefeller ont joué un grand rôle dans notre destin, pour le meilleur et pour le pire.

Étranges et énigmatiques hommes d'influence. Toujours ils ont dû essayer de voir loin, d'imaginer de nouvelles sources de richesse, de faire circuler l'argent pour l'empêcher de perdre sa valeur dans la guerre. Parfois ils se sont trompés, leurrés par leurs propres démesures, et ont participé à la ruine de leur monde. Parfois aussi, ils ont vu arriver une catastrophe pire encore que celle qu'ils avaient retardée, soit parce que l'exigeait l'annulation réciproque des richesses et des dettes, dans la haine du vigile, soit parce que leur raison se brisait sur l'idéologie. Pionniers de la rationalité capitaliste, témoins fondateurs de l'Ordre Marchand, ils sont des maillons essentiels de notre Histoire et des reflets superbes de la relativité des pouvoirs de l'argent et de la raison.

Parmi eux, depuis l'aube des temps, se trouvent des hommes du peuple du Livre, devenus, par la force des choses, marchands de temps, contraints de prêter aux Princes pour s'attirer leur protection, prenant le risque d'être créanciers des puissants pour garantir leur liberté, sachant qu'ils multiplient du même coup le risque de finir comme boucs émissaires et ayant appris, en quatre mille ans de souffrance, à articuler une morale et une action.

Étranges hommes d'argent, contraints de l'être pour garder leur identité, plus attachés à ce qu'ils font qu'à ce qu'ils gagnent, s'évertuant à faire prévaloir l'échange sur la violence, la circulation sur l'immobilité, la vie sur la mort. Parfois visibles et toujours punis de l'être, la plupart du temps masqués, ils sont comme les doubles des puissants qu'ils conseillent, presque toujours mieux informés qu'eux des événements du monde, en même temps que gardiens des communautés qui les entourent. Tenus en lisière des élites d'apparence, extrêmement raffinés et exigeants dans leurs ambitions, ils finissent par s'organiser eux-mêmes en une étrange aristocratie, une sorte d'ordre austère, aux implacables lois morales et aux rituels féroces, dont le Nom est la première richesse, et la Terre l'ultime vanité, toujours en quête de nouveaux refuges et de richesses à inventer, au titre d'une haute raison ou d'une grande élection.

Voici leur histoire, à travers celle de l'un d'entre eux, que je crois l'un des plus lumineux de ce siècle, même s'il n'est pas le seul, loin de-là, et dont la vie, mieux que toute théorie, démontre, par son ambition et son échec ultime l'achèvement d'un monde et d'une culture — la fin, pour tout dire, de la compatibilité rêvée entre la Parole et l'Argent.

Ni biographie au sens classique du mot, parce qu'il n'y sera pas question, plus que nécessaire, de la vie privée de Siegmund Warburg, ni seulement histoire de notre siècle ou essai sur sa finance, même s'il en est abondamment question, ce livre aspire surtout à déceler s'il reste des degrés de liberté aux hommes de raison dans le jeu complexe des lois et des folies de l'Histoire.

Il s'agit donc d'abord du récit minutieux d'un destin multiforme vécu comme plusieurs romans à la fois.

C'est à la fois l'histoire d'un capitaine de finance en quête de fortune, au grand sens du mot, et celle d'un homme d'héritage, d'un vigile, au sens le plus élevé du terme, austère aventurier.

C'est en même temps celle d'un homme d'influence : sur le destin de son nom dont il est un des ultimes feux ; sur un siècle de barbarie dont il est d'abord un acteur de génie, puis un spectateur désolé ; sur l'histoire de son peuple dont il est tour à tour un observateur détaché, puis un exigeant conseiller, un terrible censeur, et, pour finir, un fils résigné.

C'est aussi un témoignage sur un homme. Pour que ce regard de haute morale sur le monde et ses tragédies ne se perde pas. Pour qu'on sache qu'il a existé, quelque part, en un lieu et un temps donnés, un Juste de ce rang, et que, malgré les apparences, l'histoire de ce siècle ne se résume pas à ses barbaries.

16

C'est encore, à l'évidence, un récit subjectif : si l'on ne connaît presque rien de soi-même, comment saurait-on quelque chose d'un autre, *a fortiori* de quelqu'un qui n'a pas voulu qu'on le connaisse, qui n'a laissé nulle trace reconnaissable, dont les amis n'ont chacun eu accès qu'à une facette de son personnage, et dont la vie s'est jouée sur le rayonnement d'une parole ?

Peut-être aussi, évidemment — mais c'est une autre histoire — parce que raconter la vie d'un homme d'influence, c'est aussi, de près ou de loin, réfléchir à la sienne propre.

C'est enfin et peut-être surtout une des « Très Riches Heures » de la multimillénaire histoire du Peuple Juif, vigile par essence et donc bouc émissaire par construction, objet central de mes recherches depuis de longues années, que je publierai un jour si le temps m'est donné de l'achever.

Peut-être dira-t-on qu'en parler, c'est déjà en faire offrande à ses ennemis. Je crois tout le contraire : c'est dans l'oubli de soi que se profile la menace des autres.

CHAPITRE PREMIER

Noms de fortune
(1559-1902)

Un arbre généalogique

Les Warburg ont toujours pris leur nom très au sérieux. Ils le surveillent comme un domaine, l'économisent comme une terre, l'étendent comme un empire. Aujourd'hui, où qu'ils vivent, tous savent que c'est au XVIᵉ siècle qu'il est entré dans l'histoire de la finance. D'abord en Italie, puis en Allemagne, puis en d'autres pays que leurs ennemis nomment les « pays Warburg », c'est-à-dire les États-Unis, la Russie, la Palestine et le Japon. Depuis le début du XVIIIᵉ siècle, la famille suit avec soin l'évolution de son arbre généalogique (voir page 532) et s'assure, par des alliances raffinées, de la survie du nom et de la croissance de son influence.

On verra même qu'au milieu du XIXᵉ siècle, pour sortir d'une situation en apparence désespérée, l'arbre généalogique permettra de définir et d'imposer le seul mariage capable d'éviter la disparition du nom au fronton de la banque.

L'arbre est sans cesse tenu à jour, étudié, commenté, enseigné aux enfants et aux nouveaux venus. Les femmes de la famille aiment à raconter, et même parfois à écrire, pour le seul cercle des intimes, les aventures merveilleuses des oncles scandaleux en Allemagne, des génies de la

19

finance en Amérique, des tantes magnifiques exilées en Inde, des amours contrariées en Palestine. On y discute à l'infini des limites du territoire, on y revoit la liste des noms alliés. On est fier de son nom et d'être juif, même si le nom, lui, ne l'est pas. On fait même, au milieu du XIXe siècle, distribuer l'arbre immense à tous. Et on le fait encore au début du XXe siècle, au moment où naît Siegmund, bien qu'il soit devenu alors d'une taille considérable : 4 000 personnes, dont 600 Warburg — en Allemagne, en Italie, au Danemark, en Suède, aux États-Unis, en Russie et jusqu'en Turquie et à Shangaï. S'appellent alors Warburg les maîtres des plus influentes banques d'Allemagne, d'Amérique et de Russie, le fondateur du Système Fédéral de Réserve américain, celui de l'Agence Juive, un des plus grands historiens d'art, plusieurs futurs conseillers de Présidents des États-Unis, un chimiste — futur Prix Nobel de Médecine — et un professeur d'économie à Oxford.

Beaucoup plus tard, dix ans après la Seconde Guerre mondiale, la famille fait encore, avec une discrète fierté, le compte de son histoire : en quatre siècles, les Warburg ont exercé plus de 30 métiers différents dans 29 pays, et presque toujours au sommet de l'excellence[203].

L'arbre est alors très difficile à lire et encore plus à raconter, car la volonté de rester entre soi est poussée à l'extrême par l'usage répétitif de « prénoms Warburg », utilisés de génération en génération.

Tout est codifié, comme dans les grandes dynasties : l'aîné porte le prénom de son grand-père. Il entre dans la banque familiale avec son cadet pour adjoint, à charge pour eux de financer la carrière des autres enfants. Sans restriction. Les filles, elles, doivent se marier, plus ou moins de leur plein gré, à d'autres banquiers, juifs évidemment, en d'autres lieux du monde soigneusement choisis pour étendre le réseau de relations, le capital d'affaires, l'influence du nom, le territoire de la famille. Pas la fortune, qui n'est jamais un but en soi, même si elle est parfois un résultat, comme un signe de la valeur de la raison.

Car si on devient riche, très riche même, ce n'est jamais de façon ostentatoire : on est d'abord Juif, orthodoxe et rigoureux, même si la pratique tend un peu à se laïciser avec le temps, en ce monde huguenot de l'Allemagne du Nord. On est aussi toujours de très haute morale et de bonne culture. On respecte les fêtes, toutes les fêtes, et l'on vit autant que possible selon le calendrier juif, sans se préoccuper de ce qu'en penseront ceux des clients qui ne le sont pas. On se rend à la synagogue, d'abord tous les jours, puis seulement le vendredi soir et le samedi matin, mais toujours à pied ; et lorsqu'on est assez riche, on a sa propre synagogue à la maison.

Quoi qu'il en pense lui-même, et quoi qu'il en ait dit, le destin de Siegmund serait incompréhensible si l'on ne racontait préalablement l'histoire de sa famille : tout comme une société ne s'explique pas hors de ses fondations, la trajectoire d'un homme, surtout lorsqu'il est aussi attaché à ses sources, requiert une connaissance détaillée de son héritage, de ses espérances et de ses désillusions, des revanches à prendre et des rangs à tenir.

Premiers Juifs d'argent

Les Warburg sont, au fond, des Italiens, même si les plus lointains ancêtres de la famille, autour du Xe siècle, résident, selon l'histoire, en Afrique du Nord ; d'où, lorsque leur protection vacille et leur puissance faiblit, ils fuient les Arabes à destination de l'Italie, en passant peut-être un temps par l'Espagne, sans doute au début du XVe siècle. Le premier en qui la famille reconnaît un ancêtre[137] est un certain Andrea Christian del Banco, changeur d'argent à Pise au début du XVIe siècle, à un moment où les Juifs ne sont pas autorisés à porter d'autre nom que celui de leur métier ou de leur lieu de résidence.

21

Ce métier de prêteur sur gages est, à l'époque, une occupation normale de certains Juifs, parce que c'est une des rares activités que les autres leur laissent exercer. Il n'y a là aucun attrait juif particulier. Au contraire, seulement la contrainte des autres à qui ce métier est nécessaire, mais qui, sachant la haine qu'il vaut à celui qui s'y adonne, le font faire à leurs ennemis.

Et ce n'est pas nouveau. Depuis les premiers siècles, tel fut le sort des Juifs, banquiers par obligation. Parce que le métier est nécessaire aux autres et parce que la loi juive l'autorise : entre Juifs, le prêt d'argent est en effet permis par les textes bibliques, même pour l'achat de la terre et des biens d'Israël. Mais tout un système de prêts et de moratoires, codifié à l'extrême, interdit l'accumulation de fortunes par des créanciers et organise, à intervalles réguliers, l'annulation des dettes, maintenant ainsi, en dernière analyse, la distribution initiale des terres et des pouvoirs entre les douze tribus et interdisant toute fortune au financier, qui n'est qu'un serviteur rationnel de sa communauté[7].

Voici, rapidement dite, l'histoire de ces prédécesseurs des Warburg, très minoritaires parmi les Juifs, et minoritaires parmi les banquiers. Leur sort éclaire la tradition dont les Warburg feront leur loi, la culture de leur finance.

Au temps des Rois, certains d'entre eux, associés aux Phéniciens, avaient aussi le contrôle des prêts aux expéditions commerciales internationales — surtout pour le compte du monarque — jusqu'à la côte occidentale des Indes[71].

Après l'Exil, les Juifs perdent leur terre et leur dispersion, à Babylone et ailleurs, en fait les agents idéaux du commerce international, donc du prêt d'argent, qui y est intimement lié. Là encore, l'obligation les y pousse.

Dans les archives retrouvées d'une des premières maisons de crédit du monde à Babylone, « la Maison de

Murashu », on retrouve 70 noms juifs et des contrats signés à égalité entre des Juifs et des hommes d'affaires babyloniens[71].

La chute de Jérusalem disperse davantage les Juifs, les pousse plus encore vers les métiers de la circulation des biens, des idées et de l'argent, métiers de la raison, les seuls à leur être ouverts hors des communautés, en même temps qu'ils exigent une communauté ; car la vie juive d'un seul suppose le nombre : il y faut des bouchers, des boulangers, des professeurs, des tribunaux ; et les communautés se déplacent dans les bagages des plus riches d'entre eux. On trouve alors à Alexandrie, avec quelques banquiers juifs très puissants, des communautés nombreuses[71]. A Rome aussi, les Juifs obtiennent un statut de protégés et, en retour, leurs banquiers doivent assurer le financement des princes et prêter à intérêt aux marchands, ce que les Apôtres interdisent de faire aux Chrétiens[7].

Ainsi, dès l'aube de la monnaie, contraintes et forcées, les communautés juives s'installent le long des lignes de force de l'argent. Et quand se divise l'Empire romain, elles s'organisent autour des empires de l'Orient, y deviennent les financiers de leur commerce, y font naître le capitalisme du risque et du profit, en y déployant le calcul et la raison et en les mettant au service d'une forme abstraite. En échange, ils doivent payer leur sécurité très cher : ainsi, au IIIe siècle, un banquier juif de Bagdad justifie-t-il ces taxes spéciales, qui, pour lui, « assurent son existence » : « En les supprimant, vous libéreriez les tendances de la population à verser le sang des Juifs[71]. » A ce moment, au IIIe siècle, les communautés juives sont déjà très disséminées de par le monde, et elles assurent des relais de commerce, du nord de l'Allemagne au sud marocain, de l'Italie à l'Inde et à la Chine, et peut-être même au Japon et à la Corée[87].

Dans l'Empire byzantin, cœur du monde peu après, des Juifs deviennent prêteurs sur gages ou sur pierres précieuses, ils contrôlent la frappe de la monnaie, le change, les dépôts et le crédit, puis sont chargés de la collecte des impôts, tâche impopulaire s'il en est[71]. Et disposant, de communauté en communauté, des meilleurs réseaux d'information de l'époque, à Bagdad, au Caire, à Alexandrie ou à Fès, ils s'imposent comme conseillers des Princes. Déjà, en ces premiers siècles de leur influence, ils souffrent à intervalles réguliers de la violence de leurs débiteurs et des caprices de leurs maîtres[87].

Au Ve siècle, des Juifs s'installent encore comme banquiers des premiers villages de l'Europe chrétienne, et financent le commerce des couvents et des cités. Grégoire de Tours cite un banquier Juif, Azmentarius, à qui le comte de Tours et son vicaire doivent de l'argent[71].

Deux siècles plus tard, quand l'Islam envahit le monde arabe, ils deviennent les *dhimmis*, protégés des nouveaux princes dont ils gèrent aussi, par leur réseau, le commerce avec le reste du monde. Aux IXe et Xe siècles, leurs relations s'étendent du nord de l'Europe à la Chine.

Mais l'essentiel du peuple juif demeure oriental, et il faut attendre l'éveil de l'Occident, au XIe siècle, pour qu'il soit attiré à l'ouest et que leurs financiers soient incités à faire circuler l'argent, du cœur de l'Orient vers cette périphérie bouillonnante. Il n'est alors de prêt d'argent que juif, dit-on partout, de façon très exagérée, et dans beaucoup de langues de l'époque « judaïser » signifie même « prendre des intérêts[71] » et ce n'est pas une expression bienveillante[87].

En ce XIe siècle, le capitalisme s'insinue alors dans les rapports sociaux internes, à l'occasion des foires de Champagne et de Cologne, des marchés d'Anvers et de Venise[22]. Et malgré les interdits de l'Église, bien d'autres que les Juifs surgissent dans ces comptes : des marchands lombards et cahorsins deviennent les financiers des villes d'Italie et des Pays-Bas, et concurrencent les banquiers juifs, toujours vigiles des nouvelles espérances, fuyant maintenant l'Orient menaçant pour s'installer dans des villes fragiles de la mer du Nord à la Méditerranée. Et les jeunes marchands d'Europe, qui les voient comme une source de commerce et donc de profit, font tout pour les attirer en échange d'une protection, d'une « charte des droits », don de terres ou bien de privilèges. En 1004, par exemple, un évêque de Spire nommé Rudiger accorde une Charte aux Juifs de sa ville : « Je pense, écrit-il, que j'augmenterais mille fois l'honneur de notre localité en amenant les Juifs à y vivre[71]. » En Champagne, sur le Rhin, en Italie du Nord et en Pologne s'installent ainsi plusieurs centaines de communautés qui ne communiquent encore avec l'extérieur que par leurs financiers[140].

Là prennent fin plus de mille ans de maîtrise juive quasi absolue, et totalement involontaire, sur la finance internationale. A compter de cette époque, leur puissance reste immense, mais ils ne sont plus, et de loin, les principaux financiers du capitalisme. Le risque calculé devient désormais source courante de richesse, et les financiers juifs cèdent en partie la place à d'autres marchands, d'autres banquiers.

La conquête normande les entraîne en Angleterre où leurs financiers aident les nouveaux rois à s'installer, intermédiaires de leur commerce, agents de leurs impôts, suscitant toujours l'hostilité de ceux qu'ils taxent. Dès leur arrivée, un cardinal anglais note d'ailleurs : « L'argent qu'un prince obtient par le biais des revenus d'un usurier fait de lui un complice du crime[71]. »

Et à la fin de ce XIᵉ siècle, dans la foulée de la première Croisade, sont massacrés bien des Juifs, banquiers ou non, créanciers des seigneurs partis à l'aventure : premiers en Europe d'une longue série de massacres antisémites, prétextes à moratoires[140].

Au XIIᵉ siècle, les Juifs d'Europe se regroupent dans quatre régions : les jeunes villes de la mer du Nord, celles d'Italie et celles d'Espagne qui se disputent le cœur de l'ordre capitaliste naissant, et, entre ces trois zones, les villes de l'Allemagne du Sud, lieux de passage, de foires et de mines d'argent[71].

Mais ils commencent à se méfier, et exigent de ces villes une protection plus sûre pour en accepter l'hospitalité. Ainsi, par exemple, pour attirer des prêteurs et des marchands internationaux, Reggio doit garantir une indemnisation totale des banquiers juifs, en cas d'agression du peuple[71]. Ils travaillent de plus en plus avec l'épargne d'autres marchands juifs installés alentour dans les villes de moindre importance, et prêtent aux bourgeois et aux paysans de quoi faire leurs échéances, en échange de bijoux, de bateaux, de maisons, de marchandises[65]. Leur puissance augmente, et certains prennent alors en gage des terres et même des seigneuries. Et comme il faut bien valoriser ces gages, les prêteurs s'occupent aussi de la réparation des vêtements d'occasion et des objets précieux, qu'ils revendent si l'emprunteur vient à faire défaut ; le commerce d'occasion est donc déjà intimement lié au prêt d'argent.

De nouvelles familles de banquiers, juifs ou non, y commencent leur règne, prenant la suite de ces vieilles dynasties financières d'Afrique du Nord ou d'Orient qui ont fui le déclin islamique. Ainsi, en Italie, apparaissent les Volterra, les Tivoli, les da Pisa ou les del Banco, à côté des Bardi qui, depuis Florence, contrôlent la banque, d'abord en Italie puis à Londres et à Tunis, jusqu'au pillage de leur palais, beaucoup plus tard, par les Médicis, et leur ruine par Edouard III d'Angleterre.

Apparaissent aussi les Abecassis au Portugal, les Mendes en Espagne, les Lincoln en Angleterre, les Suissa aux Pays-Bas[71]. De même en Allemagne, à Trèves, Mayence, Nuremberg, Ulm, Spire, villes de commerce du blé et de l'argent, apparaissent les Beer et les Lehmann[71].

Mais voici qu'en Italie, puis ailleurs, les interdits religieux s'estompent avec la hausse des profits ; et s'exacerbe la concurrence des banquiers cahorsins, catalans et lombards. Ainsi, en Angleterre, vers 1275, quand les taux atteignent jusqu'à 40 %, des banquiers italiens viennent remplacer les financiers juifs, dont Aaron de Lincoln[71] qui avait acquis auprès d'Edouard Ier une énorme influence. Celui-ci, en 1290, expulse même les 10 000 Juifs d'Angleterre vers la Bohême, la Hongrie, la Pologne, où la protection d'autres princes les attire, avant d'autres massacres[71]...

LES DEL BANCO

Au début du XIVe siècle, le choix des marchands juifs est fait pour des centaines d'années : l'Occident contre l'Orient. Et le centre de gravité de leur peuple bascule avec eux. Ils s'installent dans tous les lieux où s'instaure l'Ordre Marchand : Anvers, Bruges, Trèves, Nuremberg, Venise[22] — et dans toutes les Cours : fournisseurs d'argent pour les expéditions des souverains ibériques d'Alphonse III contre les Maures, et tels Judah Ibn Ezra, banquier d'Alphonse VII, Joseph Ibn Shoshan, banquier d'Alphonse VIII, Ibn Zadok, collecteur d'impôts (« almoxarifes ») d'Alphonse X, Abraham El Barchilon, financier de Sanche IV, Benveniste de Porta, banquier de Jaime Ier d'Aragon, Judah Halevi et Abraham Aben-Joseph, « fermiers généraux » de Charles II et Charles III de Navarre[71].

Puis, à l'occasion de la grande crise économique du milieu du XIVe siècle, les persécutions recommencent : en Allemagne, malgré les efforts du pape Clément VI, la Peste Noire sert de prétexte à des massacres de Juifs, qui fuient vers la Pologne et la Lithuanie. La France fait également fuir les Juifs qui y travaillent, et seuls l'Italie et les Pays-Bas, moins touchés par la crise, restent pour eux des lieux de refuge, avec l'accord des papes et des marchands. C'est là que certains émigrants, partis deux siècles auparavant tenter leur chance en Allemagne ou en Espagne, retrouvent les del Banco restés sur place, semble-t-il.

Au XVe siècle, les Juifs précèdent les richesses à venir et s'installent dans de fabuleuses villes de luxe, de gaieté et de violence, à Bruges, Anvers, Venise et Gênes ; même si beaucoup continuent à jouer encore des rôles importants dans les Cours d'Espagne : ainsi Luis de la Cavallerai est alors trésorier en chef de Jean II d'Aragon ; Diego Aria de Avila, puis son fils, sont secrétaires d'Henri IV de Castille ; Abraham Senior, puis Isaac Abrabanel, d'abord banquiers d'Alphonse V dans la guerre contre Grenade, deviennent conseillers financiers d'Isabelle la Catholique[71].

A ce moment commence la dynastie des Fugger, issue de tisserands catholiques d'Augsbourg, qui rendent d'immenses services aux princes. En 1507, Andreas Fugger prête ainsi 20 000 florins à Maximilien et assure, en 1519, l'élection de Charles Quint à l'Empire contre François Ier, contrôlant alors la banque européenne de Lisbonne à la Baltique. Preuve, si nécessaire, de la puissance croissante des « Gentils » dans la finance du temps[22].

Mais, à la fin de ce siècle comme à celle du précédent, et pour les mêmes raisons, se ferment pour les Juifs les portes de l'Espagne après celles de l'Allemagne, de la France et de l'Angleterre. Formidable éparpillement de puissance et de savoir : Isaac Abrabanel part pour Naples ; d'autres, les Pinto et les Lopez Suissa, ainsi que les fabuleux Mendes, partent pour Anvers d'où Joseph Mendes Nassi repartira pour l'Orient, où il deviendra homme de grande influence auprès du Grand Turc ; Diego Texeira de Sampaio, fermier général d'Espagne, devient conseiller financier de Christine de Suède[71] ; son fils Manuel s'installera à Hambourg, qui s'accroît avec les échanges entre Europe du Sud et Europe du Nord, depuis le règne de Charles Quint et le temps des Fugger.

A l'aube du XVIe siècle et de la puissance de Venise, les financiers ne prêtent plus aux seigneurs que dans les terres lointaines de Pologne et dans quelques principautés d'Allemagne[22]. Ailleurs, désormais, ils prêtent aux marchands. La différence se creuse alors entre deux sortes de communautés juives : d'une part, celles des villes d'Europe du Sud et d'Italie, composées pour l'essentiel de Juifs sépharades, venus d'Espagne ou d'Afrique du Nord avec leurs richesses pour se mêler à la vie économique, mais vivant reclus et coupés des Chrétiens : c'est en 1516, un an avant l'affichage des 95 thèses de Luther et sa révolte contre l'argent, qu'est créé à Venise le premier ghetto[140] ; d'autre part, les Juifs d'Europe du Nord et de Russie, askhenazes, plus libres et mieux intégrés, mais dans des régions de richesse et d'influence infiniment moindres.

L'histoire des Warburg est celle du basculement d'une famille de banquiers juifs sépharades, venue du Sud, en terre du Nord, au moment où le Nord accède précisément à la richesse. C'est vers 1520, en effet, que les del Banco, banquiers à Pise pendant plus de trois siècles, semble-t-il, remontent vers l'Allemagne. Eux, sépharades, partent pour une raison inconnue en terre askhenaze où se jouera le sort de leur famille, d'abord sous le nom de von Cassel, puis sous celui de von Warburg, et enfin, tout simplement, de Warburg.

DES VON CASSEL AUX VON WARBURG

Au début du XVIe siècle, l'Allemagne du Nord est terre de grandes espérances. Cassel, où la famille s'installe, est alors une petite ville de Westphalie, sur la Fulda. On y fait le commerce de l'argent et du blé, de Bruges et Anvers vers Venise et Gênes. Les marchands de la ville et le clergé cherchent depuis longtemps à attirer des marchands juifs comme prêteurs sur gages aux riches paysans et marchands de blé d'alentour. Après tout, Spire et Trèves, non loin, ont leurs Juifs, pourquoi pas eux ? Et la ville fait donc tout pour les bien accueillir : les plus riches les prennent sous leur protection et, en échange de redevances régulières, leur offrent des privilèges commerciaux et religieux. Et comme à tous les prêteurs juifs ainsi reçus, on leur demande de prendre le nom de la ville d'accueil. La famille del Banco change alors de nom et devient von Cassel, changeur. Ce qui ne veut pas dire pour autant que ces Juifs-là n'y soient pas aussi haïs et martyrisés que les autres. Les menaces sont toujours là ; ainsi, par exemple, en 1538, le clergé de Hesse, dans un libelle, compare les prêteurs sur gages juifs à « une éponge qui aspire la richesse du peuple pour la recracher dans le Trésor du Prince[71]. »

Mais en 1557, le fils de l'émigré, Simon von Cassel, qui ne se sent pas à l'aise comme « changeur d'argent et prêteur sur les biens agricoles » dans cette ville, et qui n'apprécie guère la vie en ghetto qu'on lui impose[55], décide de s'installer à cinquante kilomètres de là, à Warburg, où quelques centaines de Juifs sont déjà implantés depuis un demi-siècle.

Warburg, qui s'appelle encore à cette époque Warburgum, est un gros bourg commerçant à la frontière orientale de la Westphalie. Fondée, selon la légende, en 778 par Charlemagne, elle conserve ses archives depuis 1001 et c'est ainsi que l'on peut savoir qu'à l'époque où Simon s'y installe, le commerce de la laine et de la bière y sont florissants[55]. La vie y est agréable pour les Juifs : ils ne sont pas tenus de vivre en ghetto, alors que c'est de plus en plus le cas ailleurs en Europe centrale, même à Francfort où commencera, un siècle plus tard, la saga des Rothschild.

A son arrivée dans la ville, Simon est enregistré comme « échangeur et prêteur de fonds contre blé ». En 1559, le tuteur de Warburg, le prince-évêque de Paderborn, lui accorde le droit de s'installer pour dix ans et de prendre le nom de Simon von Warburg[137] : sa famille y restera un siècle entier, et en gardera le nom jusqu'à aujourd'hui.

Simon meurt vers 1566, quelques années après son installation à Warburg. Son fils Samuel, puis son petit-fils Jacob Simon prennent à sa suite la tête de la petite affaire. Le prêt sur gages aux marchands de l'évêché enrichit la famille. Son nom commence à être connu alentour. On sait qu'elle offre de l'argent — lui appartenant en propre ou emprunté à d'autres marchands juifs — à des taux raisonnables, autour de 20 %, qu'elle ne prend pas de gages excessifs et qu'elle est de bon conseil : si elle finance une affaire, c'est que celle-ci est sûre. Sa fortune s'arrondit avec les intérêts, les commissions et les gages. Jacob Simon von Warburg se fait des amis. Il devient la gloire et le chef de la petite communauté de l'évêché de Paderborn[55]. Juif pieux et charitable, il réunit tous les matins à l'aube, chez lui, les hommes de la ville pour la prière. Au bout de longues années, vers 1615, il est même assez riche pour faire aménager dans sa propre maison une belle synagogue, la première de l'évêché[137]. Les hommes y viennent de loin à pied, parfois chaque matin, en tout cas chaque vendredi soir, et y passent tout le samedi en prières.

Pour ces Juifs, riches ou pauvres, la vie est austère, même s'ils sont mieux accueillis ici qu'ailleurs en Europe où sévit alors la Contre-Réforme. Mais la guerre de Trente Ans engendre tous les malheurs et les Juifs en sont, comme toujours, tenus pour suspects. De plus, dans ces petites principautés, ils sont moins bien protégés que ceux des grandes Cours allemandes et autrichiennes, tels les Lehmann à Alberstadt, les Beer à Francfort, les Kaulla à Stuttgart, les Seligman à Munich ou les Suess Oppenheimer à Vienne. Les von Warburg, bien qu'étant une des plus anciennes familles, sont d'ailleurs peu considérés par ces Juifs des villes : eux prêtent à des paysans et à des marchands, au mieux à l'évêque et non à des princes et à des rois.

A la même époque, dans les pays protestants, se structure le système bancaire européen ; et en 1609 apparaît la

Banque d'Amsterdam, embryon de la première banque centrale du continent, garantissant les quelques banques alentour.

A la mort de Jacob Simon en 1636, l'Allemagne centrale, malgré la guerre de Trente Ans, entre Amsterdam et Gênes est en pleine expansion ; allant vers le sud, tous les produits des plaines de Flandres la traversent, et les mines d'argent y prospèrent[33].

Le fils aîné de Jacob Simon, Juspha Joseph, élevé selon la même tradition et dans la même ambition que son père, reprend le métier et obtient la prolongation de la Charte. Il renforce l'influence de la famille parmi les autres marchands de la région et devient le Juif le plus riche de la ville. On le sait parce qu'il paie, selon les archives[137], la plus forte taxe de protection à l'Évêque.

Mais les limites de l'évêché ne lui suffisent plus. Il veut agir sur un champ plus large, augmenter la gamme de ses clients, prêter davantage. Il ne peut le faire depuis Warburg, centre trop isolé. Où aller ? L'Europe plus à l'Ouest n'est pas encore suffisamment accueillante. L'Est s'ouvre, mais il est trop pauvre. Et lui ne parle qu'hébreu et allemand — au demeurant fort bien — et cherche donc à rester en terre allemande. Il se rend compte aussi que la richesse, pour un banquier, ne peut provenir que du commerce international. Et s'il le voit passer, de là où il est, il n'en retire que les miettes. Pour en avoir davantage, il faut s'installer à la source, c'est-à-dire dans un port.

Aussi, en 1647, un an avant la fin de la guerre de Trente Ans, envoie-t-il[55] son fils aîné Jacob Samuel en éclaireur s'installer, après son mariage, comme prêteur sur gages à Altona, un port au nord de Warburg.

LES WARBURG D'ALTONA

Altona, ville jumelle de Hambourg, est alors une principauté sous tutelle danoise dans le comté de Pinneburg[55].

32

La cité est plus accueillante aux étrangers que Warburg, ce qui est normal pour un port. La vie religieuse et communautaire y est plus libre. Quelques Juifs portugais y sont depuis longtemps installés, avec leurs juges, leurs cimetières et leurs écoles. C'est même la capitale des Communautés de la région, et le siège du tribunal rabbinique de ces villes alentour, anciennement hanséatiques[37], où règnent la liberté et la fierté de villes sans maître, universelles par destination.

Ce départ des Warburg vers le Nord est révélateur d'un phénomène bien plus ample de cette époque : peu avant que la Méditerranée ne cesse de prétendre à la direction du capitalisme au profit de deux villes du Nord, Amsterdam puis Londres[22], les communautés juives d'Europe basculent en masse vers l'Europe du Nord, et, avant elles encore, les banquiers juifs, vigiles sensibles des prospérités, partent en éclaireurs.

Amsterdam, où Menasseh ben Israël publie en 1650 l'extraordinaire *Espérance d'Israël*[84], est alors devenue la place majeure de la banque juive, avant même la chute de Gênes, dernière métropole méditerranéenne[22].

A la même époque, un autre banquier, huguenot celui-là, Samuel Bernard, joue à Versailles un rôle considérable auprès de Louis XIV, dont il finance les démesures.

Londres où, au lendemain du mariage de Charles II et de Catherine de Bragance, en 1662, arrivent de nouveaux banquiers juifs sépharades comme Jacob Henriques et Samson Gideon, qui délaissent déjà Amsterdam pour le « cœur » futur[71].

A Altona, Jacob Samuel se sent tout de suite heureux. Son bureau de prêt sur gages ouvre à la famille l'univers nouveau de la mer, il y réussit et se rend même également à Hambourg en 1647. Il presse son père de le rejoindre, mais Juspha hésite : après tout, il est le Juif le plus influent de Westphalie ; il devient même le percepteur des droits des Juifs à Warburg. Non, décidément, pourquoi partir ?

Mais quand son fils meut en 1668, Juspha décide[55] de venir à Altona s'occuper de ses jeunes petits-enfants. Il ferme alors définitivement le bureau de Warburg, quitte la ville avec regret et s'en vient à Altona faire leur éducation et prendre la suite de son fils. Il y meurt dix ans plus tard, vers 1678, laissant un de ses petits-fils, Moses, seul aux affaires[137].

La rupture est totale avec le passé. Presque tous les Warburg s'installent désormais à Altona, et ne gardent plus du passé que le nom : non plus von Warburg, mais Warburg, tout simplement. Car on peut être maintenant prêteur juif dans une ville allemande sans forcément en porter le nom comme un collier autour du cou.

Et quand la famille s'installe, pour deux siècles et demi, sur un espace de quelques kilomètres carrés, elle a déjà une longue histoire derrière elle. En tout cas plus longue que celle d'autres banquiers : les Baring n'entament leurs activités qu'en 1717 à Exeter, les Rothschild qu'en 1785 à la Cour du prince Guillaume, landgrave de Hesse-Cassel[71]. Et c'est aussi l'époque où d'autres, non juifs, tels les Fugger ou les Bardi, disparaissent du firmament des banques d'Europe.

Pour autant, leur antériorité n'effacera jamais tout à fait leurs origines : ils ont commencé à la campagne et on le leur fera toujours sentir. Il faudra l'extraordinaire longé·vité de la famille, l'extrême force contraignante de l'éducation, cette façon terrible de cultiver ce qu'on appelle déjà le « feu sacré », pour qu'elle accède, on le verra, à des sommets impensables en ce temps.

En 1678, Moses prend donc la suite de son grand-père Juspha, qui vient de mourir. On ne sait rien de son activité, sinon qu'à sa mort, en 1701, son propre fils, Samuel Moses, le relaie et se marie sur le tard, en 1722, avec la fille d'un banquier hambourgeois, Elias L. Delbanco, ori-

ginaire de Vienne. Les noces ont lieu à Hambourg, devenue plus florissante, et il s'y installe comme changeur
d'argent en 1725, sans fermer encore la maison d'Altona,
qu'il laisse à des cousins du même nom[137].

Ce petit établissement qu'il ouvre alors restera dans la
même ville sous ce nom jusqu'en 1941, et jouera un rôle
considérable, on va le voir, dans l'histoire de la finance.

INSTALLATION À HAMBOURG

Ce court déménagement est facile à comprendre.
Change le métier de prêteur avec les lieux de la puissance : Londres devenue la ville-cœur rivale d'Amsterdam[22],
Hambourg apparaît comme le troisième grand port européen, peut-être même, espère-t-on, le second et demain le
premier. Dotée d'une charte de franchise en 1189, la ville
accepte en 1256, pour préserver ses marchés étrangers, de
s'inscrire dans la Ligue hanséatique[37]. Elle vit de ses
exportations vers l'Angleterre et les Pays-Bas, du seigle du
Brandebourg, des céréales de l'Elbe, du cuivre du Harz, du
lin et de la bière de Westphalie. En sens inverse, elle
importe le hareng hollandais et les produits du sud de
l'Angleterre et d'Amérique[37]. Elle est à l'affût de tout ce
qui bouge, et dès 1525, elle adhère à la Réforme ; en 1558,
une Bourse des valeurs y est créée. En 1567, elle concède
un établissement privilégié aux marchands aventuriers et,
en 1612, aux Juifs portugais. Les étrangers y ont la liberté
d'établissement et d'association. Italiens, Juifs, Portugais
y arrivent en masse pour importer leurs propres produits.

Hambourg devient alors le premier marché céréalier
d'Europe du Nord, le premier importateur de draps
anglais, le premier marché de bière du continent, et une
ville tolérante aux idées et aux mœurs les plus avancées[37].
En 1617, elle refuse le protectorat du duc de Holstein et

se fait reconnaître ville libre d'Empire. En 1619, une première banque y ouvre, dix ans après celle d'Amsterdam, fondée par trente marchands qui y assurent un relais de financement pour les Cours du Nord. C'est le lieu où l'on est fier d'être « citoyen », c'est-à-dire *sujet de personne*.

Mais la Hanse ne survit pas à la guerre de Trente Ans et elle est réduite à Hambourg, Brême et Lübeck et bientôt dissoute. Rien n'est pour autant perdu pour ses banquiers, au contraire, car la ville garde la maîtrise du commerce ; comme toujours, il crée la banque et prend une ampleur toute nouvelle avec l'invention des flûtes hollandaises, en attendant celle des bateaux à vapeur anglais.

Alors se diversifie, partout en Europe, le métier de banquier : en Angleterre, qui accède à la puissance, les orfèvres anglais, parce qu'ils acceptent des dépôts d'or et les font fructifier, font naître des banques de dépôt[9] et la Banque d'Angleterre est créée en 1694, par Guillaume III d'Orange, en guerre contre Louis XIV. Les banques de Hambourg font aussi connaître leurs techniques de garantie au reste du monde, en envoyant certains des leurs à Londres, à Berlin et même en Amérique. Et les grands marchands britanniques de caoutchouc, de laine, de coton, cessent de se livrer eux-mêmes au commerce lointain, parce qu'ils peuvent faire davantage de profit en finançant, voire même en garantissant seulement[9] par leur nom les prêts consentis à d'autres négociants moins connus qui prennent, eux, les risques réels du commerce. Ainsi naissent les *merchant banks* à Londres, à l'image des banques de Hambourg.

Baring Brothers est la première en 1717 ; d'autres l'imitent un peu plus tard : Anthony Gibbs, Arbuthnot Latham, puis Schröder et les Hambros, venus, eux, d'Altona[9].

Ce métier de prêteur ou de garant de prêts sur le commerce international se développe ensuite jusqu'en Amérique, bien avant même l'indépendance : ainsi Asher Levy,

David Franks et Hayds Salomon y financeront les exportations, puis, plus tard, la Révolution américaine[71]. En France, en Espagne, en Allemagne et en Italie apparaissent aussi ces nouveaux banquiers qui ne font plus, pour financer le commerce international, que garantir les prêts consentis par d'autres.

Telle n'est pas encore l'ambition des Warburg, à peine arrivés à Hambourg. Quand Samuel Moses s'y installe en 1725, la ville est devenue le principal carrefour des routes entre l'Europe du Nord et la Méditerranée, une porte de sortie vers la Manche, l'Atlantique et le continent américain pour les céréales, la laine, le verre et le vin d'Europe centrale et orientale, et enfin le centre du commerce des lettres de change et de l'argent pour l'Allemagne du Nord[37]. Les Juifs portugais y jouent un rôle économique important, en particulier dans le commerce avec la Hollande et la péninsule Ibérique[37].

Les Juifs y sont heureux. En 1671, les communautés de Hambourg, d'Altona et de Lubeck se regroupent pour former, grâce à la protection du Sénat de la ville, la communauté la plus importante et la mieux garantie d'Allemagne, sous la direction, comme toujours, des plus riches marchands.

En sus de ses filles, secondaires pour le nom, Samuel Moses Warburg a deux fils : Gombrich Marcus, né en 1727, puis Elias, né en 1729, ancêtres en ligne directe de tous les Warburg contemporains[137]. A tous deux il a communiqué le « feu sacré ». L'aîné, après être revenu quelque temps vivre à Altona, entre en 1750 comme stagiaire dans la maison de son père, suivi deux ans plus tard par son frère Elias[137], puis se marie à Hambourg avec la fille d'un autre banquier juif de la ville, Ruben Heckscher.

C'est encore une petite entreprise. Avec moins d'une dizaine d'employés, on y fait toute sorte de prêts sur gages à des armateurs, qui exportent, ou à des marchands, qui importent. La vie des deux jeunes stagiaires n'est pas de tout repos. On les envoie sur le port compter les ballots des marchands, ou enquêter en ville sur le train de vie des armateurs. La famille tisse des liens un peu partout et se dissémine. Ainsi, un des cousins d'Altona, David Warburg, s'installe à Francfort et partira plus tard pour Londres après avoir vendu sa maison à Meyer Amschel Rothschild[55].

En 1759, à la mort de Samuel Moses, son fils aîné, Gombrich Marcus, dix ans après son entrée au bureau, en prend la direction, avec son frère Elias pour adjoint[137]. Ils en assureront le développement pendant quarante ans. En 1773, ils installent définitivement le bureau à Hambourg et quittent complètement Altona. Hambourg entre à cette époque en relation privilégiée avec Londres où, du fait de la Révolution française, s'installent de nombreuses familles bancaires du Continent. « G.M. Warburg », puisque tel est son nom maintenant, n'est encore qu'une maison familiale de prêts sur gages installée 1, rue du Marché. Pas encore une société, moins encore une vraie banque.

A Londres, à Paris, à Hambourg, le métier continue de se diversifier. Certains prêteurs avancent leur propre argent à des entreprises et, en échange, en contrôlent le capital ; d'autres cherchent de l'argent ailleurs, acceptent des dépôts et deviennent banques commerciales. Partout la banque se structure, et les banques juives n'occupent plus du tout une place importante, hormis dans le prêt à long terme, le conseil financier aux entreprises et le commerce international[22].

En 1797, quatre ans avant sa mort, Gombrich Marcus laisse la responsabilité de la maison à deux de ses fils : Moses et Gerson[137]. Son frère cadet, Elias, est toujours en vie et les deux fils de celui-ci, Samuel et Simon, travaillent eux aussi dans la maison, mais en subordonnés de leurs cousins, comme l'imposent les lois de succession de la famille. On assistera plus tard à d'autres successions de ce genre, avec les cicatrices qu'elles peuvent laisser.

Moses Marcus et Gerson

A l'époque où Gombrich passe la main à ses deux fils, la situation de Hambourg est très troublée : l'Europe est en guerre, la France vient d'annexer la rive gauche du Rhin ; les réseaux commerciaux de l'Europe sont coupés ; partout les affaires faiblissent. Mais Hambourg devient, du fait du blocus de la France et de la Hollande par les Anglais, le principal centre de transit des produits britanniques à destination de l'Europe[37].

Quand, à la toute fin du siècle, une crise des paiements menace Londres, la Banque d'Angleterre cesse de garantir les crédits de celles des banques marchandes trop impliquées dans le commerce international, interrompu de plus par la guerre ; à Hambourg, les banques, très engagées avec celles de Londres, se trouvent dangereusement déséquilibrées, sans beaucoup de fonds propres pour se garantir. La crise s'y installe pour quelque dix ans.

Malgré cela, ailleurs en Allemagne, les principales dynasties bancaires juives se consolident ou prennent leur essor, dans un pays en plein décollage industriel : à Francfort, la fortune de la dynastie Speyer est alors évaluée à 420 000 florins et elle est l'une des premières du pays. L'un d'eux, Philip, installé aux États-Unis, financera beaucoup plus tard le gouvernement de Washington pendant la Guerre civile[71]. A Francfort encore, Joseph Mendelssohn fonde sa firme en 1795, Salomon Oppenheim ouvre la sienne à Cologne en 1789, Samuel Bleichroder en fonde une autre à Berlin en 1803 (son fils lui succédera et deviendra le conseiller influent et l'agent politique de Bismarck[71].)

A Hambourg, même si les Warburg ne sont pas encore admis dans le cercle des grandes familles marchandes — qu'on appelle les « sacs de poivre » en raison de l'origine de leur fortune —, leur maison commence à se faire une place au soleil. Leur nom est maintenant l'un des tout premiers de la finance continentale ; et les plus riches banques d'Europe, juives ou non, font affaire avec eux, sans qu'aucun antisémitisme ne les préoccupe, ni à Hambourg ni ailleurs.

Les deux frères, lorsqu'ils prennent la direction de la maison à l'aube du XIXᵉ siècle, sont fort différents : autant l'aîné, Moses Marcus, est calme, autant le cadet, Gerson, est audacieux ; autant l'un est réservé, autant l'autre est mondain[137]. Leur association commence cependant dans l'harmonie. En 1798, d'un commun accord, ils se décident à demander au Sénat la transformation de la firme familiale en société. Ils l'obtiennent, et on trouve inscrit au Registre du commerce que la société « M.M. Warburg and Co, changeur à Hambourg » (« M.M. » pour Moses-Marcus) succède au « prêteur G.M. Warburg ». Les frères en sont les deux seuls actionnaires, à égalité[55].

Mais la guerre, aiguisant les difficultés financières de l'Europe, suscite un conflit entre les deux frères. On trouve même à ce propos, dans les journaux tenus par certains membres de la famille, le récit d'une étonnante histoire : à l'entrée de Napoléon dans la ville en 1804, les banques marchandes retirent leur or déposé jusqu'ici à la Giro Bank. L'occupant, pour forcer les entreprises à payer un impôt spécial, instaure alors la loi martiale et fait emprisonner comme otages à Rothenburg les plus riches citoyens de la ville. Parmi eux, Gerson. Mais Moses Marcus, furieux de ce chantage, refuse de payer l'impôt, en dépit de l'accord des autres bourgeois de la ville. Scandale ! Il ne cède qu'après que les rabbins de la Communauté, envoyés en délégation, lui ont solennellement ordonné de le faire.

Dans la famille, cette histoire laisse un goût amer : cinq ans de bouderies et de négociations s'ensuivent, où les rabbins jouent un grand rôle. Quand enfin les deux frères se réconcilient, le 22 juin 1810, c'est en signant devant les plus hautes autorités religieuses de la ville un véritable traité de paix, rédigé en hébreu et en araméen, d'où il ressort qu'à la mort du premier des deux l'autre deviendra l'unique propriétaire de la Banque, sans que les tribunaux de la ville, civils ou religieux, aient à s'en mêler. Le traité ajoute qu'à l'avenir, seuls deux membres de la famille, un descendant de chacun des signataires, pourront devenir associés de la banque.

Voilà comment, à l'aube du XIXe siècle, une famille protège son nom contre elle-même, et fait passer la défense de l'institution qu'elle a créée avant celle de ses propres héritiers.

En cette même année 1810, un décret impérial du 10 décembre fait de la ville le « département des Bouches-de-l'Elbe ». Le 18 mars 1813, elle est prise par les Russes, puis, six mois plus tard, reconquise par Davout et de nouveau, le 14 mars 1814, évacuée par les Français.

Malgré les guerres, malgré ses nombreux changements de statut politique, Hambourg se développe et renforce ses liens bancaires avec l'Angleterre. Les Juifs vivent en paix dans le quartier qui leur est réservé. La maison Warburg va maintenant mieux, comme la ville. Elle a traversé ces années de troubles comme une firme moyenne : même si les Warburg comptent désormais parmi les Juifs les plus riches de Hambourg, ils ne sont pas encore admis dans la haute société, et on ne trouve aucun Warburg sur la liste des quarante plus gros contribuables hambourgeois. Ils ne font d'ailleurs rien pour s'écarter[137] de la tradition juive, au contraire. Les deux frères sont désormais réconciliés, et Gerson se plie aux exigences d'orthodoxie religieuse que lui impose son aîné. Tous les soirs, ils se rendent ensemble à l'office ; le vendredi, ils y vont à pied[137]. On parle encore couramment l'hébreu et l'on fréquente beaucoup les autres bourgeois juifs, avec lesquels on dirige les affaires de la communauté, le tribunal, l'école, les œuvres sociales et la synagogue.

Mais le commerce exige d'être admis, au moins pour ce

qui concerne l'argent, par les plus riches ; on fait donc tout pour être reconnu en ville comme une puissance financière avec qui l'on doit compter. Ainsi, après le départ des Français quand la banque officielle de la ville, la « Hamburg Giro Bank », souhaite, le 4 juin 1814, garantir la nouvelle monnaie, le mark-banco, M.M. Warburg se précipite pour figurer parmi les premiers établissements à y redéposer les sacs de métal précieux cachés à l'arrivée de l'ennemi. Cet acte de bonne citoyenneté ouvrira aux Warburg quelques portes mondaines et leur vaudra bien des clients de la société protestante.

L'année suivante, à la suite du Congrès de Vienne, une Confédération germanique réunit plusieurs États (l'Empire d'Autriche, les royaumes de Prusse, de Hanovre, de Saxe, de Bavière et de Wurtemberg, quelques grands duchés, principautés et villes se déclarant alors libres, dont Hambourg), en un ensemble flou doté d'une assemblée sans pouvoirs qui siège à Francfort sous la domination de l'Autriche[48].

Mais Hambourg n'entend pas s'intégrer a cet ensemble continental, quel qu'il soit. Car, depuis toujours, elle se méfie de l'Est et du Sud, et ses relations sont d'abord anglaises, rarement prussiennes, peu autrichiennes, encore moins polonaises ou russes. Aussi, passé le temps des discours, le Sénat de la ville décide-t-il de rester à l'écart de toute cette construction germanique et en particulier du Zollverein dont le projet émerge en 1818 en Prusse[37].

La Banque, installée maintenant au 277 de la Peterstrasse, est alors assez forte pour entrer en affaires avec les plus grandes maisons d'Europe. Aussi, en 1817, M.M. Warburg s'enhardit même jusqu'à contacter pour la première fois les Rothschild[137] de Londres, qui triomphent après leurs spéculations victorieuses sur Waterloo. Afin de leur fournir de l'or pour le marché de londres, Moses leur propose de devenir leur correspondant à Hambourg, « aussi efficacement que n'importe qui d'autre[137] sur place ». Les Rothschild, déjà informés de la réputation grandissante de ces anciens prêteurs de campagne, acceptent l'offre et ouvrent à la maison Warburg le premier cercle de la finance internationale.

Au même moment, leur judaïsme prend un tour de plus en plus laïc. Avec d'autres, ils font de Hambourg le lieu d'une réforme religieuse majeure, vers un judaïsme beaucoup plus intégré dans le siècle et dans l'environnement luthérien. Ainsi, en 1818, Gerson joue un grand rôle dans la construction d'un nouveau temple, où les prières, faites en allemand, n'évoquent plus ni le retour à Sion ni la venue du Messie[55]. Cela ne change rien à l'essentiel : la force de la pratique, la puissance de la Loi et l'omniprésence de l'éducation.

MARIER SARAH

Avec la fin des guerres napoléoniennes, le commerce se ranime, les marchés s'ouvrent, les échanges reprennent, les monnaies circulent. Et si l'argent-métal sert encore d'étalon dans de nombreux pays, un texte anglais de 1816 stipule que les paiements supérieurs à 40 shillings devront être réalisés en or au cours de 77 shillings et 10,5 pence l'once. En 1821, une autre loi institue la convertibilité des billets anglais en métal précieux, sans préciser lequel. L'ensemble de ces deux textes constitue en fait l'acte de naissance de l'étalon-or, base de la convertibilité des monnaies et facteur de régulation des échanges internationaux pendant plus d'un siècle[153].

Les deux frères vieillissent, leurs relations s'aigrissent. Gerson est resté célibataire. Moses n'a qu'une fille, prénommée Sarah ou Särchen. Ils s'aperçoivent alors que leur accord de 1810, si âprement négocié, si solennellement annoncé, donnera la banque à Sarah, donc à son mari, et qu'elle quittera donc la famille. Intolérable !

43

Quand Gerson meurt le premier en 1825, sans héritier, Moses Marcus n'est plus très jeune et Sarah n'est alors âgée que de vingt et un ans : il faut se décider. Elle n'est guère jolie, mais elle est intelligente, autoritaire et déjà très dure[215]. Alors, au début de l'année suivante, Moses Marcus réunit la famille en conclave et discute de la meilleure manière de sauver le nom sans contourner le pacte. Quelqu'un suggère de marier Sarah à un Warburg, et, pour cela, de consulter l'arbre généalogique. On le regarde. Il y a plusieurs choix possibles. Moses arrête le sien sur le plus proche de lui, Abraham Samuel Warburg, dit « Aby », alors jeune employé à la banque : petit-fils de son oncle Elias Samuel, le frère cadet de son père, Gombrich, fils de Samuel et neveu de Simon, entré en même temps que lui à la banque. Aby a vingt ans. Il n'est pas mal physiquement, quoique de constitution assez faible, et plutôt intelligent. La décision est prise sans que ni l'un ni l'autre des futurs époux ne soit consulté, et, au lendemain de ce conseil, on fait d'Aby un associé de la maison, et on lui fait rencontrer Sarah[55]. Deux ans plus tard, le 11 février 1829, ils se marient. La succession est assurée. Mais elle est revenue aux descendants d'Elias, contre toute attente.

Il était temps, car un an et demi après le mariage de sa fille, le 18 novembre 1830, Moses meurt[136]. Aby devient alors, avec Sarah, l'unique propriétaire de la maison ; et il prend pour associé l'un de ses cousins éloignés, Samuel. Celui-ci partira d'ailleurs au bout de cinq ans pour fonder sa propre firme, fera faillite et laissera jusqu'à aujourd'hui dans la famille le souvenir effrayant de l'échec, de l'exemple à ne pas suivre, dont on ne saurait parler hors du cercle des intimes, sauf pour effrayer les enfants.

Aby aux affaires

Le 1er janvier 1834, le Zollverein se met en place avec la majorité des États de la Confédération germanique, et la

Prusse y installe peu à peu sa prépondérance[48]. La maison fait maintenant des prêts à de grandes entreprises, avec l'autre grande banque juive de Hambourg, celle de Salomon Heine, l'oncle du poète, avec les Rothschild à Vienne, Francfort et Londres, les Bleichröder et les Bischoffsheim à Berlin, les Goldschmidt à Anvers. Installée de nouveau rue du Marché, elle ne compte encore qu'une vingtaine d'employés, en plus de six membres de la famille[136]. On y fait du change et des prêts à long terme; on gère les fortunes de marchands et d'armateurs; on prête pour des opérations touchant toute l'Europe.

La famille est devenue riche, très riche même, mais d'une richesse peu ostentatoire. On sort peu, on refuse tous les honneurs, on vit entre soi, avec un grand sens de l'étiquette et de la discrétion, et une obsession unique : l'éducation des enfants.

Vient le temps des Révolutions. Le 13 mars 1848, des manifestations libérales chassent Metternich de Vienne. Le 19, des émeutes poussent le roi de Prusse, Frédéric-Guillaume IV, au pouvoir depuis 1840, à promettre de réunir une Assemblée, qui s'autoproclame constituante le 18 mai, à Francfort, avec 600 délégués allemands. Le 29 juin, un gouvernement provisoire engage le débat sur une Constitution[48] pour l'Allemagne. Il dure six mois, opposant les partisans de l'Autriche à ceux de la Prusse, les modérés et les radicaux. En janvier 1849, les partisans de la « petite Allemagne » l'emportent; l'Autriche est alors considérée comme un État étranger et le Parlement décide la création d'un Empire allemand. Le 27 mars, la Constitution est promulguée. Mais cet État n'a pas de réalité politique. Dès le 15 mai, Frédéric-Guillaume IV, qui préférerait maintenant être un monarque despotique en Prusse plutôt qu'un prince démocratique en Allemagne, refuse la couronne impériale qu'on lui offre et rappelle les députés prussiens; d'autres États allemands font de même. Le 30 mai, le Parlement, réduit à 110 députés, est transféré à Stuttgart, et le 18 juin, le gouvernement du Wurtemberg le fait disperser par la troupe. Le premier rêve unitaire allemand n'aura duré qu'un an[73]. Il aura profité aux Juifs de Hambourg qui, cette année-là, obtiennent la nationalité de la ville et ne sont plus tenus de vivre en ghetto. Énorme changement qui va leur ouvrir toutes les portes.

Dès le mois suivant, en août 1849, Frédéric-Guillaume IV constitue, en lieu et place de l'Empire, une « Union Restreinte » de 28 États allemands. Six mois plus tard, le 31 janvier 1850, il organise des élections au Parlement de l'Union Restreinte, dont la vie est brève, elle aussi : dès septembre, la Saxe puis le Hanovre s'en retirent et le 29 novembre 1850, après avoir occupé la Hesse, la Prusse, lors de la « reculade d'Olmutz », concède à l'Autriche, appuyée par le Tsar, le retour à la Confédération de 1815 et la renaissance de la Diète de Francfort. Délégué de la Prusse, Bismarck s'efforce de la rendre inefficace, d'en chasser l'Autriche et de vider la Confédération de tout son sens. Simultanément, Frédéric-Guillaume IV renforce le Zollverein, qui fait peu à peu de la Prusse la puissance économique dominante de l'Allemagne[48].

Hambourg, paisible, reste pour l'heure à l'écart de ces tribulations politiques[48]. Les Juifs y sont maintenant parfaitement admis partout, et la maison Warburg y devient une banque comme les autres, même si elle n'en porte pas encore le nom. En 1853, son siège s'installe en pleine ville, au 36 de la Neuer Wall[137].

Aby qui la dirige alors ne laisse pas dans la famille une grande trace. On se souvient de lui comme d'un paresseux qui a fait construire, derrière une porte secrète de son bureau, une petite chambre avec sofa en cuir et salle de bain, pour y dormir à l'aise. Cette pièce sera d'ailleurs toujours réservée par la suite au plus nonchalant des associés...

Quand le capitalisme devient bancaire

Londres est maintenant au cœur du capitalisme occidental et domine l'industrie du monde. Ses banquiers, ses assureurs, ses armateurs et ses capitaines d'industrie approvisionnent le pays en produit bruts et organisent l'exportation des tissus, machines et capitaux. Son arrière-pays produit plus de la moitié des produits industriels du monde et les revenus grandissants de sa marine, de ses banques, de ses assurances et de ses marchands compensent, et au-delà, son déficit commercial extérieur, qui s'aggrave au cours de siècle. Mais ces excédents ne vont pas à son industrie, ils sont placés au-dehors, en investissements directs qui lui rapportent de plus en plus, au point que les revenus du capital finissent par compenser à eux seuls le déficit commercial. Ils vont nourrir les considérables besoins en capitaux des filatures de laine et de coton, des chantiers navals, des aciéries, des chemins de fer, des fabriques de papier et de caoutchouc du monde entier[9].

La City devient le premier entrepôt de devises du monde. La livre accède au rang de monnaie des échanges internationaux, drainant même toute l'épargne disponible du continent pour financer l'industrialisation des terres lointaines. La City se différencie en des métiers nombreux, de plus en plus cloisonnés : à côté des banques commerciales se développent, pour prêter à long terme et conseiller les entreprises, des départements spéciaux ou des banques spéciales, les *merchant banks*[9]. Pour acheter ou vendre des titres anglais sur le marché boursier, ces banques doivent passer par des intermédiaires, *jobbers* et *brokers*, alors qu'elles opèrent librement pour les titres étrangers.

Les *merchant banks* anglaises deviennent ainsi les banquiers des grands d'Europe et d'Amérique[9] : la banque Baring, fondée en 1839, est le financier attitré de la famille impériale et du gouvernement russes et de toute l'Améri-

47

que du Sud ; les Rothschild anglais fixent le prix mondial de l'or et financent la plupart des gouvernements européens ; Morgan Grenfell, fondée en 1833, noue des relations avec les États-Unis, par la famille Morgan qui y a émigré, et gère les investissements anglais en Amérique. La banque Hambros, du nom d'une famille venue d'Altona au début du siècle, sert les intérêts scandinaves depuis ses propres origines[9].

On s'organise. En 1844, une loi, dite Robert Peel, donne à la Banque d'Angleterre le monopole de l'émission de monnaie, interdit la création de nouveaux instituts d'émission et définit les précautions à prendre pour maintenir l'encaisse-or du pays.

Amsterdam, Hambourg et Paris reçoivent leur part de cet argent venu d'Angleterre, et, grâce à lui, financent également les entreprises d'Europe du Nord, d'Allemagne et de Russie. Aux États-Unis aussi naissent à l'époque, pour recevoir cet argent et drainer l'épargne locale, des établissements spécialisés dans le prêt à long terme aux entreprises et le conseil aux actionnaires. La première de ces « banques d'investissement », forme américaine de la merchant bank, est créée en 1826 à New York par Nathaniel Prime ; la seconde l'est en 1830 à Baltimore : Alex Brown and Sons, et, la même année, apparaît Vermilye and Co ; un peu plus tard, Jay Cooke crée la sienne à Philadelphie[81].

Ces années-là, plusieurs Juifs allemands débarquent aux États-Unis pour y faire du commerce et certains y deviendront ensuite banquiers d'investissement, tels les trois frères Lehmann — Henry, Emmanuel et Mayer —, venus de Francfort pour ouvrir une firme de courtage de coton en Alabama, puis à La Nouvelle-Orléans et à New York, avant de s'y lancer dans la banque[217].

SARAH, SAUVEUR DE HAMBOURG

A la mort d'Aby, le 8 juillet 1856, sa veuve devient, à cinquante ans, l'unique propriétaire de la maison. Elle a deux fils et une fille. L'aîné, Siegmund, grand-père de celui dont il s'agit ici, a alors vingt et un ans. Il entre cette année-là à la banque avec le titre pompeux de « directeur », sous la « garde-conseil » d'August Sanders, un marchand ami de la famille qui aide sa mère dans ses affaires. Le cadet, Moritz, entrera plus tard comme stagiaire. La fille, Rosa, se marie aussi, cette année-là, à un banquier de Hambourg, Paul Schiff, parti travailler au Kreditanstalt de Vienne dont il deviendra le directeur général[137].

Sarah entreprend de gérer la maison. C'est une femme autoritaire et intelligente. Elle a laissé un mauvais souvenir parmi les femmes de la famille[215], peut-être parce qu'elle se conduisait comme un homme et se montrait très dure avec les enfants. Elle connaît bien la banque, à laquelle son mari l'avait associée depuis longtemps. La succession qu'il lui laisse n'est d'ailleurs pas vraiment florissante. Beaucoup de lettres de change en portefeuille sont irréalisables et les Rothschild, comme les autres banquiers européens, lui font moins confiance[136].

Vient d'ailleurs le temps de la prudence et de l'égoïsme. L'année suivante, 1857, l'Europe est en effet touchée par une très grave crise financière, la première du capitalisme industriel, qui ébranle tous les marchés : pour soutenir vingt ans de croissance ininterrompue, l'ensemble des économies d'Europe et d'Amérique se sont endettées, et la guerre de Crimée a entretenu un temps l'expansion et la spéculation, nourrissant la dette de profits militaires. Mais à la fin des batailles est apparue au grand jour l'insuffisance de la rentabilité des économies. Tous les marchés des capitaux s'affolent ; les taux d'intérêt fluctuent d'un jour à l'autre dans des proportions considérables ; les banques ont du mal à garantir leurs prêts.

Le choc décisif vient d'un lieu de la périphérie, les États-Unis, où les paysans sont particulièrement endettés : le 25 août 1857, une compagnie d'assurances de province, l'Ohio Life and Trust Company, suspend ses paiements devant l'avalanche des sinistres, suivie le 17 octobre par 150 banques américaines[55]. La rumeur s'étend aux chemins de fer et, au début du mois d'octobre, leurs actions chutent d'un tiers. Illinois Central Railroad, puis d'autres compagnies ne peuvent faire face à leurs engagements. Celles des banques d'investissement très engagées dans ce secteur cessent à leur tour leurs paiements, alors qu'aucune garantie locale ou fédérale ne les protège. Le comte de Sartigues, conseiller financier à l'Ambassade de France à Washington, note dans son journal que cette crise vient avant tout de ce que, « dans la communauté commerciale des États-Unis, le crédit des uns ne s'appuie pas sur autre chose que le crédit des autres, et il suffit que la confiance fasse défaut à une petite portion de cette communauté, soit banques, soit compagnies, soit même individus isolés, pour que la marche du crédit tout entière s'arrête[117] ». L'ensemble de l'économie américaine, et particulièrement celle des États du Nord, est touchée. Et l'Europe, qui détient une part importante des titres des entreprises américaines, l'est aussi ; d'abord les Anglais, qui possèdent la moitié des actions des chemins de fer américains. A la fin septembre, les capitaux d'Europe, inquiets, se retirent des banques anglaises et le taux de l'escompte monte brutalement à Londres, jusqu'à 10 %. A ce taux, les entreprises ne peuvent plus financer leurs opérations courantes. La réalité est alors très sombre : un chômage important s'installe à Manchester, Leeds, Nottingham et Glasgow ; rien ne va plus en Grande-Bretagne où la loi Peel de 1844 n'est plus applicable et où, à la fin octobre 1857, pour faire face à leurs engagements, les banques doivent rapatrier rapidement tous leurs fonds placés à l'étranger, en particulier à Hambourg[117].

La plus anglaise des villes du Continent est alors placée en situation très difficile, car ses banques ont emprunté aux banques anglaises pour prêter aux entreprises d'Europe du Nord, d'Europe orientale et d'Amérique du Sud, elles-mêmes menacées à la mi-décembre. La crise se propage en effet à l'Autriche, à la Bohême, à la Scandinavie, à l'Italie et à la France[116].

A Hambourg, la situation devient vite intenable : les banques qui ont des créanciers aux abois et des débiteurs peu pressés ne peuvent plus garantir leurs propres échéances. La panique s'installe. M.M. Warburg est vraiment, pour la première fois depuis sa création, menacée de faillite. Le Sénat de la ville s'en mêle, décidé à ne pas laisser ruiner une réputation financière si durement acquise. Il réunit en octobre les principaux banquiers, qui concluent qu'il faut trouver dans le mois 8 millions de marks pour assurer durablement les échéances. Le Sénat décide alors de créer une Banque de Garantie des Prêts, « la Garantie-Discontoverein », dotée d'un capital de ce montant[136]. Les banques de la ville drainent en quelques semaines 5 millions de marks. Mais où trouver les 3 manquants ? On fait jouer toutes les relations des banquiers et des industriels : chacun cherche. Les banquiers dépêchent des émissaires à travers le monde. Novembre est un mois de panique. Nul ne veut, dans l'Europe en crise, prêter une si forte somme à une place en rupture de paiements. Le gouvernement de Berlin refuse. Pourquoi aider cette ville libre, rebelle au Zollverein ? Contactées, les banques de Paris, de Londres, de Stuttgart, de Francfort, de Milan, refusent à leur tour : trop de problèmes. L'échéance devient pressante. La faillite menace Hambourg.

C'est de Vienne, et par les Warburg, que vient, début décembre, la solution. Siegmund, le plus jeune arrivé dans la banque, très inquiet pour sa propre maison, se décide à écrire à Vienne à Paul Schiff, mari de sa jeune sœur, devenu directeur général du Kreditanstalt, la banque des

Rothschild. Il lui explique qu'il lui faut réunir trois millions de marks pour aider la ville à éviter la faillite, et qu'en plus, il les faut pour sauver M.M. Warburg, placée en première ligne dans cette crise. Paul Schiff est tenté d'accepter. Et pas seulement pour plaire à sa femme. Mais parce qu'aider la ville de Hambourg est un risque qu'on peut courir. Mais comme tout bon banquier, avant d'accorder un prêt aussi important à une banque étrangère, il consulte son ministère des Affaires étrangères. Le 6 décembre, il informe également le baron Bruck, ministre des Finances de l'Empereur, qui le même jour informe François-Joseph en personne. Celui-ci, trop heureux de cette occasion de contrer l'influence de Berlin à Hambourg, autorise immédiatement le prêt, pour six mois à 6 %. Trois jours plus tard, un train de caisses de lingots d'argent équivalant à trois millions de marks quitte Vienne pour Hambourg[55]. Les lingots arrivent à Hambourg le 15 décembre ; leur entrée en gare suffit à y rétablir la confiance.

D'autant plus qu'aux États-Unis, la crise commence à se résorber, et que les capitaux anglais reviennent peu à peu sur le Continent. En janvier 1858, la situation se détend partout dans le monde ; à Londres, le 11 février, le taux de l'escompte redescend à 3 %. Hambourg est sauvée. Le 15 juin suivant, les lingots sont renvoyés à Vienne, avec intérêts, sans même que les caisses aient été ouvertes[137].

Les Warburg ont sauvé la ville. La petite famille de changeurs de Westphalie est définitivement admise dans le cercle des grands de la finance européenne. Les clients affluent. Commence alors plus d'un demi-siècle de puissance et d'euphorie.

LE GÂTEAU DE BISMARCK

En 1858, deux ans à peine après la mort d'Aby, M.M. Warburg sort de la zone rouge où celui-ci l'avait laissée. A la fin de cette même année, Sarah désigne Siegmund comme son associé et lui confie le soin d'assumer seul, à vingt-trois ans, la gestion quotidienne de la firme, se réservant toutes les affaires importantes. Elle garde trois cinquièmes des profits et abandonne le reste à Siegmund. Moritz, le frère cadet, reste salarié de son frère jusqu'en 1862, date à laquelle, devenu majeur, il devient, malgré l'accord de 1810, lui aussi associé et reçoit un cinquième des profits, prélevé sur la part de sa mère. Sarah continue de diriger la banque. Ses deux fils ne sont, avec le directeur de l'époque, Hans Dorner, et leur tuteur August Sanders, que des exécutants, et elle exige d'eux, avec le vouvoiement et le respect du protocole, la plus parfaite soumission.

Les deux frères sont très différents l'un de l'autre[215] : Siegmund est très anticonformiste, et son petit-fils, qui ne l'a pas connu, s'en souviendra non sans fierté. C'est un grand banquier : « Des deux frères, dira son neveu Max, c'est lui l'entreprenant[210]. » Coléreux et exigeant, beaucoup moins classique que le reste de la famille, aimant chasser et monter à cheval, il adore chanter l'opéra et affectionne la vie en société à Hambourg, Londres ou Berlin. Il assiste certes aux offices, observe les prescriptions de la Loi, mais n'aime guère cette nourriture obligée qui lui interdit l'accès des restaurants de la ville où il fait bon rire. Il a sa propre synagogue, chez lui, au bord du lac, au 18 Alsterufer[215]. Il choque son frère le jour où celui-ci lui propose de renvoyer un employé célibataire, coupable d'avoir un enfant, et où il lui rétorque : « Mais non, on le garde ! Et j'espère bien que la mère est jolie ! »

Hambourg est encore ville libre. Pas pour longtemps. Le 2 janvier 1861, Guillaume Ier devient roi de Prusse et, le 23 septembre 1862, nomme Bismarck chancelier. Celui-ci va rechercher l'affrontement avec l'Autriche et préalablement, par la Convention Alvensleben, le 6 février 1863, il s'assure de la neutralité de la Russie.

Le 2 avril 1862, à Wiesbaden, Siegmund épouse la fille d'un banquier russe de Jitomir, Theophilie Rosenberg, dont la mère est une Günzburg, issue d'une famille de banquiers russes implantés à Kiev, Saint-Pétersbourg et liée à toute la banque européenne. Une des sœurs de Theophilie est en effet mariée à Léon Aschkenasi, fondateur de la banque Aschkenasi d'Odessa ; une autre au baron Joseph von Hirsch-Gereuth, associé de la banque Bischoffsheim et Goldschmidt de Berlin, Paris, Londres et Anvers. Comme il est d'usage dans la famille, on décide que les deux tiers de la dot viendront s'ajouter au capital de la banque M.M. Warburg. Les jeunes époux auront sept enfants, mais seulement deux garçons dont le père de Siegmund G. Warburg[215].

La firme accède alors, grâce à Siegmund, au premier rang des établissements de la ville. Elle gagne beaucoup d'argent par les prêts qu'elle accorde, seule ou — innovation hambourgeoise majeure de cette époque — au sein de *syndicats,* regroupant plusieurs banques achetant les titres à un prix légèrement plus élevé à un premier banquier qui s'est porté garant de placer le total ; derrière elles encore, si l'emprunt est important, d'autres banques prennent quelques titres et les placent à leurs clients, sans les prendre elles-mêmes de façon ferme.

Sarah est encore le vrai patron : elle sait évaluer correctement l'évolution du marché et la valeur des entreprises émettrices. Chaque matin, avant l'arrivée de ses deux fils, le courrier est ouvert par les plus jeunes employés. Chaque soir, Siegmund et Moritz vont lui rendre compte des affaires du jour. Si Sarah n'est pas contente de ce qu'elle entend, elle demande : « Et maintenant, expliquez-vous ! Siegmund, je vous écoute. » Sarah, dit la tradition de la famille[215], « pense comme un homme » et impose souvent ses décisions à Siegmund qui se rebelle de plus en plus. Chez elle, et même vis-à-vis de ses enfants, elle maintient une stricte étiquette, un protocole très rigoureux. Son train de vie, d'un grand luxe, égale celui du bourgmestre de Hambourg[136]. Très ouverte au monde, elle reçoit chez elle tout ce qui compte en Allemagne, des armateurs aux banquiers, de Henri Heine, qui lui dédie un poème, à Otto von Bismarck, le nouveau chancelier, avec lequel elle correspond régulièrement et à qui elle envoie chaque année un gâteau pour la Pâque juive, sauf lorsqu'elle n'aime pas ce qui est fait contre les Juifs ; comme quand, par exemple, le chapelain de l'Empereur prononce des sermons qu'elle juge antisémites[55].

La famille fait son entrée dans les cercles les plus fermés. En février 1862, Siegmund est élu « citoyen de Hambourg », titre très recherché, équivalant pour la ville à un titre de noblesse, le seul que la famille tolère qu'on accepte, et encore avec réticence ; et il devient un conseiller écouté de la municipalité. Moritz, deux ans plus tard, devient associé de la banque et se marie, le 12 juin 1864, avec Charlotte Oppenheim, fille d'un grand orfèvre de Francfort dont la devise vaut d'être rapportée : « Vendre une perle que vous avez à quelqu'un qui en a envie, ce n'est pas faire des affaires ; mais vendre une perle que vous n'avez pas à quelqu'un qui n'en veut pas, voilà ce qui s'appelle faire des affaires ». Il aura aussi sept enfants, comme son frère, mais ce seront — grande différence ! — cinq garçons et deux filles... Il s'installe à Mittelweg, autre quartier de la ville, et l'on désignera sa « branche » de ce nom.

La famille étend maintenant ses rameaux sur toute l'Europe par un exceptionnel réseau de relations et une série de mariages bien planifiés : les Schiff à Vienne, les Rosenberg à Kiev, les Günzburg à Saint-Pétersbourg, les Aschkenasi à Odessa, les Oppenheim, les Bischoffsheim et les Goldschmidt en Allemagne même, sont ses parents et associés.

Le prêteur sur gages devient banquier

En 1863 (certaines sources disent 1867, mais cette date est moins plausible), la firme obtient du Sénat le droit de changer de statut juridique : de « M.M. Warburg, changeur », elle devient « M.M. Warburg, banquier », au 47 de la Hermannstrasse. C'est aussi une mutation importante du point de vue du statut social. Cette même année, Sarah emménage dans une villa des beaux quartiers, à Rothenbaumchaussée. La vie devient plus facile. On a maintenant de très nombreux serviteurs. On reste très juif, mais, signe de l'aisance et de la liberté des temps, on ose entrer en politique : un cousin, petit-fils d'Elias, Samuel Warburg, est élu[55] député du Schleswig-Holstein au Parlement danois dont dépend encore la ville. En 1864, Siegmund a un premier fils, prématuré et fragile, Abraham, qu'on appellera ensuite Aby S.

Le 1er janvier 1865, Sarah, âgée de soixante ans, se retire de la banque. Un peu plus tard, le capital est partagé à égalité entre les deux frères. Jusqu'à sa mort, vingt ans plus tard, Sarah continuera de suivre les affaires de la maison et touchera une pension royale de ses deux fils.

L'Allemagne est alors en train de tenter une nouvelle fois de faire son unité. Au début de mars 1866, après avoir fait adopter par le Conseil des Ministres prussien le principe d'une guerre contre l'Autriche, Bismarck conclut une alliance militaire avec l'Italie qui espère récupérer ainsi la Vénétie. Le 9 avril, il propose l'élection au suffrage universel d'une Assemblée allemande. Le 7 juin, les troupes prussiennes envahissent le Holstein danois. Tous les États allemands, sauf les petits États du Nord, se rangent aux côtés de l'Autriche. Le 15 juin, Bismarck annonce qu'il considère la Confédération germanique comme dissoute. La victoire militaire prussienne est rapide et le traité de paix, signé à Prague le 23 août 1866, consacre la fin des ambitions allemandes de Vienne[48]. La Prusse constitue alors, au nord du Main, une Confédération de l'Allemagne du Nord dont le roi de Prusse devient le chef héréditaire, et Samuel Warburg, l'élu au Parlement danois, devient député au Parlement allemand[55].

Au même moment, partout où il reste encore en vigueur comme étalon, l'argent cède la place à l'or. A la suite des découvertes d'or en Californie et en Australie, du fait aussi de la Guerre de Sécession, le rapport entre la valeur de l'or et celle de l'argent avait fortement diminué. Mais la découverte de mines d'argent dans le Nevada en fait quintupler, en l'espace de quelques années, la production mondiale ; en conséquence, les cours de ce métal s'effondrent. A la même époque, on croit que l'or se raréfie, alors qu'en réalité sa production augmente plus vite encore que celle de l'argent : « Le discrédit du métal blanc est donc, pour l'essentiel, psychologique : on cesse de croire à sa vocation monétaire... Le désaveu de l'argent fait la victoire de l'or[153]. »

Naissance de Kuhn Loeb and Co

En Amérique, dès le milieu du siècle, la banque d'affaires voit apparaître de futurs grands maîtres : les Morgan, qui organisent les investissements anglais en Amérique, et d'autres, tel Kidder Peabody[81]. Par ailleurs, après les émeutes de 1848, nombre de Juifs allemands partent pour l'Amérique et y deviennent banquiers aux côtés des Speyer, Belmont, Lehmann et Salinger, déjà installés là[71] Ils financent d'abord le gouvernement fédéral, pendant et après la guerre de Sécession, puis deviennent un relais des capitaux venus d'Europe pour financer l'aménagement du continent.

C'est ainsi que deux beaux-frères, Abraham Kuhn et Salomon Loeb, quittent Worms vers 1850 pour venir vendre des tissus en gros à Cincinnati. Le 1er février 1867, avec les 500 000 dollars qu'ils ont gagnés, ils s'en reviennent à New York et y fondent une banque, au 31, Nassau Street[217]. Le moment est bien choisi : la guerre de Sécession est terminée, les aciéries sont construites, le télégraphe fonctionne à travers tout le continent. Et les trains en construction ouvrent d'énormes sources de profit aux banques : l'Union Pacific avance vers l'ouest, la Central Pacific vers l'est, et le gouvernement fédéral met 60 millions de dollars à leur disposition pour acheter des terres[15]. Pour organiser les groupes d'investisseurs qui financeront le reste, il faut des banques et elles ont beaucoup d'argent à gagner en constituant en « syndicats » les éventuels prêteurs, et en prélevant des commissions sur ces emprunts.

Cela conduit à une certaine spécialisation des banques selon les domaines de prêts : ainsi Jay Cooke, J.P. Morgan et Kuhn Loeb se spécialisent dans les prêts aux chemins de fer et aux aciéries, tandis que celles de Lehmann-Brothers et Goldman Sachs financent la distribution. Le premier placement garanti est réussi en 1869 par Jay Cooke pour un prêt de deux millions de dollars à Pennsylvania Railroad[81]. Et, pour drainer l'épargne d'Europe, les banques américaines renforcent leurs accords avec des banques de Londres, tels J.P. Morgan avec Morgan Grenfell, Kidder Peabody avec George Peabody, Kuhn Loeb avec Rothschild.

En sens inverse, les banques européennes installent quelques premiers bureaux à New York et à Boston, et d'autres banquiers juifs allemands, attirés par l'expansion bancaire américaine, émigrent à leur tour vers ces deux villes : les Guggenheim, les Morgenthau, les Lewison y débarquent et ouvrent des établissements aux grandes espérances[184].

LE TEMPS DE SIEGMUND

Passé le second tiers du siècle, la fonction de banque d'affaires, qui prête à long terme et conseille les entreprises dans leurs investissements, se distingue de plus en plus nettement de celle des banques commerciales, qui collectent l'épargne des particuliers, prêtent à court terme et conseillent les entreprises dans leur trésorerie. Mais la distinction se fait différemment selon les pays.

En Angleterre, les deux métiers sont exercés par des entités distinctes. Les *merchant banks* ne font que du conseil et de l'organisation de prêts. Elles ne placent pas directement les titres du capital des affaires anglaises. C'est le domaine réservé des *jobbers* qui achètent les titres en gros et fixent les cours, et des *brokers* qui les vendent aux investisseurs[9]. Les *merchant banks* participent peu au développement industriel de la Grande-Bretagne, pour lequel on crée des établissements spéciaux. Par exemple, les banques ne financent pas l'achat, par les compagnies minières, des wagons nécessaires au transport des minerais anglais[9] : il faut donc créer des sociétés de crédit spécialisées, louant leurs wagons aux mines, qui étendront ensuite leur activité à la location de tous les matériels ferroviaires, telle la *British Waggon Company* dont on reparlera beaucoup plus tard.

Au même moment, aux antipodes de ces préoccupations, les banques anglaises financent le développement outre-mer[9] : la banque Speyer finance le développement en Turquie, Sassoon celui de l'Inde, Rothschild celui de l'Égypte, et Disraëli[9] écrit à cette époque : « Ce qui est curieux, dans ce vaste développement (de l'économie anglaise), c'est que les dirigeants du monde financier n'y ont pas participé. Ces puissants bailleurs de fonds, qui tiennent souvent entre leurs mains le sort des rois et des empires, semblaient comme des hommes qui, contemplant quelque excentricité de la nature, y assistent avec un mélange d'étonnement et de crainte... » On retrouvera, lancinante, cette critique jusque de nos jours.

En France, les banques d'affaires se distinguent également de celles de dépôts, à la pointe desquelles se trouve le Crédit Lyonnais, créé en 1863, en ce qu'elles peuvent prendre des participations dans le capital des entreprises françaises et utilisent leurs propres capitaux. Achille Fould, Pereire, Dreyfus et Lazard y sont les principaux concurrents des Rothschild.

Au contraire, en Allemagne, les banques sont le plus souvent universelles, et investissent beaucoup dans l'industrie domestique, à laquelle elles prêtent aussi à court et à long terme. La Shaafhausenscher Bankverein, créée en 1848 à Cologne, fonde de nombreuses entreprises industrielles de Wesphalie, et, en 1853, fusionne avec la banque d'Abraham Oppenheim pour devenir la Darmstadter Bank. La Disconto Gesellschaft, fondée à Berlin en 1851, et la Berliner Handels-Gesellschaft, fondée en 1856 par les Furstenberg, interviennent de manière décisive dans le développement industriel de la Prusse. Bamberger, après avoir travaillé avec Bischoffsheim et Goldschmidt, participe à la fondation de la Banque de Paris et des Pays-Bas, en 1862 à Paris, puis revient en Allemagne en 1866 pour y créer en 1870, avec Herman Karkuser, la Deutsche Bank, que George von Siemens dirigera plus tard. A côté de ces grandes banques universelles existent plus de deux mille petites banques, dont l'importance et l'influence ne cessent de croître, sans qu'elles reçoivent de dépôts ni n'ouvrent de filiales. M.M. Warburg devient l'une des plus remarquables d'entre elles, tout en restant une entreprise de moins de trente employés, non compris les membres de la famille. En 1868, ses bureaux sont transférés sur la Ferdinandstrasse, dans le quartier marchand [137].

Siegmund devient un grand notable. Élu membre du « corps gouvernemental » de la ville, il est chargé d'organiser le transfert à l'État des impôts payés jusqu'ici par les Juifs à leur communauté[137]. Le 1er juin 1869, il est élu membre de l'Association des vendeurs de titres, et, le 14 décembre 1870, nommé député au Sénat de la ville[55].

Mais la tradition familiale, comme l'histoire biblique inlassablement répétée, préserve de la démesure, des goûts de luxe et des appétits de puissance : chez les Warburg, on n'aime pas les parvenus, et Siegmund moins que les autres. Un siècle plus tard, son petit-fils se souviendra de ce qu'il disait à l'époque à ses propres enfants : « Les Warburg ont toujours eu cette chance : chaque fois qu'ils étaient sur le point de devenir très riches, quelque chose survenait qui les faisait redevenir pauvres, et les forçait à tout recommencer à zéro[175]. » C'est ce qui arrivera à son petit-fils, cinquante ans plus tard, dans la tourmente de Weimar.

Pour l'heure, cependant, tout va bien. Siegmund dirige brillamment la banque sous l'œil sévère de sa mère et avec l'aide de son frère. Les familles des deux frères sont un peu rivales en rayonnement et en richesse. Dans la ville, on les distingue par l'adresse de leur domicile respectif : on appelle celle de Siegmund les « Warburg Alsterufer », celle de Moritz, les « Warburg Mittelweg ». Cette rivalité expliquera beaucoup, au fond, du destin des Warburg au siècle suivant. Ils figurent alors en Allemagne au sommet de la « haute banque ». Ils aident les nouvelles banques de Hambourg ou de Berlin à se développer, montent des « syndicats » pour garantir et émettre des emprunts, en Allemagne et dans le monde entier, de l'Europe aux États-Unis, de la Chine au Pérou.

L'argent qu'ils prêtent vient de banquiers amis ou de fortunes privées. Cela leur rapporte beaucoup d'argent, même si l'enrichissement n'est toujours pas l'ambition qui les pousse. Siegmund entretient à présent d'excellentes relations avec Lionel Rothschild à Londres, avec Pereire à

Paris, avec Günzburg à Saint-Pétersbourg et avec Salomon Loeb à New York [137].

En 1870, la guerre avec la France fournit à Bismarck l'occasion d'achever l'unification de l'Allemagne. Les États de Saxe, de Bade, de Wurtemberg, puis la Bavière entrent dans la Confédération. Le 18 janvier 1871, à Versailles, la Confédération d'Allemagne du Nord devient l'Empire allemand [73]; chaque État y conserve sa constitution, ses lois, son administration; le gouvernement d'Empire, que la Prusse domine, est chargé des Affaires étrangères, de l'Armée, des Postes et Télégraphes, du Commerce, des Douanes et des Voies de communication. Les deux tiers des députés au Reichstag sont prussiens. L'Empereur est le roi de Prusse, le Chancelier en est Bismarck [48], auteur de cette construction contre la volonté royale.

A ce moment seulement, Hambourg, dernière place financière encore libre du contrôle prussien, rejoint l'Empire. Elle n'en reste pas moins une ville à part, internationale par nature, débouché naturel de l'Allemagne du Nord vers l'Angleterre et les Flandres, vivant à l'heure anglaise, davantage tournée vers Londres et New York que vers Berlin et Francfort.

Certains Hambourgeois viennent d'ailleurs de créer à Londres des filiales de leurs firmes. Ainsi Ernst Goldschmidt crée avec son beau-frère, Franz Brandeïs, une filiale londonienne de l'entreprise de métaux paternelle. Leur première idée est d'importer du fer anglais en Allemagne, mais l'annexion de l'Alsace-Lorraine rend ce marché illusoire. Brandeïs s'installe alors au 40 Lombard Street. Les associés sont S.B. Goldschmidt, Ernst et Emil Goldschmidt et Paul Kohn-Speyer. La firme commence par s'occuper de vendre du cuivre anglais. On reparlera beaucoup d'elle un peu plus tard...

Après la fin de la guerre de 1870 et la création de l'Empire allemand, la France doit payer de lourdes réparations. En 1871, Siegmund est associé à l'organisation par les Rothschild de l'emprunt lancé par la France pour régler à la Prusse le montant des dommages de guerre. Cinquante ans plus tard, ils referont la même chose, mais en sens contraire, pour payer les réparations dues par l'Allemagne.

C'est cette année-là que naît George, second fils de Siegmund, qui sera le père de Siegmund George. Un peu plus tard naîtra une fille, Rosa, puis d'autres : Elsa, Anna, Olga et Lilly[215].

En 1872, Siegmund réalise des opérations avec J. Allard et Cie, de Paris, avec Stern Bros, de Londres, Bischoff-scheim et Goldschmidt, de Bruxelles, S. Bleichröder, de Berlin, L. Behrens Söhne und Lieben, de Hambourg. La banque ne compte encore que 22 employés. Les bureaux sont exigus et sans prétention. Seule l'adresse est prestigieuse.

APPARITION DES SCHIFF À WALL STREET

C'est à ce moment que se créent les conditions d'un lien ultérieur entre les Warburg et l'Amérique : en 1871, Abraham Kuhn, qui a fondé une banque à New York avec Salomon Loeb, rentre en Allemagne pour prendre sa retraite à Hambourg. Il y rencontre un jeune homme d'une exceptionnelle ambition, Jacob Schiff, dont le père est encore agent de change à Francfort[217]. Si l'on en croit la tradition familiale, il descend d'un nommé Uri Phoebus Schiff, changeur d'argent à Francfort au XIVe siècle, qui se prétendait lui-même descendant du roi Salomon ! En 1864, à dix-huit ans, au grand scandale de la communauté, Jacob est parti pour l'Amérique en cachette de ses parents, afin d'essayer d'y ouvrir un cabinet d'agent de change : il échoue et revient en Allemagne, cinq ans plus tard, mortifié. La famille l'envoie alors à Hambourg travailler au bureau de la Deutsche Bank, qui vient d'être créée, mais il ne renonce pas pour autant à son rêve américain[15]. En 1872, il rencontre Abraham Kuhn, rentré du Nouveau Continent. Il lui demande de l'aider à y retourner. Abraham lui donne une introduction auprès de Salomon Loeb, resté à New York. Fou de joie, Jacob saisit l'occasion et repart aussitôt. Il plaît à Salomon, qui l'engage. Son succès est foudroyant : trois ans plus tard, en 1875, il devient l'associé de Salomon Loeb, dont il épouse la fille l'année suivante[15]. Très vite, il s'impose comme le vrai patron de Kuhn Loeb, devient un des hommes les plus riches d'Amérique, et restera à la tête de la banque pendant près d'un demi-siècle, y associant un peu plus tard, on verra comment, deux des enfants de Moritz Warburg...

En 1873, quinze ans après la première, commence la seconde grande crise financière du capitalisme. Celle-ci va faire basculer le centre du monde industriel de l'autre côté de l'Atlantique. Comme un signe de la menace qui pèse sur la puissance britannique, le marché du cuivre anglais s'effondre, le Chili et les États-Unis deviennent les producteurs dominants ; les compagnies anglaises de commerce du cuivre, comme Brandeïs-Goldschmidt, se reconvertissent, pour tenir bon, en raflant les marchés des métaux plus rares.

Les banques anglaises ne savent pas passer du financement des matières premières et des techniques du textile à celui de l'extraction du pétrole et de l'électricité, et souffrent de la crise.

Le 8 mai 1873, un mouvement général de panique s'annonce à la Bourse de Londres, puis à celle de Vienne, et se répercute en France et en Allemagne. L'espace de quelques années, la situation des banques allemandes, dont celle des Warburg, demeure précaire. Le cœur du monde industriel passe progressivement de l'autre côté de l'océan, où se concentrent innovations technologiques, capital et esprit d'entreprise. Et Boston en dispute le contrôle à New York. Le développement de l'acier, des chantiers navals, des chemins de fer, de l'électricité, du gramophone, du moteur à explosion, connaît en cette région du monde une accélération fulgurante. En 1884 est inaugurée la première ligne de téléphone à longue distance entre New York et Boston. Et il faut de l'argent pour financer cet essor. Le capital du monde y arrive, en quête de profits majeurs, alors que l'émission de monnaie reste libre, à peine contrôlée par une loi fédérale de 1875. Kuhn Loeb, sans quitter la rue, emménage dans un somptueux immeuble[217].

La puissance neuve de l'Amérique se jauge alors à sa balance des paiements : son commerce extérieur devient excédentaire et ses paiements le sont aussi et le resteront, avec quelques éclipses encore jusqu'en 1898, puis, sans l'ombre d'une défaillance, pendant plus de soixante ans.

Mais l'Angleterre reste encore pour vingt ans le cœur financier de l'Occident. Keynes écrira[196] : « Dans la seconde moitié du XIXᵉ siècle, l'influence de Londres sur les conditions du crédit dans le monde entier fut prépondérante, au point que la Banque d'Angleterre pouvait se prévaloir de la baguette de chef d'orchestre international. En modifiant les termes de ses offres de prêts..., elle pouvait déterminer dans une large mesure les conditions du crédit en vigueur à l'étranger. » L'étalon des échanges internationaux n'est donc pas remplacé aussi vite que la capitale industrielle, et la charge de l'étalon de change constituera même le fardeau durable d'un « Gulliver empêtré ». La livre reste donc encore la principale monnaie internationale, et les transactions entre pays étrangers continuent de se faire en sterlings, au détriment de l'Angleterre qui se croit toujours obligée de soutenir la valeur de sa monnaie, contre l'intérêt de ses propres exportateurs.

La City continue ainsi de ne s'intéresser qu'au financement des autres et non de la Grande-Bretagne, attirant les fortunes d'Europe vers l'Amérique, l'Indonésie, le Nigeria, le Kenya et l'Afrique australe[9]. A sa demande, à partir de 1881, Gladstone accorde des privilèges à certaines compa-

gnies coloniales afin d'aider à ces exportations de capitaux : la British North Borneo Co est créée en 1881, la
Royal Niger Co en 1886, l'Imperial British East Africa Co
en 1888, la British South Africa Chartered Co en
1889[9].

LE TEMPS DE MORITZ

En 1889, quatre ans après sa mère, Siegmund, qui a fait
la grandeur de la banque, meurt à l'âge de 54 ans, à
Baden, laissant deux fils, Aby S. et George, et cinq filles.
Malgré la procuration totale dont dispose Aby S., malgré
les sept enfants que laisse Siegmund, les Warburg « Alsterufer » s'effacent alors pour un siècle devant les
Warburg « Mittelweg ». C'est Moritz qui se retrouve, à
cinquante et un ans, à la tête de ce qui reste la
banque « M.M. Warburg ». Désormais, et jusqu'à
Siegmund George, l'histoire du nom se confondra avec la
sienne, puis avec celles, absolument extraordinaires, de
ses cinq fils.

Aby S., qui est diabétique, connaît d'abord le dur statut
des jeunes stagiaires. Comme ses ancêtres un siècle auparavant, il se rend à l'aube sur les quais, compte les ballots
reçus en gages, fait les additions, surveille les débiteurs. Il
devient directeur, puis associé de la banque familiale, mais
passe insensiblement sous l'autorité effective de son oncle
Moritz. Ainsi, parce qu'il n'a pas le « feu sacré », il cède
son droit d'aînesse à d'autres mieux capables que lui de
tenir la banque.

Deux ans plus tard, son jeune frère George, qui souffre
d'insupportables céphalées, renonce à la carrière bancaire, à la grande joie des Mittelweg et surtout de son cousin Max ; il aurait voulu faire des études d'histoire, mais
ses maux de tête l'amènent à décider — fait absolument
unique pour un Juif de la haute société de cette époque —

de vivre à la campagne. Avec une fraction de sa part d'héritage, après des études d'agronomie, Aby S. lui achète en 1891 une assez grande propriété, « Uhenfels », près d'Urach, non loin de Stuttgart, bien plus au sud que Warburg, en pays souabe. Il s'y installe, assez solitaire, recevant néanmoins en voisins les Heuss, les von Neurath, les Kaulla, très grande famille de banquiers et d'avocats. Assisté de quelques fermiers, il devient un expert agricole de qualité, cultivant maïs et seigle. Comme il reste associé aux bénéfices de la banque, il est assez riche, laissant la gestion de ses intérêts financiers à son frère aîné, Aby S., qui ne s'y intéresse guère plus lui-même.

Très différent de Siegmund, Moritz est conservateur et orthodoxe. A sa majorité, en 1857, il a d'ailleurs choisi comme devise : « *Labor et Constancia* », ce qui dit tout. Dans son journal personnel, jamais publié mais qui circulera bien plus tard dans la famille, son fils Max écrira de lui : « Il attachait plus d'importance au renom de la firme qu'au gain financier. Moritz était un Juif très orthodoxe[210]. » D'autres traits le dépeignent bien, au gré des récits de la famille. Il est chauve et on se souvient encore de l'époustouflante collection de perruques dont il est si fier. Soucieux d'être bien intégré dans la ville, il intrigue pour être accepté comme trompette dans la milice, à Hambourg et à Warburg, et, une fois reçu, il le restera très longtemps. Par-delà ces menues vanités, c'est aussi un très grand banquier, concentré sur de grosses affaires, qu'il appelle de « haute banque », menées avec de grandes banques et de grandes entreprises. A la différence des autres banquiers de la ville, il accepte peu de clients privés et préfère financer ce qu'il entreprend avec son propre argent et avec celui des banques qu'il syndique. Et de l'argent, il en a beaucoup. Aussi son aire d'influence peut-elle s'étendre à l'Allemagne entière, dont Bismarck poursuit l'unification militaire, judiciaire, fiscale, économique et monétaire. En 1875, en remplacement de la Banque royale de

Prusse, une Reichsbank est organisée, institut de surveillance de l'ensemble des banques de l'Empire, et un mark unique est mis en circulation[111]. Moritz, encore seulement grand notable provincial, va épouser et même précéder l'exceptionnelle croissance financière et politique de l'Allemagne nouvelle.

ENFANCE DES CINQ

Entre 1866 et 1879, Charlotte et Moritz ont cinq fils : Abraham, dit Aby M. pour le distinguer de son cousin Aby S., Max, Félix, Paul et Fritz, et deux filles : Olga et Louisa. Avec eux commence à se détraquer la belle horlogerie de la dynastie bancaire, car, pour la première fois dans l'histoire de la famille, plusieurs enfants d'un même père se rebellent contre le destin que leur assigne leur place dans l'arbre généalogique.

Tout est pourtant décidé, en principe, dès leur enfance : selon la loi du clan et dans la mesure où les fils de Siegmund s'effacent, Aby M. doit succéder à son père à la tête de la Banque, Max et Paul doivent devenir ses adjoints, Félix doit entrer chez son grand-père maternel, l'orfèvre Oppenheim, et Fritz, lui, doit devenir avocat. Mais, dès leurs discussions les plus enfantines, les enfants en décident autrement[67]. Le témoignage à peu près concordant des deux frères établit qu'Aby M., passionné de culture, cède à onze ans, en 1877, son droit d'aînesse à Max, en échange de la promesse de lui payer plus tard tous les livres qu'il voudra lire[210]. L'extraordinaire est qu'avec l'âge, ni Aby M. ni Max ne changeront d'avis : force, peut-être, de la parole dans le peuple du Livre...

Quarante ans plus tard, Aby M. deviendra l'un des plus grands historiens d'art de son siècle et, grâce à l'aide de son frère, devenu, lui, le plus grand financier d'Allemagne, il créera la première bibliothèque pluridisciplinaire du monde, l'« Institut Warburg », aujourd'hui transféré à Londres, doté de son vivant de dizaines de milliers d'ouvrages. En attendant, il fait dès son adolescence des études d'histoire de l'art à travers le monde, sans jamais mettre les pieds à la Banque[68].

Autant Aby M. est renfermé et semblable à son père, autant Max ressemble à sa mère ; comme elle, il est blond aux yeux bleus et, avec le nom qu'il porte, beaucoup en viennent à oublier qu'il est Juif : lui aussi, parfois... Quand son frère aîné fait entériner son refus par son père, ce qui exige deux ans d'efforts, il suit le cursus classique des Warburg promis à la direction de la Banque : il arrête ses études après le gymnasium et commence ses stages d'initiation comme employé aux écritures dans l'établissement paternel, puis part chez Dreyfus à Francfort, enfin chez Wertheim & Gompertz à Amsterdam. Là, en 1888 — il a vingt et un ans —, il réussit à faire désigner la banque de la famille comme correspondant de la plus grande banque hollandaise de l'époque, la Nederlandsche Bank[136].

Cette année-là, le 9 mars, Guillaume Ier meurt à l'âge de 91 ans. Son fils, Frédéric III, lui succède, mais meurt le 15 juin de la même année, et son propre fils, Guillaume II, devenu Empereur à 29 ans, veut se lancer dans la conquête coloniale et entre très vite en conflit avec Bismarck[48]. Hambourg rejoint enfin le Zollverein, dernière ville allemande à le faire.

Cette année-là aussi, à la mort de son oncle Siegmund, Max commet le seul acte d'indiscipline de sa vie : entré au 3e Régiment Bavarois de Cavalerie légère, il envisage d'y faire carrière et de renoncer à la banque. Bien que Juif, son physique lui ouvre les réunions d'officiers. Quand il écrit à son père pour lui annoncer ses intentions, celui-ci lui répond sobrement qu'il ne sait pas ce qui est pire à ses yeux d'avoir un fils qui veut devenir officier parce qu'il oublie qu'il est juif, ou d'avoir un fils condamné à ne jamais être officier justement parce qu'il est juif[210]. Au bout d'un an d'entêtement, en janvier 1890, Max renonce à son idée, démissionne de l'armée et s'en revient à la banque.

Deux mois plus tard, le 29 mars 1890, Guillaume II écarte Bismarck des affaires et nomme le général von Schlieffen chef d'État Major à la place de von Waldensee. L'Allemagne travaille à son expansion et nourrit des plans de guerre pour entretenir son industrie. Max revient vivre à Hambourg. Il y devient l'ami d'un autre Juif influent, à peine plus âgé que lui, Albert Ballin, parti de rien, à présent dirigeant d'une compagnie d'armement maritime, la « Hamburg-America Linie », la « Ligne » dont il fera l'une des plus grandes entreprises allemandes[32]. Max l'admire beaucoup : il est le confident du Kaiser, le seul homme même chez qui le Kaiser se déplace pour recueillir un avis. Et comme le Kaiser règne par lui-même, influer sur lui, c'est influer sur le sort de l'Allemagne. Les chanceliers se succèdent, en effet, plus faibles les uns que les autres : après Caprivi, Hohenlohe, puis Bülow. Albert Ballin est en fait plus puissant qu'eux tous et Max rêve de cette puissance-là, celle que, jusqu'à lui, les Warburg ont fui : celle de la politique.

Après son intermède militaire, Max ne reste pas longtemps à Hambourg. Pour lui changer les idées, son père l'envoie à la Banque Impériale Ottomane de Paris, où il reste un an, tout en suivant des cours à la Sorbonne. Très dandy, Max quitte Paris à regret en 1891 pour terminer son apprentissage chez N.M. Rothschild and Sons, à Londres. Il croit alors bien faire en débarquant dès neuf heures à la City[136]. A la mode de la « Maison Sarah », il vient même ouvrir le courrier avec les jeunes employés, comme il l'a vu faire aux jeunes stagiaires chez lui. Mais, soucieux d'éviter qu'il ne découvre ainsi trop de secrets de la maison, on lui fait vite comprendre qu'un gentleman n'arrive jamais à la City avant dix heures, et qu'il doit en partir avant seize heures. Max s'y fait fort bien, comme il s'est fait à ses vies précédentes. Il devient vite un jeune homme à la mode, chéri de l'aristocratie anglaise, plus Anglais qu'un Anglais.

Mais, à la fin de cette année 1891, alors qu'il se prépare à faire un tour du monde des correspondants de la Banque, son père le rappelle d'urgence à Hambourg pour diriger avec lui la maison dont il a pris la tête depuis deux ans et qui traverse une mauvaise passe : une banque russe appartenant à la famille de la femme de Siegmund, la banque des Günzburg de Saint-Pétersbourg, a englouti 7 millions de marks, empruntés à M.M. Warburg, dans les mines de la Léna, en Sibérie septentrionale, qui se révèlent vides de tout métal précieux, et Günzburg ne peut honorer ses échéances[215]. Plus grave encore, Rosa, une des filles de Siegmund et cousine de Max, doit épouser en juin de l'année suivante le banquier lui-même, le baron Alexandre de Günzburg, à qui elle est fiancée depuis deux ans. Leur mariage a été retardé par la mort de son père, mais il est trop tard pour le rompre ; il faut payer. Et, malgré les sommes déjà engagées, Moritz décide de garantir toutes les lettres à venir de Günzburg, sans limite. Le risque n'est pas pris en vain : gérée d'une main de fer, la banque Günzburg se redresse[55].

Quelques années plus tard, le baron, et Rosa devenue sa femme, rembourseront tous leurs créanciers lors d'un fastueux dîner donné en leur hôtel de Pétersbourg, où chaque convive trouvera son dû en pièces d'or, placées sur son assiette, avec un sac de soie sur la chaise pour les y mettre après les avoir comptées[55]. Fastueuses générosités de barons russes, dont la splendeur éblouit les sobres huguenots d'Allemagne.

Une fois cette alerte passée, Max reste à Hambourg ; ses premières années auprès de son père sont difficiles. Chez un autre client important de M.M. Warburg, une grande firme d'import-export de Hambourg, se déclenche le choléra ; plusieurs employés de M.M. Warburg en sont

71

atteints et meurent. La panique gagne la ville. Pendant deux mois terribles, seuls Max et deux employés volontaires continuent de travailler à la Banque. Par cette bravade, Max s'impose comme le second de son père, et, à trente ans, devient même le vrai maître de la firme[136].

Cette année-là, son frère Paul, d'un an son cadet, entre à la Banque. Intellectuel, sérieux et triste, un peu complexé vis-à-vis de ses deux aînés plus brillants en société, lui aussi a commencé très jeune sa formation de banquier, d'abord à Hambourg, chez son oncle, puis chez Samuel Montagu à Londres, à la Banque Russe à Paris, enfin chez ses futurs cousins, les Günzburg, à Saint-Pétersbourg : il entreprend ensuite le voyage autour du monde qui parachève l'éducation de tout Warburg, et, en 1893, il revient à Hambourg auprès de son père qui le nomme directeur[55]. Son avenir se jouera l'année suivante, dans le sillage de celui de son frère Félix, le quatrième fils de Moritz, né en 1871.

Félix, au contraire de Paul, n'a rien d'un intellectuel. Amoureux des jolies choses et des jolies femmes, très dégagé de l'orthodoxie religieuse, il n'en sauvegarde les apparences que pour ne pas faire de peine à sa mère : ça l'ennuie d'avoir à manger casher en voyage. En 1893, on l'envoie en stage chez Oppenheim à Francfort, où il mène belle vie : lui qui n'a que 18 ans devient l'ami de Clara Schumann qui en a plus du triple. C'est là, au cours d'une soirée chez les Dreyfus, l'année suivante, qu'il rencontre Frieda, la fille de Jacob Schiff.

A 47 ans, Jacob, le petit émigré devenu le gendre de Salomon Loeb, est maintenant le Juif le plus célèbre de New York, et l'un des hommes les plus riches du monde. L'année précédente, il a réussi l'impossible réorganisation de l'Union Pacific, au bord de la faillite, et y a gagné énormément d'argent. Cette année-là, il a fait déménager Kuhn Loeb au 27 Pine Street[217], et il vient d'arriver en vacances en Europe avec sa femme et sa fille. Il déteste l'Allemagne, mais il faut bien y aller au moins une fois, ne serait-ce que pour s'y faire voir de ceux qui l'ont connu pauvre. Et il vient à Francfort, où sa fille rencontre Félix Warburg. C'est le coup de foudre. Ce soir-là, Félix écrit à ses parents : « J'ai rencontré la fille que je veux épouser[15]. »

Moritz est très ennuyé : voilà son fils amoureux d'une Américaine et prêt à la suivre dans ce pays de sauvages où il est impossible de vivre en bon Juif. En plus, Moritz déteste la mer et l'idée d'avoir à traverser l'Atlantique l'effraie[15]. Jacob Schiff est tout aussi furieux de voir sa fille trouver de l'intérêt à ce garçon. Il n'a aucune envie de la voir s'installer en Allemagne et il considère les Warburg comme un parti par trop modeste pour elle. Mais les deux jeunes gens insistent. Et, pour la première fois chez les Warburg, voici qu'éclate au grand jour une histoire d'amour.

Les deux familles, furieuses, acceptent enfin de se rencontrer, mais en terrain neutre. Sir Ernest Cassel, le correspondant de Kuhn Loeb et de N.M. Rothschild à Londres, l'ami et le conseiller du Prince de Galles, lié aux deux familles, est choisi d'un commun accord comme intermédiaire dans la négociation. Après bien des tribulations, après des rencontres prétendument fortuites, aux courses à Longchamp et aux bains à Badgastein, Sir Ernest réussit à organiser un déjeuner à Ostende entre les familles. Désastre et ridicule : on ose y servir des langoustes ! Jacob est furieux que Félix ne paraisse pas choqué par cette violation des lois juives. On se sépare sans avoir parlé de rien. Après de multiples autres tentatives[15], Ernest Cassel trouve enfin un compromis : on convient qu'une fois par semaine, Félix écrira à Frieda, et Frieda à Félix, sous la censure de leurs pères respectifs, à qui il faudra lire les lettres à haute voix avant de les envoyer ; et qu'on avisera plus tard.

Cela ne décourage pas les deux amoureux, et les lettres

s'échangent pendant un an. Puis les familles cèdent. On fait contre mauvaise fortune bon cœur. Le mariage aura lieu. Félix ira vivre à New York et travaillera avec son beau-père. En mars 1895, la cérémonie est l'occasion pour tout Hambourg et pour beaucoup de banquiers d'Europe de traverser l'Atlantique[15].

Mais ce n'est pas tout : Paul est garçon d'honneur de son frère, la demoiselle d'honneur de la mariée est la jeune sœur de la mère de Frieda, Nina Loeb, qui a l'âge de sa nièce[15]. Voilà qu'une autre idylle se noue entre Paul — qui jusque-là faisait la cour à sa cousine Rosa Warburg — et Nina Loeb. Autre mariage. Paul devient ainsi l'oncle de son frère, et, un an plus tard, s'installe lui aussi à New York, où il deviendra à son tour associé chez Kuhn Loeb.

Ainsi, en l'espace de deux ans, Max perd deux de ses frères, qui resteront cependant, pour plus de dix années encore, citoyens allemands et associés de M.M. Warburg. Et s'ils traverseront régulièrement l'Atlantique dans les deux sens avec force cuisinières, valets et maîtres d'hôtel[215] l'un et l'autre joueront un rôle considérable dans l'histoire des États-Unis, qui deviennent ainsi du même coup, et au même titre que la Russie d'alors, un « pays Warburg ».

Le destin du dernier des cinq frères s'en trouve lui aussi changé. Fritz, destiné à devenir avocat, fait des études de droit à Berlin et à Rostov. Mais, au départ de trois de ses frères, il faut combler les vides à la Banque et il part faire un stage à la Disconto-Gesellschaft de Francfort, devenue l'un des plus grands établissements allemands[137]. Il passe ensuite quelque temps chez Brandeïs-Goldschmidt and Co, devenue la plus importante entreprise londonienne de commerce des métaux et dont le patron, Paul Kohn-Speyer, vient d'épouser sa sœur Olga. Puis il s'installe à Hambourg, et prendra bientôt en charge — vers 1893 — le département du crédit de M.M. Warburg.

Voici les cinq frères à pied d'œuvre, et leur extraordinaire aventure commence : on peut dire, sans exagérer, que leur destin sous-tend une bonne partie de la vie financière internationale de la première moitié du XXᵉ siècle.

L'ASCENSION DE MAX

En 1893, Max devient l'associé de son père et prend peu à peu un rôle déterminant dans la Banque. Et Max est assez fort pour qu'on enfreigne à sa demande la vieille loi de la famille : il prend prétexte de la maladie d'Aby S. pour faire nommer son propre frère Paul associé, malgré l'hostilité de Theophilie, la veuve de Siegmund. Voilà l'équilibre rompu entre les deux branches de la dynastie...

La crise financière, qui a accompagné la prise de pouvoir de l'Amérique sur les réseaux industriels, est terminée. « Cœur » de l'industrie, l'Amérique ne dispute pas encore à Londres la maîtrise des mouvements financiers internationaux, que Londres draine pour elle de l'Europe entière. L'Amérique profite mieux que tout autre pays des découvertes d'or en Afrique du Sud, lesquelles permettent le financement, par des devises gagées sur cet or, de l'expansion du commerce mondial.

Commence en Europe à surgir la puissance économique allemande, financée, elle, par les banques nationales et par des banques privées dynamiques, qu'elles soient universelles, comme la Deutsche Bank, ou d'affaires, comme M.M. Warburg qui, grâce à sa réputation et à ses réseaux internationaux, sait maintenant profiter de cette conjoncture et, avec des capitaux venus d'Allemagne et de Londres, finance des exportations industrielles et des importations de matières premières dont l'industrie a grand besoin. M.M. Warburg gère maintenant la fortune des grands de ce monde : des hommes d'affaires, des minis-

75

tres, ou encore des écrivains de toute l'Europe, tel Marcel Proust[55]. Max oriente les activités de la Banque dans les trois directions les plus rentables : l'acceptation des traites, le financement du commerce international et la gestion de fortunes sur les marchés boursiers et ceux des changes, qui commencent à varier beaucoup[136].

Il a maintenant de très nombreux autres partenaires à travers le monde : Kuhn Loeb à New York ; Rothschild, Kayser et Japhet à Londres ; Albert Kahn à Paris ; Henriques à Copenhague, et la Stockholms Handelsbank en Suède. Il réussit ainsi à entrer sur le marché scandinave, très proche, mais que sa famille avait délaissé, parce que, pense-t-il, elle avait trop peur de ne pas trouver là-bas de nourriture casher[55]...

Par contre, les relations commencent à se distendre avec la Russie. Certes, on y soutient toujours les banques de la famille, les Günzburg et les Ashkenazi, mais Moritz et Max voient avec fureur l'antisémitisme s'y développer, et commencer les pogroms en Ukraine, en Galicie, en Moscovie[55]. Et les Warburg n'aiment pas cela. Ils détestent encore plus ce qu'ils lisent sous la plume de journalistes ou d'écrivains tels que Dostoïevski : « Aujourd'hui, le Juif et sa banque dominent partout, l'Europe et les lumières, toute la civilisation, le socialisme surtout, car, avec son aide, le Juif éliminera le christianisme et détruira la civilisation chrétienne. Alors il ne restera que l'anarchie. Le Juif gouvernera l'univers[71]... »

La conscience juive de la famille, un peu assoupie, se réveille et se tourne en haine du « Diable russe ». Mais il n'y a là qu'opposition à l'antisémitisme, qu'ils n'ont pas encore vécu eux-mêmes de façon virulente : rien de plus. Et en 1897, lorsque, à une première conférence des sionistes réunie à Bâle, Herzl jette les premières bases du mouvement d'espérance nationale juive, son discours laisse indifférent tous les Juifs intégrés de Hambourg, et d'abord les Warburg.

76

La famille s'installe dans le luxe et la puissance. En 1896, Moritz achète à Kösterberg, dans la banlieue de Hambourg, un vaste terrain dominant l'Elbe, où il fait construire, à côté d'un superbe petit hôtel du XVIIIᵉ siècle, plusieurs grandes maisons pour les hôtes et les membres de la famille. On y passe l'été, et l'hiver à Mittellweg[215]. C'est l'heure de la grande expansion des affaires : chaque année, pendant vingt ans, le chiffre d'affaires de la Banque augmentera d'un tiers. Moritz atteint alors au sommet de l'influence locale ; le Sénat le consulte sur toutes les affaires municipales, et il est le chef incontesté des 16 000 Juifs de la ville[136].

En 1898, l'année de la révision du procès Dreyfus et de la mort de Gordon Pacha à Khartoum, la Banque fête somptueusement son centième anniversaire. Elle ne compte alors encore que trente-six employés, dont quatre « directeurs ». Mais son influence ne se juge pas à sa taille. Elle possède un portefeuille de titres pour plus de neuf millions de marks, et fait un profit net annuel de plus d'un million et demi de marks, avec une rentabilité de 27,6 %[136]. Tout va donc au mieux pour la famille, n'était le scandale qui, cette année-là, est le fait du fils aîné, Aby M., premier Warburg à vouloir épouser une non-juive, Mary Herte. Tempête terrible. Aby persiste[68]. Malgré l'opposition de son père et de ses deux frères, le mariage a lieu, hors de Hambourg. Aby M. doit s'exiler avec sa femme, pour un temps, à Florence[215].

Max, lui, continue son ascension sociale à Hambourg, et maintenant aussi à Berlin, où il faut être. Tous, dans la famille, reconnaissent sa prééminence, même si certains s'inquiètent de ce qu'il expose trop le nom en voulant se placer ainsi dans la lumière des puissants. Son père, fatigué avant l'âge, lui laisse la place. Son cousin Aby S., fils du frère aîné de son père, marié, veuf, puis remarié, prend de plus en plus de champ et réside dans une superbe villa du Cap-Martin. En 1897, Max est élu au bureau du Tribunal de Commerce de la ville. Le 29 décembre 1898, il épouse Alice Magnus dont la famille est liée aux Warburg d'Altona, dont il rachète la banque, qui végétait, pour l'intégrer à celle de Hambourg[55]. Avec son frère Fritz, il s'installe vraiment à Kösterberg. Paul et Félix y possèdent aussi une superbe maison, où ils viennent de temps à autre ; c'est maintenant une sorte de village privé de grand luxe, avec piscine, puis tennis, dont on sort peu mais où l'on reçoit avec faste. En 1900, Alice et Max y ont un premier enfant, leur seul fils, Éric.

C'est à Stuttgart, cette même année, à trente et un ans, que George rencontre sa future femme, la mère de Siegmund, Lucie Kaulla, dite Luz[215], fille d'un avocat de Stuttgart, née en 1866, élevée dans les meilleures écoles, et excellente pianiste. Ils se marient le 1er décembre 1901. Elle vient, comme George, d'un milieu de grande rigueur et de haute morale. Pour ma mère, écrira Siegmund dans un texte qu'il adressera à quelques intimes à l'occasion de sa mort[211], « le foyer de ses parents à Stuttgart avait constitué une école sévère et quelque peu spartiate. Là où une action s'imposait, il fallait qu'elle fût accomplie avec le maximum de minutie et de sérieux ; là où une réflexion s'imposait, il fallait qu'elle fût menée jusque dans ses conséquences ultimes... Ma mère me raconta que son père aimait à lui répéter : "Mon enfant, si tu dois choisir entre deux voies, demande-toi d'abord quelle est la plus ardue pour toi, et lorsque tu le sauras, choisis alors la plus ardue, car c'est celle-ci qui se trouvera être la bonne"...[211] » Elle-même est alors tentée par la vie à la campagne de George. « Toute ambition mondaine comme tout snobisme lui étaient parfaitement étrangers... A plusieurs reprises, elle déclara que les gens qui ne faisaient pas partie de la "bonne société" lui paraissaient souvent bien plus sympathiques que les autres. Cette attitude la situait fréquemment aux antipodes des autres membres plus éloignés de sa famille, lesquels accordaient souvent une place non négligeable aux mondanités[211]. » En cela, elle ressemblait beaucoup à son mari.

Pendant que George et elle s'installent à la campagne, loin de Hambourg, Paul, bien que passant l'essentiel de son temps à New York où il devient associé de Kuhn Loeb en 1902, est nommé citoyen de Hambourg, honneur rare que Max, vexé, ne recevra qu'en février 1903.

La famille est ainsi reconnue par tous comme l'une des plus puissantes d'Allemagne quand, à Urach, naît Siegmund George, fils de George, le paysan oublié.

CHAPITRE II

Puissances de cour

(1902-1933)

L'ÉDUCATION DE SIEGMUND

Quand Siegmund naît dans la maison d'Urach, le 30 septembre 1902, premier et seul enfant de George et de Lucie, le nom de la famille est au zénith de sa puissance. Bülow, qui remplace Hohenlohe comme Chancelier d'une Allemagne florissante, rivale de l'Angleterre et de l'Amérique, la consulte de plus en plus à propos des affaires du monde.

Son père est encore riche et heureux. Il enseigne l'agronomie à l'Université de Tübingen. Sa fortune est évaluée à 6 millions de marks. Il a quelques serviteurs et de nombreux fermiers, dont le nombre diminuera ensuite au rythme de ses mauvaises affaires. Passionné par la terre qu'il travaille et par l'Histoire qu'il étudie, il vit — sans doute seul dans l'Europe d'alors — une étrange vie de Juif gentilhomme campagnard.

La famille reste religieuse, mais à la façon, plus distante, de cette partie de l'Allemagne. « Presque toute l'année, écrit Fred Uhlman qui a vécu dans la ville voisine à la même époque, la synagogue était déserte. Deux fois seulement, pour le nouvel An et le jour du Grand Pardon, elle était bondée... La plupart des Juifs appartenaient à la synagogue libérale[169]. » George est de ceux-là. « Mais un certain nombre d'entre eux étaient orthodoxes, ne man-

81

geaient que des aliments cashers, observaient le shabbat et refusaient d'accomplir le moindre travail ce jour-là. Ils ne voyageaient pas, ne soulevaient pas le récepteur du téléphone, ne portaient rien, pas même des bretelles pour soutenir leur pantalon[169]. » George regarde ces Juifs-là avec distance. Certes, à Uhenfels, on mange encore casher, autant qu'il est possible en ces lieux éloignés, mais on attache plus d'importance à la morale juive qu'à la pratique religieuse. « Mon père, qui était un bon jardinier — dira beaucoup plus tard Siegmund —, considérait qu'il fallait tailler les branches deux fois l'an et laisser Dieu s'occuper du reste[214]. »

Très vite, le goût de la solitude s'empare de George, quand s'aggravent ses maux de tête que nul ne parvient à soigner. Il sort de moins en moins, sauf pour de longues promenades avec son fils, dans les tristes et sauvages paysages de Souabe. Dans la toute première éducation de Siegmund, il est encore présent, et il lui transmet sa passion des livres et son dédain pour l'argent. Il lui apprend sa haine de l'autre monde, où il ne va plus qu'exceptionnellement voir ses cousins et cousines, ceux qui vivent l'autre vie, à Hambourg, et qui ne viennent, eux, que rarement à Urach visiter cette branche de la famille un peu méprisée, parce qu'elle a voulu être paysanne et qu'on a été ravi de la laisser partir. George va aussi parfois à Stuttgart, à Berlin ou à Francfort et passe de longs mois d'été chez les Rothschild, les Oppenheim ou les Mendelssohn, où de superbes soirées musicales réunissent les plus riches familles. Et à Hambourg, chez son frère Aby S., où il amène Siegmund, qui tient le rôle d'Oreste dans des représentations familiales d'*Iphigénie*.

Peu à peu, sa femme devient le vrai maître de la maison d'Urach : c'est elle qui tient les comptes, gère le domaine, s'occupe des familles qui y travaillent, reçoit les innombrables invités et veille sur l'éducation de leur fils. Cette vie la change de son enfance bourgeoise à Stuttgart. « Ses années de jeunesse ne l'avaient en rien préparée aux tâches qui incombent à la maîtresse de maison, écrit à ce propos Siegmund. Elle mobilisait toute son énergie pour prendre sa part de travail à la maison et à la ferme, afin de seconder son mari, et, comme il était jadis de coutume dans ces contrées et ces sociétés patriarcales, pour jouer un rôle de bienfaitrice attentive envers les familles vivant sur notre exploitation et les communautés villageoises environnantes [211]. »

L'enfance de Siegmund est donc d'abord un long dialogue avec sa mère ; tous les témoins de sa vie, plus tard, rapporteront qu'il en parlait souvent, se référant sans cesse aux principes moraux qui l'inspiraient, venus de ce judaïsme germanisé de haute rigueur.

Jusqu'à sept ans, sa mère s'occupe entièrement de sa formation ; elle lui apprend à lire et écrire l'allemand, lui enseigne des rudiments de théologie et d'hébreu et lui fait faire ses prières quotidiennes, en latin. « Parmi les principes d'éducation de ma mère, la prière était un point essentiel, même s'il était abordé de manière totalement non conformiste. Pour ma mère, ni la religion juive, ni aucune Église ou secte n'avaient vraiment d'importance d'un point de vue religieux. Elle était très attachée à la tradition juive et aux enseignements moraux du judaïsme, mais sa piété se nourrissait d'éléments de croyance qu'elle allait chercher dans une myriade de religions et de philosophies, et plus particulièrement chez son cher Goethe ; elle repoussait fermement toute forme de dogmatisme. Le plus important pour elle, en matière de religion, consistait à croire en une puissance suprême et supraterrestre, et de maintenir en permanence le contact avec cette force par le biais de la prière et de l'action quotidiennes [211]. »

Elle lui apprend aussi à jouer du piano et à aimer la musique ; elle-même compose encore : « Chacune de ses compositions — écrira Siegmund avec fierté —, qu'il s'agisse de sa marche, de son andante, de son menuet ou

83

de sa berceuse, est l'expression claire et puissante de sa vision enjouée et positive du monde[211]. »

A huit ans, on l'envoie, pensionnaire, dans un gymnasium à quelques kilomètres de là, à Reutlingen. Chaque dimanche, il rentre à Urach et sa mère continue de surveiller de près son éducation. « Pendant les cinq premières années de ma scolarité, comme au cours de l'année qui la précéda, ma mère me fit régulièrement travailler. Elle considérait que, pour son fils, le travail à la maison était encore plus important que celui de l'école, et elle était fermement opposée à l'idée de confier cette tâche à une gouvernante, fût-elle la meilleure... L'apprentissage par cœur lui semblait essentiel pour entraîner la mémoire... Ma mère était fermement convaincue que, tout compte fait, tous nos actes dépendent de l'intensité des efforts entrepris et du cœur qu'on y met[211]. »

Siegmund est donc un enfant heureux, même s'il reçoit peu d'argent de poche et si sa mère en contrôle strictement l'usage. Un jour, il a huit ans, elle lui reproche de l'avoir dépensé pour acheter du chocolat plutôt qu'un livre[211]. Il n'oubliera jamais cette critique de la « frivolité » qui constituera à ses yeux, plus tard, une faiblesse majeure des hommes et des peuples.

Il se souviendra également toujours que, la veille de sa Bar Mitzvah, en mars 1913, sa mère lui dit : « A partir de maintenant, mon cher enfant, tu devras prier tout seul le soir, mais avant de prier, demande-toi toujours ce que tu as mal fait au cours de la journée ou ce que tu aurais pu faire mieux[211]. » Cette Bar Mitzvah est l'occasion à Urach d'une grande fête, pas très orthodoxe ; et le discours qu'il y fait, émaillé d'engagements moraux, est en latin. Soixante-dix ans plus tard, peu avant sa mort, il le connaîtra encore par cœur.

L'année suivante, à douze ans, premier étudiant juif dans cette institution, on l'envoie faire ses études secondaires au Séminaire Évangélique de la ville. C'est un des plus anciens d'Allemagne, fondé en 1479, et où le poète Eduard Mörike a été élève[175]. Il y reçoit une éducation très classique, qui le marque durablement et qui en fera un homme de culture beaucoup plus que d'argent. Il y prend aussi le goût du style et de l'élégance. Et, pour lui, élégance rime avec simplicité : « L'éducation classique est une chose merveilleuse. On y apprend que les auteurs obscurs ne sont pas forcément les plus profonds et que la simplicité n'exclut pas la profondeur[175]. » Plus tard, il fera mettre, sur tous ses livres, une phrase analogue de Butler : « Le progrès dans la pensée est un progrès vers la simplicité ». C'est aussi dans ce séminaire qu'il découvre les mondes grec et latin, dont il apprend les langues et les cultures. Et il ne les oubliera pas. Des personnages de la littérature grecque, il retiendra le fatalisme ; aux aguets des signes du monde, il s'attendra toujours au pire, toujours surpris de vivre une seconde de plus.

Ces signes ne manqueront pas, tout au long de sa vie, et il saura les lire, même s'il lui arrivera parfois de les chercher en d'étranges lieux. Il dira ainsi qu'il a appris par « une pénible aventure[175] », à Berlin, au début des années trente, que les banquiers savent voir venir une crise, mais ne savent rien faire pour la prévenir. Plus tard encore, à New York, il se qualifiera lui-même de « pessimiste entouré de dangers, guetteur des Signes du Ciel[175] ». A la même époque, il demandera à ses associés à Londres d'apprendre à écouter les signes du destin et à agir en conséquence. Plus tard, enfin, à Blonay, pour parler d'un homme pressé, il dira : « Celui-là ne connaît pas la différence entre Kairos et Chronos ». Et après sa mort, certains de ses familiers confirmeront l'avoir entendu se dire lui-même « pessimiste et, parfois même, superstitieux[222] ».

LES BANQUES, LIEUX DE FORTUNE

Les banquiers ont maintenant atteint le sommet de la hiérarchie sociale. Développés au XVIIIe siècle dans les interstices des métiers du commerce, supports de l'industrie au XIXe, ils se constituent, au début du XXe siècle, en une double élite de l'argent et de la culture, au comportement dynastique.

D'abord élite de l'argent : car là sont les plus grandes fortunes de l'Europe, et non plus seulement dans le coton, les chemins de fer, l'industrie ou la terre ; même si Fred Krupp reste de loin l'Allemand le plus riche de l'époque, plus riche que l'Empereur lui-même.

Mais aussi élite culturelle ; comme si ce métier, d'intelligence et de surveillance des signes, les prédisposait également à un usage sophistiqué de la fortune.

Enfin leur goût de la puissance les conduit à copier les attributs des dynasties qu'ils servent ; et d'abord le plus visible, le nom, comme moyen de marquer le territoire. Leurs alliances restent donc très soigneusement étudiées : on se marie entre banquiers, juifs pour ceux qui le sont, afin d'étendre l'empire, d'éviter qu'il ne se morcelle, de garder les secrets d'affaires dans le cercle le plus étroit. Rarement on déroge à cette règle, et toujours dans le drame. En particulier, un Juif ou une Juive épouse très rarement un non-Juif, fût-il noble, comme dans le cas du mariage de Hannah Rothschild avec Lord Roseberry. Et, même alors, on ne se convertit pas au christianisme et l'on tente de se faire oublier[71].

Mais la fortune de leurs jeunes dynasties ne leur donnent pas du pouvoir, seulement de l'influence sur les hommes de pouvoir. Certes, partout en Europe et aux États-Unis, des banquiers d'affaires, plus que ceux de commerce, qu'ils soient Juifs ou non, s'efforcent d'exercer directement un rôle politique. Les Baring, les Gibbs, les Smith, les Hottinger et les Bleichröder interviennent ouvertement dans le jeu politique des jeunes démocraties : libéraux pour défendre l'ouverture du commerce international, conservateurs pour défendre leurs fortunes, réformistes pour obtenir la mobilité du capital et la modernisation culturelle et sociale, ils font tout, par leurs prêts, pour maintenir en marche l'économie, s'efforçant de susciter une accélération de la croissance pour en financer le remboursement, voire même, sans le vouloir une guerre pour en organiser le moratoire. Mais ils ne peuvent guère infléchir le cours des choses : ni modifier les lois de l'économie, qui les dépassent, ni influer sur celles des autres dynasties, qui les ignorent, ni empêcher la folie des hommes et des idéologies qui emportent leurs rêves de rationalité.

Cependant, autonomes dans la collecte de l'épargne, le financement de l'industrie, des ports, des routes ou de l'armement naval, ils restent en fin de compte, comme jadis, très soumis à la politique étrangère de leurs pays pour les emprunts et prêts à l'étranger. Et si les ministres des Affaires étrangères les utilisent souvent comme messagers occultes, et les ministres des Finances comme conseillers officieux, éventuellement contre leur Banque centrale, ils n'ont en fait qu'une illusion de pouvoir : celle qui peut compléter la réalité d'une influence.

En Angleterre, les *merchant banks,* souvent d'origine à la fois juive et allemande, organisent maintenant des emprunts pour l'État et les collectivités locales et investissent à l'étranger les fortunes qu'on leur confie[9]. Mais elles agissent encore peu sur le marché intérieur des titres, de plus en plus segmenté entre les *jobbers,* qui seuls les achètent, et les agents de change, qui seuls peuvent les céder à des épargnants. Ainsi, alors qu'elles peuvent placer directement chez leurs riches clients des emprunts internationaux, les *merchant banks* doivent passer par des intermédiaires pour placer les titres anglais[9]. Aussi la City ne s'intéresse-t-elle à l'industrie anglaise que pour y organiser des rapprochements industriels sans y apporter de capitaux, alors qu'elle prend des risques toujours plus importants à l'étranger, tels les Rothschild qui prêtent à des aciéries en Suède, à des compagnies de chemins de fer aux États-Unis, à des sociétés minières en Afrique australe et en Amérique latine[9].

Ailleurs, sur le vieux continent, la situation est différente. Les banques allemandes, de M.M. Warburg à la Deutsche Bank, de Stein à la Berliner Handels Gesellschaft, banques universelles ou seulement d'affaires avec un ou cinq cents guichets, financent au contraire de plus en plus leur propre bourgeoisie industrielle. En France aussi, les banques d'affaires prêtent directement aux entreprises françaises, même si le financement du commerce extérieur et du déficit bugdétaire fournit l'essentiel des revenus des Rothschild ou des Hottinger. Les banquiers autrichiens, eux, financent l'industrie de l'Empire Ottoman, tel Moritz de Hirsch qui, depuis Vienne, finance l'Orient-Express[9].

Les États-Unis, encore débiteurs, attirent autant qu'ils peuvent les capitaux d'Europe et leurs banques d'affaires exercent, avec ces capitaux, une puissance énorme dans un pays où l'argent est déjà l'arme principale du pouvoir. John Pierpont Morgan a succédé à son père, et crée une nouvelle filiale, Drexel, Morgan & Co[81]. Il finance les chemins de fer, organise la General Electric et U.S. Steel. Sans doute est-il alors plus influent sur l'évolution de l'Amérique que le Président des États-Unis en personne. En 1901, une bataille l'oppose, pour le contrôle de Northern Pacific Railways, à l'autre grand maître de Wall Street, Jacob Schiff. Chacun veut acheter les titres des gros porteurs. En cinq jours, l'action passe de 110 à 1 000 dollars, l'agitation boursière est générale. Quand Rockefeller choisit le clan Morgan, celui-ci gagne et augmente son énorme fortune. C'est la première défaite de Jacob Schiff[217].

Les Warburg à Berlin

Pendant l'austère enfance de Siegmund, Max, à la grande crainte de son père, inquiet de voir rompre l'interdit de la politique, entre dans le premier cercle de la société impériale. Aussi bien à Hambourg qu'à Kiel ou à Berlin, il se trouve parfaitement à l'aise. Il se sent allemand, et seulement allemand. Son nom, après tout, est celui d'une petite ville de ce pays et la plupart de ses nouveaux amis, de la finance, de l'industrie, de l'armée ou de la Cour, oublient qu'il est Juif. Il lui arrive même d'être jalousé, voire détesté par l'élite juive de l'époque. Chaim Weizmann, le futur premier président de l'État d'Israël, écrira de lui vingt ans plus tard, avec cruauté, ce que beaucoup pensent déjà : « Il était le type même du Juif de Cour, plus Allemand que les Allemands, obséquieux, superpatriote, anxieux de deviner à l'avance les desseins et projets des maîtres de l'Allemagne[177] ». Cruel, ce jugement est d'ailleurs injuste : Max n'est pas un courtisan ; et s'il aime ce pouvoir, c'est aussi parce qu'il considère l'Empire comme le seul régime capable de sauver cette Allemagne dont la liberté financière et religieuse a fait la force de sa famille. Aussi entend-il aider l'Empire, mais également l'orienter dans ce qui est à ses yeux « la bonne direction » : l'éloigner du Tsar antisémite, l'engager dans l'aventure coloniale, pleine de promesses et exutoire de l'ambition des militaires, et enfin, renforcer les pouvoirs de la Reichsbank pour mettre le système bancaire allemand hors d'atteinte du politique.

Pour cela, il faut s'introduire auprès du Kaiser, et il fait tout pour y parvenir. En 1900, il est enfin remarqué par la Cour, parce qu'il réussit à placer à New York un des tout premiers emprunts européens, qui rapporte 80 millions de marks au Trésor allemand ; inversant ainsi le flux séculaire de l'épargne mondiale ; en 1903, le Kaiser prie Ballin de lui amener Max[55]. L'audience ne se passe pas très bien.

L'Empereur ne lui demande pas, comme il s'y attendait, son avis sur d'éventuelles réformes du système financier de l'Empire, mais l'interroge sur l'avenir économique de la Russie, qu'il croit au bord de la banqueroute[55]. Max lui confirme son inquiétude devant les carences de la gestion financière de Saint-Petersbourg, mais lui dit que rien, selon lui, ne permet de prévoir la faillite prochaine de l'État russe, et le prie de protester auprès du Tsar contre les pogromes. Sinon, lui dit-il, la fragilité de la dynastie Romanov se révélera au grand jour et se développeront alors les menaces révolutionnaires. L'Empereur hausse les épaules, parfaitement sceptique. L'entretien tourne court.

Un peu plus tard, après l'insurrection russe de 1905, l'Empereur le rappellera et, d'un « Alors, Monsieur Warburg, faut-il que vous ayez toujours raison ? », l'admettra dans son cercle de conseillers. Là commence une relation qui ne sera interrompue que par la chute de l'Empire[170].

Dans un premier temps, l'Empereur l'invite aux régates annuelles sur l'Elbe ; on y parle finance et jolies femmes. Puis Max entre à la Cour et y voit régulièrement le monarque, avec ou sans Ballin. Le banquier et l'armateur hambourgeois profitent chacun des relations de l'autre, et ne se quittent plus[32]. La première ligne téléphonique privée à être installée en Allemagne l'est entre leurs deux bureaux[136]. Tous deux, de Hambourg, influent sur un puissant Empire, et gagnent beaucoup d'argent à organiser des emprunts et à ouvrir des lignes maritimes dans l'intérêt du Reich.

Car Max sait entretenir le savant réseau de relations centenaire de la famille. Il voit beaucoup de gens, écrit des lettres partout dans le monde et protège ses relations. Il est maintenant en affaires avec plusieurs dizaines de banques par le monde, dont A. Kayser à Londres, Albert Kahn à Paris, H. Henriques Jr à Copenhague, Svenska

Handelsbanken à Stockholm et Kuhn Loeb aux États-Unis[136].

Il renforce aussi l'état-major de la Banque. En 1902, il engage comme conseiller juridique un jeune juriste de Hambourg, Carl Melchior — frère du mari d'une de ses cousines, Elsa —, étrange personnage qui jouera à ses côtés, on le verra, un rôle immense dans l'Allemagne de Weimar, en tentant avec lui d'arrêter le lent glissement de l'Europe vers la catastrophe. En 1905, c'est la consécration : la Banque est enfin admise dans le Consortium de Prêts du Reich, réservé à la très haute finance allemande[136]. En 1906, Max entre au Conseil de « Hamburg-America Linie » et l'augmentation du capital de la « Ligne », de 100 à 125 millions de marks, qu'il organise, est un énorme succès[136].

Le reste de la famille suit des voies multiples : en 1902, Aby M., le fils de Moritz, est parti, après son mariage, vivre à Florence où il mène son travail en solitaire ; en 1905, tant soit peu réconcilié avec son frère, il revient alors irrégulièrement à Hambourg et lui fait tenir sa promesse d'enfance de financer la création d'une énorme bibliothèque, regroupant pour la première fois les meilleurs livres du monde touchant l'histoire des civilisations sous tous leurs aspects. En 1909, il s'installe définitivement à Hambourg, y crée un Institut d'Histoire de l'Art et devient un spécialiste mondialement reconnu des relations entre l'art et l'Histoire, de l'Antiquité à la Renaissance[68].

Fritz, le jeune frère préféré de Max, se marie en 1908 avec une cousine suédoise, Anna Beate Warburg, et, bien qu'associé de la Banque, consacre l'essentiel de son temps à s'occuper des œuvres sociales juives et des déshérités de Hambourg[55].

Félix et Paul, les deux frères d'Amérique, mènent, eux, une toute autre vie. Milliardaires, ils sont, à la banque comme à la maison, sous l'autorité sévère de Jacob Schiff, beau-père de l'un et beau-frère de l'autre. Ils travaillent sous ses ordres et, chaque vendredi soir, les trois familles dînent ensemble au 932 de la Cinquième Avenue où Jacob Schiff a fait construire une sorte de palais de quatre étages. Jacob dit les prières que la famille écoute en silence. On y parle l'anglais, bien que tous les présents soient d'origine allemande. D'ailleurs, comme Jacob et la plupart des Juifs allemands devenus américains, Félix tourne le dos à l'Allemagne[15]. Ses enfants sont élevés dans les meilleurs collèges protestants. Devenu, par héritage et par dot, presque aussi riche que son beau-père, il est plus joueur de squash que banquier, plus homme du monde que Juif de Cour. Amateur d'opéras, il finance la création de la Juilliard School of Music et de la New York Philarmonic Society. Très dépensier, il est un des premiers Américains à posséder un yacht, un terrain de polo personnel et des chevaux de course[55]. Quand il part en Europe en bateau, il emmène maître d'hôtel, soubrette et cuisinier. Il est l'ami d'Albert Einstein et, à partir de 1906, il reçoit toute l'élite new-yorkaise dans une sorte de château Tudor, à White Plains, avec des maisons pour chaque familier, ou dans l'hôtel particulier de cinq étages qu'il fait édifier sur la Cinquième Avenue, au 1109, où s'entassent des Dürer, des Rembrandt et des Botticelli[55].

Paul, au contraire, prend son métier très au sérieux ; associé chez Kuhn Loeb, il y devient un collaborateur de haut niveau pour Jacob et un théoricien de la finance internationale. Certes, il vit bien, mais avec beaucoup moins d'ostentation que son frère. Lui ne renonce pas à ses liens avec l'Allemagne. Au contraire. Il y va souvent et s'y sent chez lui. Et c'est par lui que passe l'emprunt allemand de 1900, qui ouvre les portes du Kaiser à Max. Pourtant, en 1907, il décide, comme Félix, de renoncer à son association chez Warburg et s'installe définitivement à New York.

A partir de là, Max dirige seul la firme, avec comme

seuls associés son cousin Aby S. — le fils de Siegmund, qui aurait dû être le vrai patron, mais qui, de plus en plus diabétique, s'efface —, son frère Fritz, et, surtout, Carl Melchior, qui devient son principal collaborateur.

PAUL, CRÉATEUR DU SYSTÈME FÉDÉRAL DE RÉSERVE

Au début du siècle, les États-Unis deviennent une grande puissance et le dollar une grande monnaie. Celui-ci est fondé sur l'or, même si, en 1900, le Gold Standard Act n'exclut pas encore totalement du système monétaire américain l'argent, dont la frappe est limitée.

Ainsi, comme à chaque fois qu'une nation est devenue entrepôt des marchandises, elle est aussi, peu après, entrepôt des monnaies ; vingt ans après sa prise de pouvoir industrielle, l'Amérique, qui fait plus de profits qu'elle ne peut en utiliser chez elle, commence à placer et à prêter ses devises aux entreprises ou aux autres États du monde. Et les banques d'affaires de Boston et de New York non seulement continuent d'emprunter en Europe de quoi prêter à l'Amérique, mais commencent aussi à opérer en sens inverse.

Kuhn Loeb, par exemple, importe encore bien des capitaux européens pour financer l'industrie américaine ; en 1906, elle emprunte 48 millions de dollars en France pour financer la Pennsylvania Railroad, et en 1909, un groupe français prête, par son intermédiaire, 5 millions de dollars à la Southern Pacific. Pour ce faire, Schiff utilise ses liens avec Rothschild et Warburg.

Mais, à l'inverse, elle place aussi des fortunes américaines en emprunts pour Shell et pour des gouvernements de Suède, d'Allemagne ou du Japon[217].

Au moment de cette inversion des courants financiers, qui va durer trois quarts de siècle, le système bancaire américain est encore très rudimentaire. Il n'y existe aucune

93

organisation centrale ; les banques, quelles que soient leurs activités, s'installent là où elles veulent et leurs relations croissantes rendent leurs faillites communicatives. Depuis la crise de 1880, une vingtaine de banques, les plus grandes du pays, prennent l'habitude de se consulter régulièrement pour harmoniser leurs politiques. Mais il n'y aucune garantie mutuelle, ni aucun contrôle de l'émission de monnaie. Aussi, lorsqu'elles éclatent, les paniques bancaires engendrent-elles de nombreuses banqueroutes qu'il est difficile de circonscrire.

Paul Warburg, dès 1903, propose à Jacob Schiff de créer a la place un système de contrôle de type allemand ; à la veille de devenir citoyen américain, il publie alors un petit livre, *Plan pour une Banque Centrale,* où il propose, à l'image de ce qui existe dans l'Empire allemand depuis 1875, la création d'une Banque Centrale, servant de garantie mutuelle aux banques et possédée à parts égales par le Gouvernement et les grandes banques privées, et d'une dizaine de Banques Fédérales régionales qui seraient seules autorisées à émettre de la monnaie, gagée sur l'or et sur lui seul. Son projet suscite beaucoup d'échos à Wall Street et à Washington, et Paul fait de nombreuses conférences sur ce sujet aux États-Unis. Mais ce n'est encore que celui d'un riche banquier allemand ne vivant que six mois par an à New York. Et on ne le suit pas.

Tout change à l'automne 1907. La faillite de Knickerbocker Trust Co et les menaces planant sur Trust Company of America entraînent une crise financière particulièrement sévère[55] : les banques sont accusées d'avoir gagné trop d'argent en accordant des prêts inconsidérés et de n'avoir pas vu venir la panique. Le projet de Paul redevient alors d'actualité.

En 1910, à 42 ans, après beaucoup d'hésitations, il devient enfin citoyen américain ; la même année, l'Association des Banquiers de New York soutient officiellement son projet, qu'il continue de défendre partout. Si le précédent Président, Theodore Roosevelt, ne l'a pas consulté, un sénateur de Rhode Island, Nelson Aldrich — beau-père de J.D. Rockefeller junior, conseiller de l'actuel Président Taft, et président de la Commission monétaire nationale, dont Paul est aussi membre — le voit souvent et s'intéresse à ses idées. D'ailleurs, la situation financière en Amérique commence à être problématique et les banques sont peu à peu placées sous surveillance. En 1912, un comité du Sénat, le « Money Trust Investigation Comittee », enquête sur les activités de Kuhn Loeb, de J.P. Morgan, de Kidder, de Lee Higginson et de la National City Bank. Certains États votent des lois de contrôle des banques[81].

En novembre 1912, le président Wilson, à peine élu contre Taft et Roosevelt, demande à Paul de rédiger un projet de loi à partir de son livre ; et le projet lui plaît. Il décide alors de le soumettre au plus vite au Sénat. Tout est réglé lors d'une rencontre secrète, début 1913, à Sea Island, en Georgie, entre Paul Warburg, le président de la National City Bank de New York et le sénateur Aldrich. Le projet de loi, rédigé par Paul, est présenté au Sénat par Robert Owen, et au Congrès par un représentant de Virginie, Carter Glass, et devient ainsi le *Owen Glass Act*. Voté à l'été 1913, il crée douze Banques régionales de Réserve et une Federal Reserve Bank à Washington[55].

Pont entre l'Allemagne et les États-Unis, Paul réussit ainsi à organiser à l'allemande le système bancaire américain. Principal architecte de cette construction, il se voit proposer par Wilson de prendre la Présidence de la Banque Fédérale de Réserve. Mais, Juif allemand à peine naturalisé, il la refuse, et n'accepte qu'une vice-présidence, sans qu'un autre président soit nommé ; Benjamin Strong, le gendre de J. Pierpont Morgan qui meurt cette même année, est nommé quant à lui à la Présidence de la Banque régionale de New York, immédiatement rivale de la Banque centrale.

L'ARMURE DU SAMOURAÏ

En ce début du siècle, le Japon se modernise à marches forcées. Frustré de ses conquêtes en Chine en 1894, il attaque la Russie, le 8 février 1904, sans déclaration de guerre. A la stupéfaction des Européens, il se révèle alors comme une puissance militaire moderne. Mais, pour gagner, il lui faut de l'argent, et un vice-gouverneur de la Banque du Japon, commissaire financier du Gouvernement japonais, le baron Korekiho Takahashi, est envoyé à Londres et à New York, en juin 1904, pour demander aux banquiers d'Europe et d'Amérique de souscrire un emprunt du gouvernement impérial japonais de 30 millions de livres sterling à 4,5 %. Jacob Schiff, qui depuis les pogromes de 1894 s'efforce d'organiser un blocus financier du Tsar, qu'il appelle « l'ennemi de l'humanité », accepte avec plaisir de financer cette guerre, et refuse même, cette année-là, de participer à un prêt de Wall Street à la France de peur que cet argent n'aille aux Russes, très emprunteurs à Paris à cette époque [217]. Jacob Schiff écrit alors à Max Warburg pour lui demander de se joindre au prêt au Japon. Max, comme toujours, vérifie auprès de son ministre des Affaires étrangères qu'un tel prêt ne va pas à l'encontre de la politique extérieure de Berlin, et note dans son journal : « J'ai fait ce que tout bon banquier fait dans ce cas : je suis allé au Ministère des Affaires étrangères à Berlin [210]. » On lui donne aussitôt le feu vert, car Krupp, qui joue maintenant un rôle considérable dans les affaires d'État, espère que cette participation au prêt entraînera des commandes d'armement du Japon à l'Allemagne [136]. Max reçoit alors Korekiho Takahashi que lui envoie Jacob. Et le 28 mars 1905, il s'engage à placer pour un million de livres sterling d'emprunt. Il en place immédiatement 900 000 en Allemagne, ce qui lui rapporte gros, puisqu'il obtient pour M.M. Warburg une commission égale à 1,5 % du montant de l'emprunt.

Le 11 juillet de la même année, au moment où la guerre commence à tourner à son avantage, le Japon lance un second emprunt, cette fois de 30 millions de livres sterling. M.M. Warburg, en collaboration avec la Deutsche Asiatische Bank, s'engage à en placer le tiers en Allemagne même. C'est un énorme succès : la demande est dix fois supérieure à l'offre. Quelques mois plus tard, la victoire du Japon est totale et le traité de Porstmouth lui octroie le contrôle de la Mandchourie et de la Corée[203].

Max Warburg et Jacob Schiff deviennent alors des fournisseurs attitrés en capitaux du Japon. L'année suivante, John Shiff y fait un voyage triomphal et la fille du baron Takahashi — lequel sera ensuite ministre des Finances, puis Premier ministre, avant d'être assassiné en 1936 — viendra vivre pendant plusieurs années à New York chez les Schiff[203].

Max et Jacob deviennent même les conseillers industriels des grands groupes familiaux au Japon. Ainsi, en 1906, un grand propriétaire industriel japonais, le baron Mitsui, se rend à Hambourg par le Transsibérien pour y rencontrer Max. La tradition familiale veut que la conversation se soit déroulée ainsi :

Mitsui : « Nous sommes une grande famille, avec beaucoup d'intérêts dans les affaires, et vous aussi. Dites-moi, comment faites-vous pour ne pas vous battre entre vous ? »

Max : « A dire vrai, nous nous battons entre nous, tout le temps. »

Mitsui : « Je n'ai pas fait tout ce chemin à travers la Sibérie pour entendre ça ! »

Max : « Soyons sérieux. Je vous conseille, pour éviter les problèmes, de regrouper toutes les activités de votre famille en un holding unique, et d'en confier le contrôle à une autorité unique. Nous autres Warburg l'avons fait depuis longtemps, et cela marche fort bien. »

97

Ainsi naît le groupe Mitsui, un des tout premiers du Japon. A son retour, le baron expédie à Max une magnifique armure de Samouraï du XIVe siècle, qui trône aujourd'hui encore dans une vitrine de l'immeuble de la Ferdinandstrasse.

Deux ans plus tard, Max se lance dans le financement des chemins de fer chinois, d'abord confié à la Deutsche Asiatische Bank, puis à un groupe germano-anglo-franco-américain dirigé par Jacob Schiff. Les négociations avec l'État chinois sont difficiles[136]. Jacob écrit à Max en 1910 : « Je suis désolé que la Chine nous donne tant de fil à retordre. Dieu sait pourtant s'il y a assez de gens et d'espace en Chine pour justifier bien des financements à l'avenir ». La chute de la dynastie mandchoue, en février 1912, annule tous ces efforts. De même, au Japon, Max Warburg perd ses débouchés quand la Banque Asiatique de Berlin acquiert le monopole des relations financières entre l'Allemagne et ce pays.

Malgré les pertes qu'elle a subies, comme tout le monde, durant la crise de 1907, M.M. Warburg conserve son standing : ainsi, cette année-là, la Banque place en Allemagne la moitié d'un emprunt de 30 millions de marks émis par la Banque de Suède pour sauver un établissement suédois en difficulté, et la réputation de M.M. Warburg à Stockholm en sort grandie[210]. Elle devient la première maison d'émission de Hambourg et introduit treize nouvelles émissions à la Bourse de la ville, première d'Allemagne. Sa taille grandit très vite, plus vite même que la croissance allemande, pourtant considérable. Ainsi, entre 1902 et 1910, son chiffre d'affaires triple, et les revenus de la famille en font autant[136].

Moritz, à l'écart depuis longtemps, meurt en 1910. Max devient alors le vrai patron de M.M. Warburg, secondé par son frère Fritz et, de loin, par son cousin Aby S. Il choisit pour devise : « En avant ! », en français. La Banque continue de progresser rapidement. Elle devient la première banque allemande pour le placement des emprunts commerciaux et des emprunts à l'étranger. En 1911, Carl Melchior, de plus en plus influent auprès de Max, en devient directeur[136]. Cette même année, M.M. Warburg ouvre un bureau à Londres et le confie à un Hollandais, Pieter Vuyk. A Paris, Lionel Hauser, qui représente depuis plusieurs années les intérêts de M.M. Warburg, crée sa propre firme, « Lionel Hauser et Cie », avec des capitaux de Max. En 1912, Max entre au Conseil de Blohm & Voss, le principal chantier naval allemand, et continue de mener des opérations en Autriche avec le Kreditanstalt, aux États-Unis avec Kuhn Loeb, en Scandinavie et en Allemagne avec Siemens-Schuckertwerke, la Deutsche Bank, la Disconto-Gesellschaft et la Deutsche Orientbank[136]. La même année, Carl Melchior entre au conseil d'administration de Norddeutsche Hütte à Brême[136]. Au cours des années suivantes, d'autres directeurs de la banque Warburg entreront aux conseils d'administration de toutes les plus grandes entreprises allemandes, ses clientes, y compris bien sûr dans la Ruhr pourtant de plus en plus rivale de l'Allemagne du Nord.

L'AVENTURE COLONIALE

L'équilibre géopolitique du monde s'est profondément modifié : alors qu'en 1881, l'Angleterre exportait 81 % des cotonnades vendues dans le monde, elle n'en exporte plus, en 1910, que 45 %. L'Amérique, qui produit et transforme le coton chez elle, en assure alors 51 % de la production mondiale, contre 10 % en 1881.

L'Angleterre reste cependant une immense puissance, selon les critères coloniaux : sa flotte est encore la première du monde, égale à celles de la France et de l'Allemagne réunies. Ses investissements à l'étranger lui rapportent encore 200 millions de livres par an. Son industrie est encore la plus performante d'Europe et elle exporte

60 % des produits industriels exportés de par le monde.

Mais l'Amérique est en voie de la distancer largement. Et en Europe même, ou dans ses dépendances, l'Allemagne, en pleine expansion, veut s'asseoir aussi à la table du festin colonial. Sa population atteint maintenant 67 millions d'habitants. Sa flotte et son commerce sont devenus les deuxièmes du monde. Son commerce extérieur connaît encore un déficit que compensent en partie les revenus de ses capitaux placés à l'étranger. Elle recherche aussi des métaux non ferreux, qu'elle ne produit pas. Le pays commence même à ne plus pouvoir soutenir sa croissance autrement que par une ambition coloniale et doit donc se doter d'une politique maritime : « Notre avenir est sur l'eau », dit Guillaume II en 1898. Et, pour cela, l'amiral Tirpitz construit une énorme flotte de guerre.

Chez Warburg, on n'aime pas la guerre ; aussi choisit-on de pousser au développement colonial pour détourner et éloigner la violence. Max travaille alors en étroite collaboration avec le nouveau Chancelier Bethmann-Hollweg, arrivé aux affaires en 1906, à étendre l'empire colonial. Et, il développe le financement des achats de matières premières : Fritz noue pour cela des liens avec Brandeïs Goldschmidt à Londres et avec Guggenheim à New York. Ces opérations rapportent beaucoup d'argent à la Banque.

Mais l'Allemagne se heurte d'emblée à des ambitions identiques plus anciennes, celles de la France et de l'Angleterre. D'abord au Maroc sur lequel, en avril 1906, la conférence d'Algésiras reconnaît à la France et à l'Espagne des droits spéciaux, tout en confirmant son indépendance. Malgré cette défaite diplomatique — victoire, en fait, de la Banque de Paris et des Pays-Bas —, l'Allemagne ne renonce pas à y prendre position. En 1909, Max crée l'Institut colonial de Hambourg, puis, en 1910, la Hambourg Marokko-Gesellschaft, dont Carl Melchior devient le président et dont le directeur est un ancien haut-fonctionnaire du département colonial au ministère des

Affaires étrangères, devenu entre-temps directeur chez M.M. Warburg, Wilhelm C. Regendanz[137].

Et quand, le 21 mai 1911, les Français occupent Fès en violation de l'accord d'Algésiras, Regendanz suggère au ministre des Affaires étrangères allemand d'établir aussi, par mesure de représailles, une présence allemande à Agadir. Et pour que le gouvernement ne soit pas en première ligne dans cette affaire, il propose d'y envoyer quelqu'un du secteur privé, représentant à la fois M.M. Warburg et Mannesman, le Nord et la Ruhr.

En mai, la Wilhelmstrasse donne son accord, et un ingénieur des Mines de Mannesman part le 15 juin pour Agadir, où il n'arrive que le 3 juillet, soit deux jours après qu'une canonnière allemande, le *Panther*, avec Regendanz à son bord, fut arrivée en rade d'Agadir, justement « pour protéger les intérêts allemands »... La réaction nationaliste en France et en Angleterre est très vive. Pour calmer le jeu, Sir Ernest Cassel loue un bateau de la « Ligne », le *Ypiranga*, pour y réunir, en une croisière nordique, ceux qui veulent éviter une guerre anglo-allemande : le colonel Wilfred Ashley, Ballin, Max et leurs femmes[55]. Début septembre, les banques françaises organisent un boycott financier de l'Allemagne, qui entraîne une chute sévère des bourses allemandes. Le 4 novembre, malgré l'opposition de Delcassé, le président du Conseil, Caillaux, accepte un compromis avec Bethmann-Hollweg : en échange de la reconnaissance de la présence française au Maroc, la France cède à l'Allemagne une partie du Congo. A Berlin, les ligues coloniales protestent contre cet accord qu'elles jugent insuffisant, car il exclut l'Allemagne du Maroc. Mais Bethmann estime qu'il n'est pas encore prêt à contrer la France et l'Angleterre, et qu'il faut se contenter de cette demi-victoire. Regendanz, dont le coup de bluff a rapporté à l'Allemagne le Congo, même s'il visait le Maroc, est décoré par l'Empereur en personne[136].

En face, en Angleterre, l'ambition coloniale est tout

aussi dévorante et les banques anglaises y jouent leur rôle : en 1910, par exemple, N.M. Rothschild et Kuhn Loeb organisent un crédit à la République dominicaine, garanti par les droits de douane que perçoit celle-ci. Jacob Schiff câble à Sir Ernest Cassel : « S'ils ne paient pas, qui ira chercher ces droits de douane ? » Cassel répond : « Vos fusiliers marins et les nôtres[81] ».

Partout en Europe, la finance, l'industrie et l'armée nourrissent l'une l'autre leur développement. Ainsi, pour renforcer l'armée allemande, placée sous les ordres de Moltke et de Ludendorff, on construit des voies ferrées vers l'Est, on met au point la fabrication de fusils nouveaux qu'on expérimente dans la Guerre des Boers et le conflit russo-japonais. Il faudra, pense déjà l'État-major allemand, gagner dès que possible la guerre à l'Ouest pour être tranquille sur ce front, puis passer à la conquête de l'Est, où se trouve l'espace libre. L'essentiel de la finance allemande est plutôt hostile à cette idée de guerre, même si certaines banques ont partie liée avec l'industrie militaire de la Ruhr. Ainsi, en 1908, la Deutsche Bank prend le contrôle de Mannesman, le producteur de tuyaux et de canons de la Ruhr ; et la banque Stein, à Cologne, que dirige Kurt von Schröder, venu de Hambourg, fait le lien, par ses filiales à Londres et à New York, avec les fractions bellicistes de la City et de Wall Street. Le rêve de ceux-là est une alliance avec les Anglo-Saxons contre l'Autriche, la France et la Russie.

Pour la plupart, néanmoins, les banquiers allemands préfèrent la circulation de la monnaie à celle des troupes, et poussent Berlin à la conquête coloniale, source d'énorme profits spéculatifs et de placements de prêts rentables, sans qu'il soit trop besoin de faire usage de canons.

En 1911, Gustav Stresemann, alors jeune employé d'un consortium industriel allemand, Albert Ballin et Max Warburg ont l'idée de créer une Société allemande de commerce mondial destinée à aider les entreprises allemandes à exporter. Cette idée aboutit, l'année suivante, à la création du Deutsche Amerikanischer Wirtschaftbund, dont Stresemann est nommé président. En 1913, l'année où la Banque s'installe enfin dans un splendide immeuble, toujours sur la Ferdinandstrasse, Regendanz, au nom de M.M. Warburg, veut aller plus loin : il propose aux principales entreprises bancaires et maritimes de Hambourg (M.M. Warburg, Hamburg-America Linie, Woermann Shipping Line, F. Rosenstern & Co, la Norddeutsche Bank), de Berlin (Berliner Handels Gesellschaft, Deutsche Bank, Disconto Gesellschaft et Brisk & Pohl), ainsi qu'à Fred Krupp A.G., de créer ensemble un « Syndicat d'études d'outre-mer » pour mener des opérations financières en Afrique[136]. Le Syndicat est vite formé et l'Empereur demande à Max d'en prendre la tête. Sa première initiative est l'envoi, fin 1913, d'une mission d'ingénieurs, de banquiers et de fonctionnaires impériaux pour étudier l'éventuelle construction d'un chemin de fer entre l'Angola et l'Afrique du Sud-Ouest allemande. Quand la guerre mondiale éclate, l'expédition se trouve encore en Angola, et le projet est abandonné.

Par ailleurs, Max et Regendanz ne renoncent pas à imposer une présence allemande au Maroc et, pour ce faire, souhaitent s'allier à l'Angleterre contre la France. En février 1914, ils se rendent à Londres pour créer avec Lord Milner, un ancien haut-commissaire — en Afrique du Sud, une banque anglo-allemande pour le Maroc, la Bank of North-West Africa, au capital moitié anglais, moitié allemand. Max Warburg en prendra la direction. Là encore, l'accord est sur le point d'être signé quand la guerre éclate, qui met fin au projet.

Simultanément, le « groupe de Hambourg » tente de prendre le contrôle en Afrique de l'Ouest d'un territoire presque aussi vaste que la Grande-Bretagne, le Nyassaland, dont le propriétaire est une certaine « Compagnie de

103

Nyassa » appartenant elle-même à une société anglaise, la Nyassa Consolidated Ltd. On contacte cette Nyassa Consolidated. Elle accepte de vendre le territoire, après avoir sollicité l'autorisation du Foreign Office, lequel n'attache guère d'intérêt à cette région. En mars 1914, un prix est fixé : 150 000 livres sterling. L'argent vient pour l'essentiel des banques allemandes réunies par Max : la Deutsche Bank et la Berliner Handels Gesellschaft en fournissent chacune 25 %, M.M. Warburg et la Disconto Gesellschaft 16,66 %, Mendelssohn et Bleichröder 8,34 %[136]. La vente est signée à Londres le 28 mai 1914, et Pieter Vuyk, représentant des Warburg à la City, reçoit les titres en dépôt.

Sans doute est-ce là le sommet de la puissance allemande des Warburg : en deux mois, ils achètent pour le compte du Kaiser, à la tête d'un consortium de banques largement juives, 400 000 km² en Afrique ! Mais quand la guerre éclate, les titres de la Nyassa Consolidated sont encore à Londres ; biens appartenant à l'ennemi, ils sont confisqués et le bureau de Max est fermé[136].

Au même moment est créé à Londres le *Comité d'Acceptation,* regroupant les meilleures banques marchandes de la City, contrôlées par des Anglais et actives internationalement. Les billets acceptés par ces banques sont, en dernier ressort, réescomptables à la Banque d'Angleterre et comptent dans ses réserves. Bien plus tard, Siegmund G. Warburg en sera la plus brillante étoile.

CONJURER LA GUERRE

L'Europe glisse lentement vers une nouvelle guerre pourtant ni nécessaire, ni inévitable. La Russie, la France et l'Angleterre s'allient. L'Allemagne et l'Autriche craignent que la Russie ne dépèce à son profit l'Empire turc où s'éveillent les nationalités. Le nord et le sud de l'Allemagne n'ont toujours pas la même attitude : le capitalisme industriel de la Ruhr choisit la perspective de la guerre qui seule, pense-t-il, pourra faire tourner ses usines à pleine capacité ; celui du Nord, plus financier et plus tourné vers l'Atlantique, y est hostile : Max pense qu'une guerre tuerait « son » Allemagne et fait tout, à Berlin, pour s'opposer à la Ruhr[210]. Mais, en fait, comme toute la banque allemande, lui-même n'est pas sans responsabilités dans l'engrenage qui va conduire au conflit. Afin de maintenir ses profits, il prête en effet de l'argent à l'industrie et à l'État pour financer l'armement.

En 1912, les hostilités entre l'Italie et l'Empire ottoman, et la première guerre balkanique font s'exercer armes et armées. Puis les effectifs augmentent de part et d'autre du Rhin. Conrad von Hötzendorff, le chef d'état-major de l'armée autrichienne, et Moltke, qui vient de remplacer Schlieffen à la tête de l'armée allemande, souhaitent désormais une guerre rapide ; ils savent que l'Angleterre n'a pas encore d'armée digne de ce nom et que la France reconstitue depuis longtemps la sienne de façon inquiétante. Le Chancelier Bethmann Hollweg s'est rangé, lui aussi, dans le camp de ceux qui veulent faire la guerre en Europe pour agrandir le territoire, faire tourner l'industrie et maintenir l'ordre social[166]. Et il utilise Max, sans que celui-ci le comprenne vraiment, à obtenir la neutralité anglaise et l'appui américain dans ce conflit à venir.

Ainsi, en 1913, il l'envoie à New York demander un prêt pour l'industrie de guerre allemande. En Amérique, les banquiers, tout comme le reste de l'opinion, sont divisés entre les neutralistes, les partisans de l'Angleterre et les partisans de l'Allemagne[136]. Et Max n'obtient que quelque argent de banques amies, dont évidemment Kuhn Loeb. Peu après, sentant venir la guerre et voulant éviter d'y mêler l'Angleterre, Max Warburg, avec un jeune et brillant industriel, Walther Rathenau, devenu à la suite de son père le patron de l'énorme trust berlinois A.E.G., et avec Albert Ballin, fait tout pour neutraliser la Grande-Bretagne et pousser l'Allemagne vers l'Europe centrale, germanophone et moins peuplée. Ainsi, début 1914, Albert Ballin va-t-il voir le Premier lord de l'Amirauté, Winston Churchill, pour tenter de trouver avec lui un accord et une garantie de paix[32]. En vain.

DÉCLENCHEMENT DU CONFLIT

En juin 1914, toutes les armées d'Europe sont aux aguets, et les économies du continent ne tournent plus que par elles et pour elles. La paix est à la merci d'un incident et beaucoup ont intérêt à ce qu'il ait lieu. Max se rend trois fois à Londres, deux fois au début du mois, puis une autre fois, le 27, après avoir discuté le 14 avec le Chancelier et le Kaiser, à Hambourg, de la meilleure façon d'éviter une guerre anglo-allemande[136]. Et l'assassinat à Sarajevo, en Bosnie, le 28 juin, d'un prince autrichien libéral, François-Ferdinand, archiduc et neveu de l'Empereur, attribué à un Serbe, passe presque inaperçu. Le lendemain, comme chaque année, le Kaiser part pour les régates de Kiel, le Chancelier est en vacances et Moltke aux bains, à Carlsbad[109]. Mais Bethmann-Hollweg et l'état-major allemand, toujours convaincus de la neutralité anglaise, veulent profiter de l'incident pour déclencher une guerre-éclair contre la Serbie, puis contre la Russie, en appuyant une riposte autrichienne à l'attentat pour « en finir avec les Serbes ». Or les Autrichiens ne paraissent pas décidés à la bataille, et il est difficile à l'Allemagne de la déclarer si son allié, « offensé » par l'attentat, ne la déclenche pas lui-même.

Fin juillet, en cet étrange mois d'attente où tout se joue, le Kaiser reçoit Max une nouvelle fois à Kiel[136] :

— Faut-il déclarer la guerre ou attendre encore, Monsieur Warburg ?

— Attendre, Sire. Chaque année de paix renforce l'Allemagne et nous donne plus de moyens de gagner. Attendre ne peut être que bénéfique.

Max sait alors la guerre inévitable, car trop de forces y ont intérêt, et le Kaiser est affaibli. Il sait que « son » Allemagne est presque certainement finie. Résigné, il réduit ses opérations, réalise des valeurs, avant la chute de la Bourse qu'il prévoit. Le 28 juillet, le câble entre l'Allemagne et les États-Unis est coupé. Max Warburg déplace à Amsterdam son représentant à Londres, Pieter Vuyk. Le même jour, l'Autriche, poussée par Bethmann-Hollweg, déclare enfin la guerre à la Serbie.

La guerre commence dans l'ambiguïté : la Serbie croit au soutien de la Russie qui croit, elle, au soutien français. Le 30, la Russie mobilise toute son armée, le Tsar étant convaincu par son état-major qu'une mobilisation partielle est impossible. Voyant cela, l'Autriche, le 31, en fait autant. Ce soir-là, Jaurès est assassiné au café du Croissant, à Paris. Les dés roulent.

Le même jour, sur toutes les places boursières d'Europe, on se rue sur l'or et les cours des monnaies chutent. La bourse de Hambourg est fermée. Les principales monnaies du monde suspendent leur convertibilité en or et flottent : l'étalon-or, à peine installé, est ainsi rompu. Il ne sera plus rétabli que pour quelques brèves années, bien après cette guerre.

En Allemagne, les entreprises demandent à l'État un moratoire sur leurs dettes. Max, le 1er août, avec d'autres banques, essaie tant bien que mal de calmer la situation. Mais tout est joué. Le même jour, l'Allemagne déclarera la guerre à la Russie, et le 3 à la France ; le 5, l'Autriche la déclare à la Russie. Début août, les Allemands croient encore que la Grande-Bretagne n'entrera pas en lutte contre eux[109].

Quand, le 12, Paris et, le 13, Londres, déclarent la guerre à l'Autriche, commence sur le continent européen ce qui deviendra la Première Guerre mondiale, dans la jubilation absurde des armes, la consternation des financiers, la misère des peuples et, bientôt, le crépuscule des aigles.

DÉBUTS DE GUERRE

La presse allemande, largement tenue en mains par les industriels de la Ruhr, mobilise l'opinion et crée l'union sacrée. Elle veut obtenir, des banques et du gouvernement, crédits à bon marché et moratoire sur les dettes. Le 6 août, Max Warburg et quelques autres grands banquiers allemands, convoqués à Berlin par le Chancelier, s'opposent à tout moratoire général qui, disent-ils, ruinerait les banques ou exigerait d'énormes dépenses publiques pour les soutenir. A la place, Max propose la création de banques spécialisées dans le « crédit de guerre », c'est-à-dire dotées de règles de crédit plus souples et de taux plus bas que les autres. Bethmann retient l'idée et l'impose à la Ruhr. Carl Melchior et Max Warburg créent la première banque de ce genre, la Hamburgische Bank ; d'autres suivent dans toute l'Allemagne. Fritz, en août, quitte Hambourg pour devenir conseiller commercial à l'ambassade d'Allemagne en Suède. Aby M., pacifiste convaincu, tombe alors très malade et part pour la Suisse.

Début août, les armées allemandes ont réussi une percée : le 24, elles menacent Paris et le 29, elles battent les Russes à Tannenberg. L'Allemagne se voit déjà victorieuse et prétend au rôle de « pilote de l'Europe[109] ». Bethmann Hollweg rédige alors, avec Walther Rathenau, devenu son conseiller, et Gwinner, un projet de traité de paix par lequel l'Allemagne instaurera sa domination sur toute l'Europe, de Brest à Moscou, et annexera toutes les colonies françaises et belges[109]. C'est le sommet de l'espérance impériale allemande, avant trois ans d'enlisement et un an de débâcle.

108

Car le 6 septembre commence la bataille de la Marne, que l'armée allemande perd le 10 ; et le front se stabilise alors pour trois ans. A la fin de l'année, tout est devenu moins simple pour tout le monde. Les Allemands cherchent alors, par l'intermédiaire d'un banquier juif allemand, Mendelssohn, qui a des parents banquiers en Russie, un contact avec les Russes pour conclure une paix séparée. En vain. Le Tsar refuse[136]. Plus tard, Max jouera le même rôle à l'Ouest et Fritz à l'Est.

La banque M.M. Warburg devient un élément central de la nouvelle économie allemande, qui se transforme en économie de guerre[109] sous l'autorité grandissante de Walther Rathenau. Elle organise l'émission d'emprunts de guerre, en Allemagne et à l'étranger, et crée des agences spécialisées dans les assurances maritimes et dans l'achat de métaux stratégiques à l'étranger[136]. Et la famille Warburg, comme le reste de la bonne bourgeoisie allemande, investit une part importante de sa fortune dans les emprunts de guerre de l'Empire. A la fin de 1914, le Gouvernement envoie Max en Hollande et en Belgique étudier la capacité de ces pays à aider financièrement l'Allemagne. Carl Melchior, lui, part négocier en Bulgarie et en Roumanie des contrats d'approvisionnement. M.M. Warburg, avec la Hamburg America Linie, aide à la création du département du Ministère de l'Intérieur chargé de l'importation de vivres, que Carl Melchior organise ensuite. Pour financer ces importations, il crée deux institutions financières spécialisées, une à Berlin, l'autre à Hambourg, dirigée par Max, pour escompter les titres d'achats de ces importations auprès de banques américaines, en particulier Kuhn Loeb[136].

LA GUERRE VUE D'AMÉRIQUE

L'Amérique tient à sa neutralité et le Président Wilson interdit à tout organisme public américain de prêter à l'un quelconque des belligérants, mais, fidèle au lbéralisme, il autorise les crédits des banques privées. Chaque banque choisit alors son camp, et la plupart rejoignent celui des Alliés contre celui de l'Allemagne.

Ainsi, au début d'août 1914, Morgan place pour deux milliards de dollars de titres à l'intention des Alliés, alors que Kuhn Loeb ne peut en placer que 35 millions pour l'Allemagne [217].

Anglais, Français et Allemands envoient mission sur mission en quête d'argent. Fin 1914, Lord Reading, ex-Rufus Isaacs et futur vice-roi des Indes, vient à New York pour emprunter aux banques américaines au nom de l'Angleterre. Jacob Schiff, sollicité, pose comme condition, pour participer à cet emprunt, que l'argent n'en soit pas, directement ou indirectement, reversé à la Russie, l'alliée de Londres et le chantre de l'antisémitisme en Europe. Et comme Lord Reading ne peut donner cette garantie, Kuhn Loeb ne s'associe pas au prêt [15]. Mortimer, son fils, y souscrit, lui, à titre personnel. Les Juifs allemands d'Amérique sont ainsi très divisés [15] : Jacob tient à la neutralité américaine, comme Paul, qui vient encore de temps à autre à Hambourg, et reste très lié aux milieux allemands de Washington. Il se fâche avec son frère Félix qui, lui, choisit le camp de l'Angleterre et de la France et fait campagne auprès des riches Juifs de New York pour qu'ils aident les Juifs d'Europe de l'Est, encore sous contrôle allemand.

Félix change d'ailleurs peu à peu ces temps-ci : il n'est plus seulement le dandy, le mondain qu'on a connu, mais un militant de plus en plus actif des droits des Juifs du monde entier à la liberté. Il prend la tête des principales organisations charitables juives de New York, pour les fédérer. Son exemple est suivi dans toutes les grandes villes américaines. En 1916, pour organiser l'aide aux Juifs d'Europe de l'Est, il crée le Joint Distribution Committee qui jouera un rôle considérable par la suite, et il en devient président.

ÉCONOMIE DE GUERRE

Avec le début de la guerre, l'influence des industriels et des militaires se substitue à Berlin à celle des armateurs et des banquiers. Albert Ballin et Max Warburg perdent beaucoup de leur poids auprès de l'Empereur et du Chancelier. Et même si on les utilise encore, pour maintenir un lien avec les États-Unis et, plus généralement, pour desserrer l'étau économique et financier allié autour de l'Allemagne, ils sont marginalisés. A la fin de 1914, sentant le danger d'un réveil américain, Bethmann propose même à Max de devenir ambassadeur d'Allemagne aux États-Unis. Max hésite, mais finit par refuser[210] : un ambassadeur, pense-t-il, est aussi dépourvu d'influence « qu'un directeur d'agence de banque » (étrange image !). En outre, comment un Warburg allemand pourrait-il ne pas être en position fausse, à Washington, vis-à-vis de ses deux frères new-yorkais ? Le comte Bernstorff part à sa place, mais Max accepte de se rendre à Washington pour négocier une aide de l'Amérique à la Belgique, à la Bulgarie, à la Roumanie et à la Suède, afin que ces pays restent favorables à l'Allemagne. Au même moment, les de Wendel obtiennent du gouvernement français l'assurance qu'il ne détruira pas en Lorraine les entreprises de la famille Röchling qui, bien plus tard, fourniront l'acier et la technique de la ligne Maginot.

La guerre favorise l'Amérique en développant ses exportations vers l'Europe. En conséquence, sa balance des paiements devient de plus en plus excédentaire et des capitaux énormes s'y entassent. Alors que, de l'autre côté de l'océan, il n'y a plus, de part et d'autre de la ligne de front, qu'une Europe affaiblie qui cesse d'innover et tue sa jeunesse. Un vieux continent, manquant de nourriture, de matières premières et de capitaux, qui doit décider l'inconvertibilité de ses monnaies et s'endetter auprès de sa bourgeoisie et des pays neutres : cette année-là, par exemple, le Trésor allemand est en déficit de 60 milliards de marks, dont il finance les deux tiers par des emprunts d'État et le reste par la création monétaire.

Partout on s'organise pour une guerre longue. L'État prend le contrôle des importations. Walther Rathenau crée à cette fin un Office des Matières Premières. On s'enterre pour la durée de l'hiver. En février 1915, la guerre s'étend : l'Allemagne maîtrise l'Europe centrale et le front Ouest se stabilise. L'Italie entre dans la bataille[109]. Le 23 mai 1915, après l'échec des Dardanelles, le Premier ministre anglais Asquith renvoie Churchill, mais maintient le ministre de la Guerre, Kitchener.

Max, lui, au contraire de la Cour, est pessimiste. Il pense que le temps joue contre l'Allemagne, que son économie ne pourra supporter pareil endettement et que plus le conflit dure, plus augmente le risque d'une entrée en guerre de l'Amérique. Il croit pouvoir faire prévaloir l'idée d'une paix sans vainqueurs ni vaincus, grâce à laquelle Hambourg deviendrait un très grand centre économique mondial[210]. Mais nul ne veut l'entendre, chaque état-major croit qu'il va gagner et souhaite la guerre à outrance. En mars 1915, Max est atterré quand Tirpitz, désolé de voir sa flotte toujours inutilisée, sur ordre du Kaiser, lui demande son avis sur ce que ferait l'Amérique en cas d'utilisation par l'Allemagne de ses sous-marins contre les navires marchands ravitaillant les Alliés. Il est convaincu — et le dit au Chef d'État Major — que cela entraînerait l'entrée en guerre immédiate de l'Amérique, et dans les six mois la défaite allemande[210].

Tirpitz hausse les épaules :

— L'Amérique n'osera pas. Elle est pacifiste par nature, et même si elle veut faire la guerre, l'Allemagne, elle, gagnera avant, grâce aux sous-marins, en coupant l'Angleterre de ses approvisionnements.

Le 1er mai 1915, l'Allemagne déclare l'embargo sur tous les bâtiments voulant accéder à l'Angleterre, et six jours plus tard, un U 20 allemand coule un premier vaisseau civil, en fait transporteur secret d'armes pour l'Angleterre, le *Lusitania* : 1 200 morts, dont 124 Américains. Énorme émotion aux États-Unis : Wilson menace d'entrer en guerre, mais ne le fait pas, malgré les pressions du camp belliciste à New York et au Congrès[166]. L'Allemagne ralentit sa guerre sous-marine pour ne pas trop exciter l'Amérique. Les deux frères, Paul auprès de Wilson et Max auprès de l'Empereur, essaient encore de calmer le jeu. Félix garde lui aussi le contact avec Max, mais c'est pour le pousser à s'intéresser au sort des Juifs de Galicie, de plus en plus maltraités, et à intervenir pour leur permettre d'émigrer en Palestine[55]. Max accepte d'ailleurs d'essayer et demande à von Jagow, ministre allemand des Affaires étrangères, et à son secrétaire d'État, Arthur Zimmermann, d'intercéder auprès des Turcs, alliés de l'Allemagne, pour qu'ils abandonnent la Palestine à l'immigration juive. Il est évidemment mal reçu : l'Empire turc est trop important dans la guerre contre la Russie pour qu'on aille l'indisposer, et von Jagow demande à Max de s'occuper plutôt du financement de la guerre et de la protection des intérêts allemands dans les pays neutres, ce qui devient de plus en plus difficile en raison du blocus allié.

En juillet 1915, Max entre au conseil d'un nouvel organisme créé par la Reichsbank et les ministères des Finances et de l'Intérieur, destiné à assurer l'approvisionnement en vivres du pays. Carl Melchior et lui voyagent à travers l'Europe pour négocier des contrats d'approvisionnement pour différents ministères. Par trois fois, en cette année 1915, Bethmann Hollweg l'envoie en Suède, voir Knut

Wallenberg, le ministre suédois des Affaires étrangères, sous prétexte de négociations financières, pour le convaincre d'aider l'Allemagne en secret ou de permettre au moins le transit de produits interdits par les Alliés. Bien que doutant de l'efficacité de ses démarches, Max se rend néanmoins à Stockholm où le monde le plus international se croise. En vain ; la Suède entend rester neutre. Sa capitale alors une ville-charnière dont l'histoire reste à écrire, plaque-tournante et refuge d'émigrés : des Allemands, des Russes, des Anglais, des Français s'y côtoient. Max y retrouve son frère Fritz, installé là avec sa famille depuis l'année précédente, avec le titre ronflant d'« attaché commercial honoraire à l'Ambassade allemande », pour y négocier en fait des fournitures régulières de matériel agricole, norvégien et suédois à l'Allemagne. Officiellement indépendant, Fritz est en fait en contact étroit avec l'ambassade d'Allemagne à Stockholm ; il y négocie des prêts de toute sortes, et y amorce lui aussi, étrangement, des pourparlers de paix avec la Russie.

Car cette année-là, le Tsar s'inquiète de voir sa couronne vaciller dans la guerre, et essaie de la renforcer en s'appuyant à la fois sur les militaires et sur les partisans de l'Allemagne contre la Douma. Sous l'influence de Raspoutine, il remplace le Premier ministre, Gorémykine, par un germanophile convaincu, Stürmer. Le nouveau ministre de l'Intérieur, un industriel très germanophile lui aussi, Protopopov, souhaite rechercher une paix séparée avec Berlin. En août 1915, il se rend à Stockholm, demande à y rencontrer Fritz Warburg, qu'il connaît par les Günzburg, et lui propose de mettre fin au conflit entre l'Allemagne et la Russie. Fritz se retourne alors vers son frère, lequel informe Zimmermann, qui l'autorise à négocier cette offre inespérée. Mais lorsque, à la fin de l'année, l'Allemagne reconnaît l'indépendance de la Pologne, Protopopov est désavoué par son propre gouvernement et les pourparlers tournent court[137].

En Allemagne, l'atmosphère devient alors de plus en plus belliqueuse ; les pacifistes se font rares. Même les socialistes, avec Philipp Scheidemann, votent encore les crédits militaires et Liebknecht, plus radical, doit quitter le parti. Le Chancelier lui-même est débordé par les militaires et surtout par les maréchaux Hindenburg et Ludendorff et par l'amiral von Holtzendorf, chef d'État-Major de la Marine, qui veulent la guerre à outrance[166]. Fin 1915, Holtzendorf demande à nouveau à Max de réfléchir aux conséquences qu'aurait sur le comportement des États-Unis le déclenchement d'une véritable guerre sous-marine contre les bâtiments de commerce, à la place du simple harcèlement d'alors. Max temporise, promet un rapport, qu'il remet finalement deux mois plus tard : il y prend nettement parti, une fois encore, contre une telle stratégie, expliquant qu'une guerre sous-marine poussera les États-Unis à décider soit un blocus financier de l'Allemagne, qui entraînerait son asphyxie économique, soit leur entrée dans la guerre, qui provoquerait son écrasement militaire[210]. Dans les deux cas, conclut-il, la guerre serait perdue pour l'Allemagne à plus ou moins brève échéance. Peu de gens pensent alors comme lui ; et, dans les milieux militaires, on le dit trop lié aux intérêts américains pour ne pas être suspect. Max se sait maintenant moins crédible et se tait. Il n'y a rien, pense-t-il, d'antisémite dans cette suspicion, qu'il comprend ; et il se résigne à voir de moins en moins souvent l'ambassadeur américain à Berlin, James W. Gerard.

Il est le premier Warburg à être « politiquement suspect », pas le dernier.

URACH, À L'ARRIÈRE

En février 1916, l'Allemagne s'enlise dans son offensive sur Verdun. Le blocus fait son effet : l'inflation se déclenche, la pénurie menace. La consommation de pain est limitée à 200 grammes par jour et par personne[109]. L'opinion publique allemande commence à gronder. En mars, Tirpitz démissionne. En août, Hindenburg remplace Falkenhayn qui a lui-même succédé à Moltke à la tête de l'armée, avec Ludendorff comme adjoint. Walther Rathenau prend la tête de l'Office des matières premières et institue une sorte de socialisme de guerre, austère et égalitaire.

La vie du jeune Siegmund, comme celle de tous les enfants de son âge, est de plus en plus difficile : à l'école, il n'y a plus que des professeurs très âgés[169]. La nourriture est rare et il n'y a plus d'hommes pour s'occuper des champs. Les enfants font la moisson, ramassent les déchets, creusent des abris[169]. Un des bâtiments d'Uhenfelds devient un centre d'hébergement de blessés et de réfugiés. Rentrant en fin de semaine du séminaire où il est pensionnaire, le jeune Siegmund retrouve sa mère harassée et son père malade. « Toutes les responsabilités qui lui revenaient pour l'intendance des différentes maisons, et qui venaient s'ajouter à ses devoirs de mère vis-à-vis de sa proche famille, dépassaient parfois ses forces[211]. » La fortune de son père, largement investie dans les emprunts de guerre, est très entamée et sa santé déjà fragile en est ébranlée ; il est, écrit Siegmund, « atteint d'une grave maladie nerveuse dont les premiers symptômes s'étaient déjà manifestés auparavant. L'une des principales missions dans la vie de ma mère fut alors de soigner son mari et de le décharger au maximum, dans la mesure du possible, de son travail et de ses soucis. Au fur et à mesure de la progression de sa maladie, il fut de plus en plus difficile d'empêcher mon père de sombrer dans des phases de dépression grave ou d'excitation poignante. Les années correspondant à la maladie de mon père furent les plus dures de la vie de ma mère[211]. »

Siegmund n'en dira jamais rien de plus à personne. Il devait avoir des scènes pénibles à oublier.

116

« FINIS GERMANIAE »

L'Amérique profite toujours de la guerre des autres et ne veut pas encore choisir son camp : elle vend du blé, des matières premières, des machines et des armes aux uns et aux autres. Ses banques rivalisent d'ingéniosité et prêtent de l'argent à qui en veut, en échange d'énormes commissions. Même Kuhn Loeb, très engagée du côté allemand, est attirée par les énormes profits à faire et émet des emprunts pour la Royal Dutch Petroleum anglaise et pour de grandes villes françaises (Paris, Bordeaux, Lyon, Marseille), à côté des prêts qu'elle continue de faire à l'Allemagne et à de grandes firmes américaines (Westinghouse, American Smelting and Refining Company, Baldwin Locomotive Works, U.S. Leather Company, U.S. Rubber Company, Western Union Telegraph[217]).

Une seule chose pourrait menacer cette prosprérité : l'interruption des ventes à l'Europe si les mers deviennent trop peu sûres. Mais la destruction du *Lusitania* est oubliée et l'euphorie revient, car la guérilla sous-marine allemande se ralentit puis s'arrête à l'automne, faute de sous-marins en nombre suffisant[166]. L'Allemagne tente alors une fois de plus de diviser les Alliés. Après l'échec des pourparlers de paix séparée avec la Russie, Bethmann la propose maintenant à la Belgique, à la France et à la Grande-Bretagne. Mais comme, dans chaque cas, il veut, en échange du cessez-le-feu, obtenir des territoires, la négociation s'enlise.

A la fin de 1916, tous les belligérants sont épuisés et la conscription atteint jusqu'aux jeunes gens de seize ans. Éric, le fils de Max, sait qu'il va partir au front l'année suivante et Siegmund, qui en a quatorze, est menacé lui aussi d'être appelé si la guerre dure encore. Pour l'État-Major, et surtout pour Ludendorff, il ne reste plus qu'une solution : asphyxier au plus vite l'Angleterre par un blocus alimentaire total. Après que les économistes allemands ont procédé aux savants calculs des calories consommées par les Anglais à leur breakfast[166], l'État-Major conclut que si deux cents sous-marins supplémentaires sont mis à la mer, on peut bloquer l'approvisionnement anglais avant que l'Amérique n'ait eu le temps d'entrer à son tour dans la guerre. Les Junkers, les partis de droite et l'opinion publique se rangent à cet avis[66]. On lance la construction des bâtiments. Consulté, le comte von Bernstorff, ambassadeur allemand à Washington, s'y montre très hostile, et prévient que l'entrée en guerre des États-Unis d'Amérique serait plus rapide qu'on ne le croit à Berlin. Il propose au contraire de demander à Wilson de jouer les médiateurs dans la recherche d'une paix honorable avec l'Angleterre. Le 16 octobre 1916, à Berlin, le Parlement donne raison à Ludendorff et réclame le déclenchement immédiat de la guerre sous-marine[166]. Pourtant, Bethmann-Hollweg hésite de plus en plus et se refuse à la décider : la marine allemande est trop peu fiable, pense-t-il, comme le lui confirmera d'ailleurs, à la fin de l'année, la victoire navale anglaise dans le Jutland.

En décembre 1916, Wilson propose aux belligérants de les réunir pour négocier « une paix sans victoire » ; l'Allemagne rejette ces propositions. Arthur Zimmermann, en chargeant Bernstorff, catastrophé, de transmettre son refus au Président américain, lui demande d'ajouter que l'Allemagne « ne veut pas risquer d'être flouée de ses espoirs de remporter la guerre[166] ».

L'Allemagne impériale se condamne alors à gagner ou à périr. L'Armée et la Cour comprennent que les Alliés, s'ils sont victorieux, lui réclameront des indemnités très lourdes, entraînant immanquablement un profond bouleversement social et la fin des Hohenzollern. Les dés sont jetés. Personne, ni les financiers, ni même Belthmann-Hollweg ne peut plus empêcher ni même retarder la guerre sous-marine. Le 9 janvier 1917, l'amiral von Holtzendorf présente au Kaiser un rapport concluant à la victoire avant l'été si on lance sur le champ dans la guerre les 154 sous-marins déjà construits, qui peuvent couler 600 000 tonnes par mois[166]. Hindenburg l'appuie ; mais à la lecture de ce rapport, Bethmann-Hollweg, définitivement convaincu par Max Warburg et Bernstorff, change alors ouvertement de camp : 154 sous-marins, c'est trop peu, on n'en aura pas fini avec l'Angleterre, dit-il, avant que les États-Unis n'entrent en guerre, et ce sera la catastrophe. L'État-major insiste : si on commence le blocus au plus tard le 1ᵉʳ février 1917, on peut gagner avant l'été.

Ce soir-là, Guillaume réunit l'État-Major et, à la fin d'une dramatique réunion, donne son accord au déclenchement du blocus qui sera annoncé le 1ᵉʳ février. En sortant de la pièce, Bethmann-Hollweg, abattu, marmonne sombrement : « *Finis Germaniae*[166]. »

Max, informé par lui, pense de même, et la semaine suivante, le 15 janvier, le jour même où le général Allenby prend Jérusalem aux Turcs en dépit de l'aide allemande, il s'oppose très vivement au vote, par la Chambre de Commerce de Hambourg, d'une résolution réclamant la reprise de la guerre sous-marine, déjà décidée en fait, mais pas encore rendue publique[136]. Le 1ᵉʳ février, le blocus est annoncé à l'Amérique. Le jour même, Wilson reçoit un télégramme secret de Bethmann, l'adjurant de ne pas entrer dans le conflit, malgré le blocus, et l'assurant qu'il pourra en obtenir l'interruption dès que seront définies « les bases d'une paix acceptable pour l'Allemagne[166]. » Mais Wilson vient de recevoir copie d'un télégramme intercepté, adressé par Zimmermann aux Mexicains, leur promettant le Texas s'ils déclarent la guerre aux États-Unis.

Max, de plus en plus seul à diriger la Banque, demande ce mois-là à Carl Melchior de devenir son associé : celui-ci accepte, et c'est le premier associé à n'être pas un Warburg, même s'il est membre d'une famille alliée[215].

Tout de suite, le blocus est très efficace. Le 15 mars, la

guerre sous-marine fait ses premiers morts parmi les marins américains. L'entrée des États-Unis dans la guerre est alors très rapide, bien plus rapide que ne s'y attendait l'État-Major allemand : dans ces jours de tourmente où la Russie entre en révolution, où Nivelle lance une offensive manquée sur le Chemin des Dames, où s'aggravent les mutineries dans les armées d'Europe, l'Amérique réagit brutalement à la mort de ses marins. Dès le 6 avril, par 373 voix contre 56, son Congrès vote la déclaration de guerre à l'Allemagne. Le Comte Bernstorff quitte l'ambassade de Washington pour celle de Stockholm.

Un rideau de feu tombe entre les frères Warburg. Pendant près de deux ans, ils ne pourront même plus s'écrire, et les lettres parties depuis plusieurs mois, et qui transitent par l'Angleterre, y resteront bloquées. Félix renonce à ses parts dans la banque de Hambourg. Dans une lettre dont on reparlera, Paul écrit joliment, au Président Wilson : « Le frère doit affronter le frère ». Cela ne l'empêche pas, en jouant de ses relations, de réussir à empêcher son fils Jimmy, pourtant volontaire, de partir se battre sur le front européen[15].

Dès la déclaration de guerre, à Wall Street les prêts à l'Allemagne sont interrompus et les banques de New York se mobilisent pour vendre les bons de guerre émis par Washington. Pour cela, elles créent alors, à l'échelle du continent américain, d'énormes réseaux de ventes qui les placent à marches forcées[81], bien au-delà du raisonnable. Elles inventent ainsi les techniques de vente qui seront ensuite utilisées, en temps de paix, pour placer *ad nauseam* auprès du public des titres d'entreprises américaines.

En juin 1917, le blocus mis en place par les Alliés asphyxie l'économie allemande : les devises s'épuisent, les derniers capitaux libres quittent le pays, les impôts rentrent mal, et il n'y a presque plus d'épargne ; faute de ressources, l'État allemand doit s'endetter de plus en plus auprès de sa Banque centrale. L'inflation, jusque-là contenue, se déclenche, réduisant peu à peu la valeur du mark sur les rares marchés des changes encore ouverts.

Max sent venir la catastrophe. Il rédige un plan proposant de renforcer le contrôle des changes et de lancer des emprunts à long terme à l'étranger pour consolider la dette allemande[210] : il sonne à toutes les portes, le soumet au gouverneur de la Reichsbank et au ministre des Finances. Mais, malgré l'appui de Bethmann-Hollweg, de plus en plus opposé au Kaiser sur la conduite de la guerre, son plan est écarté. Il fait alors connaître sa profonde amertume ; le 6 juillet 1917, devant le Reichstag qui lui demande de venir exposer ses vues, il prédit, dans un discours lumineux, l'échec de la guerre sous-marine, la défaite, et la catastrophe économique qui attend le pays si on n'applique pas son plan ; nombre de députés sont convaincus par son discours. Le 12 juillet, Bethmann-Hollweg, épuisé, démissionne. Le 19, le parti du centre et les socialistes adoptent une résolution en faveur de la paix ; l'empereur, dépassé par les événements, nomme Michaëlis à la Chancellerie ; mais, en fait, c'est Hindenburg qui dirige le pays, avec l'armée.

L'activité des banques allemandes se résume alors au placement des emprunts de guerre et au financement du rare commerce international subsistant. Cependant, dans les archives de M.M. Warburg de cette époque[136], on trouve aussi trace d'une étrange opération : un ami de Max, Karl Hagenbeck, qui possède une superbe collection d'animaux sauvages, n'a plus les moyens de les nourrir. Max lui prête 8 000 marks, en prenant un des rhinocéros en gage ! Après la guerre, pour rembourser le prêt, l'animal sera vendu au zoo de Budapest...

Cet été-là, Max Warburg note dans son journal : « Jamais notre destin financier n'a été aussi étroitement lié à la destinée politique de l'Allemagne. L'idée selon laquelle une entreprise privée peut, en temps de guerre, rester indépendante de la situation politique et économique de l'Empire, s'est trouvée clairement infirmée. Il n'est probablement pas une seule banque privée allemande qui ait garanti plus d'emprunts en faveur de l'Empire allemand que nous ne l'avons fait. De ce point de vue, il est certain que nous avons contribué à financer la guerre, notamment en donnant notre garantie pour des achats aux pays neutres[210]. »

Max sait combien cette situation, impossible à éviter, est un danger mortel pour sa maison, comme elle l'est pour l'Empire. Il sait — et il l'écrit en septembre à Carl Melchior, qui travaille de plus en plus souvent pour Berlin — que si l'Allemagne perd la guerre, la Reichsbank sera incapable d'honorer ses engagements et « qu'il ne restera plus qu'à passer dans les journaux une annonce déclarant : M.M. Warburg a suspendu ses paiements au champ d'honneur[175]. »

En octobre, après de longues négociations à Amsterdam, Carl Melchior signe, au nom du gouvernement allemand, un énorme accord de financement des échanges commerciaux avec la Hollande et ses colonies, ouvrant à l'Allemagne une nouvelle source d'approvisionnement en produits de base.

En novembre, la radicalisation de la révolution russe coûte cher à la Banque : quand le gouvernement de Lénine nationalise les banques et les industries, l'énorme portefeuille de valeurs russes que M.M. Warburg détient depuis qu'elle a noué des relations familiales avec les Günzburg, perd toute valeur. Le baron Alexandre de Günzburg et sa femme, la sœur de George, les superbes barons russes qu'on entretient depuis si longtemps à grands frais, émigrent alors en Allemagne et s'installent, avec d'autres réfugiés, chez George et Lucie Warburg, à Urach.

Au même moment, à Londres, Lord Balfour, secrétaire au Foreign Office, fait une déclaration en faveur d'une patrie juive en Israël. A Paris, le 16 novembre, en pleine incertitude militaire et malgré ses différends avec le Président de la République Poincaré, Clémenceau prend le pouvoir ; le même mois, le 26, la Russie demande l'armistice à l'Allemagne. L'Empire allemand croit alors à un répit, voire même à sa victoire. En fait, il entre en agonie.

FIN DE L'EMPIRE

En janvier 1918, bien que Wilson fasse connaître son programme de paix en quatorze points, l'Allemagne relance la guerre à l'Ouest. L'Italie est battue[109]. La Russie signe la paix à Brest-Litovsk, le 3 mars 1918. Le comte Hertling remplace comme Chancelier l'affable Michaëlis, dépassé, et veut à tout prix négocier une fin des hostilités avec l'Amérique. En mai, il convoque Max à Berlin et lui demande d'aller en Hollande rencontrer l'ambassadeur américain pour lui proposer la paix. Max y va en juin, mais le diplomate américain refuse de le recevoir. Ludendorff, qui n'avait pas été prévenu de cette démarche, accuse alors Max d'avoir voulu traiter avec l'ennemi et lui reproche violemment ses liens avec ses frères d'Amérique.

Par une étrange coïncidence, Max n'est pas le seul Warburg, en ce mois de juin 1918, à pâtir de son nom. A Washington, le poste de Paul à la vice-présidence de la Banque Fédérale de Réserve vient à renouvellement. Bien qu'il rêve de continuer à régner sur les institutions monétaires qu'il a créées et qui fonctionnent à peu près bien, il écrit au Président Wilson pour lui conseiller de ne pas le renommer, afin d'éviter les problèmes politiques que poserait au pays en guerre la désignation d'un ancien citoyen allemand à la tête de la plus haute autorité financière du pays. En fait, il espère bien que Wilson balaiera ses objections et le confirmera dans ses fonctions. Il en est même sûr[15]. Et quand Wilson, sans beaucoup d'hésitations, accepte sa démission, il le prend très mal ; amer, il s'en retourne chez Kuhn Loeb. Ce jour-là, le *New York Times* écrit que « nul plus que lui, dans sa modestie, ne pourrait prétendre au titre de fondateur du Système Fédéral de Réserve ». Second Warburg après Max à être « politiquement suspect »...

Au même moment, le 15 juin, à Berlin, Max, rentré de Hollande, est entendu une nouvelle fois par le Reichstag sur la « politique économique et monétaire après la guerre ». Il annonce que l'Allemagne, couverte de dettes à court terme, est menacée d'une inflation qui ruinera les créanciers, c'est-à-dire la bourgeoisie et la classe moyenne ; il propose à nouveau de consolider cette dette d'urgence par des emprunts à long terme à l'étranger[55]. Il fait alors la connaissance du président du Parti social-démocrate, Friedrich Ebert, futur Président de la République de Weimar. Max l'impressionne. Ebert ne s'attendait pas à le voir aussi critique vis-à-vis du régime impérial et à être d'accord avec celui qu'il connaît comme le conseiller financier le plus écouté de l'Empereur depuis quinze ans.

En juillet se joue le sort des armes : l'Allemagne, stoppée en avril à Armentières, est repoussée à Reims. Tout est perdu ; l'été n'apporte qu'une lente désintégration du front[109]. Le 28 septembre, le Chancelier Hertling démissionne. Le lendemain, sur le conseil d'Ebert et de Max Warburg, l'Empereur appelle le prince Max de Bade, son beau-frère, à la Chancellerie. Ce dernier invite Max Warburg à Dessau et lui demande d'être son ministre des Finances. Max refuse : parce que Juif, il ne veut pas se trouver en première ligne durant une telle période[210]. Mais il accepte d'être le conseiller du Chancelier. Jusqu'à la fin d'octobre, il s'installe à Berlin et y travaille sans arrêt avec von Baden à l'élaboration d'un plan de redressement économique. Son ami Walther Rathenau, qui a construit avec lui l'économie de guerre allemande, entre au gouvernement comme ministre de l'Industrie et, à peine nommé, déclare : « Nous ne sommes pas battus. » Siegmund le rencontre à ce moment à Hambourg, chez Max, et gardera un grand souvenir de cet homme énergique, brillant et charmeur.

Mais von Baden n'a pas de réel pouvoir sur le pays et aucune stabilisation économique n'est plus possible. Depuis le début de septembre, Ludendorff, « pour protéger, son armée », souhaite au plus vite la paix dans l'honneur, fût-ce sans victoire[109]. A sa demande, le 3 octobre, von Baden écrit à Wilson pour proposer l'armistice ; il n'acceptera, dit-il, « qu'une paix compatible avec l'honneur ». Le 8, sans en aviser ni la France ni l'Angleterre, Wilson lui répond en posant des conditions de paix très dures : restitution de tous les territoires occupés depuis 1870 et versement d'indemnités aux Alliés, d'un montant à déterminer plus tard.

Alors que le front tient encore en apparence, le 12 octobre, von Baden sait que plus rien n'est possible et que la guerre est perdue ; il accepte, la mort dans l'âme, les conditions de Wilson : l'armée fait ainsi assumer l'échec honteux par les politiques. L'Autriche capitule le 22. Le lendemain, Wilson ajoute une condition supplémentaire : le départ de l'Empereur. C'en est trop pour Ludendorff, qui démissionne. L'armée est en révolte. Le 3 novembre, jour de la signature de l'armistice par l'Autriche, les marins allemands se soulèvent à Kiel. Partout se forment des conseils d'ouvriers et de soldats. Pour éviter la révolution qui menace de plus en plus, Max et d'autres poussent l'Empereur à abdiquer. Albert Ballin est bouleversé. Sa firme est au bord de la faillite. La panique est à son comble. Le 5 novembre 1918, un comité révolutionnaire prend le pouvoir à Hambourg. L'aura de Max Warburg est telle que le comité, après l'avoir pris en otage et pressé de dire où se trouve l'argent de la ville, protège sa famille, l'invite à déjeuner au Rathaus, et l'entend comme conseiller[55]. Max de Bade démissionne et, le 9, au nom des socialistes, Ebert signe avec l'État-Major un accord secret de défense de l'unité du pays contre les révoltes « bolchéviques ». Ce soir-là, Guillaume part pour la Hollande après avoir abdiqué comme empereur mais pas comme roi de Prusse.

La nuit suivante, Albert Ballin, qui ne peut supporter la ruine et la défaite, se suicide[32]. Tragédie dont Max ne se relèvera jamais vraiment.

Dans la tourmente des émeutes d'extrême droite et d'extrême gauche, l'Empereur est retenu prisonnier aux Pays-Bas, les Spartakistes déclenchent leur révolution et Scheidemann proclame la République. Ebert prend la tête d'un gouvernement provisoire.

Le 11 novembre, l'armistice est signé avec les Alliés. L'Empire est mort. Mais le front a tenu et l'armée n'est apparemment pas compromise dans la défaite dont le poids pèsera longtemps sur les épaules des civils.

Les communications entre l'Allemagne et l'Amérique, presque interrompues depuis quatre ans, redeviennent possibles. Jacob Schiff écrit alors à Max : « Ces derniers jours, j'ai reçu bon nombre de lettres de toi écrites à la fin de 1915 et au début de 1916, retenues par le censeur anglais et libérées seulement maintenant. Certaines m'apportaient des vœux à l'occasion des fiançailles et du mariage de Carola, qui a aujourd'hui une petite fille de trois ans. Depuis deux ans et demi qu'on ne peut se parler, vos enfants ont grandi, comme le montre le petit Kodak que Frieda a reçu et nous a montré[15]... »

WARBURG, MELCHIOR ET KEYNES CONTRE VERSAILLES

Commencent deux années terribles où vont se décider les absurdes réparations imposées à une Allemagne exsangue, destructrices de la République naissante, germe de la

126

barbarie nazie et de la guerre suivante. Quelques hommes percevront tout de suite ces folies et tenteront d'alerter les puissants. Là s'arrêtera leur influence, presque nulle en fait, devant l'aveuglement des pouvoirs du temps : financiers de raison, brisés par l'esprit de vengeance des politiques.

L'Amérique est maintenant plus puissante que jamais. Premier producteur mondial de blé, de charbon et d'acier, elle détient la moitié de l'or du monde. Le dollar est la seule monnaie encore vraiment convertible en or. Une once d'or vaut toujours 20,7 dollars. La balance des paiements des États-Unis est largement excédentaire. En Europe, au contraire, les cours de toutes les monnaies flottent à la recherche d'un hypothétique retour aux parités d'avant-guerre. Partout l'inflation menace : pendant la guerre, la masse des billets en circulation a été multipliée par six en France, quatorze en Grande-Bretagne, vingt-cinq en Allemagne. Tous, vainqueurs et vaincus, ont perdu beaucoup de leurs hommes, l'essentiel de leurs usines, et sont couverts de dettes.

La situation de l'Allemagne est particulièrement catastrophique : le chômage et la pénurie s'installent, les activités financières sont anéanties, la valeur du mark reste indéfinie[91]. Quelques jours après l'armistice, le 16 novembre, à Berlin, le gouvernement provisoire d'Ebert demande à Max Warburg de diriger la délégation financière aux négociations du Traité de Paix, qui doivent commencer bientôt à Versailles. Il accepte d'en être membre, mais demande qu'elle soit dirigée par Carl Melchior plutôt que par lui, pour ne pas mettre trop en avant le nom de sa banque. A ce moment, Max songe en effet surtout à redresser la difficile situation d'une des rares institutions financières allemandes encore à peu près debout dans le chaos de la déroute[210]. Le gouvernement accepte. Avec eux, il y aura Kauffman, président de la Banque centrale, et Max restera dans l'ombre, véritable chef de cette délégation sans mandat ni espérance. Comme l'est celle que dirige, pour les pourparlers d'ordre politique, le député catholique Erzberger. Ils seront traités là comme des prisonniers à qui l'on concède quelques rares promenades dans un renfoncement du parc du château[55].

En face des Allemands, dans la délégation financière anglaise nommée par le Premier ministre Lloyd George, figure un jeune professeur de Cambridge, John Maynard Keynes, qui décrira la Conférence dans quelques textes, dont un étonnant petit essai[90] consacré à Carl Melchior, publié en 1920, et dans un autre plus théorique[89], seul regard lucide et prophétique sur les conséquences économiques de cette guerre et de cette paix.

Quand il rencontre Melchior, avant même que ne commence la négociation Keynes, très impressionné, le décrit ainsi : « Un très petit homme, très soigné, habillé de façon exquise, avec un col dur qui paraissait plus blanc et plus dur qu'un autre, avec des cheveux gris rasés de si près qu'ils ressemblaient à un tapis, la ligne entre son front et ses cheveux était très clairement dessinée et plutôt noble, ses yeux regardaient droit en face, avec un extraordinaire chagrin en eux, comme ceux d'un animal aux abois... Ce Juif, qui n'en avait guère l'apparence, j'appris plus tard qu'il était le seul à se tenir avec dignité dans la défaite[90]. »

Tout de suite, Carl Melchior lui apparaît comme un grand négociateur, un exceptionnel visionnaire du destin allemand. « Son sentiment national envers l'Allemagne — dira aussi de lui Siegmund un peu plus tard — n'avait rien à voir avec un patriotisme conventionnel dont le slogan serait : "Right or wrong, my country". Carl Melchior s'estimait appartenir loyalement à la communauté allemande, il était profondément attaché à la langue allemande, qu'il maîtrisait en un style clair et précis, ce qui ne l'empêchait pas de porter également un regard lucide sur les faiblesses de son pays[90]. »

128

Très séduit par Melchior, Keynes ne remarque d'abord pas Max qui, lui, le distingue immédiatement et note dans son journal : « Dans la Commission alliée, Keynes était de loin le plus doué. A la fin de chaque session, il nous donnait toujours une occasion de lui dire notre sentiment. A l'évidence, il cherchait la vérité. Le désir de comprendre en profondeur marquait chacun de ses propos[210]. »

La négociation commence dans la plus extrême confusion : les conditions en sont très mal définies et les intérêts des Alliés très contradictoires. D'abord sur la question du blocus imposé depuis 1915 : l'armistice de novembre en prévoit la poursuite aussi longtemps que les réparations ne seront pas fixées, et l'armistice complémentaire, négocié en décembre 1918 par les seuls Français, interdit aux Allemands d'utiliser pour des achats à l'étranger leur or ou leurs titres, considérés comme gages des réparations à venir. Le blocus pèse comme un chantage absurde sur les négociateurs allemands. Keynes est furieux : « Le blocus, dit-il, a demandé quatre ans pour être mis au point et il est un instrument parfait. Alors ses auteurs se sont mis à l'aimer pour lui-même..., (considérant que) c'est notre seul instrument pour imposer les termes de la paix à l'Allemagne et que, s'il était suspendu, il ne pourrait plus être remis en vigueur[90]. »

Mais qu'exiger de l'Allemagne vaincue ? Et faut-il exiger quelque chose ? Telle est la grande question de l'époque. Au lieu d'accepter pour toute l'Europe la dureté des temps et de chercher ensemble à reconstruire un continent dévasté, tous les vainqueurs choisissent à leur manière la facilité, égoïste et absurde : forcer l'Allemagne, bien que couverte d'énormes dettes de guerre, à payer au surplus des réparations aux vainqueurs, même s'il faut pour cela qu'elle s'endette davantage auprès d'eux, les entraînant dans sa chute. On replonge dans l'économie de la dette, alors qu'on la sait à l'origine de la guerre qui vient de se terminer.

Le 12 janvier 1919, les pourparlers commencent à Versailles, en pleine « semaine sanglante » en Allemagne, où, face à la grève générale, on liquide Karl Liebknecht et Rosa Luxemburg. La Révolution échoue, les spartakistes sont massacrés. La défaite de tous les idéaux fait basculer la jeunesse allemande dans le pacifisme ou le revanchisme. Une Assemblée constituante, élue le 19 janvier, est réunie pour la première fois au théâtre municipal d'une petite ville de Thuringe, Weimar, le 6 février. Elle élabore une Constitution. Les sociaux-démocrates s'y allient au centre catholique et aux démocrates contre les extrêmes, et le 11 février, Ebert, qui aurait voulu sauver la monarchie, est élu président du Reich. Un autre socialiste, Scheidemann, est Chancelier, et le chef de la délégation politique à Versailles, le catholique Erzberger, devient ministre des Finances puis des Affaires étrangères[48].

A Versailles, la délégation allemande, qui suivait l'évolution de la situation avec angoisse, voit avec un certain soulagement s'installer enfin un pouvoir qui pourra lui fixer un quelconque mandat. En fait, il n'en est rien, et le désordre qui règne à Berlin se reflète à Versailles au sein d'une délégation désorientée, indisciplinée, sans contrôle d'elle-même : un jour de février, Melchior cherche un endroit pour parler tranquillement avec Keynes, à l'Hôtel des Réservoirs où on les loge, au demeurant fort mal. Il entre dans un bureau où se trouvent trois jeunes Allemands affalés et débraillés, à qui il demande de leur laisser la place ; ils refusent : « Laissez-nous tranquilles, c'est l'heure de la pause ». « Vous avez là, dit Melchior à Keynes, une image de l'Allemagne en révolution : ce sont mes assistants[90] ».

Pendant ce mois, Max Warburg, Melchior et Keynes ont de longues conversations, que ce dernier raconte avec finesse : « La colère de Melchior était toute entière dirigée contre l'Allemagne, contre la honte et l'humiliation que son peuple s'était causées à lui-même... Je compris aussi très clairement, pour la première fois, que les bâtisseurs de l'Allemagne orientale regardaient à l'Est et non à l'Ouest. Pour lui, Melchior, la guerre aurait dû être d'abord une guerre contre la Russie ; et la pensée des forces obscures qui pourraient maintenant surgir à l'Est de l'Allemagne l'obsédait. J'ai aussi compris quel moraliste précis, strict et de haut niveau il était, adorateur des Tables de la Loi, rabbin[90]. » Melchior craint que l'Allemagne ne se résigne à « l'acceptation insincère de conditions qu'elle savait ne pas pouvoir satisfaire... presque aussi coupable d'accepter ce qu'elle ne pourrait tenir que les Alliés le seraient de lui imposer ce qu'ils n'ont pu, par le juste droit, obtenir... Ce serait là, à ses yeux, des blasphèmes contre le Nom[90]. »

Fin février 1919, au moment où le Premier ministre de Bavière, Eisner, est assassiné, Carl Melchior et Max Warburg retournent à Berlin, préparer les dossiers de la Conférence de Paix. Ils savent qu'on va demander à l'Allemagne des sommes considérables ; et les chiffres les plus fantaisistes circulent dans les chancelleries. Combien peut-on accepter de payer ? et comment payer ? Ils demandent au gouvernement de Scheidemann de ne pas accepter n'importe quoi. Il faut, disent-ils à Berlin, payer le moins possible et obtenir des emprunts à long terme pour garder de quoi acheter les matières premières de base[210] nécessaires à la reconstruction. Leur dossier est prêt au mois d'avril.

Les Alliés doivent eux aussi harmoniser leurs positions. Les Américains souhaitent fixer les réparations à 25 milliards de dollars. La France et l'Angleterre veulent demander en plus à l'Allemagne le remboursement de leurs dépenses de guerre. Clemenceau pense avant tout à la prééminence française en Europe, alors que l'Angleterre et les États-Unis songent, eux, à protéger leur client allemand. Les Alliés se concertent en avril et se mettent d'accord sur un plan provisoire. Le 7 mai, la Conférence reprend. Les Alliés présentent leurs conditions. Même Max, le plus pessimiste des négociateurs allemands, n'a pas prévu qu'elles seraient aussi dures : pertes des colonies et neutralisation de la rive gauche du Rhin, abandon de tous les investissements allemands à l'étranger et de l'essentiel de la flotte marchande, versement en deux ans de 20 milliards de marks-or, dont cinq à verser avant le 1er mai 1921 en échange d'approvisionnements en nourriture et en matières premières, à titre d'acompte sur les réparations qui restent à fixer.

Max est convaincu que si le Traité de Versailles est signé sur ces bases, l'Allemagne sera ruinée durablement et entraînera le reste de l'Europe dans sa perte ; il constituera aussi un désastre pour les Français, et il les en avertit (« La France fera faillite un jour après nous », dit-il en français aux négociateurs venus de Paris[55]). Mais les délégués alliés, sauf Keynes, ne veulent rien entendre. Keynes le leur dit pourtant clairement : « Pour payer tout cela, l'Allemagne devrait disposer d'un excédent commercial lui permettant d'exporter pendant de très longues années moitié plus qu'elle n'importe, et donc d'expulser des marchés du monde quelques-unes des principales industries de la Grande-Bretagne[90] ». Le 20 mai, devant le refus des autres alliés de l'entendre, Keynes quitte Versailles et se replie, pour plus de vingt ans, dans son Université, d'où, homme de grande influence, il dénoncera les erreurs de son temps tout en travaillant à son œuvre.

Mais le blocus, accompagné de révoltes de toute sorte, pousse le gouvernement allemand, inquiet, à céder. Max fait plusieurs voyages à Berlin pour lui demander de résister. Les conséquences de l'accord, dit-il, seraient, pour la jeune démocratie, pires que celles d'un refus. Au début de juin, il écrit à sa femme : « Une chose est certaine : nous ne pourrons jamais signer sérieusement cette paix[210]. »

Le 17 juin, après que Wilson a refusé à l'Italie l'annexion de Fiume et de la Dalmatie, les Alliés transmettent aux Allemands un texte définitif. Selon ce projet, l'Allemagne perd le huitième de son territoire et le dixième de sa population. La Prusse orientale est séparée du reste de l'Allemagne, qui perd aussi toutes ses colonies. Elle perd 25 % de son acier et de son charbon, 75 % de son fer, 15 % de son agriculture. Son État-Major est dissout. Le service militaire y est aboli. L'artillerie lourde, les sous-marins, les tanks lui sont interdits, l'armée est limitée à 100 000 hommes. Les Alliés occupent la rive gauche du Rhin pour cinq ans. On exige des livraisons de matériel, le versement de 20 milliards de marks-or avant le 1er mai 1921, et l'abandon des avoirs à l'étranger. Le traité, dans sa partie politique démilitarise les deux rives du Rhin pour 15 ans, « afin d'assurer le paiement des réparations » dont le montant reste à fixer, après une estimation des dommages qui sera faite par une Commission des Réparations, elle aussi a créer. Le Traité prévoit également, dans son préambule, la création d'une Société des Nations, dont l'Allemagne est exclue.

Face à cet écrasement, le 18 juin, la délégation financière allemande unanime demande au Chancelier de ne pas « signer cette paix, qui mènerait inévitablement à la ruine de l'Allemagne », et elle menace de démissionner si le Chancelier signe quand même. Scheidemann, aussi scandalisé qu'eux, refuse de signer et démissionne le 20 juin. Mais Bauer, qui le remplace, ne se sent pas en situation de refuser et, le 22 juin 1919, le Parlement de Weimar vote les termes du Traité, signé le 28 par le gouvernement allemand et paraphé le même jour, à Versailles, dans la Galerie des Glaces qui avait vu naître l'Empire allemand, par Clemenceau, Wilson, Lloyd George et les autres vainqueurs. Ni Max ni Carl ne sont plus dans la délégation allemande.

Le 11 août est enfin promulguée la Constitution de Weimar, dont l'article 48 permet de gouverner par décrets-lois : la révolution spartakiste, en effrayant les socialistes et l'armée, a ainsi conduit à inventer l'instrument

133

dont Hitler, quinze ans plus tard, se servira pour asseoir son pouvoir.

Mais comme, à la surprise générale, le 19 novembre, le Sénat américain refuse de ratifier le traité, le jugeant trop dur envers l'Allemagne et en contradiction avec les 14 points proposés par Wilson, il n'aura jamais valeur juridique, même s'il va pourrir l'après-guerre et conduire à l'avènement de Hitler.

SIEGMUND ENTRE CHEZ M.M. WARBURG

Comme toute la bourgeoisie allemande, la famille Warburg sort profondément meurtrie de la guerre. Aby M., qui s'y est montré d'emblée très hostile, juge la défaite méritée. Tuberculeux depuis 1916, il a été admis dans un sanatorium sur la frontière suisse et souffre maintenant de manie de la persécution. Fritz rentré de Suède, revient à la Banque où travaille toujours l'autre Aby, Aby S., le frère aîné de George, qui a maintenant cinq enfants, un garçon, Karl, et quatre filles.

George, lui, est très malade. Ses maux de tête empirent sans qu'on en trouve l'origine [215]. Sa fortune s'est envolée dans des emprunts d'Empire que Weimar ne remboursera jamais. Sa propriété est à l'abandon et les Günzburg s'y entassent encore, avec des ouvriers et des paysans ruinés. Sa femme s'épuise en travaux domestiques.

Siegmund termine presque pauvrement ses études. Il est devenu un jeune homme plein de charme, mais aussi d'orgueil. Dans le malheur, il ne demande rien à personne ; l'argent ne l'intéresse pas, la finance ne l'attire guère. Et à aucun moment il n'envisage d'en faire son métier. Son père lui a assez parlé de l'ennui de la vie à Hambourg, de l'austérité de M.M. Warburg ; et ses arrière-cousins ne lui ont jamais vraiment donné l'impression de s'amuser.

Lui, sa passion, c'est la politique, et il est bien décidé à suivre les cours de l'Université de Tübigen, tout à côté, pour y devenir professeur avant de se lancer en politique ; sa mère en est d'ailleurs d'accord.

Mais Max, qui connaît bien les difficultés financières de ses cousins de province — difficultés qu'il n'a pas fait grand'chose pour soulager jusqu'ici —, lui demande de venir à Hambourg, un soir d'août 1919. Il connaît mal ce jeune homme de dix-sept ans et demi. Mais, en chef de la famille, à l'exemple de tous ceux qui l'ont précédé dans ce rôle depuis plus de deux siècles, il souhaite faire quelque chose pour ce jeune homme, le dernier des « Alsterufer ». Certains disent d'ailleurs qu'à l'époque, Max a d'autres raisons de s'intéresser à Siegmund, doutant de la valeur de ses propres successeurs plus directs. Il l'interroge :

— Alors, Siegmund, qu'est-ce que tu veux faire maintenant ?

— Étudier l'histoire et la philosophie pour faire de la politique.

— Très bonne idée, mais si tu commençais par venir travailler un peu à la Banque avec moi ? Tu aurais un salaire et tu pourrais aider ta mère. Tu n'es pas trop jeune pour ça. Tous les Warburg entrent ici à dix-huit ans. Éric, mon fils, vient de le faire.

Siegmund hésite[175]. Il préférerait vraiment continuer ses études, devenir un intellectuel, un universitaire ou un écrivain, comme son arrière-cousin Aby M. ou son petit-cousin James, le fils de Paul, à New York.

Max insiste, charmeur :

— Commence quand même par faire un stage ici, juste un an ou deux. Si tu es le meilleur, tu auras toute la place, tout est à prendre ici ; et si tu n'aimes pas ce métier, il sera toujours temps de t'en retourner à l'Université. D'ailleurs, si tu viens travailler avec moi à Hambourg, tu pourras toujours, le soir, assister à des conférences. Et il y en a sans arrêt ici, de toute sorte. Essaie donc de rester un an ou deux avec nous.

Cette rencontre impressionne beaucoup Siegmund, et constitue un tournant dans sa vie. D'ailleurs, la seule fois où il a accepté de parler de lui à un journaliste, plus de soixante ans après, il l'a racontée lui-même de façon très précise : « Max m'a dit que la banque me préparerait à des tas d'autres choses. Il avait une grande autorité, un grand charme, et j'étais un jeune homme plutôt timide et réservé. Je ne voulais pas entrer dans la banque. J'ai accepté de trouver quelque intérêt à y travailler un an ou deux[207]. »

En réalité, s'il hésite, c'est aussi parce qu'Erzberger vient de l'inviter à suivre la campagne pour lui en Souabe. Et c'est aussi parce que son père, il le sait, aurait voulu qu'il reste travailler avec lui et reprenne la direction de la propriété à Urach. Mais, rentré chez lui, il en parle à son père qui lui conseille, quoi qu'il en ait, d'aller travailler à Hambourg. Siegmund hésite encore, puis, deux mois plus tard, accepte et vient se fixer à Hambourg, mais sans renoncer à ses ambitions premières.

A peine installé, il fait en effet de la politique, soutenant des candidats libéraux, écrivant des discours pour l'ami de son oncle, Walther Rathenau, alors ministre de l'Industrie, et pour un autre ami de la famille, lui-même entré maintenant en politique, Gustav Stresemann. Il s'intéresse aussi beaucoup à la littérature, se mêle à la vie intellectuelle de la ville et dévore livre sur livre. Malgré les moqueries de son père, il écrit ainsi à Vienne à Stephan Zweig, dont il vient de lire la biographie de Romain Rolland, pour lui dire son admiration. A sa grande surprise, Zweig lui répond une longue lettre, amorce d'une étrange amitié qui durera jusqu'en leur lieu commun d'exil, à Londres, et à la mort de l'écrivain.

Mais, ces années-là, l'essentiel de sa vie est faite de l'austère rigueur d'un stagiaire de la maison Warburg : il rédige des projets de lettres, apprend la comptabilité, visite les services et ouvre le courrier. Il travaille avec ses arrière-cousins Max, Fritz et Aby M., son petit-cousin Éric, et Carl Melchior. « Au cours du premier entretien que j'eus avec Carl Melchior, écrit-il plus tard, je me sentis d'abord assez intimidé par son autorité apparente. Bientôt, cependant, se révélèrent à moi ses qualités de compréhension humaine et de calme intérieur, qui encouragèrent incontestablement le garçon beaucoup plus jeune que j'étais à se confier et, souvent, à lui demander conseil... Carl Melchior était l'un de ces rares hommes à faire preuve d'une complète objectivité. Il y avait chez lui cette forme élevée d'impartialité qui s'acquiert de haute lutte, avec passion, et au prix de grands combats intérieurs. Elle consiste en une maîtrise de soi, à la limite d'un quasi-masochisme, dans le but de dominer en soi la subjectivité impulsive, sans cependant réprimer l'intensité du sentiment personnel[213]. »

Carl Melchior lui apprend à rédiger des lettres d'affaires, et fait du « style » de ce qu'on appelle, à l'époque encore, partout en Europe (et en français), la « *haute banque* », une exigence absolue de sa vie : « Il s'agissait de faire savoir à un client important que l'on repoussait sa proposition, et on confia au jeune que j'étais la charge de rédiger la réponse. Dans mon projet, je m'employai à faire un tableau détaillé des raisons de notre position négative. Lorsque je le remis à Carl Melchior pour qu'il le relise, il raya la liste entière des raisons que j'invoquais et me dit : "Nous devrions, au contraire, exprimer simplement notre regret de ne pas participer à cette affaire et, en même temps, exprimer le souhait d'en faire une autre ensemble, à une autre occasion ; le destinataire serait ainsi nettement moins blessé que si nous nous donnons le mal d'expliquer les raisons de notre refus, que, de toute façon, il ne comprendra pas"[213]. »

UNE BANQUE CENTRALE DES « PAYS-WARBURG »

Le 15 juin 1919, avant même la signature du Traité de Versailles, Max et Melchior, déçus, humiliés et inquiets, reviennent à Hambourg pour reconstituer la banque exsangue. En juin 1919, comme l'avait déjà fait Max de Bade en octobre 1918, Ebert propose à Max, puis à Melchior, de devenir ministre des Finances du gouverment Bauer. Ils refusent l'un et l'autre, pour revenir travailler à M.M. Warburg alors en grandes difficultés. Il faut retrouver des employés, renouer les contacts avec les clients et, plus urgent encore, obtenir le paiement des créances en retard. Or, c'est presque impossible, et Max est angoissé. Comme il l'a prédit en 1917, sans capitaux nouveaux, sa banque court à la faillite. Où en trouver, sinon en Amérique ? Il écrit alors en juin à ses deux frères pour leur demander de venir le voir et de l'aider. Paul et Félix n'hésitent pas et viennent en Europe. Envoyé en Suisse par Scheidemann, en juillet, pour solliciter un prêt pour l'Allemagne auprès du gouvernement et des banques helvétiques, Max leur y fixe rendez-vous ; les trois frères se retrouvent à Saint-Moritz en août 1919, pour la première fois depuis six ans[55]. Max leur demande six millions de marks, somme énorme, pour sauver la Banque. Paul et Félix lui conseillent de ne pas insister, de la fermer et de les rejoindre en Amérique :

— L'Allemagne est perdue, tu le sais bien, toi qui as refusé de signer à Versailles. L'Europe va régresser et basculer dans le communisme. Que restes-tu y faire ?

— Mais non, voyons, nous allons redevenir une grande banque, et Hambourg sera la nouvelle capitale de l'Allemagne industrielle... »

On se quitte sans conclure. Félix rentre à New York. Paul, lui, reste quelque temps encore en Europe, en quête d'un rôle à jouer dans l'organisation du financement des dettes européennes. Pour lui, ce problème peut entraîner une catastrophe mondiale, si on ne le traite pas comme celui qu'il a contribué à résoudre en Amérique même : au lieu de prêter à court terme à l'Europe, il faut mettre en place une sorte de banque centrale internationale, pour organiser ces mouvements de capitaux sous forme de prêts à long terme.

Mais, dit-il, cela ne se fera pas sans y associer fonds publics et fonds privés, banques publiques et banques privées. Il va alors à Bâle, puis à Amsterdam où, début octobre, se réunissent, en partie à son initiative, pour la première fois depuis la guerre, des banquiers et des universitaires anglais (dont Keynes), français, américains et allemands (dont Max Warburg)[90]. On y discute des réparations éventuelles, et de leurs conséquences sur l'économie européenne. Paul y lance l'idée d'une banque spécialisée dans le financement des réparations et qui les ferait servir à la relance du commerce international.

De cette idée naîtront plusieurs institutions jusqu'à, on va le voir, la Banque des Règlements Internationaux et la Banque Mondiale d'aujourd'hui.

Au cours de cette réunion d'Amsterdam, son projet est beaucoup discuté, mais sans résultat immédiat. Le 12 octobre, Keynes, qui s'y trouve encore, télégraphie à Melchior à Hambourg de venir le voir. Le 15, Melchior arrive et présente Keynes à Paul Warburg. Le lendemain, tous trois se promènent dans la ville, que Melchior connaît bien depuis l'époque où il y négociait des prêts en faveur de l'Allemagne en guerre[90]. Rentrés à leur hôtel, Keynes leur lit un passage du manuscrit de son livre, *Les Conséquences économiques de la paix*[89], où il parle sévèrement de Wilson et de sa défaite devant le Congrès à propos du Traité de Versailles. « J'observais, écrira Keynes, les réactions des deux Juifs ; Paul Warburg, pour des raisons personnelles, haïssait le Président et ressentait un malin plaisir à sa déconfiture. Il riait, approuvait et trouvait cela excellent. Melchior, au fur et à mesure de la lecture, devenait plus solennel, et, à la fin, il était au bord des larmes. Il était lointain, comme passé de l'autre côté d'un voile ; ni les causes profondes, ni l'inéluctabilité de ce destin, ni la magnificence de cette malédiction ne le concernaient plus. Les Tables de la Loi, pensait-il à ce moment, avaient péri[90]. »

La réunion d'Amsterdam marque beaucoup tous ceux qui y participent. Tous les banquiers présents, vigiles de leur monde, y voient l'urgence d'arrimer l'Allemagne aux Alliés, de remettre l'Europe en route, de la sortir de l'engrenage des dettes à court terme en les consolidant. Tous y pressentent que l'Amérique, qui n'est plus soutenue par l'économie de guerre, a intérêt à ce que renaisse un marché en Europe, sous peine de voir s'essouffler ses propres marchés financiers, que les placeurs de bons de guerre saturent maintenant de prêts à l'industrie du continent.

En rentrant à Hambourg en novembre 1919, Max retrouve un pays en pleine ébullition. La presse populaire est remplie d'appels au meurtre contre « les criminels de novembre », autrement dit les républicains, les socialistes et les Juifs. La droite l'accuse d'avoir accepté de négocier à Versailles et d'y avoir trahi le pays ; il doit se cacher. La situation économique et politique ne s'améliore pas, loin de là. L'extrême-gauche tente une révolution en Bavière, plusieurs centaines de communistes y sont fusillés. L'extrême-droite tente un coup d'État en mars 1920. Des révoltes ouvrières sont durement réprimées en juin dans la Ruhr et en Saxe. Le gouvernement de Weimar joue un jeu délicat entre les extrêmes, s'appuyant sur l'armée contre le peuple affamé.

Pour un temps, on peut néanmoins croire que tout va aller mieux. L'économie allemande reprend lentement vie, son crédit international revient tant soit peu. Les grandes sociétés augmentent leur capital, les fusions recommencent. Cette année-là, Max Warburg refuse de prendre en stage chez lui un jeune et brillant Allemand dont on repar-

140

lera, Herman Abs[175], parce que celui-ci ne veut pas s'engager à rester à la Banque après ce stage. Le mark se stabilise au dixième de sa valeur d'avant-guerre. Mais le gouvernement présume de ses forces et fait preuve d'un optimisme excessif : au printemps 1920, avec l'aide de la Reichsbank, il indemnise les banques pour leurs prêts de guerre au Trésor et les industriels de la Ruhr pour la perte de la Lorraine, mais sans exiger une contrepartie productive, créant ainsi simplement de la monnaie[160].

Ebert propose de nouveau à Max, comme l'avaient déjà fait Bethmann-Hollweg, le prince de Bade et Scheidemann, d'être ministre des Finances ou bien ambassadeur aux États-Unis, où Harding vient de remplacer Wilson. Max refuse les deux postes. L'un parce qu'il pense encore qu'il n'est pas bon pour les Juifs qu'un des leurs soit au gouvernement, l'autre parce qu'« il était plus habitué à commander qu'à obéir[210] ». Il retrouve alors à Berlin un étonnant banquier, Hjalmar Schacht, qui vient d'entrer comme l'un des directeurs à la Reichsbank, après avoir été banquier à Kiel, Berlin, Munich et Leipzig, Paris, Londres, et avoir, pendant la Première Guerre mondiale, fait partie de l'équipe bancaire d'occupation de la Belgique[160] où il l'a connu. Schacht, chrétien et franc-maçon, pense, comme Max, qu'il faut d'urgence demander un crédit à long terme pour pouvoir payer les cinq premiers milliards de la dette allemande.

Cette année-là, à Wall Street, bien des choses changent. Les banques se développent sur tout le territoire. La firme boursière créée par Charles E. Merril en 1910 fusionne avec celle d'Edmund C. Lynch pour créer Merril Lynch, et la banque de J.P. Morgan s'allie à celle de Harold Stanley[81].

Paul est maintenant décidé à s'installer à son compte et à créer une sorte de banque centrale internationale qu'il appelle l'International Acceptance Bank. Il veut associer de grandes banques publiques et privées d'Europe, susceptibles d'apporter leur caution mutuelle à des prêts consentis par des banques américaines pour des opérations de commerce international organisées entre les deux continents. Il met plusieurs mois[55] à convaincre la Svenska Handelsbanken, la Skandinaviska Kredita Tiebolaget, la National Provincial Bank, N.M. Rothschild, le Schweizerische Kreditanstalt de Zurich, Dreyfus Söhne de Bâle, Hope & Co, Handel Maatschappig et M.M. Warburg en Allemagne, qu'il est de leur intérêt de se joindre à cette opération. Il y réussit.

En avril 1920, l'International Acceptance Bank ouvre. Le fils de Paul, Jimmy[55], un étrange intellectuel qui, entré dans les Marines en 1917 après Harvard, a écrit sous pseudonyme le livret d'une comédie musicale à succès, *Time and Dandy*, puis plusieurs livres sur le coton, le cuir et la finance, vient y travailler avec son père.

Commence alors une fuite en avant : la croissance du commerce mondial, ainsi réveillé, ne sera jamais assez forte pour rembourser tous ces prêts, ni les dettes de la guerre. Paul se rendra compte plus tard qu'il n'a fait que retarder la catastrophe, tout en la rendant plus lourde. Mais qui pouvait faire autrement quand la folie des hommes en avait décidé ainsi ? Qui aurait pu avoir de l'influence face à la mécanique de l'absurde et suicidaire vengeance ?

L'ALLEMAGNE RELÈVE LA TÊTE

Après l'été 1920, l'Europe change un peu : Millerand remplace Deschanel qui avait battu Clemenceau à la Présidence de la République française, Lloyd George est toujours Premier ministre à Londres. L'Allemagne paie, en nature et en espèces les montants prévus pour 1919 et le début de 1920. Mais elle fera tout, ensuite, pour ne pas respecter les échéances définies à Versailles, ni payer les réparations dont des conférences, se succédant de ville en ville pendant dix ans, fixeront les montants illusoires et les modalités théoriques.

Ainsi, à la première d'entre elles, à Spa, le 5 juillet 1920, on fixe les pourcentages devant revenir à chaque pays vainqueur : 52 % pour la France, 22 % pour la Grande-Bretagne, et 10 % pour l'Italie ; le reste au Japon, à la Roumanie, à la Belgique, à la Grèce, à la Serbie et au Portugal. De plus, il doit être décidé du prix du charbon que l'Allemagne cédera aux vainqueurs en guise de réparation. En principe, le prix devrait en être très bas, mais les patrons des houillères allemandes, Hugo Stinnes et Otto Wolf, refusent de livrer le moindre kilo de charbon allemand à la France si le prix n'est pas équitable, et n'acceptent de vendre qu'à un dollar-or, plus dix dollars de prêt par tonne de charbon livrée, ce qui constitue en fait un excellent prix, comparable à ceux du marché international[160]

Max prend la tête d'une campagne de réhabilitation de l'Allemagne. Il demande son admission à la Société des Nations tout juste créée, et réclame un grand prêt international pour sa reconstruction. Cette même année, pour tourner le Traité de Versailles et éviter la saisie des filiales à l'étranger de Zeiss et de Krupp, il les déguise en entreprises anglaise et hollandaise, en les faisant racheter par deux filiales de M.M. Warburg rouvertes à Londres (la « Merchant and Finance Corporation ») et à Amsterdam (la « M.M. Warburg and Co »). En mars, il émet le premier emprunt industriel allemand de l'après-guerre, de 100 millions de marks, pour le compte de la Elektrizitäts-Gesellschaft de Berlin. La Banque Guggenheim de New York lui en prend le quart[136].

Cette année-là aussi, avec Mendelssohn, de Berlin, il crée une première banque internationale pour attirer les investissements étrangers en Allemagne, la Deutsche Warentreuhand A.G., et finance l'achat de nouveaux bateaux pour la « Ligne » qu'il a sauvée de la faillite après la mort de Ballin. L'un portera son nom, un autre celui de Carl

Melchior[137]. Siegmund, qui travaille avec lui, suit tout cela avec passion.

A la fin de 1920, commencent les négociations de fixation du montant des réparations. Carl Melchior, avec un groupe d'experts, fait, au nom de l'Allemagne, des propositions, rejetées par les Français en janvier 1921, lors d'une conférence réunie à Paris. Les Alliés y réclament 226 milliards de marks en 42 annuités. Au début de mars, à Londres, l'Allemagne refuse et propose d'en payer 30, en sus des 20 qu'elle soutient avoir déjà versés depuis la guerre, en nature et en espèces. La France, furieuse, occupe Dusseldorf et Duisbourg le 8 mars, à titre de sanction. Le 27 avril, à la conférence de Londres qui reprend, les Alliés réduisent leurs prétentions à 132 milliards de marks. Si elle acceptait ce montant, l'Allemagne devrait payer chaque année 2 milliards de marks et renoncer à un quart de ses recettes d'exportation, soit plus que les rentrées budgétaires totales de l'État allemand, ce qui est évidemment impossible. Les Allemands rejettent cette demande, malgré l'ultimatum des Alliés, qui menacent de réoccuper toute l'Allemagne du Sud. L'impasse est totale.

En Allemagne, le blocus continue et aggrave la pénurie. En juin, Wirth est nommé Chancelier. Les troubles sociaux se multiplient, les capitaux fuient ; les contrats commerciaux et bancaires sont de plus en plus souvent libellés en livres ou en dollars. Le Reichstag accepte alors l'ultimatum allié. Wirth signe l'accord de Londres, et, pour commencer à payer ces 132 milliards de marks-or, on vend de grandes quantités d'or et de devises, ce qui réduit encore la solvabilité et la capacité d'emprunt de l'Allemagne. Max Warburg répète alors à qui veut l'entendre que la seule solution raisonnable serait que les Alliés acceptent de prêter à long terme à l'Allemagne de quoi payer ces réparations, puisque celles-ci sont désormais inévitables[210]. Mais il ne réussit pas à organiser de tels prêts, sauf pour un faible montant avec l'International Acceptance Bank :

9 millions de dollars prêtés à M.M. Warburg pour financer l'importation en Allemagne de céréales essentielles[136].

L'Allemagne continue donc à vivre de prêts à court terme. Devant l'insuffisance de la production et l'ampleur des dettes, l'inflation, un temps contenue, s'accélère au printemps de 1921, au moment où Erzberger est assassiné. Elle intensifie l'activité des banques allemandes, car, avec la hausse des prix, il faut en effet augmenter régulièrement le capital des grands groupes et émettre des emprunts pour Krupp, Daimler ou la Hamburgische-Elektrizitätswerke[137]. M.M. Warburg, comme les autres banques, y gagne bien sa vie, mais au détriment de la valeur de son propre actif et de celui des épargnants, spoliés par l'inflation. L'inflation se nourrit de la chute du mark ; le dollar passera de 63 marks en juin 1921 à un peu moins de 100 en décembre. Aussi les gens ne tardent-ils pas à retirer leur argent des banques. Au cours de cette année, le capital et les réserves bancaires allemandes baissent de 70 %, les dépôts et comptes-courants de 80 %. Plusieurs banques privées font faillite et certaines collectivités publiques entrent dans le capital de quelques-unes d'entre elles.

GLISSEMENTS PROGRESSIFS VERS L'HITLÉRISME

Grâce à l'aide des frères d'Amérique, M.M. Warburg fait partie des rares établissements survivants qui évitent la quasi nationalisation ; à la fin de 1921, elle peut régler la plupart de ses dettes d'avant-guerre.

Ce n'est pas le cas du pays. Six mois seulement après avoir accepté l'accord de Londres, le Chancelier Wirth déclare l'Allemagne incapable de faire face aux échéances de janvier 1922 et réclame un moratoire sur ses dettes. Il ne veut pas entendre parler d'un prêt qui se traduirait par une vassalisation de l'Allemagne. En janvier 1922, une

145

nouvelle conférence s'ouvre à Cannes où Walther Rathenau, encore ministre de la Reconstruction, expose la situation désespérée de son pays. L'inquiétude des banquiers britanniques devant les risques de faillite allemande poussent Lloyd George à proposer des accommodements. Dans un premier temps, le Président du Conseil français, Briand, accepte ; mais le Président de la République, Millerand, le désavoue le 12 janvier 1922, Briand démissionne, remplacé par Poincaré, et le montant des réparations reste celui fixé à Londres : 132 milliards de marks ; la seule différence est qu'ils est maintenant tout à fait fictif.

En février, Wirth convoque Max et Melchior à Berlin pour préparer avec eux une nouvelle Conférence économique européenne, organisée à Gênes pour avril par le Premier ministre britannique Lloyd George. Max refuse d'y aller et demande à Melchior de s'y montrer prudent. Il lui écrit : « Je trouverais incorrect que notre firme soit fortement représentée à cette conférence. J'aimerais vous demander à l'avance de quitter immédiatement la conférence si, à propos d'un éventuel prêt international, on parle d'une mise sous surveillance financière de l'Allemagne. Quelles que soient les circonstances, je ne souhaite pas nous voir liés à l'abdication de notre indépendance financière ; de toute façon, je n'attends aucun résultat d'une telle supervision[210]. »

L'inflation est maintenant déclarée. En février 1922, le mark perd encore 25 % de sa valeur par rapport au franc, et 10 % du 15 au 31 mars 1922. En avril, le gouvernement Wirth tente une politique de stabilisation brutale. Au moment où, devenu ministre des Affaires étrangères, Walther Rathenau signe avec Moscou l'accord de Rapallo qui rompt l'isolement de l'Allemagne, Wirth lui fait, une nouvelle fois demander à Max, d'entrer au gouvernement. Pour la cinquième fois en deux ans, Max refuse, expliquant encore qu'étant donné l'atmosphère générale, il n'est pas souhaitable qu'il y ait deux Juifs au sein du même gouvernement[210].

Un mois plus tard, le 24 juin, Walther Rathenau est assassiné par deux nationalistes antisémistes, membres d'une organisation secrète, « Consul ». Ce jour-là, au Reichstag, Gustav Stresemann, devenu président du Parti du Peuple, déclare, au grand scandale des conservateurs : « L'ennemi est à droite ». Siegmund, comme tout ce qui compte de libéral et d'intellectuel en Allemagne, se rend aux obsèques de Rathenau ; il n'oubliera jamais le discours qu'y prononce le Président d'A.E.G., successeur à ce poste de Rathenau, Félix Deutsch : « Chacun a les défauts de ses qualités, mais peu de gens ont, comme il les avait, les qualités de leurs défauts[175]. »

Cet assassinat, et la menace d'une occupation totale de la Ruhr par les Alliés, provoquent une agitation extrême en Allemagne et font échouer la tentative de stabilisation de Wirth. La violence atteint à son comble. En août 1922, le chef de la police de Hambourg met de nouveau Max Warburg en garde contre des menaces d'attentat et lui demande de modifier ses habitudes, de s'entourer de gardes du corps, et même de partir pour les Pays-Bas, au moins pendant quelques semaines. Max s'y résoud et quitte Hambourg pour deux mois. Pour la première fois depuis la guerre, il retourne aux États-Unis.

En octobre 1922, Mussolini prend le pouvoir en Italie et Lloyd George est renversé à Londres. En novembre, sous la pression de la Ruhr menée par Hugo Stinnes, maître d'un immense empire, Wirth est remplacé par Cuno, qui avait lui-même remplacé Ballin à la tête de la « Ligne ». La France continue, malgré la situation allemande, à exiger les paiements stipulés à Londres.

HYPER-INFLATION

Commence alors l'année terrible. Comme l'Allemagne
ne paie toujours pas, le 11 janvier 1923, les troupes françaises et belges occupent la Ruhr tout entière. La situation
économico-financière de l'Allemagne devient absolument
catastrophique, le mark s'écroule, les taux de change évo-
luent de minute en minute. Max Warburg note dans son
journal : « Le mark a cessé de mériter l'appellation de
monnaie ; il est devenu une pure et simple illusion[210]. »
Les Juifs, les bourgeois, les banquiers sont attaqués en
bloc par la presse. En mars, *Hammer*, un journal antisémite, accuse Max Warburg d'avoir financé la Révolution
russe et d'avoir trahi l'Allemagne à Versailles. Comme
l'Allemagne est encore un État de droit, Max attaque le
journal en diffamation et obtient des réparations. En avril,
Cuno décide de recommencer à payer les échéances et,
pour ce faire, lance un emprunt-or de 500 millions de
marks. Mais qui prêtera à une Allemagne dans cet état ?
La souscription ne couvre que 168 millions qui sont tout
de suite repris par les créanciers. L'inflation est débridée,
la situation sans issue : le 13 juin, un dollar vaut un million de marks, et 100 millions en août !

Le 12 août 1923, le chef de l'aile droite des nationaux
libéraux, Gustav Stresemann, devient Chancelier et forme
un gouvernement de coalition avec les sociaux-démocrates.
Le mark n'est plus rien : 1 300 papeteries et 2 000 impri-
meries travaillent vingt-quatre heures sur vingt-quatre
pour fournir les billets. Le moral est au plus bas, le
cynisme se développe. La classe moyenne et la bourgeoisie
s'effondrent. Le creuset du nazisme est là.

En septembre, les activités bancaires deviennent de plus
en plus complexes et exigent de plus en plus d'employés.
Pour protéger son actif et respecter ses engagements à
l'étranger, M.M. Warburg place alors son capital et ses
profits en devises étrangères. L'économie, de plus en plus,

148

se « dollarise » ou se gère en livres. Voici venir les premiers « eurodollars ». Même les collectivités locales payent en devises étrangères leurs fonctionnaires et empruntent aux banques pour le faire. M.M. Warburg avance ainsi, en septembre 1923, 50 000 livres sterling à la ville de Hambourg pour payer les salariés du port[137]. Le 15 octobre 1923, le dollar vaut 2 520 milliards de marks ; il en vaut 4 200 milliards le 5 novembre[43].

Cette année-là, le vice-président Coolidge succède à Harding à la Maison Blanche.

Le 18 octobre 1923, le père de Siegmund meurt à Constance, à 52 ans, presque fou, au bord de la ruine. Il est enterré dans sa propriété[215]. Sa femme a toujours été là, près de lui, jusqu'au bout. « Plus sa maladie progressait et plus ils partageaient la moindre expérience, jusque dans les moindres détails. Au cours des trois années précédant la mort de son mari, ma mère ne se sépara pas de lui un seul jour... Après la mort de mon père, ma mère eut tout d'abord de sérieuses difficultés à donner une nouvelle orientation à sa vie. Maintenant que mon père avait quitté ce monde..., elle tenait fermement à poursuivre, dans la mesure du possible, les différents travaux qui avaient été ceux de mon père sur le domaine et dans ses contacts avec les communes avoisinantes. Il fallait aussi s'occuper de surcroît des invités qui venaient à la propriété ; notre maison ressemblait parfois à un hôtel. Plus d'un visiteur qui avait prévu de rester seulement quelques jours séjournait des semaines, voire des mois chez elle[211]... »

MAX WARBURG, HJALMAR SCHACHT ET QUELQUES AUTRES SAUVENT WEIMAR

Dans la folle tourmente du temps, une solution commence à s'esquisser : il faut créer une autre monnaie à la place du mark en faillite. Nul ne sait vraiment qui est le premier à en avoir eu l'idée. On la prête en général à

Schacht. D'autres y prétendent. Funk, Luther et Hilferding, ministres successifs des Finances, se diront aussi les inventeurs de cette monnaie neuve[160]. Il est en tout cas certain que Paul et Max Warburg y ont joué un rôle essentiel, bien que très discret. Et voici comment.

Fin septembre 1923, en effet, à l'initiative de Paul et de Max, trois banques de Hambourg, M.M. Warburg, la Norddeutsche Bank et la Dresdner Bank, créent, avec la plupart des grandes sociétés industrielles de la ville, la Hamburger Bank, qui émet ses propres billets de banque garantis sur l'or, et réescomptables en dollars par l'intermédiaire de M.M. Warburg à l'International Acceptance Bank de New York. Cela marche. Étrangement, comme soixante-six ans auparavant, Hambourg est donc sauvée par de l'argent étranger qu'amènent les Warburg grâce à un mariage, non plus cette fois en Autriche, mais en Amérique...

C'est là l'idée de génie qui va sauver Weimar. Reste à la généraliser au pays. C'est Schacht qui va le faire[120]. Depuis deux ans à la Reichsbank, il reprend à son compte l'idée des Warburg, et le 15 octobre 1923, suggère à Stresemann de créer une nouvelle monnaie pour toute l'Allemagne, le *Rentenmark,* gagé sur l'ensemble des biens de l'économie allemande, et, pour la contrôler strictement, un nouvel Institut d'émission indépendant de l'État, la *Rentenbank,* au capital de 3,2 milliards de rentenmarks.

Le 9 novembre 1923, à Munich, Hitler et Ludendorff tentent un putsch et échouent lamentablement. Le 12, Schacht devient Commissaire à la Monnaie du Reich et, le 22 décembre, Président de la Rentenbank ; l'année suivante, il deviendra Président de la Reichsbank avec rang de ministre, et il assistera au Conseil des Ministres. Pour lui, le rentenmark créé le 15 novembre n'est qu'une étape avant le rétablissement de la convertibilité en or du mark[160]. La stabilisation est assez rapide. Le 17, la parité est d'un rentenmark pour un trillion de marks-papier.

Le 23 novembre, abandonné par les socialistes, Stresemann démissionne de la Chancellerie mais reste, pour six ans encore, ministre des Affaires étrangères. Il est remplacé le 30 par Marx, le chef du parti catholique.

En décembre, le cours du mark se stabilise à 2,2 milliards pour un dollar. Pendant un certain temps, l'ancienne et la nouvelle monnaies circulent en même temps, le mark-papier restant la monnaie officielle.

Le 30 décembre 1923, Max Warburg écrit à un ami banquier de Londres, Carl H. Henriques : « Je suis devenu philosophe : c'est le seul moyen de conserver le plaisir de vivre, l'appétit et le sens de l'humour, quelques-unes des rares choses à ne pas être taxées. Nous ne retomberons sans doute pas dans cette catastrophe, l'inflation. Mais il y aura encore un très long temps de convalescence avant que nous ne puissions, même approximativement, mettre un peu d'ordre économique dans notre maison[210]. »

Weimar est pour un temps sauvée.

Siegmund vit ces années folles à Hambourg, auprès de Max, qui le tient au courant de tout. Il y travaille aussi avec Walther Rathenau, puis, après la mort de celui-ci, avec Gustav Stresemann et Hjalmar Schacht, à des discours ou à des notes. Et il décide de rester à la Banque, passionné par ce qu'il y voit et y apprend. Il se souviendra d'ailleurs toujours de Max disant à cette époque que, dans ce tourbillon, « la Banque n'a pu survivre que par une attention de tous les instants aux moindres problèmes, fussent-ils mineurs[175] », et ajoutant, en citant son frère Aby M., cette superbe phrase d'esthète : « Dieu vit dans les détails[175]. »

LE PLAN DAWES, PREMIERS DOLLARS POUR L'EUROPE

L'Amérique veut maintenant aider l'Allemagne, car elle commence à comprendre les dangers de sa faiblesse. Depuis la rupture de l'accord de Londres en décembre 1921, l'Allemagne n'a presque rien payé, sauf ce qu'elle a reçu de l'emprunt mal couvert d'avril 1923. La Commission des Réparations prévue par le Traité de Versailles se réunit enfin et, le 30 novembre 1923, charge un Américain, banquier du Middlewest, Charles G. Dawes, de repenser les réparations à un niveau réaliste. Certes, au début de 1924, la stabilisation monétaire provoque un retour de la confiance et un début de renouveau économique allemand. Mais la rigueur monétaire de Schacht limite les crédits que les banques peuvent offrir, car il exige que tout crédit nouveau soit précédé du remboursement de ceux en cours[120]. Aussi les faillites se multiplient-elles, le chômage remplace l'inflation et l'Allemagne n'a toujours pas les moyens de respecter les échéances fixées à Londres.

Le 8 février 1924, quand Schacht reçoit Charles G. Dawes pour la première fois, il lui explique qu'il veut bien payer des sommes raisonnables, mais à condition de ne pas avoir, pour ce faire, à emprunter à court terme à l'étranger[160]. Il veut donc encourager les investissements étrangers en Allemagne et pousser les entreprises allemandes à s'endetter à l'étranger pour faire rentrer des devises, ce que permet de nouveau l'amélioration de la situation économique. Au printemps de 1924, la Commission Dawes, après trois mois de travail, reconnaît que l'intérêt des Alliés est que l'économie allemande se rétablisse, même s'il faut pour cela accepter de repousser ou d'aménager les échéances des réparations[192] : c'était, depuis Versailles, le point de vue de Max Warburg et de John Maynard Keynes. Il aura fallu près de cinq ans aux Alliés pour l'admettre. Cinq ans de trop.

Dawes propose, en avril, l'octroi d'un premier prêt de l'Amérique de 800 millions de marks-or à 8 %, en échange d'un contrôle par les Alliés sur les chemins de fer et la Reichsbank. Les indemnités restent fixées à 132 milliards de marks-or[191], mais avec des annuités croissantes de 1 à

2,5 milliards de marks. Pendant cinq ans, l'Allemagne va les payer.

En ce même mois d'avril 1924, M.M. Warburg met au point, avec l'International Acceptance Bank de New York, des crédits en dollars de réescompte à des entreprises allemandes. Parmi ceux-ci, un crédit de réescompte d'abord de 5 millions, puis de 25 millions de dollars pour la Golddiskontbank au conseil de laquelle Max fait son entrée[136]. Ce même mois meurt Hugo Stinnes, qui laisse un groupe immense, embrassant de la banque à l'acier, du ciment au papier.

Cette même année, avec quelques mois de décalage, les autres monnaies d'Europe, toujours flottantes à la recherche d'un hypothétique retour aux parités d'avant-guerre, sont victimes de l'inflation allemande de l'année antérieure. En France, malgré le contrôle des changes instauré en 1918 et renforcé en 1924, la victoire du Cartel des gauches provoque une spéculation contre le franc, menée en particulier à partir de Hambourg : le rôle de M.M. Warburg n'y est pas établi.

La Banque Lazard finance alors, avec la Banque Morgan, une contre-spéculation, et le gouvernement français, en jetant tout son poids dans la bataille, parvient à stabiliser le cours du franc. En mai, les spéculateurs de Hambourg subissent de si lourdes pertes de change que Max Warburg doit, pour sauver les entreprises qui ont spéculé, organiser un fonds de soutien de 110 000 livres sterling, souscrit par les principales banques de la ville[137]. Un peu plus tard, en 1926, un gouvernement d'Union nationale ramènera en France la valeur du dollar de 40 à 25 francs[85].

Le 30 août 1924, comme prévu par le Plan Dawes, une loi simplifie et unifie le système bancaire allemand sous la tutelle alliée : la Rentenbank est supprimée et la Reichsbank redevient l'institut unique d'émission, totalement indépendant du gouvernement, avec un Conseil de Régence composé de sept Allemands et de sept étrangers. A la demande de Schacht, dont il devient peu à peu l'ami et le conseiller, Max Warburg en est nommé membre. Son capital est de 300 millions de marks-or. Le Reichsmark redevient la monnaie nationale, gagée sur l'or. En fait, les billets en circulation ne sont couverts qu'à 40 % par les réserves de la banque, et un quart l'est en devises. La parité est fixée à un Reichsmark, ou un trillion de marks-papier, pour 0,3583 gramme d'or[160].

Le Plan Dawes est ratifié, le 1er septembre 1924, par un vote du nouveau Reichstag élu en mai. La Ruhr est alors évacuée par les Belges et les Français, et l'Allemagne va vivre pendant cinq ans d'emprunts à l'Amérique, atteignant jusqu'à 250 millions de dollars par an. Dillon Reed et l'International Acceptance Bank à New York, Sullivan & Crownwell, dirigé par J.F. Dulles aux États-Unis, avec Schröder à Londres, organiseront ces prêts[81]. La moitié transitera par les trois grandes banques universelles allemandes : la Deutsche Bank, la Commerzbank et la Darmstädter Bank, et l'autre par trois banques d'affaires, dont M.M. Warburg, qui en tire un gros profit[107]. Ces prêts vont pour l'essentiel à Krupp et à Stinnes, à l'acier et au charbon. Pour émettre ces emprunts en dollars, organiser les syndicats de banques, placer les titres, les banques allemandes et américaines constituent à Berlin et à Hambourg un réseau d'experts de qualité où l'on retrouve entre autres le petit-cousin de Max, Siegmund, et le chef de cabinet de Schacht, Gert Weisman, dont il sera question plus tard.

Le marché en livres et en dollars, qui a pris naissance pendant l'hyper-inflation, se développe alors autour de ces emprunts. Mais il reste trop étroit pour influer sur les cours de la livre ou du dollar, encore flottants, comme le fera quarante ans plus tard le marché de l'eurodollar dont il est l'ancêtre.

En octobre 1924, l'International Acceptance Bank s'es-

154

souffle. Paul n'y croit plus ; il voit monter partout la dette et la spéculation. L'argent va sur les marchés plus que dans l'investissement : c'est mauvais signe. Mais Max a toujours besoin de plus de capitaux pour tenir sa maison, et il fonde à New York, avec des banques américaines, dont Kuhn Loeb, l'« American and Continental Corporation », dotée d'un capital de 10 millions de dollars, pour organiser des crédits et des investissements industriels destinés à l'Allemagne[217].

Avec l'application du Plan Dawes, l'économie allemande consolide un peu sa dette, et les émissions de titres ou d'emprunts peuvent y prendre de l'ampleur. M.M. Warburg gagne ainsi beaucoup d'argent en plaçant, en devises ou en investissements à long terme, les fortunes bâties par certaines entreprises allemandes grâce à l'inflation et au jeu sur les changes flottants. Il organise aussi la fusion d'Ossag-Werke avec la Shell, et met au point un accord entre deux groupes allemands et un groupe américain pour la construction d'un nouveau câble de communication entre l'Allemagne et les États-Unis, via les Açores[136].

LA GRANDE ILLUSION

Le franc suisse et la livre se stabilisent. Les monnaies reviennent les unes après les autres à une parité-or plus stable, et chacun veut retrouver, illusion des temps heureux, celles d'avant-guerre. En Allemagne, l'assainissement attendu s'accélère. A la fin de 1924, la Reichsbank supprime les mesures prises en 1923 contre l'évasion des capitaux et baisse le taux de l'escompte. La stabilisation des cours réduit les besoins d'écritures complexes et, par suite, les effectifs de M.M. Warburg redescendent à 358, au lieu de 535 un an auparavant.

Au total, après quatre ans passés au bord de la faillite, Max a fait revenir sa banque au premier rang de la finance allemande. Il l'a sortie de l'abîme, en partie grâce à son influence sur les choix financiers des gouvernements allemands successifs, et surtout grâce à ses frères d'Amérique, pour qui Hambourg est devenue ce que Saint-Pétersbourg était avant 1914 pour Max lui-même : la ville où des cousins risquent de se ruiner. Et même s'il n'est qu'un homme discret, moins visible que Schacht ou Melchior, nul, à Munich ou Berlin, n'ignore son rôle dans la vie publique. Aussi quand, en mars 1924, lors du procès qui suit sa tentative de putsch, un excité encore peu connu, Adolf Hitler, dénonce la constitution prochaine d'un gouvernement de « vendus, dont le ministre des Finances sera un Juif », chacun sait qu'il pense à Max Warburg.

Aux élections de décembre 1924, l'extrême droite et l'extrême gauche s'affaiblissent maintenant au profit des modérés. Marx, haï des nationalistes, s'en va le 15 janvier 1925, remplacé par Luther, le bourgmestre d'Essen. L'Armée lâche les socialistes et s'allie à la droite.

Aux États-Unis, la prohibition bat son plein. A Londres, Stanley Baldwin est Premier ministre et prend avec Churchill, chancelier de l'Échiquier, une décision absurde qui fera du tort à toute l'Europe : en mai 1925, il rétablit l'étalon-or et la parité de 1913 de la livre, soit 4,86 dollars pour une livre. Il n'y a plus de frappe libre des pièces et la convertibilité n'est admise qu'en lingots de 400 onces.

Cette décision est tout de suite critiquée par Keynes, pour qui la parité retenue est beaucoup trop haute. Une fois de plus, il a raison : l'industrie britannique n'est pas prête à supporter qu'on rende à sa monnaie son statut d'inconvertibilité absolue ; et pendant six ans, à coup de déflation, les gouvernements successifs voudront tenir cette parité anachronique de la livre, provoquant chômage et récession. Comme l'explique très justement Michel Aglietta, « la décision aberrante du gouvernement anglais de rétablir la parité-or de 1913 ne peut s'expliquer que par la force du mythe, la croyance magique que cet acte éclatant allait de lui-même ramener la coïncidence d'intérêts antérieure à la Première Guerre mondiale. Mais ce n'était plus qu'une coquille vide[197]. »

Le mécanisme du Plan Dawes fonctionne alors à plein et des dollars affluent en Allemagne, venus du reste de l'Europe et d'Amérique, en échange des réparations que paie la Reichsbank. La principale activité de M.M. Warburg consiste à trouver à New York et à Londres des capitaux pour financer les entreprises et les municipalités allemandes. Max fonde alors à New York, avec Dulles et Hayden Stone and Co, une autre société d'investissement, « European Shares Inc. », pour investir dans l'industrie allemande. Mais c'est un échec, et la société est liquidée peu après. Il en crée tout de suite une autre à Londres, l'« Industrial Finance and Investment Corporation Ltd », avec les principales banques marchandes anglaises (N.M. Rothschild and Sons, Kleinworth Japhet), la Prudential Insurance Company et l'International Acceptance Bank de New York.

A l'été de cette année-là, lors d'un déjeuner chez Schacht, il rencontre Hindenburg, qui vient d'être élu Président de la République à la mort d'Ebert, le 28 février 1925. A la demande de Félix, il rencontre aussi Chaïm Weizmann, de passage à Berlin, et, à sa demande, fait passer des fonds américains aux communautés juives de Pologne. Une de ses filles, Gisela, devient une sioniste passionnée. Il use aussi de son influence à tous les niveaux pour développer le commerce allemand avec l'U.R.S.S. : le gouvernement allemand l'envoie à Moscou, à la tête d'un consortium, ouvrir un crédit commercial de 300 000 livres sterling à une société commerciale soviétique désireuse d'acheter en Allemagne.

Tout semble aller pour le mieux. Max se réjouit de la signature par Gustav Stresemann du Traité de Sécurité collective de Locarno en octobre 1925, espérant voir enfin s'installer la paix en Europe. Les bâtiments de la Banque s'agrandissent et s'étendent maintenant largement sur la

Ferdinandstrasse. A la fin de cette année, l'effectif de M.M. Warburg est revenu à 327 employés[136]. Mais, de l'intérieur, le mal de la dette ronge déjà la société allemande tout entière.

L'an prochain à Jérusalem

La famille se remet lentement des pertes de la guerre. Aby M., guéri, reprend en 1925 la direction de son Institut à Hambourg. Fritz est revenu travailler avec Max et avec Aby S., le cousin de Max, affaibli par son diabète. Éric, le fils de Max, rentré épuisé du front où il a été envoyé dans les derniers jours de la guerre, est d'abord stagiaire dans la Banque à Hambourg, puis il est parti en 1921 chez Kuhn Loeb à New York, à Londres chez Brandeïs-Goldschmidt et chez Rothschild. Revenu à New York en 1923, il passe un an avec son oncle Paul, à l'International Acceptance Bank, et s'installe alors comme résident permanent aux États-Unis. Mais en 1924, il quitte New York pour travailler, à 100 dollars par mois, dans l'Oregon. Pendant un an, Max fait tout son possible pour le faire revenir. Il envoie dans l'Oregon Paul, qui convainc Éric de rentrer à New York, puis de regagner Hambourg à la fin de la même année. Il y sera pendant quinze ans la « voix de son père », allant et venant entre New York et Hambourg[55].

Paul, lui, ne s'occupe que de sa banque et ne met plus les pieds chez Kuhn Loeb, alors à son apogée. Félix y reste avec Otto H. Kahn, Mortimer L. Schiff, le fils de Jacob, qui lui a succédé à sa mort en 1920, et Jérôme J. Hanauer[217]. Il est rejoint par un étonnant personnage, un Anglais, Sir William Wiseman, venu en Amérique en 1917, après avoir été victime des gaz sur le front, pour diriger l'action psychologique anglaise aux États-Unis. La banque draine, sous forme d'émissions, 9 milliards de dollars par an, dont les deux tiers pour les chemins de fer, le reste pour l'industrie et des émetteurs étrangers[217]. Y être associé rapporte plus d'un million de dollars par an.

Félix, lui, est devenu l'un des plus riches Américains de son temps, l'homme vers qui s'incline le chef d'orchestre quand il va au Metropolitan Opera. Mais ce n'est plus le dandy d'avant-guerre : passionné pour les affaires juives, il est transfiguré par son action militante. Il préside le Joint Distribution Comittee qui aide très largement les communautés pauvres de la Diaspora, et l'implante dans le monde entier. Il participe à la fondation de l'Appel Juif Américain, qui coordonne les collectes de fonds en faveur du Joint et de l'Appel Unifié pour la Palestine[55]. Dans ces années, les quinze dernières de sa vie, il donnera plus de 13 millions de dollars aux œuvres juives, dont il devient un des plus hauts responsables à l'échelle mondiale[203].

La situation bouge beaucoup au Moyen-Orient. Les sioniste anglais et américains s'efforcent de mettre sur pied une Agence juive pour organiser l'installation des Juifs en Palestine, et, en 1920, les Anglais en autorisent la création. En juillet 1922, un mandat sur la Palestine est confié à l'Angleterre par la Société des Nations, grâce à l'action de Lord Balfour.

Félix n'est pas sioniste, mais le sort des Juifs le passionne et il tient à aider toutes les actions en leur faveur, y compris celles qu'il n'approuve pas ; et il n'approuve rien de ce qui se passe en Palestine où, selon lui, les Juifs russes apportent le communisme. Au printemps de 1923, il rencontre à New York, pour la première fois, un étonnant chimiste anglais, né en Russie d'un père petit-bourgeois, Chaïm Weizmann, devenu directeur des laboratoires de l'Amirauté britannique pendant la guerre, ami de Balfour, le secrétaire au Foreign Office, et qui, depuis Londres où il vit, cherche à ce moment-là à obtenir le soutien financier et politique des communautés juives américaines en faveur du sionisme. Le futur président de l'État d'Israël raconte ainsi leur première rencontre :

« Félix était un homme exceptionnel, charitable au plus haut degré, une figure centrale de la Communauté juive américaine, même s'il n'était pas en contact étroit avec sa base. Il y avait quelque chose du "bon prince" en lui... Peu après mon arrivée au printemps de 1923, je fus un peu surpris de recevoir une invitation à déjeuner avec lui au siège de Kuhn Loeb, sur William Street. Installé dans une des plus fastueuses pièces de ce palais, je me trouvai en présence d'un homme extrêmement affable et charmant, très grand seigneur, mais plein de bonté. Je décidai que ce déjeuner serait à la fois un devoir et une partie de plaisir. Je jugeais trop vite. Nous passâmes environ une heure et demie ensemble et, pendant presque tout ce temps, Monsieur Warburg me fit un compte rendu de ce qui, selon ses renseignements, se passait en Palestine. Pour être franc, je n'ai jamais entendu de galimatias plus fantaisiste de la part d'une personne inspirant confiance : bolchevisme, immoralité, gaspillage d'argent, inaction, inefficacité, tout cela fondé sur des ouï-dire[177] ».

Weizmann lui suggère alors d'aller en Palestine se faire une idée par lui-même : « A mon étonnement, il me prit au mot ! "Votre idée est bonne, dit-il, je vais en parler à ma femme et, si possible, je vais me rendre immédiatement en Palestine". Je fus encore plus stupéfait de le voir tenir parole et s'embarquer pour la Palestine avec Madame Warburg quinze jours après cette première conversation. Je télégraphiai à Kisch de leur faire visiter le pays[177]. »

Ce voyage transforme Félix. « Il rentra aux États-Unis avec sa femme pendant que j'y étais encore, brûlant du désir de nous aider par tous les moyens possibles. Je fus de nouveau invité à déjeuner, chez eux cette fois. Je les écoutai et n'entendis alors que des éloges sur la Palestine et sur nos entreprises. J'ai rarement été le témoin d'une conversion plus complète... Cette conversion fut, je crois, le véritable point de départ de la participation de (Félix) Warburg à notre tâche. Incidemment, ce fut aussi le début

160

d'une longue amitié qui résista à la tension d'opinions bien différentes. Celles-ci surgirent du fait que nous ne considérions pas la Palestine sous le même angle : pour nous Sionistes, c'était un mouvement de renouveau national ; pour lui, c'était, tout au moins lorsqu'il commença à s'y intéresser, l'une de ses cinquante-sept activités philanthropiques — peut-être plus importante et plus intéressante que les autres, mais dont la nature n'était guère différente. Toute son éducation s'opposait à ce qu'il partageât nos vues ; d'ailleurs, ses collègues, dans les innombrables affaires où il était engagé, le prévenaient constamment du danger qu'il courait en s'identifiant de trop près aux Sionistes. Warburg était un des atouts les plus précieux de leur communauté et ils craignaient fort de le perdre au profit d'une idée nouvelle qui, dans son principe et son essence, pouvait accaparer toute son attention[177]. »

Félix, à la demande de Weizmann, crée en 1923 un comité destiné à financer la naissance de l'Université de Jérusalem dont un embryon existe déjà sur le mont Scopus depuis 1918 ; il y consacre beaucoup d'argent et de passion : « Au cours de l'automne de 1923, lors de mon second voyage en Amérique cette année-là, raconte Weizmann, après avoir assisté au treizième congrès sioniste à Carlsbad, Monsieur Warburg réunit un fonds d'un demi-million de dollars pour l'Université Hébraïque, par l'intermédiaire du Comité américain des Physiciens Juifs[177]. » Il y met beaucoup d'efforts, et, en octobre 1924, va l'inaugurer avec Weizmann et Einstein, membres comme lui de son premier conseil d'Administration. Mais, tout de suite, les trois hommes sont en désaccord sur la finalité de l'Institution. Félix Warburg veut une Université du Judaïsme, Chaïm Weizmann et Albert Einstein un Institut Politique du Sionisme. Félix l'emporte ; pour le contrer, Weizmann et Einstein fondent alors près de Tel-Aviv ce qui deviendra plus tard l'Institut Weizmann.

Les enfants de Félix, pas plus que lui, ne sont passionnés de finance : son premier fils, Frederick, vient en stage chez Max en 1920, au moment où Siegmund et Eric y font leur entrée. En 1925, il revient chez Kuhn Loeb où il passera toute sa vie, hormis six ans chez Lehman Bros[55]. Passionné de sports avant tout, il s'installe à Middleburg, en Virginie, où il a son hara, et se rend rarement à New York. Gerald, second fils de Félix, fait une carrière de violoncelliste et de chef d'orchestre. Les autres ne s'intéressent qu'à eux-mêmes, pour l'instant.

SIEGMUND AUTOUR DU MONDE

Après trois ans à Hambourg où il apprend tous les métiers de la banque, vit pleinement la difficile naissance de Weimar et l'agonie terrible de son père, Siegmund part pour l'étranger.

Comme tous les jeunes Warburg banquiers depuis un siècle, il va d'abord à Londres, en 1924, chez N.M. Rothschild avec qui il est devenu d'usage, dans la famille, d'échanger de jeunes stagiaires. Il y découvre la City. Certes, la guerre a achevé de faire basculer le centre économique du monde de l'autre côté de l'Atlantique ; certes, la balance anglaise des paiements est devenue déficitaire, et ni les services ni les revenus du capital n'équilibrent plus le commerce extérieur, mais la City reste la principale place financière de la planète. Les services qu'elle rend rapportent à la Grande-Bretagne encore presque autant que ne lui coûtent les matières premières qu'elle doit importer ; et elle continue de prêter au monde de quoi payer les machines qu'on lui achète. Londres reste au centre de bien des marchés : les cours du coton et du cuivre, les tarifs de l'assurance ou le coût des prêts suivent toujours la valeur de la livre, pas encore celle du dollar. Plus de la moitié du commerce international reste libellée en sterlings.

162

L'Angleterre est alors aux mains des conservateurs qui, aux élections du 29 octobre 1924, ont obtenu une écrasante majorité. Baldwin est Premier ministre, Churchill est Chancelier de l'Échiquier, Austen Chamberlain est au Foreign Office et Neville Chamberlain ministre de la Santé. Dans la City, Baring et Rothschild, les deux plus grande *merchant banks* anglaises de l'époque, dominent les douze autres, admises avec elles dans le Saint des Saints créé en 1914 : le Comité d'Acceptation.

Les affaires, tout autant qu'avant, y sont sans relation aucune, ou presque, avec la vie économique anglaise : la City brille quand les lumières s'éteignent peu à peu sur le reste de l'Angleterre.

Siegmund est fasciné par cette élite et surpris de son mode de vie, en apparence si détendu, si différent de celui de Hambourg. Il lie connaissance avec toute l'intelligentsia anglaise et y vit comme un dandy, reçu dans la famille Rothschild et les autres grandes dynasties bancaires, les Hambro, les Baring. Il y rencontre aussi, aux concerts, un autre jeune banquier allemand qui comptera plus tard beaucoup dans sa vie, Herman Abs, alors lui aussi en stage à Londres, après un séjour à Amsterdam, pour une petite banque qui l'a engagé après le refus de Max. Puis, à la fin de 1924, il rentre à Hambourg et y travaille avec son oncle, avec Schacht et son directeur de cabinet, Gert Weisman, à la mise en place des prêts américains.

Il y rencontre, au printemps 1925, Eva Maria Philipson, la fille du directeur général d'une grande banque de Stockholm très liée à son oncle Fritz, venue quelque temps chez lui à Kösterberg pour y apprendre l'allemand. Le mariage est vite décidé. Il est célébré en janvier 1926 à Stockholm. Siegmund reste alors un an à Hambourg, puis repart, au début de 1927, avec sa femme, poursuivre son apprentissage, d'abord à Boston, chez le meilleur expert comptable d'Amérique, Lybrand, Ross Bros & Montgomery. C'est là que, cette même année, naît son fils, bien évidemment prénommé George, comme son père. Il passe l'année suivante à New York, d'abord chez Paul, à l'International Acceptance Bank, puis avec Félix chez Kuhn Loeb, et y travaille sur les prêts américains à l'Allemagne.

Il n'oubliera jamais ces stages chez ces banquiers d'avant-guerre qui, comme sa famille à Hambourg, ne considéraient pas l'argent comme le principal objectif de leur vie. « La satisfaction de rendre service était plus importante que le gain escompté. La banque était pour eux un accomplissement positif, un sport intellectuel[175]. »

Il y retrouve la vieille tradition familiale, un peu oubliée dans la tourmente de Weimar, pour qui le profit n'est qu'un sous-produit d'une affaire bien faite, et pas une fin en soi. Il y fait la connaissance de tout ce qui compte à New York, se lie à Charles Lindbergh qui vient de traverser l'Atlantique, et surtout à son beau-père, un associé de la banque Morgan et ami de Roosevelt, Dwight Morrow, qu'il apprécie beaucoup. Il se souviendra longtemps d'un mot de lui : « Il y a deux sortes de gens, ceux qui font les choses et ceux qui s'en attribuent le mérite. La première catégorie est plus restreinte que la seconde, et il faut essayer d'en être[214]. » Lui-même en sera.

L'ÉCONOMIE DE LA DETTE

Voici venir, à partir de 1926, trois années de croissance pendant lesquelles tous les banquiers du monde aggraveront la crise par leurs prêts, en croyant ainsi l'éloigner. Voici des années d'affluence illusoire, dans un torrent qui fonce vers les rapides et les chutes.

Les taux de change sont redevenus fixes et semblent garantis par la convertibilité en or, directe ou indirecte, des principales monnaies. Grâce au jeu des prêts, le commerce international se développe. L'Amérique est en pleine expansion. Le métier des banques d'investissement y devient très rentable et les banques commerciales les concurrencent activement sur leur propre terrain. Grâce aux réseaux créés pendant la guerre pour distribuer les bons d'armement, et qu'il faut bien utiliser à autre chose, les banques américaines émettent à tout-va des emprunts pour des entreprises de toute sorte, fabriques de radios, firmes automobiles ou aéronautiques. L'épargne américaine s'y investit sans réticence. La taille des émissions augmente, atteignant jusqu'à 25 millions de dollars, au lieu d'un million avant-guerre. La concurrence entre les banques est acharnée, leurs revenus considérables[217]. Kuhn Loeb est alors présente partout, de la banque d'affaires à la gestion de fortunes où elle a comme clients, entre autres, le futur Pie XII, le cardinal Pacelli, nonce en Bavière jusqu'en 1920, pour qui elle investira 200 000 dollars dans U.S. Steel[81].

L'Allemagne reconstitue alors les moyens de sa puissance, de la Ruhr à Berlin ; Luther est devenu Chancelier, Stresemann est toujours aux Affaires étrangères et reçoit cette année-là le prix Nobel de la Paix avec Briand, un an après Dawes et Austen Chamberlain. A la fin de cette année 1926, Carl Melchior est désigné comme le représentant allemand à la Commission des Finances de la Société des Nations, où l'Allemagne vient d'être admise. La rencontre de Thoiry avec Briand, ultime tentative en vue d'un accord financier et politique franco-allemand, est réduite à néant par Poincaré.

A cent lieues de l'anglophilie de Hambourg, recommence, au cœur de l'Allemagne, la concentration industrielle des marchands de canons. Par un accord entre l'Est et le Sud, en 1926, la Rhein-Elbe-Union d'Hugo Stinnes, le fils cadet de l'autre, mort deux ans auparavant, fusionne avec Thyssen, Phœnix et Rheinische Stahlwerke, sous le nom d'« Aciéries Réunies ». On y trouve toute l'élite de la Ruhr : Thyssen, Siemens et Heinrich von Stein[160]. Leur puissance est considérable. Ils ont des représentants dans toutes les grandes entreprises et dans des banques comme la Berliner Handels-Gesellschaft. Ils utilisent l'argent américain emprunté soit dans le cadre du Plan Dawes, soit directement sur le marché de New York. Ainsi, Hugo Stinnes vend en 1926 des titres des Aciéries Réunies à deux entreprises fictives qu'il crée à cette fin à New York, « Hugo Stinnes Industries » et « Hugo Stinnes Corporation », pour se procurer des dollars[107]. D'autres industriels allemands en font autant. La puissance industrielle allemande commence même à dominer à nouveau l'Europe : en 1926, les fabricants allemands d'acier créent ainsi une association privée des principaux producteurs du monde, l'« Entente Internationale de l'Acier », domiciliée à Luxembourg et qu'ils contrôlent entièrement[107].

A Wall Street et au Stock Exchange, grâce à ses relations, Max peut toujours placer ses emprunts allemands mieux que personne : ainsi à New York de deux emprunts à long terme, l'un de 5 millions de dollars pour la ville de Hambourg, l'autre de 10 millions de dollars pour l'industrie, puis un troisième à Londres, pour 2 millions de livres, destiné lui aussi à l'industrie. Il continue aussi de jouer un rôle important dans les transactions entre les entreprises allemandes, la Banque d'État de l'U.R.S.S. et les diverses administrations soviétiques[137].

Au début de 1927, se résignant au basculement du centre de gravité de l'Allemagne vers Berlin, il y ouvre un petit bureau. L'année se passe sans événements particuliers. A ce moment, la famille est très unie et, fait rare, elle est presque toute présente à Hambourg : Fritz, Max, Aby M., Aby S., Éric et Siegmund — avant qu'il ne retourne aux États-Unis en 1927 — y ont chacun leur maison, à Kösterberg ou à Travemünde. Aby M. est très malade, Aby S. souffre de plus en plus du diabète ; Paul et Félix viennent encore souvent : Kuhn Loeb leur échappe désormais, de nouveaux partenaires vont y ont faire leur entrée, comme G. Bovenizer, W. Wiseman et L. Strauss.

Plus que jamais, l'économie du vieux continent ne tient que par la dette. Et Max, qui voit la catastrophe arriver, pousse les Allemands à investir aussi en Amérique pour en tirer de vrais revenus, et ne pas dépendre que des prêts, qu'il faudra bien rembourser un jour. Car ce qui devait arriver arrive : le marché commence à s'inquiéter, et les prêteurs reculent. Les taux d'intérêt mondiaux à court terme montent, alors que la dette allemande est, pour plus de la moitié, composée de prêts à moins de six mois.

Max commence à se méfier de certains clients et refuse de placer les emprunts de certaines entreprises. Mais il continue de considérer sa banque comme invulnérable : il sait que l'International Acceptance Bank de Paul, et Kuhn Loeb, de Félix, l'aideront sans limite. Pourtant, l'un et l'autre, pour des raisons différentes, le pressent de tout liquider et de venir les rejoindre à New York : Paul parce qu'il prévoit la crise financière mondiale, Félix parce qu'il pressent les menaces qui planent sur les Juifs d'Europe.

L'année 1928 est meilleure pour l'Allemagne. Aux élections au Reischstag, le 20 mai, les nazis n'obtiennent que 801 000 voix et 14 sièges. Les communistes se renforcent et les partis modérés s'effondrent. Herman Muller devient Chancelier, toujours avec Stresemann aux Affaires étrangères, qui adhère en août au pacte Briand-Kellog[30] de renonciation solennelle à la guerre.

L'effectif de la Banque se stabilise à 289 employés. Le petit bureau de Berlin exige toujours plus d'efforts, mais rapporte de plus en plus d'argent. Les débouchés internationaux de la Banque redeviennent solides. Pour attirer d'autres capitaux en Allemagne, Max crée à Amsterdam une nouvelle société internationale d'investissements, « V.N. Nederlandsche Crediet », avec des actionnaires hollandais, suisses, américains, autrichiens, allemands et anglais. En août, la ligne de téléphone Hambourg-New York, dont il a organisé le financement, est inaugurée. Et

Max est, après Stresemann, le second Allemand à l'utiliser, pour parler à ses frères et à son petit cousin Siegmund, alors aux États-Unis, et organiser un prêt de 3 millions de dollars à M.M. Warburg. Le rythme des affaires s'accélère. En décembre, à New York, avec l'aide de Jimmy et de Siegmund, Paul fusionne l'International Acceptance Bank avec la Bank of the Manhattan Company et fait du nouvel établissement l'International Manhattan Bank, une source de financement plus considérable encore pour ses actionnaires, et surtout pour les Warburg.

En 1928, Paul décide de placer à Hambourg un de leurs hommes pour contrôler ce qui se passe chez M.M. Warburg. Il choisit un jeune et brillant Allemand, qui est alors leur agent à Istanbul, Rudolf Brinckmann, dont on reparlera un peu plus tard. Cette même année, pour la première fois, la France adopte l'étalon-or.

L'AGENCE JUIVE

Pendant ce temps, Félix s'occupe de plus en plus des affaires juives ; et surtout de l'Agence Juive, créée par les Anglais quelques années plus tôt. Ce n'est encore qu'un club. « L'Agence Juive, écrit Weizmann, réunit un groupe de personnalités des plus distinguées : toutes les classes de la société, toutes les œuvres de l'esprit humain étaient représentées, depuis Léon Blum, le grand chef socialiste, jusqu'à Marshall et Warburg, personnages de droite ; depuis Lord Melchet, l'un des plus gros industriels de Grande-Bretagne, jusqu'à Albert Einstein et au poète Chaim Nachman Bialik [177]. »

Félix pousse le reste de la famille à s'y intéresser. Sur ses conseils, en 1928, Max visite pour la première fois la Palestine et fonde à Berlin la branche allemande de l'Agence [210]. En 1929, son Conseil Exécutif quitte Londres et s'installe à Jérusalem, avec une banque sioniste née à Londres en même temps qu'elle, la Banque Leumi.

Félix s'inquiète de voir Weizmann devenir président de son conseil d'administration. Il le perçoit « comme une sorte de Mussolini » dont il faut se méfier et il veut même, s'il n'obtient pas le contrôle de l'ensemble, s'en aller[55]. Les relations entre eux se tendent, mais ils sont solidaires face aux Anglais ; et quand, après les émeutes arabes de 1929, le gouvernement de MacDonald impose des restrictions à l'immigration juive en Israël, Félix et Weizmann n'hésitent ni l'un ni l'autre, pour protester, à démissionner du Conseil de l'Agence ; et ils ne reviennent, ensemble, à leur poste que quand le Premier ministre anglais renonce à ces restrictions. Les Anglais jouent d'ailleurs souvent Félix, qui accepte l'idée d'un « foyer », contre Weizmann, qui rêve d'une nation ; et le premier écrit en 1929 à Lord Melchet, ex-Sir Alfred Bond : « Je suis pour toute action permettant de parvenir à un accord avec les Arabes et montrant que nos ambitions sont limitées[55] ». Un peu plus tard, il perdra la partie et s'en rendra compte juste avant de mourir.

LE PLAN YOUNG — NAISSANCE DE LA B.R.I.

L'Europe dépend maintenant de l'Amérique pour ses fins de mois. Mais celle-ci n'a pas encore conscience de ses responsabilités et le vieux continent va le payer cher. Très cher. Comme l'écrit Michel Aglietta, « le remplacement des prêts anglais par des prêts américains pour soutenir les systèmes bancaires fragiles de l'Europe centrale et de l'Amérique latine mettaient ces derniers à la merci d'une vague spéculative déclenchée par la politique monétaire purement nationaliste des États-Unis, phénomène qui s'est produit à partir de 1928[197] ». Quant à l'Angleterre, elle se cramponne toujours à sa parité absurdement fixée.

A la fin de 1928, les Alliés pensent que le moment est venu de reprendre la question des réparations, qui pèse désormais très lourd sur l'Allemagne. De février à juin 1929, une nouvelle conférence réunit à Paris la France, la Grande-Bretagne, la Belgique, l'Allemagne, l'Italie, le Japon et les États-Unis — où Hoover est arrivé à la Maison Blanche —, pour tenter de donner un statut final à ces réparations. Owen D. Young, numéro un de General Electric, en est nommé président. Schacht, décidé à obtenir que l'Allemagne cesse de payer ces annuités excessives, vient à Paris, le 11 février 1929, diriger lui-même la délégation allemande sans abandonner ses fonctions à Berlin[160].

En avril, au nom des Alliés, Young demande à l'Allemagne de verser des sommes encore supérieures à celles prévues aux termes du Plan Dawes. Il propose la création d'une sorte de banque mondiale pour gérer les emprunts nécessaires à leur financement. Schacht en accepte le principe, mais pas le montant. Finalement, on se met d'accord sur une réduction des réparations à 38 milliards de marks-or, payables en 36 annuités — au lieu de 132 milliards dans le plan Dawes et l'accord de Londres — ainsi que sur un mécanisme d'émission d'emprunts internationaux pour les payer, organisé par une nouvelle institution internationale, mi-publique, mi-privée, qu'on appellera la Banque des Règlements Internationaux[191].

Voici donc que ce que Paul voulait faire avec son International Acceptance Bank se réalise maintenant, en plus grand. Le Plan est paraphé par Young et par Schacht, au nom du Chancelier Müller, le 7 juin 1929, malgré l'opposition violente d'Adolf Hitler.

Le 3 octobre 1929, jour de la mort de Stresemann, Max note : « C'est une perte sévère pour l'Allemagne et pour tous ceux qui sont en quête d'un monde nouveau et meilleur[210]. » Un comité présidé par un banquier américain, Jackson E. Reynolds, élabore le même jour les statuts

170

définitifs de la B.R.I. Le capital en sera garanti par les banques centrales d'Allemagne, de Belgique, de France, de Grande-Bretagne, d'Italie, un groupe bancaire agissant en lieu et place de la Banque du Japon, et un groupe de trois banques américaines (J.P. Morgan & Co, The First National Bank of New York et The First National Bank of Chicago). Les autres banques centrales ont la possibilité d'y souscrire dans un délai de deux ans[191]. Le mois suivant, les gouverneurs des banques des pays signataires signent à Rome l'acte constitutif de la B.R.I[191], qui s'installe à Bâle. Il est officiellement adopté à la Conférence de La Haye, en janvier 1930, et la France s'engage à quitter la rive gauche du Rhin avant la fin de juin de cette année. Les contrôles internationaux sur l'Allemagne et la Commission des Réparations du Traité de Versailles sont supprimés. Le 11 mars 1930, le Plan Young est adopté par le Reichstag au terme de débats orageux. Le 17 mai, la banque entame ses opérations, dans la tourmente de la Grande Crise.

Bien des gens commencent alors à comprendre ce que Paul voulait instituer depuis plus de dix ans : une banque centrale mondiale. Ainsi, huit jours après sa création, un jeune Inspecteur des Finances français encore inconnu, alors attaché financier à Londres, Jacques Rueff, définit, dans une conférence[190] faite à Paris, l'esprit et les perspectives de la B.R.I. : « La Banque évite que les gouvernements intéressés aient à assurer eux-mêmes leurs règlements étrangers et à conserver à cette fin les diverses trésoreries en monnaies étrangères qu'exigeraient ces règlements, trésoreries qui feraient double emploi avec celles des banques d'émission constituées précisément en vue du même objet... On en arrive à la notion d'une véritable "devise B.R.I.", librement convertible en une monnaie quelconque au cours du change de cette monnaie. Si l'on poursuit cette anticipation — avec la légéreté avec laquelle on voyage dans le domaine du rêve —, on peut très bien imaginer une époque où les bases du crédit des Banques centrales ne seront plus constituées que par de l'or ou de la devise indéterminée B.R.I. Il existera alors une véritable monnaie internationale [190]. »

Illusion de la raison, qui sera emportée comme les autres dans le maelström de la crise.

CRISE DE 1929, FIN DES RÉPARATIONS

Au début de l'année 1929, Aby M., le frère aîné de Max, meurt de tuberculose, laissant une œuvre gigantesque [68]. Éric devient associé de la Banque en même temps qu'Ernest Spiegelberg, le second associé extérieur à la famille. Hans Meyer et Siegmund Warburg, rentré de New York en janvier, sont nommés fondés de pouvoir. Pour Max, Ernest Spiegelberg et Siegmund, bien que l'un ne soit pas de la famille et que l'autre soit issu de la branche rivale, sont les deux espoirs de la firme, sans doute plus qu'Éric lui-même. M.M. Warburg se porte bien : la Banque est représentée au conseil d'administration de 86 sociétés en Europe et aux États-Unis.

Max Warburg note dans son journal : « Nous étions indiscutablement la première firme bancaire à Hambourg. Le développement de nos affaires est illustré par le fait que notre bilan était de 382 millions de marks — celui de la Vereinsbank était de 127 millions, et celui de Schröders de 191 millions..., soit au total 318 millions de marks —, supérieur donc de 20 % à celui de ces deux autres banques réunies [210]. » En fait, tout n'est pas aussi rose, car Max a pris des risques considérables dans l'immobilier et la distribution, à Hambourg et à Berlin.

A New York, c'est également l'euphorie. Presque seul dans son cas, Paul s'attend à la crise. La dette mondiale est trop forte, pense-t-il, et les entreprises s'endettent sans cesse davantage pour acquitter leurs annuités. A New

York, la hausse des titres et la spéculation s'emballent. Et lui sait que, lorsque l'argent va vers le court plus que vers le long terme, l'économie est en péril. Or, tout le monde veut des titres pour spéculer : plus d'un million d'Américains jouent à la Bourse ; en février, ils ont pour près de 10 milliards de dollars en position spéculative. La demande de capital spéculatif est telle que les taux d'intérêt s'élèvent à 9 % et malgré ces taux, on place, encore chaque mois, pour 500 millions de dollars de titres. Les banques commerciales, pour émettre elles aussi des emprunts, multiplient alors à travers le pays leurs agences de placement.

Paul comprend que ses propres efforts n'ont fait que retarder l'échéance ; et qu'un jour viendra bientôt où l'endettement général du pays, aggravé par la spéculation, devra être payé : soit par les débiteurs, soit par les créanciers.

Début mars 1929, dans le dernier rapport annuel de l'International Acceptance Bank, juste avant que celle-ci ne devienne l'International Manhattan Company, Paul écrit : « La hausse des cours de bourse est, dans la majorité des cas, sans aucun rapport avec la croissance des entreprises, des actifs ou des perspectives de profit, et si l'orgie de spéculation incontrôlée n'est pas ralentie, la chute finale n'affectera pas seulement les spéculateurs, mais provoquera une dépression touchant le pays tout entier[55] ». Tout est dit. Paul avertit alors ses amis de sortir du marché et de vendre leurs titres. Certains le font, dont Max et Félix, en partie. La plupart ricanent.

Le volume échangé à Wall Street atteint un sommet le 3 septembre. Ce mois-là, Max relance à Amsterdam « Warburg & Co », avec un capital de 5 millions de florins, pour représenter les intérêts de M.M. Warburg et ceux de l'International Manhattan Company de New York[136]. Paul en est nommé administrateur général. Le 24 octobre, Wall Street commence à chanceler. Pendant cinq jours, l'intervention des banques soutient les cours. Mais, le 29, ils ne peuvent plus résister et s'effondrent : 16 419 000 actions changent de mains. En dix jours, le marché perd au total 30 milliards de sa valeur.

1930 est ensuite une année de cauchemar pour les banques américaines. Stuart, Merril Lynch et Blith n'en souffrent guère ; mais Kuhn Loeb, Goldmann Sachs, Kidder Peabody's et Lee Higginson sont presque en cessation de paiements. En septembre, 305 banques américaines sont en liquidation ; 522 le sont en octobre.

WEIMAR AUX ABOIS

La crise financière américaine atteint très vite l'Europe. En Allemagne, elle menace le gouvernement Müller : de deux millions de chômeurs en début d'année, on passe à trois à la fin. Le gouvernement ne fait rien pour réduire la crise, trop heureux de pouvoir invoquer ce prétexte pour refuser de payer les premières échéances prévues par le Plan Young.

Il faudra donc encore une fois revoir les modalités de paiement des réparations de guerre. Une nouvelle commission à laquelle participent les Allemands, est créée en janvier 1930 à La Haye, toujours présidée par Young. Un accord est trouvé, prévoyant cette fois un étalement sur 59 annuités au lieu de 36, de valeur progressive jusqu'en 1988. Mais le Chancelier refuse d'entériner ce plan que Schacht a accepté, et celui-ci démissionne de la Reichsbank, le 7 mars 1930. Müller démissionne à son tour de la Chancellerie le 27, et le catholique Brüning, jusqu'alors ministre de l'Éducation, dont Siegmund stigmatise la faiblesse de caractère, le remplace à la Chancellerie[30]. Schacht part pour l'Amérique. Il est maintenant résigné, lui aussi, à l'arrêt du paiement des réparations et à la non-application du Plan Young qu'il a négocié.

En avril, Max Warburg, membre influent du Conseil de la Reichsbank, fait nommer Hans Luther, l'ancien Chancelier, comme nouveau Président de la Banque centrale. Gert Weisman, sur le conseil de Schacht, quitte lui aussi la Banque centrale et se met à travailler, à Berlin, pour le compte d'une banque américaine.

Au printemps de 1930, Max va à New York solliciter à nouveau l'aide de ses frères ; il écrit de là-bas que ce que « ni moi ni personne n'avait prévu est l'ampleur et le dynamisme de la crise[210] », et il ajoute que ses frères, au cours de ce voyage, lui ont dit être « opposés à ce que la firme reste indépendante et même à ce qu'elle garde son propre nom[210]. » Mais, selon Rosenbaum, les Warburg américains prennent alors néanmoins « un nouvel intérêt financier[136] » dans la vieille maison de Hambourg.

Au même printemps, à Hambourg, naît Anna, la fille de Siegmund. Sa mère se trouve toujours à Urach et il va souvent la voir : « Cette époque-là fut source de nouvelles joies, grâce à l'existence de sa bru et de ses petits-enfants ; elle voulait naturellement que les quatre êtres qui lui étaient les plus proches fussent le plus souvent et le plus longtemps possible chez elle au domaine[211]. »

En mai, Carl Melchior est nommé avec le nouveau Président de la Reichsbank, Hans Luther, comme représentant allemand au conseil d'administration de la B.R.I. à peine créée. Encore une fois, Max a refusé d'en être. Au même conseil figurent Gates W. McGarrath pour les États-Unis, Sir Charles Addis pour la Grande-Bretagne, et Clément Moret pour la France[191]. La B.R.I. se met à fonctionner. « La Banque commence à recevoir et à répartir les versements mensuels de réparation effectués par l'Allemagne au titre du Plan Young, et à procéder... à des interventions sur les marchés allemands en réinvestissant en reichsmarks une partie des annuités reçues et en achetant des reichsmarks en période de tension[191]. »

Pour payer malgré tout les échéances des réparations

exigibles en juin 1930, le Chancelier Brüning accepte d'emprunter 351 millions de dollars, à 5,5 %, sur neuf marchés différents. M.M. Warburg participe, pour 4 %, au placement de la tranche allemande de 36 millions de reichsmarks, et Warburg and Co d'Amsterdam participe à la tranche hollandaise ; mais le crédit international de l'Allemagne étant au plus bas, on ne parvient à collecter que 302 millions de dollars, dont le tiers est versé, conformément aux Accords de La Haye, au gouvernement allemand, tandis que les deux autres tiers reviennent aux six gouvernements créanciers[191]. Mais nul ne croit que l'Allemagne remboursera jamais, et, très rapidement, le cours de cet emprunt tombe au-dessous de son prix d'émission, ce qui provoque des pertes importantes pour ceux qui ont souscrit.

Tout va mal ; les déposants étrangers retirent des banques allemandes leurs rares dépôts en devises afin de compenser leurs pertes à New York ; pour faire face à son déficit budgétaire qui se creuse, le gouvernement allemand augmente alors les impôts directs et indirects, réduit de 20 % les salaires des fonctionnaires et les allocations-chômage, augmente les cotisations-chômage, tout en baissant les prix de 10 %.

En juin 1930, à la Ferdinandstrasse, la compétition entre Hambourg et Berlin rend le climat si insupportable, que Siegmund, devenu enfin associé de M.M. Warburg, part avec sa femme, son fils et sa fille pour Berlin, diriger le bureau de la Banque et y prendre la responsabilité de « tous les intérêts de la maison-mère en Allemagne, en dehors de la région de Hambourg[136]. » Son « importance dans la firme grandissait rapidement[222] », dit un témoin de l'époque, Charles Sharp, et Max lui-même est maintenant un peu inquiet de l'ombre que lui fait son jeune petit-cousin.

La vie politique allemande perd alors toute tolérance, comme si la greffe démocratique ne prenait pas Aux élections de septembre 1930, les nazis obtiennent 6,4 millions de voix et 107 sièges, et, à leur propre surprise, deviennent le premier parti d'Allemagne. Les partis modérés s'effondrent. Les socialistes reculent, mais les catholiques se maintiennent. Avec l'appui des sociaux-démocrates, Brüning reste Chancelier. Les communistes considèrent les « social-fascistes » comme leur ennemi principal ; les républicains, la droite, les communistes, la S.A. se battent les uns contre les autres. Les banques, de plus en plus contrôlées par l'État, restent néanmoins encore dominées par les familles qui les ont fondées, mais les Furstenberg, les Goldschmidt ou les Wassermann, qui jouent un rôle majeur dans la Berliner Handels Gesellschaft, la Darmstädter Bank ou la Deutsche Bank, sont de plus en plus, comme Max, la cible des insultes et des menaces nazies.

Siegmund fait de son petit bureau un centre de la vie berlinoise. Et pour la première fois, même, il s'oppose à Max : il retrouve en effet à Berlin son ami de Londres, Hermann Abs. Banquier à Paris et à New York après son stage à Londres, celui-ci est revenu dans la capitale allemande en 1928, travailler dans une influente banque privée, la Delbruck, Schickler & Co, un des anciens banquiers du Kaiser et de Krupp[175]. Siegmund souhaite l'engager. Max s'y oppose : il se souvient du refus d'Abs, en 1920. Et pourquoi élargir encore le cercle à quelqu'un d'étranger à la famille ? Siegmund n'insiste pas. Mais l'amitié entre les deux hommes, qui deviendront plus tard les deux premiers banquiers d'Europe, durera toute leur vie.

Il rencontre à Berlin d'autres gens qui compteront beaucoup pour lui à l'avenir : un Anglais, Andrew MacFadyean, venu de Malaisie y diriger la délégation financière anglaise, avant d'être secrétaire particulier du Premier ministre Baldwin à Londres ; des industriels, en particulier les deux frères Hugo et Edmund Stinnes, deux héritiers à l'étrange destin ; et surtout la famille Furstenberg, qui préside aux destinées de la Berliner Handels Gesellschaft, une des rares banques, avec M.M. Warburg, à être restée totalement hors de la tutelle de l'État. C'est à ce moment que Charles Sharp le rencontre : « Je n'ai qu'un souvenir visuel de cette entrevue. Je revois le bureau d'A.E. Wasermann à Berlin, où elle eut lieu, et le visage souriant, serein, plein d'intérêt, avec toujours une nuance un peu ironique, de Siegmund G. Warburg[222] ». Il rencontre aussi beaucoup l'ancien secrétaire de Schacht, Gert Weismann, dont le père est devenu ministre de l'Intérieur de Prusse.

Le Berlin de cette année 1930 est pour lui un tourbillon. On s'arrache Siegmund dans les dîners. On veut faire affaire avec lui. Il est alors très lié à la plus active de ses cousines, Gisela. A Hambourg, la maison souffre de l'excès de confiance de Max dans l'immobilier, à Berlin des risques excessifs que prend Siegmund dans le grand commerce.

Fin 1930, la situation financière de l'Allemagne devient critique : elle doit maintenant à l'étranger 15,9 milliards de reichsmarks, pour l'essentiel à moins de trois mois, et pour près de la moitié aux États-Unis[136]. Le nombre de chômeurs, passé de deux millions à la fin de 1929 à 3 millions en 1930, atteint 4,35 millions en 1931. Brüning, qui pense ainsi peser sur les créanciers de l'Allemagne, ne fait rien de sérieux pour augmenter l'emploi ni réduire les déficits. Aussi, du 21 au 31 décembre 1930, la panique se développe et M.M. Warburg doit rembourser 80 % de ses dépôts en devises et 50 % de ses dépôts en marks. Le pays est aux abois. A la fin de l'année, ses avoirs à l'étranger ne représentent plus que 5,3 milliards de reichsmarks, soit seulement la moitié de sa dette extérieure à court terme.

Tout est maintenant joué, et rien ne pourra plus arrêter la terrible mécanique. En trois ans, la dette allemande va fonctionner comme un tapis tiré sous les pieds de la démocratie : sous le poids d'une crise venue d'Amérique, s'effondrera le régime de Weimar, démocratie construite sur des prêts venus d'Amérique pour payer une dette imposée, entre autres, par l'Amérique.

Pour M.M. Warburg, le seul succès de l'année vient d'Amsterdam : le placement d'un emprunt de la Norges Kommunalbank pour 40 millons de couronnes norvégiennes à 5 %. A Berlin, Hermann et Siegmund se battent ensemble pour éviter la faillite de leurs deux maisons, en première ligne dans le krach du plus important groupe allemand de grands magasins et en difficulté dans des prêts immobiliers aventureux.

Schacht, pendant ce temps, hors de toute instance de pouvoir, observe et désespère de cette démocratie qui joue avec le feu et maintient le chômage pour ne pas payer ses dettes. Peu à peu, il est attiré par les nazis, qu'il voit comme une force d'ordre, et, en octobre 1930, il part voir les banquiers new-yorkais, dont Félix Warburg, pour leur dire, rapportent certains témoins — mais pas tous[160] —, le bien qu'il convient de penser de Hitler[120]. Le fait-il en croyant pouvoir se servir de ce dernier pour ses ambitions personnelles et sauver ainsi le mark à nouveau menacé par la crise ? Nul ne le sait alors, ni ne le saura jamais. En tout cas, il va servir, à partir de ce moment, et autant que nécessaire, de caution financière au monstre.

En décembre 1930, par l'intermédiaire de von Strauss, un banquier déjà ouvertement nazi, il rencontre pour la première fois Goering qui, en janvier 1931, le présente à Hitler ; en février 1932, il s'engage officiellement dans le parti nazi[160].

Voici que commence le temps terrible où des hommes d'influence basculent dans la folie de ceux qu'ils sont censés ramener à la raison.

CRISE DES MONNAIES, « FRIVOLITÉ » ANGLAISE

Quand la crise venue d'Amérique touche l'Angleterre, les travaillistes viennent d'arriver au pouvoir. Depuis les élections du 30 mai 1929, MacDonald est Premier ministre, Henderson ministre des Affaires étrangères et Snowdon Chancelier de l'Échiquier. Pour défendre l'absurde parité toujours menacée, les travaillistes, comme les conservateurs avant eux, mènent, sous la pression farouche de la Banque d'Angleterre, une politique de déflation. Le nombre de chômeurs passe de 1,164 million en juin 1929 à 2,319 millions en décembre 1930. Baissent aussi les revenus des actifs à l'étranger et ceux des transporteurs internationaux. Et, pour la première fois depuis près de deux siècles, la balance des paiements anglaise devient déficitaire. Énorme bouleversement. Soubresauts de l'agonie anglaise commencée au début du siècle.

L'Europe entière est secouée par la crise. Le 11 mai 1931, la plus grande banque autrichienne, le Kreditanstalt Verein de Vienne, qui appartient aux Rothschild, ferme ses guichets à la suite du retrait de dépôts français en mars et des difficultés d'une banque agricole, la Boden Kreditanstalt. C'est le début de la panique. Siegmund racontera longtemps après que, si la plus grande banque autrichienne fait alors faillite, c'est parce que le Chancelier d'Autriche l'a forcée à prendre sur elle les pertes de cette banque agricole : « C'était fantastique... Les gens avaient dit que jamais cela ne pourrait arriver, et c'est quand même arrivé... Il y avait des gens très brillants en Europe qui avaient prévu la grande crise, mais aucun n'agit en conséquence[175]. »

Les progrès des national-socialistes en Allemagne et la crise en Amérique poussent alors les étrangers, en particulier les Américains, à accélérer le rapatriement de leurs capitaux déposés en Allemagne. Au cours du premier semestre 1931, 3,5 milliards de reichsmarks quittent ainsi le pays et du début avril à la mi-juillet, les 28 principales banques allemandes doivent rembourser 1,25 milliard de reichsmarks à leurs créanciers étrangers. Plus rien ne tient. En juin, les retraits effectués aux guichets des grandes banques berlinoises atteignent 2,25 milliards de reichsmarks. Du 2 au 17, les réserves d'or et de devises de la Reichsbank sont presque divisées par deux.

Le 20 juin, Hoover, qui vient de créer le Reconstruction Finance Corporation pour garantir les banques, propose un moratoire sur toutes les dettes inter-gouvernementales — autrement dit celles de tous les pays européens — pour un an. La France acquiesce. Tous les pays, y compris l'Angleterre, renoncent, en principe pour un an, à payer leurs dettes de guerre, ce qui entraînera l'arrêt du mécanisme de réparations prévu par le Plan Young et interdira tout nouvel emprunt d'État européen en Amérique.

L'Angleterre ne s'en trouve pas pour autant en meilleure posture : au début de juillet 1931, une commission d'enquête sur le déficit budgétaire britannique remet un rapport catastrophique sur la situation financière du pays, qui porte encore atteinte au crédit de la livre. Et la spéculation redouble. Les retraits d'or atteignent 2,5 millions de livres par jour.

Ce même mois commence à Londres une nouvelle Conférence internationale sur les réparations réunissant l'Allemagne, la Belgique, les États-Unis, la France, la Grande-Bretagne, l'Italie et le Japon ; elle recommande le maintien du volume des crédits précédemment accordés à l'Allemagne, malgré l'arrêt du versement des réparations, et, afin d'aider ce pays, elle décide que la répartition entre les pays créanciers du montant des emprunts éventuels contractés par l'Allemagne est même suspendue[191].

Malgré cela, le 13 juillet, la panique gagne Berlin ; la Darmstädter Bank doit cesser ses activités. Le soir même, un décret décide la fermeture des établissements de crédit et des bourses. Les 15 et 18, pour éviter que l'émigration d'une partie de la population ne s'accompagne d'une fuite des capitaux, Brüning décide, par ordonnance, de centraliser toutes les opérations de change à la Reichsbank, et, s'efforçant de rapatrier les fonds provenant des exportations allemandes, il interdit toutes les transactions à terme.

Ainsi, la parité en or du reichsmark est maintenue, l'évasion des capitaux enrayée. Max et Siegmund participent à la rédaction de toutes les lois bancaires. Un des associés de M.M. Warburg, Ernst Spiegelberg, représente même toutes les grandes banques allemandes lors de la rédaction des ordonnances de juillet 1931, au cœur de la tourmente monétaire[55].

Outre-Manche aussi, tout s'aggrave. A l'été, malgré la politique d'austérité, le soutien de la Banque de France et celui de la Federal Reserve Bank américaine, la Banque d'Angleterre se retrouve au bord de la cessation de paiements : la parité de la livre est intenable et l'or s'échappe. Le Premier ministre travailliste, MacDonald, constitue alors, le 24 août, un gouvernement de coalition composé de quatre travaillistes, quatre conservateurs et deux libéraux. Mais la spéculation est la plus forte. Le 21 septembre, la livre sterling, trop longtemps soutenue artificiellement, est détachée de l'or, flotte et chute sensiblement, passant de 4,86 dollars en août à 3,40 dollars en décembre.

Le gouvernement travailliste accompagne cette dévaluation d'une réduction des salaires, de l'abandon du libre-échange, de la nationalisation des transports aériens et des transports londoniens. Ces mesures provoquent des retraits massifs dans les banques, et le volume des effets acceptés y diminue de moitié. L'État prend alors à sa charge l'assurance du crédit à l'exportation, menacé par la fragilité des banques, et en confie la responsabilité à un organisme public, l'Export Credit Guarantee Dpt.

Affaiblies par la concurrence des banques américaines,

les *merchant banks* traitent de plus en plus avec les banques étrangères, et moins que jamais avec l'industrie anglaise. Cette année-là, un rapport, dit « rapport Mac-Millan », fera du bruit en rappelant ce que Disraeli remarquait déjà un demi-siècle auparavant, à savoir que les prêts de la City aux gouvernements étrangers sont beaucoup trop développés par rapport à ceux faits à l'industrie nationale.

Siegmund est aussi choqué par cet abandon de la convertibilité de la livre, qui ruine les prêteurs, qu'il l'avait été par la parité choisie cinq ans plus tôt. Pour lui, ce retour au flottement est un grave échec, entièrement imputable à la « frivolité » de la Banque d'Angleterre, et il va entraîner, pense-t-il, mille catastrophes[175]. Il y voit la confirmation de ce qu'enseignent tout à la fois la vieille sagesse juive et le souvenir des moratoires en forme de pogroms, à savoir l'inévitable spoliation des prêteurs immanquablement sacrifiés aux emprunteurs et aux propriétaires de biens réels[175].

Et il a vu juste : après cet abandon, nombre de pays s'aligneront sur la livre ; l'étalon-or a vécu, les créances internationales perdent toute valeur, le monde va rouler à nouveau insensiblement vers la guerre.

Aux élections du 27 octobre 1931, l'Union Nationale obtient une écrasante majorité, à dominante conservatrice. Malgré la déroute travailliste, MacDonald reste Premier ministre, mais cette fois à la tête d'un cabinet conservateur, avec Neville Chamberlain comme Chancelier de l'Échiquier.

Entre temps s'effondrent les dernières fictions de réparations : le 19 novembre 1931, après une série de pourparlers entre gouvernements, il s'avère que rien ne forcera plus l'Allemagne en crise à payer quoi que ce soit. La B.R.I., conformément au Plan Young, convoque le Comité consultatif spécial chargé d'examiner alors « les mesures à prendre au cas où la vie économique de l'Allemagne se trouverait menacée[191], et c'est bien le cas. Ce comité se réunit à Bâle, reconnaît le droit de l'Allemagne de suspendre pendant une année le transfert des annuités, et s'inquiète de la gravité sans précédent de la crise « dont l'ampleur dépasse incontestablement la dépression relativement courte envisagée dans le Plan Young et en vue de laquelle les mesures de sauvegarde qu'il renferme avaient été prévues[191] ». Il conclut qu'« un ajustement de l'ensemble des dettes intergouvernementales (réparations et autres dettes de guerre) à la situation actuellement troublée du monde — ajustement qui devrait avoir lieu sans délai, si l'on veut éviter de nouveaux désastres — est la seule mesure durable capable de rétablir une confiance qui est la condition même de la stabilité économique et d'une paix véritable[191]. »

Avis de décès des réparations, reconnues là comme cause de « désastres », ce texte peut passer, avec le recul du temps, pour un chef-d'œuvre d'humour noir involontaire...

Siegmund et Jimmy au chevet de Weimar

Plus que jamais, les Warburg d'Amérique s'inquiètent du sort des Warburg d'Allemagne et des autres Juifs d'Europe. Félix envoie en 1931 à la Deutsche Bank, présidée alors par Oscar Wassermann, 3 millions de dollars qu'il a recueillis pour les Juifs victimes de progroms en Galicie[55]. Paul, lui, s'inquiète de l'avenir financier de la famille ; il ne se fie plus à Max, très imprudent en 1930 dans l'immobilier, ni à Éric, qui suit en tout son père. Il ne croit qu'à l'avis de Siegmund et à celui de Brinckmann — qu'il a fait nommer fondé de pouvoir malgré les réticences de Max — et surtout à celui de son fils Jimmy, presque ruiné pourtant par ses placements à Wall Street. Il l'envoie au printemps de 1931, se faire sur place une idée de la situation. En juin, à Berlin, Siegmund explique à Jimmy que le

184

système bancaire allemand est au bord de la faillite, et ils mettent alors au point ensemble un plan d'aide aux principales banques du pays. Il faudrait pour cela, calculent-ils, de l'ordre de 50 millions de marks[55]. Max leur obtient en août 1931 un rendez-vous avec le Chancelier Brüning. Celui-ci leur donne son aval, sans trop y comprendre grand'chose, et les envoie voir le Président de la Reichs-bank, Luther, qui leur désigne évidemment la Darmstädter Bank de Jacob Goldschmidt comme la plus en péril et la première à aider[55]. Mais le plan tourne court, faute de garanties sur les comptes de la banque, à la suite d'opérations douteuses du propre fils du Président Hindenburg. Jimmy, très inquiet, écrit alors à son père pour lui annoncer qu'il s'attend à tout moment à la faillite de la banque familiale à Hambourg.

Siegmund et lui essaient alors autre chose pour la sauver : la faire s'appuyer sur une autre banque allemande plus solide. A l'automne 1931, avec l'aide de Jimmy, Sieg-mund négocie un rapprochement de la filiale de Berlin de M.M. Warburg avec la Berliner Handels Gesellschaft de son ami Hans Furstenberg, l'une des rares grandes banques allemandes à n'avoir pas trop souffert de la crise, et, avec M.M. Warburg, à n'avoir pas encore fait appel à l'aide de l'État. Avec cinq millions de reichsmarks en titres de chacune des deux banques, ils fondent une filiale commune, à parts égales ; pleins d'ambition, Siegmund et Hans veulent en faire la principale banque de Berlin.

A Hambourg, la Banque sort à peu près indemne de cette année terrible. Car, malgré des pertes non négligeables dans l'immobilier, la réputation financière de M.M. Warburg est restée en apparence intacte : chacun sait qu'elle a accès, sans limite, à des capitaux américains, et qu'elle joue toujours, par Max et Carl Melchior, un rôle majeur dans la plupart des négociations internationales de l'Allemagne, tant à la B.R.I. que dans toutes les discussions sur le paiement des réparations. En réalité, Paul et

Félix n'ont pas été loin, cette fois de la laisser sombrer[55].

Ailleurs, la situation atteint un palier ; la Banque d'Angleterre stabilise la livre à un cours voisin de celui de 1926, en la laissant flotter et en intervenant sur les cours par un fonds de stabilisation des changes.

Aux États-Unis, la crise fait deux victimes dans la famille : Mortimer Schiff d'abord, qui, onze ans après son père, meurt en août 1931, laissant à son fils John 7,6 millions de dollars en cash et des titres dans 81 sociétés, dont la valeur, évaluée à 28,7 millions de dollars à sa mort, a baissé de 54 % au moment où ils sont répartis entre les héritiers[203]. Paul Warburg, ensuite, qui a dû vendre une large part de sa fortune pour sauver Jimmy de ses placements aventureux, meurt le 24 janvier 1932, d'une crise cardiaque, dit-on dans la famille. Il ne laisse que 2,5 millions de dollars, ce qui est peu pour un Warburg[203]. A sa mort, Walter Lipmann écrit : « Il a prévu le pire et l'a annoncé à temps. Il a été l'un des architectes de ce qu'il y a de plus solide dans notre banque centrale, et le plus sincère critique de ses faiblesses[55]. »

Le 10 mai 1932, le fils de Lindbergh, enlevé 73 jours plus tôt, est retrouvé mort. Siegmund, qui connaissait bien la famille, en est très affecté.

La fortune familiale est alors considérable : Max est plus riche que Jimmy, et Félix bien plus riche encore. Son fils, Frederick, devenu l'année précédente associé chez Kuhn Loeb, s'achète à Wesport, dans le Connecticut, une superbe propriété[191]. Aby S. et Fritz sont également assez riches. Le fils unique d'Aby S., Karl, végète à la Banque. Il n'a pas le « feu sacré ». Siegmund commence à amasser quelques biens et à remettre en état « Uhenfels » où vit toujours sa mère, entourée de serviteurs dirigés maintenant par un intendant ouvertement nazi[215].

Max peut écrire dans le bilan annuel de la Banque publié à la fin de l'année : « Pour 1932, il n'y a pas lieu de faire d'observations sur chacun des départements de la firme. Partout nous sommes en position défensive[210]. »

Cette année-là, Benjamin Buttenvieser, entré chez Kuhn Loeb comme employé, y devient associé ainsi que Hugh Knowlton, l'ami de Paul, avec qui il a créé l'International Acceptance Bank et qui, après la mort de celui-ci, ne veut plus rien avoir à faire avec l'International Manhattan Company.

Avènement de Hitler

Le 13 mars 1932, arrivé au terme de son mandat, Hindenburg se représente ; Hitler, à peine naturalisé allemand, est candidat contre lui. Au premier tour, Hindenburg obtient 18,6 millions de voix, soit moins que la majorité absolue ; Hitler en a 11,5 millions. Au second tour, le 10 avril, Hindenburg est élu avec 19,2 millions de suffrages contre 13,5 millions à Hitler. Brüning, qui a soutenu le maréchal, reste Chancelier et continue d'invoquer le chômage — qui frappe maintenant plus de 5 millions de personnes — pour réclamer l'annulation définitive des réparations[30]. En mai 1932, pour épargner la faillite aux Aciéries Réunies, il fait acheter une part de l'entreprise par l'État et sauve ainsi la fortune des actionnaires. Le 29 mai, il démissionne, ayant échoué à interdire les bandes armées, et von Papen lui succède le 31, à la tête d'un cabinet de fonctionnaires et de « barons » qui s'efforce d'inclure les nazis dans la majorité pour préparer de nouvelles élections[69].

Siegmund retrouve alors son voisin d'enfance, l'ami de son père, le baron von Neurath, revenu de son ambassade à Londres, nommé en juin ministre des Affaires étrangères du chancelier von Papen. Il en devient un intime. Sans prendre un bureau à la Wilhelmstrasse, il s'y rend souvent et informe le ministre de toutes les négociations financières internationales et de la situation politique de l'Occident. Il fait passer pour lui plusieurs messages aux États-Unis, par l'intermédiaire d'amis banquiers : « Nous contrôlons la situation. Hitler n'est qu'une marionnette, le reflux du nazisme commence ».

Le gouvernement allemand confirme qu'il ne pourra reprendre les paiements des réparations après la fin du moratoire de Hoover. Une conférence réunit à Lausanne, en juin 1932, les pays en litige ; et von Papen y obtient l'annulation définitive des réparations, en échange d'une promesse de paiement de trois milliards de marks à un Fonds de reconstruction de l'Europe[191]. L'accord est signé, mais non ratifié, si bien qu'il n'entre pas en vigueur et que les trois milliards ne seront jamais versés. C'est la fin des fonctions de la B.R.I.[191] dans le cadre du Plan Young. Elle continuera imperturbablement à assurer le service des emprunts Dawes et Young jusqu'en juin 1934, date à laquelle l'Allemagne suspendra unilatéralement tous ses paiements. Après, la Banque de Bâle se trouvera d'autres occupations moins reluisantes[107]. Schacht, qui n'est plus aux affaires, approuve toujours cette annulation, maintenant définitive, du Plan Young[120].

Aux élections législatives de juillet 1932 qui suivent la dissolution du 4 juin, les nazis gagnent encore 123 sièges et en comptent ainsi 230 sur 607. Schacht se range alors derrière Hitler. Von Papen reste Chancelier[69]. Ce succès pousse les industriels à s'intéresser un peu plus au parti national-socialiste : jusqu'ici, ils lui versaient peu de chose, et peu d'entre eux sont à l'origine de sa puissance. Si Thyssen lui a versé un million de marks en 1931, c'est parce qu'il finance tous les partis sans distinction. En 1932, sur les millions de marks qu'il distribue aux différentes formations, il n'en verse que 3 % aux nazis, contre 8 % aux partis de droite, 6 % aux partis de gauche, et 83 % aux partis du centre.

A l'automne de 1932, le pays devient ingouvernable. Les troubles redoublent. Il y a maintenant plus de 6 millions de chômeurs. Hindenburg décide une nouvelle dissolution en novembre. Les nazis y perdent 34 sièges. Le général von Schleicher est nommé Chancelier. Schacht réunit des banquiers pour qu'ils soutiennent financièrement Hitler. Ainsi font-ils. Von Papen veut alors convaincre le vieux maréchal de faire appel à Hitler et de lui accorder le poste de vice-chancelier. Le 28 janvier 1933, Schleicher demande à Hindenburg de dissoudre à nouveau le Reichstag : le Président refuse et Schleicher démissionne. Le 30, à la demande de von Papen, qui pense pouvoir manipuler le futur Führer, Hindenburg nomme Hitler chancelier, avec seulement trois ministres nazis sur onze.

Ni Max ni Siegmund ne pensent encore que tout a basculé, même s'ils songent déjà à s'occuper de faire sortir les capitaux juifs d'Allemagne et réfléchissent aux moyens d'organiser, pour ce faire des filières très complexes.

Les industriels allemands, eux — Frederick Flick, Röchling, Siemens, Westruck, Hugo Stinnes et Wilhelm Zangen, président du patronat allemand, et surtout les Krupp — rejoignent alors Hitler après un meeting d'appel de fonds à Berlin, le 8 février 1933, et une réunion le 20 chez Goering, Président du Reichstag.

Tout s'accélère : le 27 février, le Reichstag est incendié par des provocateurs ; le 28, à la demande de Hitler, le Président suspend les libertés fondamentales et fait arrêter les communistes ; Hindenburg convoque des élections pour le 5 mars 1933, où les nazis obtiennent 44 % des voix. Hitler est confirmé comme Chancelier.

Tout bascule maintenant, pour la famille comme pour le reste du pays. Mais les Warburg n'y croient pas encore : l'Allemagne, « leur » Allemagne ne peut devenir « ça ». « Je n'ai jamais vu, note Siegmund, ma mère aussi désemparée... Elle ne pouvait s'imaginer que le peuple allemand se laisserait entraîner aussi loin à la remorque de Hitler, comme cela s'est passé à partir de 1933[211]. »

Max a 65 ans. Pour beaucoup, c'est l'âge du départ. Peut-être Siegmund l'a-t-il espéré. En tout cas, maintenant, Max est seul ou presque, et en pleine tourmente. Son fils est à New York. Restent avec lui Aby S. et Melchior, malades, Fritz, Siegmund et Spiegelberg, sur le qui-vive. Tout va mal tourner, très vite.

Le 14 mars 1933, Max apprend que le maire de Hambourg ne le consultera plus sur les problèmes financiers de la ville, parce qu'il a reçu de nombreuses pétitions contre la « dictature » des Warburg. Max ne s'inquiète guère : son ami Schacht est devenu responsable du financement de la campagne électorale de mars, et, le 17, il reprend même la présidence de la Reichsbank, quittée trois ans plus tôt[160] : il y a là de quoi être rassuré. Schacht devient d'ailleurs très vite tout-puissant. Il propose à Hitler, ce jour-là, une hausse des impôts indirects et le développement des dépenses militaires, pour quelques années, afin de relancer l'économie et l'emploi, le temps de remettre en ordre le commerce extérieur, puis de développer les exportations[160]. Hitler le suit sans hésiter.

Et il n'est pas question pour Schacht de nuire aux Juifs, si importants, dit-il à qui veut l'entendre, pour le bon état des finances internationales de l'Allemagne. Il le répète à Max, le jour de sa nomination, et celui-ci en est à nouveau rassuré. Pourtant, le lendemain, le 18, un autre notable juif de Hambourg, Léo Lippman, doit démissionner du Conseil d'État de la ville. Max, pour une fois lucide, commente sobrement dans son journal : « La mort vient vite[210]. » Le 21 mars se réunit le nouveau Parlement à Potsdam. Le lendemain a lieu l'entretien entre Siegmund et von Neurath sur lequel s'ouvre ce livre...

Furieux du départ de Siegmund, Max Warburg, comme presque tous les autres, est encore incrédule. Il ne croit pas que les nazis prennent eux-mêmes au sérieux ce qu'ils écrivent et disent contre les Juifs : pourtant, le programme du Parti, proclamé le 24 février 1921, énonçait clairement que tout étranger, et donc tout Juif, c'est-à-dire toute personne ayant un grand-parent juif, entré en Allemagne après le 2 août 1914, serait expulsé ; le point 17 du même programme évoquait en clair l'interdiction de l'immigration de Juifs en Allemagne, le statut d'étrangers et l'expropriation pour tous ceux qui s'y trouvaient.

Plus tard, Max, d'habitude si autosatisfait et si prompt à cacher ce qui le gêne, écrira dans ses Mémoires, sorte de Journal réécrit : « Je pensais qu'il était absolument inconcevable que cet homme pût devenir le chef unique de l'un des peuples les plus puissants, les plus créatifs et les plus travailleurs qui soient au monde[210]. »

CHAPITRE III

Argents de guerre

(1933-1945)

CHOISIR LONDRES

« Profond est le puits du passé. Ne devrait-on pas dire qu'il est insondable ? »

Ainsi commence le monumental *Die Geschichten Jakobs* de Thomas Mann[102], dont Siegmund entame la lecture dès sa parution, sur le bateau qui le mène de Hambourg à New York en ce printemps 1933. Le jeune homme, si attentif depuis l'enfance aux signes prémonitoires, est surpris d'en découvrir un, si évident, dans ce magnifique récit de l'histoire de Joseph et de ses frères où se joue, de génération en génération, l'histoire[53] de l'alliance d'une famille et d'un peuple autour d'un Nom et d'une Parole ; alliance en apparence rompue par le fils cadet, exilé en Égypte par peur de ses frères jaloux, devenu vigile et homme d'influence, enfin sauveur de sa famille — qui l'avait pourtant abandonné — et l'entraînant dans un refuge d'abord heureux, puis tournant à l'esclavage...

A l'aube de son propre exil, il y voit le dessein précis des chances et des risques qu'il prend, pour lui et pour les siens. Se souvenant de ce Joseph-là, il s'efforcera d'être vigile d'un autre temps de grands malheurs, exilé et sauveur, homme d'influence sur l'étranger, fidèle à la fois à son nom et à sa terre. Près d'un demi-siècle plus tard, il connaîtra encore par cœur les vingt premières pages du récit de Thomas Mann.

Peut-être aurait-il vu un autre signe d'égale importance s'il avait su qu'exactement au même moment, Klaus Mann téléphonait de Munich à son père, alors en Suisse, pour lui dire : « Le temps est mauvais », lui signifiant par là de ne pas rentrer au pays.

Son voyage ne se prête pourtant pas à une lecture sereine ni à une exégèse des signes : la veille de son départ, il a laissé sa femme quitter seule avec ses deux enfants, Berlin pour Stockholm, sans espoir de retour. Lui abandonne l'Allemagne pour toujours, avec les quelques livres et les quelques milliers de dollars qu'il a pu emporter sans trop attirer l'attention. C'est la seconde fois qu'il perd tout. La première, c'était après la chute de l'Empire. Aujourd'hui, c'est après celle de Weimar. Il brûle de tout refaire, de réussir ailleurs une vie de grande aventure, libre enfin de l'étouffante et délicieuse histoire de la famille ; même s'il sait que plus jamais il ne pourra faire de la politique comme il rêvait d'en faire en Allemagne.

Il n'a pas encore décidé où il s'installera, et il ne sait quand il reverra sa famille, ni sa femme, ni ses enfants, ni sa mère qui n'a pas voulu quitter Urach, malgré la longue conversation téléphonique qu'il a eue avec elle, juste avant d'embarquer.

Il est un homme de décision rapide : en deux heures, il a choisi de quitter Hambourg. En quelques semaines, il choisira le lieu d'un exil qu'il veut définitif : un Juif ne revient jamais sur les lieux d'un malheur.

Il est content de revoir l'Amérique où il a naguère passé près de trois années, somme toute heureuses. Mais il n'est pas décidé à y rester. A son arrivée, son premier geste est d'envoyer à von Neurath un message laconique, où il le « remercie de lui avoir adresser un signe ».

Puis il s'occupe de son installation future. L'Amérique où il arrive n'est pas florissante. Il y a 15 millions de chômeurs ; la baisse importante des prix, en particulier agricoles, aggrave l'endettement déjà considérable des fermiers. F.D. Roosevelt, qui vient d'être élu Président au terme de la première campagne électorale américaine où les candidats aient pu s'adresser en direct au pays par la radio, a prêté serment le 4 mars. La situation du dollar s'aggrave, car la spéculation, qui a emporté la parité anglaise s'est reportée sur la monnaie américaine, dont le cours, fixé depuis 1913 à 20,7 dollars l'once, est de moins en moins crédible. Tout le monde s'attend à sa dévaluation et beaucoup en demandent l'échange contre de l'or, quand c'est encore possible. Le 6 mars, dès son installation, Roosevelt interdit toute transaction sur le métal précieux et le 9, il saisit le Congrès, qui l'autorise deux mois plus tard à dévaluer le dollar de moitié. Le 5 juin, le gouvernement fédéral détache le cours du dollar de celui de l'or et, à partir de juillet, achète de l'or américain, puis international, à 31,36 dollars, puis à 34,45 dollars l'once. Ainsi se fixe peu à peu un nouveau cours durable.

Le New Deal se met simultanément en place. Pour cela, il faut relancer la production intérieure, donc développer les investissements, donc renforcer les banques. Or, comme après la crise d'avant-guerre, les banques d'investissements, très touchées par la spéculation sur les titres, sont moribondes. L'administration et la presse ne leur ménagent pas leurs critiques, les considérant comme responsables des excès de la spéculation. F.D. Roosevelt charge un comité, dirigé par le sénateur Fletcher, d'examiner « les erreurs bancaires ». Ce Comité révèle que la banque Morgan a vendu des titres à bas prix à des personnalités politiques, de Calvin Coolidge au général Pershing, de Charles Lindbergh à J.-W. Davis[81]. C'est un énorme scandale qui accélère le vote simultané, le 16 juin 1933, du projet de séparation des banques d'affaires et commerciales, le *Glass-Steagall Act*, préparé par Paul Warburg avant sa mort, et du *Security Exchange Act*. La loi donne un an aux banques pour choisir entre le statut de banque d'investissement et celui de banque commerciale, et interdit l'implantation d'une même banque dans plusieurs États américains. Morgan se scinde alors en deux : Morgan Stanley devient banque d'affaires et Morgan Guaranty banque commerciale. Mortimer Schiff, qui accède alors à la direction de Kuhn Loeb, doit opérer un choix crucial. Il pense d'abord faire de sa maison une banque commerciale, en gardant une filiale d'investissements, puis, devant les difficultés juridiques, il choisit de rester banque d'investissements et ferme les comptes de ses clients[81].

C'est dans ce climat que Siegmund arrive à Wall Street. Il va d'abord voir Félix Warburg, puis Mortimer Schiff dont la mère, fille de Salomon Loeb et sœur de Nina Warburg, vient elle aussi de mourir, lui laissant une fortune de quatre millions de dollars, en plus du fonds de charité de six millions de dollars légué par son mari Jacob et qu'elle a géré[203]. Mortimer propose à Siegmund d'entrer chez Kuhn Loeb, mais celui-ci refuse : il veut sa propre banque et pense déjà à la bâtir quelque part en Europe, pour rester près de l'Allemagne, sans vivre dans l'ombre de personne.

Il va voir ensuite son autre petit-cousin, James, dit Jimmy, le fils de Paul, très occupé depuis son retour d'Allemagne. Ami de James Roosevelt, le fils du Président, il vient de refuser, pour ne pas avoir à vendre les titres bancaires de sa mère, ce qui l'aurait lésé[55], le poste de sous-secrétaire d'État auprès de Henry Morgenthau, l'ancien agriculteur, lui aussi fils d'émigré juif allemand, que Roosevelt vient de nommer Secrétaire au Trésor[19]. Mais il l'aide à élaborer un Plan d'aide aux banques et il accepte d'aller représenter le Président, avec un de ses conseillers les plus proches, Raimond Moley, un ancien gouverneur de l'Ohio, James M. Cox, et le secrétaire d'État Cordell Hull, à une grande Conférence économique organisée à Londres par la Société des Nations sur la situation économique et monétaire mondiale. James croit en l'importance de cette conférence et espère beaucoup de sa réussite. En juin, Siegmund décide de l'y accompagner. Sur l'*Olympic* qui les ramène en Europe, ils ont de longues conversations. Siegmund et lui rêvent d'un retour à un système de monnaies stables, toutes fondées sur l'or et garanties par une Banque Centrale Mondiale, habilitée à créer de la monnaie internationale, couvrant les transactions et capable de faire accepter des changements de parités ; bref, une sorte de synthèse de deux banques issues de la famille : l'International Acceptance Bank de Paul et la Banque des Règlements Internationaux de Max...

La Conférence commence en août 1933 au Geological Museum de Kensington, présidée par le Premier ministre anglais MacDonald. Soixante-cinq pays y sont représentés. On y parle des jours et des nuits entières de relance, d'inflation, de chômage, de protectionnisme et de stabilisation des changes. Les discours succèdent aux discours. Chacun y amène sa propre doctrine, du laisser-faire anglais et français au dirigisme allemand et italien, et maintenant américain, avec le New Deal qui s'esquisse. Mais rien n'avance. Chaque zone monétaire refuse la domination de l'autre. Chacun accuse l'autre de protectionnisme. Moley bloque tout retour à l'or et au libre-échange, qui pourrait réduire l'autonomie de la nouvelle politique économique de Roosevelt.

Et, au terme de semaines agitées, on adopte cinq résolutions très vagues, mettant l'accent sur la nécessité d'une coopération monétaire et d'une ouverture des marchés internationaux. Il faut, y est-il dit, que les banques centrales reconnaissent « qu'en plus de leurs fonctions nationales, elles ont également une tâche internationale à remplir[55]. » De même est souhaitée « une coopération étroite et continue entre banques centrales », la Banque des Règlements Internationaux devant jouer à cet égard « un rôle

197

de plus en plus important, non seulement en favorisant les rapports entre les banques, mais encore en tant qu'instrument d'action concertée[55] ». A la dernière minute, un accord est aussi réalisé sur un bref texte recommandant la stabilisation temporaire des valeurs relatives du dollar, de la livre et du franc. Jimmy Warburg, qui l'a rédigé et négocié, en est heureux ; mais le Président Roosevelt, alerté par Moley, refuse ce texte qui signifie l'acceptation d'une responsabilité américaine dans la gestion de l'économie internationale. Jimmy quitte alors la conférence, furieux, laisse Siegmund à Londres, part pour Hambourg voir Max une nouvelle fois, puis revient à Wall Street pour y écrire un livre, *The Money Muddle*, où il s'en prend violemment au dirigisme économique de Roosevelt, en particulier en matière monétaire[55].

Car Roosevelt veut maintenant afficher l'autonomie de l'Amérique et en finir avec l'étalon-or. Le 15 janvier 1934, il demande au Congrès « d'investir le gouvernement de la nation du droit de propriété sur tout l'or monétaire qui se trouve à l'intérieur de ses frontières, et de convertir cet or en lingots plutôt qu'en espèces[152] ». A partir de là, le rôle de l'or se limite à garantir les billets, à opérer les règlements internationaux et à définir le dollar, et l'Amérique peut désormais rembourser ses dettes avec sa propre devise[152]. Ainsi commence l'hégémonie monétaire des États-Unis. Quelques jours plus tard, le 30 janvier 1934, une loi, le *Gold Reserve Act* autorise à fixer le cours du dollar entre − 40 % et − 50 % de sa valeur du début de 1933, et à le modifier ensuite dans ces limites si on le juge nécessaire. Le lendemain, le cours est fixé à 35 dollars l'once d'or. Il restera inchangé pendant près de quarante ans[153].

La même année, le *Johnson Act* interdit d'acheter ou de vendre en Amérique toute action de ceux des pays européens, même alliés, qui ont fait défaut sur leurs dettes de guerre à l'égard des États-Unis — et c'est maintenant le cas de tous. Ce texte pèsera lourd, on le verra bientôt, dans le financement de la guerre à venir.

Siegmund, lui, reste à Londres avec les quelques milliers de dollars qu'il a pu sortir de Hambourg. Sa décision est définitivement prise. Il s'installera en Europe. Il hésite encore entre Londres, où il n'a rien, sinon quelques amis, Amsterdam, où vient d'être créée par Max une « Warburg and Co »[137], et Stockholm où sa femme l'attend chez ses parents après avoir repris, non sans difficultés, sa nationalité d'origine.

A la fin de 1933, il choisit Londres. Il y loue un petit appartement, mais ne s'y installera vraiment qu'au bout d'un an d'errance et de préparatifs.

Pourquoi ce choix ? Siegmund a toujours refusé de le dire. Sans doute a-t-il gardé un grand souvenir de ce qu'il appelle la « gentillesse anglaise », qu'il a connue dix ans auparavant ; sans doute aussi fait-il comme beaucoup d'autres Juifs allemands dont l'Europe est la patrie et qui n'imaginent pas de refaire leur vie hors de ce continent. Et sur ce continent, rien, pour un Hambourgeois, ne vaut Londres, sinon peut-être Amsterdam.

Mais peut-être aussi choisit-il Londres parce qu'il a reçu un de ces signes mystérieux auxquels il attache tant d'importance et dont il ne parle jamais.

Pendant un an, il vit seul, s'organise et voyage beaucoup. Il crée d'abord une petite banque à Amsterdam, puis une autre à Londres, l'une et l'autre avec l'aide enthousiaste d'amis émigrés et celle, réticente, de M.M. Warburg : Max, furieux de son départ, fera même tout, plus tard, pour le gêner avec sa propre filiale londonienne. Pourtant, en ces débuts du nazisme, lui-même a bien d'autres soucis.

199

MAX EN PÉRIL

Le 23 mars 1933, Hitler se fait voter les pleins pouvoirs pour quatre ans et fait ouvrir Dachau, premier camp. Ainsi, il décide de gouverner par décrets-lois, utilisant l'article 48 de la Constitution rédigé justement, dérisoire ironie, dans le but de protéger la démocratie contre les coups d'État. Le 1er avril, les S.A. appellent au boycott des marchands juifs[56] ; des fonctionnaires du parti nazi commencent à surveiller les allées et venues dans la Ferdinandstrasse et à ficher ceux qui la fréquentent[137]. Plusieurs clients importants prennent leurs distances avec les Warburg et, sans raison apparente, les brillants dîners de Kösterberg perdent mystérieusement de leurs habitués. Mais Max s'accroche à tout ce qui autorise encore l'optimisme : Hitler n'est là que par hasard, dans six mois Hindenburg, Schacht et von Papen vont avoir raison de lui, comme de tous les chanceliers avant lui[210]. Pourtant tombent les uns après les autres, les textes racistes, explicites et sans nuances, en une rafale impressionnante et lugubre : le 7 avril, un décret-loi ordonne de licencier tous les Juifs employés dans l'administration ou l'Université, à l'exception des anciens combattants ou des enfants de victimes de guerre, et de n'indemniser que ceux d'entre eux qui ont plus de dix ans d'ancienneté[79].

Cette fois, Max s'inquiète quand même. Une semaine après, il dîne à Berlin avec Schacht[210] qui le rassure[160] :

— Mais non, ce texte ne sera pas appliqué, rien ne t'arrivera ni n'arrivera aux Juifs allemands. D'abord parce qu'ils sont allemands. Ensuite parce que même les plus fous des nazis savent bien que l'Allemagne a besoin d'eux et de leurs relations à l'étranger. Il faut comprendre qu'il faut mettre de l'ordre, accélérer le réarmement, et que cela exige une révolution, avec ses erreurs et ses bavures. Pour le moment, Hitler a la majorité du peuple avec lui et il est

200

le seul homme capable de mettre de l'ordre en Allemagne. Mais, dans deux ans, quand nous serons revenus au niveau industriel de la France, je pourrai réorienter la production vers les biens de consommation, et toute cette agitation absurde s'arrêtera. Ne t'inquiète pas ; en réalité, Goering n'a aucun pouvoir, il parle beaucoup, mais c'est moi qui contrôle tout, par la Reichsbank.

Max travaille alors de plus en plus avec lui, en particulier au conseil de la Reichsbank dont il est membre depuis maintenant près de dix ans ; et il caresserait même, disent certains témoins, l'idée de devenir pour Schacht ce qu'Albert Ballin avait été pour le Kaiser : Juif de cour.

Aussi décide-t-il, malgré les avis qu'il reçoit de New York et de Londres, de rester à Hambourg : « J'étais résolu à défendre ma firme comme une forteresse — note-t-il dans son journal, rédigé dix ans plus tard et jamais publié. Ma famille était d'un avis opposé. Mon frère américain, Félix, fit tout pour me persuader de liquider et d'émigrer. Ma femme et mon fils pensaient également que le temps de l'émigration était venu : ils étaient persuadés que j'étais en danger. Mais je demeurais intraitable. J'étais convaincu qu'un tel sacrifice ne serait pas vain. Melchior considérait que la situation était beaucoup plus sérieuse que je ne le pensais, mais c'était peut-être parce qu'il était toujours pessimiste. J'étais conscient du fait que nous étions au début d'une de ces nombreuses époques de souffrances que les Juifs ont eu à supporter ; mais j'étais intimement persuadé que cette époque serait limitée dans le temps. A partir de là, j'avais suffisamment d'énergie pour continuer[210]. »

La plupart des Juifs allemands, même parmi l'élite financière internationale de Francfort, de Berlin ou de Stuttgart, pensent comme Max et croient que la vague nazie commence même à refluer. « Au début, écrit Rosenbaum, les porte-parole officiels de la Communauté juive considéraient ces lois comme un biais qui permettrait peut-être de ménager à la majorité des leurs une existence supportable, quoique restreinte. Mais les pressions de plus en plus fortes, à l'intérieur du parti nazi, pour une offensive de grande envergure contre la participation des Juifs à tous les domaines de la vie nationale, et notamment de l'économie, devaient contredire ces faibles espoirs[137]. »

Cependant, d'autres dirigeants de la Communauté juive allemande comprennent tout de suite mieux la tragédie qui se noue. Plusieurs partent très vite, tel Siegmund ou Hans Furstenberg ou Jacob Goldschmidt. D'autres s'organisent sur place en vue de rester le plus longtemps possible. Début avril, quelques jours avant la création de la Gestapo, trois notables de Berlin, W. Alexander, W. Senator et L. Tietz, fondent un « Comité Central des Juifs allemands » pour organiser l'émigration sur une large échelle et représenter les Juifs allemands dans les négociations avec les autres communautés juives d'Europe et d'Amérique[56]. En mai, Alexander écrit à New York au président du Joint, Félix Warburg, pour lui faire part de leurs objectifs : « Nous voulons, par ce Comité, préserver et défendre la position économique des Juifs en Allemagne, aider les groupes qui ont l'intention de quitter l'Allemagne à se rendre dans d'autres pays d'Europe ou d'outre-mer, ou à retourner dans leur pays d'origine, et aider ceux qui souhaitent s'installer en Palestine[56]... »

Un peu plus tard, cette même année, Tietz meurt et Senator s'installe en Palestine ; ils sont remplacés à la tête du Comité par F. Borchardt et M. Kreutzberger, puis par S. Alder-Ruel[56]. Max n'en est pas encore membre, tout occupé qu'il est à aider Schacht à mettre en place l'organisation financière et bancaire du Reich. Car, peu à peu, le gouverneur de la Reichsbank prend tous les pouvoirs sur le système bancaire de l'Allemagne : une loi du 2 juin 1933 lui attribue même, en plus des pouvoirs traditionnellement dévolus à une Banque centrale, le contrôle des marchés financiers et le monopole du financement du commerce extérieur[120].

Mais, malgré sa toute-puissance financière, Schacht n'est pas du tout libre politiquement ni défenseur des Juifs autant qu'il prétend l'être ; et, pour protéger son pouvoir, il n'hésite pas à donner à Hitler les gages qu'attend celui-ci. Certes, il garde ostensiblement auprès de lui les quelques principaux techniciens juifs de la Reichsbank[120]. Mais il conseille vivement à son ancien adjoint, Gert Weisman, de quitter l'Allemagne, ce qu'il fait, pour la Suisse. Et lui devient maintenant un agent d'exécution réticent des lois racistes.

Ce printemps 1933 est d'abord très pénible pour Carl Melchior, malade et menacé par la Gestapo qui le tient, ironie extrême, pour l'auteur du Traité de Versailles. En quelques jours, il perd toutes ses fonctions officielles et en juin, il doit quitter le siège allemand de cette Banque des Règlements Internationaux qu'il a contribué à créer et à laquelle il a consacré tant d'efforts.

Comme à la fin de l'été précédent, le Fürher reproche à Schacht ses relations avec Max, Schacht demande à celui-ci, en septembre, de quitter le Conseil de la Reichsbank, « dans leur intérêt commun ». C'est pour Max comme un coup de massue[210] : la Reichsbank qu'il a façonnée dans la période d'inflation, il y a dix ans, et qu'il a tant aidée à se développer, comment peut-elle l'exclure simplement parce qu'il est Juif ? Ce n'est plus ridicule, c'est odieux.

De plus, cette exclusion libère tous les autres interdits, suspendus à celui-là : à l'automne, Max est chassé du conseil de la Deutsch-Atlantisch Telegraphen Gesellschaft qu'il a fondée, malgré les protestations des associés américains ; puis de celui de la Chambre de Commerce de Hambourg, qui l'a décoré quelques années auparavant et dont son grand-père était le bienfaiteur ; de celui de la Société Philharmonique, que son grand-père finançait il y a près d'un siècle, et encore de celui du Bureau de l'Éducation Supérieure pour lequel il a tant fait. En octobre, le maire de Hambourg lui confirme qu'à son grand regret, il ne le consultera plus, ni lui, ni sa firme[55].

Enfin, fin octobre, il doit, injure majeure, quitter aussi le Conseil de la « Hamburg America Linie », la firme qu'il a développée depuis trente ans avec Albert Ballin, puis avec Cuno, et qu'il a sauvée de la faillite durant le sinistre mois de novembre 1918, après le suicide de son ami. Là, pour éviter que son départ n'apparaisse trop comme provoqué par les lois racistes, au sérieux desquelles la haute bourgeoisie allemande ne veut pas encore croire et dont nul n'ose lui dire qu'elles s'appliquent aussi à lui, le conseil d'administration de la « Ligne » a l'élégance de décider que, le même jour, quitteront le Conseil deux autres administrateurs très âgés[55]. Mais l'élégance s'arrête là : ce jeudi soir de novembre, quand le Conseil se réunit, lors d'un dîner d'adieu, pour enregistrer les trois départs, un lourd silence s'installe dans la pièce. Max dit avec ironie son regret de devoir, pour des raisons indépendantes de sa volonté, quitter la maison qu'il a tant aimée depuis trois décennies ; et comme nul ne lui répond, il se lève, fait lentement le tour de la grande table, se place en face de son propre siège resté vide et se répond à lui-même, se remerciant pour les services rendus, en particulier quand, à la fin de 1918 et au début de 1919, il avait seul su trouver l'argent qu'aucune autre banque ne voulait fournir pour reconstituer la flotte détruite pendant la guerre... Pénible moment dont plusieurs témoins se sont très longtemps souvenus, de façon d'ailleurs diverse.

Commence alors la descente aux enfers de la Banque : elle n'est plus consultée par les autorités locales ou nationales, et, cette année-là[137], elle perd les deux tiers de ses clients, dont le nombre passe en un an de 5 241 à 1 875.

Et comme si tout devait être achevé au plus vite, l'année terrible se termine tragiquement : Aby S. Warburg et Carl Melchior meurent le même jour, le 30 décembre 1933.

Rosenbaum écrit en guise d'épitaphe : « Maintes responsabilités dans le traitement des problèmes personnels avaient été confiées, à la Ferdinandstrasse, à Aby S. Warburg, en raison de sa longue expérience d'associé aîné de la firme et de son intelligente perception des hommes et des affaires. En particulier, durant ses dernières années, il s'était consacré avec beaucoup de générosité aux intérêts traditionnels des Warburg pour toutes sortes d'actions d'utilité publique et de philanthropie... Le Docteur Melchior, qui avait été littéralement épuisé par ses incessants voyages et les négociations harassantes qu'il avait dû mener en faveur de l'Allemagne, mourut d'un infarctus. Peu de jours auparavant, il avait rédigé, pour le cas où il serait arrêté par la Gestapo, une procuration personnelle donnant tous pouvoirs à un ami de longue date, collègue de haute confiance, le Docteur Kurt Sievelsing[137]. »

Au cours de ces dernières nuits de l'année, la bibliothèque de l'Institut Aby Warburg part pour Londres : 60 000 livres et 20 000 photos, dans 531 caisses, sont embarqués à bord de deux bateaux. La tradition familiale veut que, pendant toute la nuit du chargement, la veuve d'Aby M. ait servi des boissons chaudes aux déménageurs communistes qui avaient pris le risque de faire partir clandestinement, juste avant que ne commencent les grands autodafés, la plus belle bibliothèque d'Histoire de l'Art qui fût au monde.

Malgré ces jours de deuil et ces terribles menaces, Max continue à croire à son avenir en Allemagne. De plus en plus seul, il note dans son journal, à la date du début janvier 1934 : « L'année écoulée a été une année de retranchement. Comme une reconquête n'est pas possible pour l'instant, nous ne pouvons que défendre notre forteresse, en essayant de retenir notre clientèle allemande et étrangère. A cet égard, des mesures mineures peuvent se révéler importantes : pas une place de conseil d'administration qui nous est retirée ne doit être considérée comme définitivement perdue, et toute opportunité sera saisie pour regagner ces positions, même si nous devons attendre longtemps le succès[210]. »

LA « FILIÈRE » PALESTINIENNE

Si Max veut rester, dans l'attente de jours meilleurs, il entend aussi aider tous les autres Juifs à s'en aller, et d'abord ses propres clients ; s'il ne conseille à personne de partir, il prête main-forte à qui souhaite le faire. A l'avènement de Hitler, il y a encore près de 550 000 Juifs en Allemagne, et près de 100 000 partent durant la première année du nazisme[79]. Dès le début de 1933, avant même le départ de Siegmund et malgré la sévérité des contrôles exercés sur les changes et aux frontières, Max aide les plus pauvres à émigrer et les plus riches à sortir leurs capitaux. Il s'occupe des uns par les œuvres juives et des autres par sa banque. Il fait à la fois acte de chef de communauté et de financier conscient des intérêts de sa maison, car les candidats à l'émigration, de plus en plus nombreux, sont prêts à payer n'importe quel prix ceux qui peuvent organiser efficacement leur départ ; Siegmund et Max ne sont pas à court d'idées pour le faire. L'un et l'autre n'en tirent aucunement profit, au contraire. Mais tout cela fait tourner la Banque et donne à Max l'illusion que les choses vont comme avant.

A ce moment, la situation des émigrants est d'ailleurs encore ambiguë ; certes, le contrôle des changes est devenu très strict et les sorties de capitaux sont en principe interdites. Mais, en réalité, Schacht utilise les filiales de banques allemandes à l'étranger, même juives, pour régler certains problèmes. Par exemple, la filiale de la banque Mendelssohn à Amsterdam regroupe, avec la bénédiction des nazis, les participations à l'étranger de certaines entreprises allemandes, dont celles de Bosch en Amérique, pour éviter à l'Allemagne le risque d'une saisie de ses biens en cas d'éventuel conflit[107]. Et ces banques jouent un rôle important, parfois avec la complicité de hauts fonctionnaires nazis, dans l'organisation des sorties de capitaux juifs.

Pendant ce temps, le reste du monde se mobilise. Le premier programme d'émigration vers l'Angleterre est mis au point entre un fonds créé à cette fin par la Communauté juive anglaise et par Carl Melchior, juste avant sa mort. En Amérique, les communautés juives se montrent également très actives. Félix, avec d'autres riches Juifs américains, finance l'installation en Amérique des plus pauvres, et, parmi eux, de nombreux artistes et écrivains qui commencent à quitter l'Allemagne et ont du mal à trouver une terre d'asile.

Il aide aussi, bien qu'il ne soit pas sioniste, au départ des Juifs allemands vers la Palestine. Il se montre toujours très critique vis-à-vis de l'Agence Juive, qui n'est à ses yeux qu'une structure anarchique et ingouvernable[55] : « quand l'Agence Juive a de l'argent pour créer un kibboutz, elle en crée deux et compte sur la chance pour payer ce qui manque ». Il est de plus en plus persuadé qu'un État juif serait condamné à mort, car ses voisins ne l'accepteraient jamais. Il dit même en 1934 : « Si un État d'Israël est créé, il viendra quémander chaque année un nouveau prêt chez Kuhn Loeb[55]. » Il écrit alors à Chaïm Weizmann, avec qui il est en désaccord croissant sur la façon de diriger les affaires juives : « Aussi longtemps que les Juifs crient "État Juif" et "Terre nationale", tous nos efforts pour parvenir à un accord ne seront pas pris au sérieux par les Arabes[55] ». Il rêve plutôt du remplacement du mandat britannique par un État binational où les deux occupants s'entendraient pour cohabiter.

En Allemagne, il faut faire vite. Max et Siegmund avaient eu l'idée, juste avant le départ de celui-ci, de créer une banque destinée à aider les entreprises juives allemandes à sortir leurs capitaux et à se réinstaller ailleurs. L'idée mûrit au cours de l'été 1933 et, en octobre, Siegmund se rend de Londres à Amsterdam, y rencontre Max et deux autres amis allemands qui viennent de quitter l'Allemagne, Edmund Stinnes, le frère de Hugo — qui, lui, a choisi le camp nazi —, et Hans Furstenberg, qui dirigeait la Berliner Handels Gesellschaft, et avec lequel il avait créé une filiale commune à Berlin quelques années auparavant.

De cette réunion sort l'idée de créer avec un groupe de banques, — dont certaines allemandes — à Amsterdam une petite organisation, qu'on appellera la *Dutch International Corporation*, pour recevoir les capitaux que les émigrés pourront sortir d'Allemagne et les aider ensuite à les utiliser, aux Pays-Bas d'abord, puis en Angleterre, aux États-Unis et même en Palestine. Elle est en place au début de 1934, et, grâce à elle, depuis Amsterdam où il vient souvent, Siegmund aide à sortir les capitaux de plusieurs entreprises juives allemandes, pour la plupart ses anciens clients de Berlin et de Hambourg.

La D.I.C. organise aussi avec Max, Fritz et A.E. Wasserman, à Berlin, une filière directe vers la Palestine, la « Compagnie Fiduciaire de Palestine », pour aider les émigrants à y transférer leurs fonds. Ce transfert s'opère par l'achat, par des entreprises de Palestine, de biens allemands, ou par la vente à bas prix de biens palestiniens à l'Allemagne[56].

Le système, mis au point à l'été 1934, est assez complexe et exige de nombreux accords avec les douanes et le fisc allemands : avant de quitter l'Allemagne, les émigrants achètent en reichsmarks à des entreprises allemandes des biens choisis par une filiale de l'Agence Juive, la Compagnie Havana, et livrés ensuite à Tel Aviv. A leur arrivée en Palestine, les émigrants sont remboursés en livres sterling par cette compagnie, elle-même financée par la Communauté juive américaine. Le système fonctionne aussi dans l'autre sens : des produits palestiniens sont livrés à l'Allemagne et payés par l'Agence Juive, sans autre apport allemand que l'autorisation de sortie de capitaux d'émigrants. M.M. Warburg et A.E. Wasserman en Allemagne, et la D.I.C. aux Pays-Bas, se chargent de tout le travail bancaire. Par exemple, la « filière Palestine » permet, au terme de négociations de quatre mois, d'exporter en masse vers l'Allemagne nazie les oranges de Jaffa (la récolte 1934-35). « D'autres possibilités de transfert se présentèrent selon le même schéma, écrit Rosenbaum, par le biais du financement d'importations en provenance de Turquie. L'activité multiple de la filière, et une série de contrats de conseils à des entreprises dont les propriétaires souhaitaient liquider leurs biens pour émigrer, furent, pour Warburg and Co, une source de nouveaux clients et de nouvelles affaires, mais aussi et surtout une source d'avertissements sévères à chacun pour ce qui concernait son propre avenir[137]. »

Mais ces mécanismes fonctionnent peu et mal. Car, dès leur création, il devient difficile, pour qui que ce soit, de sortir de l'argent du pays : un décret du 18 mai 1934 prélève ainsi un quart de la fortune de tous ceux qui souhaitent partir avec plus de 50 000 marks, ou qui ont gagné plus de 20 000 marks dans l'année[56].

Max devient alors président ou membre du conseil d'administration des principales organisations juives allemandes : la Représentation pour le Reich des Juifs allemands, la Ligue de Secours aux Juifs allemands, l'Association communale de Hambourg. « Il s'occupait du matin au soir, écrit Rosenbaum, de soutenir des compatriotes juifs et de leur fournir des conditions d'existence acceptables, dans des circonstances qui se dégradaient considérablement[136]. »

En mai et juin, Max va à plusieurs reprises voir le vice-chancelier von Papen à Berlin, et il espère en son aide. Mais deux jours après que, le 28 juin, von Papen fut allé, à la demande de Max, protester auprès de Hitler contre les mesures antijuives, il échappe de peu à la Nuit des Longs Couteaux où sont assassinés par les partisans du Führer nombre de ses amis ; et il part comme ambassadeur à Vienne. La fin de Röhm et des S.A., ce jour-là, vaut à Hitler l'appui de l'armée.

Max se sent de plus en plus isolé. Seul de ses soutiens, Schacht est encore aux affaires. Le 30 juillet 1934, il devient ministre de l'Économie à la place de Kurt Schmidt. Il a en principe alors la responsabilité totale de l'économie, au moment où commence à s'élaborer un plan quadriennal. Selon ses propres Mémoires[151] et les témoignages de l'époque[160], il est très choqué par ces purges. Même s'il pense encore que Hitler est le seul à pouvoir redresser l'Allemagne, il trouve que beaucoup de choses ne vont pas comme il le voudrait. Il n'apprécie pas le pillage des fonds publics par le parti ni les violences perpétrées contre les Juifs et les églises[160]. Pourtant, il ne peut rien, ni contre la politique antisémite qui s'aggrave, ni contre les agissements économiques des plus fanatiques, tel le conseiller économique de Hitler, Wilhelm Kappler. Quand celui-ci crée une Agence de Développement de la production de matières premières sans lui en référer, Schacht est furieux[120].

Le 2 août 1934, Hindenburg meurt. Le 19, à l'issue d'un plébiscite, Hitler cumule les fonctions de Chancelier et de Président. Pendant l'été, Max développe sa filière. Avec le directeur de l'Agence Juive, Hexter, un ancien professeur de Harvard que Felix a engagé et qui est venu spécialement de Palestine, il rencontre le responsable nazi des changes au Ministère des Finances et obtient de lui l'autorisation de visas pour la « filière Palestine », contre promesse de versement de 10 000 dollars sur un compte secret à Londres. Ce haut fonctionnaire quittera l'Allemagne l'année suivante pour se réfugier lui aussi en Angleterre[55].

210

Cette année-là, trois clients sur quatre ont quitté la Banque qui a perdu encore la moitié de ses sièges de conseils d'administration. Son chiffre d'affaires baisse considérablement et rien ne semble pouvoir empêcher sa prochaine faillite.

Elle ne fait pour ainsi dire plus aucune affaire, sauf aider les Juifs qui souhaitent partir, ou participer à des emprunts d'État à l'étranger. Devant cette débâcle, Max appelle encore Félix à l'aide, lequel lui répond que cela ne sert plus à rien, qu'il lui faut liquider et partir. Siegmund, consulté lui aussi à Amsterdam, est du même avis. Max refuse. Cet immeuble, il l'a fait bâtir et n'en partira pas. Il est Allemand et rien d'autre. Sa famille est restée là sous tous les régimes et elle n'a aucune raison de manquer à son histoire, même pour fuir un régime aussi fou que celui-là. Et Brinckmann, l'homme de Kuhn Loeb, lui donne raison.

Une fois de plus, Félix, malade et résigné, accepte de prendre sur sa fortune personnelle les sommes nécessaires à ses deux derniers frères allemands pour maintenir encore le nom. En échange, il exige de Max qu'il réduise ses engagements et conserve un maximum de devises liquides, pour parer à toute éventualité.

La vie de Max devient très difficile. Il est maintenant suivi en permanence par la Gestapo ; le cercle de ses amis se réduit. Kösterberg devient une forteresse solitaire. Tous les jours, la presse, tel le *Sturmer* de Julius Streicher, l'accuse encore d'avoir trahi à Versailles et d'être la cause des malheurs de l'Allemagne.

A la fin de l'année 1934, la situation financière de M.M. Warburg s'est stabilisée. Max écrit à cette date dans son journal que « la route de la reconquête aurait pu s'ouvrir, mais elle était bloquée par la politique national-socialiste[210]. »

SIEGMUND À LONDRES

Londres a changé depuis son premier séjour, dix ans auparavant. La crise commence à s'y estomper. Pour la première fois, la production de l'année dépasse le niveau de 1929 pendant que baisse le nombre des chômeurs. L'opinion anglaise est divisée sur Hitler. Une partie très minoritaire de la bourgeoisie accueille sans déplaisir l'arrivée de celui qui « sauve l'Allemagne de la menace rouge ». L'autre, à l'instar de la classe ouvrière, perçoit le danger du nazisme qui a détruit la gauche allemande.

La communauté juive de Londres est alors peu nombreuse mais florissante, et elle reçoit bien les réfugiés qui commencent à affluer, finançant elle-même leur accueil avec l'aide d'organisations non-juives[12]. Dès mars 1933, un neveu éloigné de Jacob, Otto M. Schiff, fonde le « Comité des Réfugiés Juifs », et en avril 1933, Lionel Rothschild crée le Central British Fund for German Jewry[174].

Siegmund, dès son arrivée, y retrouve de la famille, des amis, quelques bases financières. Y résident quelques descendants des Warburg d'Altona, émigrés en Scandinavie en 1790, puis à Londres en 1841 et associés à Sir Ernest Cassel chez N.M. Rothschild. Mais il ne les connaît pas. Il y a aussi Paul Kohn-Speyer, son oncle, devenu président de Brandeïs-Goldschmidt, marié à une de ses cousines : une sœur de Max, Olga, venue à Londres en 1903, morte l'année suivante à la naissance d'Edmond, lequel, élevé en Angleterre, vint comme stagiaire chez Max en 1928 en même temps que Siegmund. Il y a aussi le petit-fils de son oncle Frederick, Frederick-John Warburg, né en 1898, devenu directeur d'une maison d'édition et fils de Sir Oscar Emmanuel Warburg. Quelques mois après lui, sa cousine Anita, la troisième fille de Max, s'y installe à son tour et épouse un journaliste du *Manchester Guardian*, Max Woolf. Il y a enfin les cadres d'une filiale de M.M. Warburg, « Merchant and Finance Co », dont plusieurs sont venus de Berlin, et qui vont lui faire la guerre.

Siegmund retrouve également le Président de Rio Tinto, Andrew MacFadyean, qui, après avoir travaillé dans le thé et le caoutchouc en Malaisie, est devenu secrétaire privé de Baldwin puis chef de la délégation financière anglaise à Berlin où Siegmund l'a rencontré en 1930.

Au début de 1934, installé maintenant dans un petit appartement près de la Tamise, il rappelle sa femme et ses deux enfants de Stockholm. Pour lui, la vie n'est guère facile. Il revient là père de famille, presque sans un sou, dix ans après y avoir vécu riche, stagiaire chez les Rothschild. Certes, on lui fait bon accueil dans la « haute banque », qui sait bien ce que son nom veut dire. Mais ailleurs, pour les autres, il n'est qu'un Juif allemand assez pauvre, parlant l'anglais avec un accent souabe assez prononcé.

Siegmund, lui, admire ce qui fait la formidable grandeur de l'Angleterre : sa tradition de liberté ; il a un très grand respect pour son sens du *fair play*. Il aime à dire que le mot *kind* et sa signification exacte n'existent que dans la langue anglaise, et qu'on ne peut le traduire ni en allemand ni en français. Et s'il déteste la frivolité, le manque de courage et le snobisme de la City, il répète souvent que, tandis qu'en Allemagne la classe moyenne a porté Hitler au pouvoir, en Angleterre, au contraire, elle est l'élément le plus sain, le plus humain, le plus responsable et le plus honnête du pays. Et il souffle un peu, au sortir de l'enfer naissant du nazisme, tout étonné de cette liberté recouvrée.

Deux autres émigrés, partis au même moment que lui, ont écrit ce qu'ils pensaient du Londres de cette époque. L'un, son ami depuis quatorze ans, arrivé là un mois avant lui, Stephan Zweig, qu'il verra presque chaque semaine pendant les huit années suivantes, l'autre, débarqué à Londres quelques mois après lui, le peintre Fred Uhlman, né comme lui près de Stuttgart et qu'il connaît peu : « Le premier sentiment de l'émigré en arrivant à Londres, c'est le soulagement, écrit Zweig. Une seule chose m'importait me remettre à mon propre travail, défendre ma liberté intérieure, ma liberté extérieure... Le véritable bienfait pour moi, c'est que je sentis enfin de nouveau autour de moi une atmosphère civile, polie, sans excitation, sans haine[187]. » « Tout me paraissait étrange[169], complète Uhlman. Par-delà le soulagement, il y a le regret et la crainte. » Siegmund, comme eux, est inquiet pour ce qu'il a laissé derrière lui. « Mes amis étaient éloignés, écrit Zweig, le vieux cercle de mes relations était rompu, j'avais perdu ma maison avec ses collections, ses tableaux et ses livres... Tout ce que j'avais tenté, accompli, appris, goûté dans l'intervalle, paraissait emporté par le vent[187]. »

Et Siegmund voit avec angoisse combien la paix a rendu l'Angleterre insouciante ; il enrage de ne pouvoir s'en ouvrir à personne. Lui qui a tant critiqué, depuis Berlin, la politique monétaire de Churchill et son aboutissement dans le désastre de la livre, supporte mal l'aveuglement britannique devant la montée des périls politiques. Lui, l'émigré, s'étonne de voir que les Anglais sont aussi naïfs que son oncle Max, accrochés comme lui aux plus naïves espérances. « Il était douloureux, écrit Zweig, de voir que justement la vertu maîtresse des Anglais, leur loyauté, leur volonté sincère d'accorder leur confiance à tous les autres sans exiger de preuves de leur bonne foi, était exploitée à des fins détestables par une propagande qui était un chef-d'œuvre de mise en scène[187]. »

NEW TRADING COMPANY

La City reste le financier des gouvernements, l'assureur et l'affréteur des bateaux. Plus de la moitié des transactions internationales s'opèrent encore en monnaie anglaise, de nouveau stabilisée par rapport à l'or, dans la foulée du dollar, par le jeu d'un Fonds de Stabilisation des Changes. Mais l'effondrement du commerce international a réduit l'ampleur de ses activités. L'Angleterre n'a plus grand chose à prêter ; ses banques, petites, cloisonnées, mal organisées, doivent emprunter des dollars à New York et les transformer en livres, avant de les reprêter, dans l'Empire ou ailleurs. De plus, la concurrence des banquiers et des assureurs de New York devient sévère.

Maintenant qu'il est à Londres, Siegmund pense à se refaire un nom, un grand nom dans le métier qu'il connaît, la « haute banque ». Et pour se créer d'abord une base, il envisage diverses voies : créer une filiale londonnienne de M.M. Warburg, mais Max s'y oppose ; créer une filiale de Kuhn Loeb, mais il n'a pas recherché l'accord de Félix, et sans doute ne l'aurait-il pas obtenu. Aussi décide-t-il de créer sa propre société et de ne pas la nommer Warburg, mais *New Trading Company,* traduction et adaptation anglaise de l'appellation de Berliner Handels Gesellschaft. C'est elle qui deviendra, dix ans plus tard, la banque *S.G. Warburg and Co.*

L'histoire de la naissance de ce qui est aujourd'hui une des toutes premières banques d'affaires du monde vaut d'être contée avec quelques détails. Plusieurs versions en existent.

Selon Rosenbaum[137], qui écrit d'après Max, c'est la Dutch International Corporation qui fonde, avec un capital initial de 120 000 livres, la New Trading Company à Londres, « dont le membre du conseil le plus actif est S.G. Warburg[137] ». « Peu à peu, M.M. Warburg and Co réduit sa participation dans la Dutch International Corporation, mais augmente sa participation dans la New Trading Company, qui fait partie d'un ensemble de petites structures destinées à servir les clients allemands de M.M. Warburg and Co depuis l'étranger, et à aider les Juifs allemands déjà émigrés à y reprendre leurs activités. Cependant, une part de plus en plus importante de ses tâches consiste à financer les entreprises britanniques de taille moyenne[137]. »

Ce récit ne paraît pas exact : en réalité, Siegmund a voulu seul la New Trading Company, et il l'a faite pour lui, contre le reste de sa famille. Voici comment.

Une fois créée la Dutch International Corporation au début de 1934, il songe à compléter la chaîne de sortie de capitaux d'Allemagne en créant une autre compagnie du même genre à Londres, avec les mêmes associés.

Siegmund y fait donc venir ses deux amis, Hans Furstenberg, encore président de la Berliner Handels Gesellschaft qu'on peut traduire en anglais par Berlin Trading Company, et Edmund Stinnes ; il leur demande de créer avec lui une autre banque. Mais l'opération est plus délicate à Londres qu'à Amsterdam. Car là, s'il la dirige lui-même, il doit indiquer sa nationalité de naissance et l'afficher sur le papier à lettres. Or, être Allemand à Londres en 1934 n'est pas un atout dans les affaires. De plus, il ne veut pas froisser Max, le chef de la famille maître du nom. Aussi décide-t-il de ne pas donner celui-ci à la nouvelle banque, du moins pour l'instant.

Il lui faudra plus de six mois pour tout mettre au point. Il associe des Anglais de souche à son aventure, et d'abord une vieille connaissance, Andrew MacFadyean. Et puis Richard Jessel et Harry Lucas, appartenant à deux familles auxquelles il est apparenté, l'une d'agents de change, l'autre de banquiers très introduits à Londres, amis d'Eden et de Churchill.

Siegmund crée alors avec eux l'équivalent de l'établissement qu'il a ouvert à Amsterdam, mais lui donne le même nom que celui de la banque créée naguère à Berlin avec Furstenberg. Ainsi naît au cœur de la City, le 30 octobre 1934, la New Trading Company, avec cinq actionnaires, personnes physiques ou sociétés (Siegmund Warburg, Harry Lucas, Richard Jessel, la Dutch International Corporation et la Berliner Handels Gesellschaft), avec un capital de 120 000 livres dont Siegmund détient dix pour cent. Andrew MacFadyean est nommé président ; Harry Lucas est, avec Siegmund et une secrétaire, le seul employé. On choisit comme adresse télégraphique « Nutra-co », toujours utilisée aujourd'hui par la banque.

Et on s'installe dans des bureaux prêtés par l'oncle Paul Kohn-Speyer, le président de Brandeïs, dans King William, une petite rue dessinée au XIXe siècle pour relier la Banque d'Angleterre au Pont de Londres et où se déroulera presque toute la suite de l'aventure.

Brandeïs est alors une étrange firme : un des directeurs a en permanence un revolver sur son bureau, dont il menace parfois les nouveaux employés. Il y est interdit de fumer et les horaires sont rigoureusement ceux du Metal Exchange. Ces bureaux sont au 9. Au même étage, le second, un couloir étroit, où se trouve la lance d'incendie et le standard téléphonique, relie le 9 au 8, où se trouvent trois bureaux, accessibles aussi de la rue par un étrange ascenseur triangulaire. Ce sont ces bureaux qu'on octroie à New Trading Company ; ils sont si petits que Siegmund a le sien ailleurs, un peu plus loin au même étage, chez Brandeïs-Goldschmidt.

Il perd vite ses amis : dès la fin de 1934, Hans Furstenberg renonce à vivre à Londres et s'installe à Locarno. Edmund Stinnes, lui, reste encore quelques mois pour l'aider, puis part enseigner l'économie politique dans une université quaker, à Philadelphie.

Siegmund n'a pas de capital, pas de clients, pas de fonds de commerce, et il ne veut pas utiliser son principal actif, son nom. Aussi accepte-t-il même les très petites affaires, celles que des banquiers de la City, tel N.M. Rothschild, ne veulent ou n'osent accepter. Et d'abord celles des émigrés qui arrivent, parfois avec quelque argent, et celles de Brandeïs-Goldschmidt que Paul Kohn-Speyer lui confie. Il ne reste pas longtemps seul. L'année suivante, il engage cinq personnes : deux Anglais, K.L. Guiness, de la famille des brasseurs, et Sir Louis Sterling, de Columbia ; deux Allemands, Henry Grunfeld et E.G. Thallmann, banquier berlinois devenu argentin, et un Autrichien, Éric Korner, ancien officier de la monarchie autrichienne devenu lui aussi banquier à Berlin.

C'est en juin 1935, à Amsterdam, que Siegmund rencontre Henry Grunfeld, qui va devenir son double pendant près de cinquante ans. Né en 1904 en Silésie dans une famille aisée de sidérurgistes, Henry Grunfeld passe toute sa jeunesse dans la capitale allemande ; l'affaire de son père étant très affaiblie par l'inflation sous Weimar, il l'a redressée et en a fait l'une des toutes premières d'Allemagne. Là, il entend parler, comme tout le monde, des Warburg, de leur fortune, de leur puissance. Mais, comme beaucoup de Juifs allemands de l'époque, il ne sait même pas que les Warburg le sont aussi. Quand, au début de 1935, il décide d'émigrer à Londres et d'y fonder sa propre société financière, il souhaite prendre contact avec Siegmund et demande à deux dirigeants de la sidérurgie allemande, avec qui il a travaillé et qui ont connu Siegmund à Berlin, de le lui présenter. La rencontre a lieu le 17 juin 1935 à Amsterdam à une réunion de la D.I.C. Elle ne dure que dix minutes. Siegmund est pressé. Ils décident de se revoir à Londres, un mois plus tard, ce qu'ils font beaucoup plus longuement. Ils décident que la N.T.C. deviendra actionnaire de la société que va créer Grunfeld. Leurs points communs sont évidents. Henry n'est pas du tout banquier, mais il a toutes les qualités d'un professionnel de la « haute banque », telles qu'on les conçoit à Hambourg : intelligence, liberté d'esprit, rigueur morale, volonté de réussir, large vision des choses, souci de bien faire plus que de faire du profit. Ni l'un ni l'autre ne considère l'argent comme le moteur de leur vie.

Mais, par ailleurs, bien des choses les distinguent : autant Siegmund est brillant et séducteur, autant Henry est homme d'ombre et de dossiers.

Le 6 juin 1984, à l'occasion de la réception donnée pour son quatre-vingtième anniversaire, Henry Grunfeld confiera à quelques amis : « Nous avions en commun d'avoir une même assise familiale confortable, largement détruite par l'inflation de 1923. D'avoir, lui et moi, exercé très jeunes des fonctions de hautes responsabilités, où nous avons réussi à nous faire un nom et une réputation personnelle. Alors, après 1933, nous nous sommes soudain trouvés devoir tout quitter pour recommencer à zéro dans un autre pays. Nous brûlions l'un et l'autre, à ce moment, de l'ambition et de la détermination de retrouver la position que nous avions acquise en Allemagne, et de montrer au monde et à nous-même[1] que nous en étions capables. »

En août 1935, après s'être beaucoup revus, Siegmund suggère à Henry de quitter sa propre firme et de venir travailler avec lui. Henry accepte, vend son petit fonds de commerce — qui existe encore aujourd'hui — et prend 5 % du capital de New Trading Company.

Pendant presque cinquante ans, jusqu'à la mort de Siegmund, ils travailleront ensemble ; chacun saura qu'il ne peut rien sans l'autre, et chacun acceptera l'ombre que l'autre lui porte. « Dans l'entourage de Siegmund, nul autre que lui n'a eu le même statut d'alter ego », témoignera Pierre Haas.

Et l'on dit même un peu plus tard à Londres : « Siegmund est le premier à affirmer que Grunfeld est l'esprit le plus brillant de la City, beaucoup plus brillant que lui-même[206]. »

BERLIN EN ÉCONOMIE DE GUERRE

En 1935, la belle construction voulue par Wilson à Versailles s'effrite de toutes parts : certes, en juin, le traité naval anglo-allemand et la Conférence de Stresa alimentent l'espoir de paix ; mais la crise d'Abyssinie, en octobre, les grondements espagnols, les vociférations de Mussolini et le coup de force de Hitler, qui rétablit le service militaire, inquiètent les rares démocrates lucides en Europe.

D'Allemagne, plus de 150 000 Juifs sont à présent partis. Un haut-commissaire, James MacDonald, est chargé par la S.D.N. de suivre leurs problèmes et de coordonner l'aide en leur faveur. Les Juifs d'Amérique créent à cette fin à New York un « Comité consultatif des Organisations privées » regroupant les représentants de différentes organisations juives internationales. Félix Warburg le dirige et s'oppose, dans un premier temps, à l'entrée dans ce comité de Nahum Goldmann, qu'il juge trop extrémiste, puis, à la suite de l'intervention de James MacDonald, il retire son veto. Il aide à installer en Amérique un certain nombre d'intellectuels juifs d'Europe et finance la création d'un département d'Histoire de l'Art à l'Université de New York, qui recueillera une partie de l'élite culturelle juive européenne.

Mais l'accueil n'est pas aussi bienveillant pour tous, et les administrations, dans les démocraties, ne font pas preuve d'un zèle excessif : en Hollande, en Suisse, en France, au Canada, les quotas sont vite remplis, et bien des Juifs d'Allemagne et d'ailleurs sont refoulés. Certains, de toutes conditions, accueillis en Amérique, n'y trouveront que misère et, tel Bela Bartok, mourront plus tard à New York dans la solitude et le dénuement.

Les Juifs demeurés en Allemagne s'organisent. Après les premiers départs, la situation semble se stabiliser pour ceux qui restent. Leur organe central officiel devient le Reichsvertretung der Juden im Deutschland. Il aidera indirectement et sans le savoir, comme tous ses homologues d'Europe, à structurer l'économie concentrationnaire à venir[79].

La publication de lois antijuives se ralentit, au point que Schacht croit avoir convaincu Hitler de revenir à une politique plus modérée, et s'en vante partout[160]. Appuyé par une partie de l'administration de la Reichsbank et du ministère de l'Économie, qui craint que la persécution des Juifs n'entraîne une fuite des capitaux, il garde ses principaux adjoints à la Reichsbank, des Juifs, et continue de voir beaucoup Max Warburg.

Mais, contre lui, à côté de lui, le Parti nazi prépare un règlement absolu du « problème juif » par l'extermination, sans jamais prononcer le mot. En ce début de 1935, Schacht est encore maître de l'économie. Il veut maintenir la croissance pour réduire le chômage. Il incite l'industrie allemande à se concentrer — le nombre de combinats diminue de moitié —, lance de grands chantiers d'autoroutes, pousse au réarmement, arrête les derniers paiements d'intérêts des emprunts Dawes et Young et met en place une sorte d'*économie de guerre*. Pour la financer, il crée des titres spéciaux de crédit dont l'escompte est garanti par la Banque centrale, nommés les *bons Mefo*[160], réservés aux entreprises d'armement et leur permettant d'obtenir de l'argent sur le marché monétaire. Leur durée est de 4 ans et ils peuvent être souscrits par des sociétés d'un capital d'un million de Marks. Le montant total de ces bons restera un secret d'État. A ses yeux, ils constituent une créance de la Reichsbank sur l'industrie, et devront lui être remboursés à leur terme ; et il compte bien mettre fin à ce financement monétaire de l'investissement dès que le plein emploi sera atteint[120]. Il redoute le caractère inflationniste de cette création monétaire, et sait qu'elle conduira à des importations excessives. Aussi prend-il le contrôle du commerce extérieur allemand en aidant les exportations par des subventions, en donnant au mark jusqu'à 45 taux de change différents, et en contenant les importations autant qu'il le peut. Cette politique connaît un grand succès, et elle ouvre des marchés à l'industrie allemande jusqu'en Amérique latine et en Europe méridionale.

Il place aussi le système bancaire allemand entièrement sous sa tutelle : la Bank Deutschen Arbeit, créée en 1934, contrôle le crédit à la construction et aux petites entreprises et, plus tard, distribuera les butins de guerre ; la Reich Kredit Gesellschaft gère les crédits aux entreprises bénéficiant de fonds publics ; une de ses filiales, Rowak, organise le troc avec l'étranger. Les grandes banques universelles, en premier lieu la Deutsche Bank, avec ses 490 agences, puis la Dresdner Bank, avec ses 368 agences, la Berliner Handels Gesellschaft, la Commerzbank, la Darmstädter Bank, tombent également peu à peu sous la coupe des nazis. D'autres banques d'affaires — Stein à Cologne, Delbruck-Schickler, devenue filiale de Metall Gesellschaft, entre autres — tombent elles aussi, au fur et à mesure de l'émigration juive, entre des mains hitlériennes, ou sont rachetées à vil prix par de grandes banques devenues elles-mêmes nazies, en échange du paiement d'une part dérisoire de leur valeur réelle à New York.

Là commence le malentendu entre Schacht et Hitler[160] : pour le Führer et pour les théoriciens nazis, tel Gottfried Feder, l'économie de guerre doit durer jusqu'à rendre la guerre possible. Ils pensent qu'il faut tirer les leçons de la Premier Guerre mondiale, pour construire un pays capable de résister à un blocus, et se couper de toutes sources d'approvisionnement extérieures en prévision d'un conflit prolongé. Pour Schacht, au contraire, l'État devra se retirer de l'économie dès lors que le plein emploi sera atteint[160].

Pendant deux ans encore, Schacht croit qu'il l'emportera ; mais il ne voit pas qu'on ne le laisse agir que dans la limite où ce qu'il fait sert les ambitions des militaires et du Führer ; et il ne devine pas non plus qu'il tombera dès que Hitler aura fini de l'utiliser.

Pendant ces deux années, appuyé sur la puissance, encore raisonnable, même si peu courageuse, d'une partie de la finance allemande, Schacht croit tempérer la folie hitlérienne, sans pourtant empêcher les émeutes, les pogroms ni les massacres de Juifs. La préparation des Jeux Olympiques de 1936 et la nécessité de développer l'économie de guerre amènent d'ailleurs les nazis à masquer leur jeu et à laisser Schacht rendre à l'Allemagne les moyens de leur folie, lui donnant l'illusion qu'il l'emporte.[160]

Mais, peu à peu, l'ambiguïté se lève ; un premier incident a lieu le 16 août 1935, à Königsberg, lors d'une réunion publique où Schacht critique violemment « ceux qui brisent les vitrines des Juifs et qui accusent de trahison les non-Juifs qui travaillent avec des Juifs. » Les persécutions contre les Juifs, ajoute-t-il, sont « illégales et doivent cesser, sinon je ne serai pas en mesure de redresser l'économie[160] ». Il ajoute : « Je critique ceux qui s'occupent des affaires juives quand, par leurs actes, ils rendent impossible la mise en œuvre d'un programme de redressement économique[160]. » Tout autre que lui, ce jour-là, après un tel discours, aurait été immédiatement arrêté, souligne le lendemain la presse de Berlin. Au demeurant, la radio le censure ; Schacht, furieux, fait alors imprimer et diffuser ce discours par la Reichsbank, à des centaines de milliers d'exemplaires.

Hitler est outré, mais il le laisse faire, car il a encore besoin de lui. Sans se préoccuper de ce que Schacht pense et dit, il lance au même moment la seconde vague de textes antisémites. En septembre 1935, le mariage de Juifs avec des non-Juifs est interdit[56], on les prive de leurs droits civiques et du droit d'employer des non-Juifs. Et ce n'est qu'un début.

Max perd alors un peu de son optimisme. Même si lui-même tient absolument à rester à Hambourg, il souhaite aider les quelque trois cent mille Juifs vivant encore en Allemagne à partir. Il ne sait pas, ne devine pas, n'imagine pas ce qu'ils risquent, mais il connaît assez l'Histoire juive pour s'attendre au pire. Il continue à faire fonctionner la « filière palestinienne », mais la trouve maintenant trop lente et trop compliquée ; et, de fait, elle ne permet pas de faire sortir grand monde[56].

Pour aller plus loin et plus vite, il imagine un plan d'évacuation massive, qui deviendra le « *Plan Warburg* ». Au début d'octobre, il va voir Schacht et lui propose que les émigrants juifs qui abandonnent leurs biens au Trésor allemand reçoivent en échange, lors de leur réinstallation à l'étranger, des devises versées par un « syndicat étranger », c'est-à-dire un groupe de Juifs d'Europe et d'Amérique. Ce « syndicat » aurait alors une créance sur le Reich, laquelle serait remboursée en produits industriels allemands qu'il pourrait revendre là où il le voudrait, et ceci dans la limite de 1,5 milliard de marks. Schacht trouve le plan intéressant et souhaite le faire aboutir. Il le soumet à de nombreuses commissions, aux ministères des Finances et de l'Intérieur ; et le plan va, lui dit-on, jusque sur le bureau de Hitler[120]. Mais en vain.

Max cherche alors par tous les moyens à faire aboutir ses idées ; au milieu de l'automne, il part de nouveau outre-Atlantique pour solliciter l'aide de la famille à son plan et, encore une fois, à sa banque. Mais, comme il se sait, même à New York, surveillé par la Gestapo, il y dit peu de chose[210]. Félix et Éric le supplient une nouvelle fois de fermer la Banque et de venir les rejoindre. Max refuse. Félix accepte[55] alors de l'aider encore et lui donne l'accord des communautés américaines pour constituer ce « syndicat » étranger.

Dès son retour en Allemagne à la fin de novembre 1935, Max revoit Schacht et lui reparle de son plan. Il le presse de conclure. Mais Schacht ne peut plus rien, car, en l'espace de trois mois, sa situation s'est beaucoup dégradée ; depuis ses propos de Königsberg, il n'est plus *persona grata* auprès de Hitler et les leviers économiques lui échappent de plus en plus au profit de Goering, l'homme de l'Armée et du Parti.

Désormais, la situation des Juifs empire, sans plus aucun contrepoids. Un décret-loi du 14 novembre 1935 confirme celui d'avril 1933 et exige l'expulsion de tous les

Juifs salariés des secteurs public et privé, sauf les ensei-
gnants des écoles juives, avant le 31 décembre 1935, en
n'indemnisant plus que ceux ayant servi au front pendant
la guerre[79]. Max est affolé de cette décision et va voir
Schacht. S'applique-t-elle à ses propres employés juifs ? A
lui-même ? Schacht lui jure que non, que cela ne concerne
que les Juifs les plus pauvres, salariés du commerce óu de
l'agriculture ; et Schacht, en échange de la promesse de
laisser les autres Juifs allemands tranquilles, lui demande
d'obtenir, par le truchement de Siegmund et des banquiers
juifs de Londres, que cessent les articles hostiles au gouvernement allemand dans la presse britannique[210]. C'est
dire l'influence que Schacht lui prête encore. Max promet
d'intervenir et n'en fait rien : il se rend bien compte que
les promesses de Schacht ne valent décidément plus
rien.

Cette fois, les textes antisémites sont mis en application ; et, en quelques jours, les services publics licencient
tous les Juifs encore présents. Dans les affaires privées, en
particulier les banques et les entreprises de pointe, le
licenciement des Juifs est plus long et plus difficile ; il faut
non seulement licencier, ce qui est parfois pénible pour
ceux qui le font, mais également trouver des remplaçants à
des emplois de très haute qualification technique. Cette
année-là, plus de 50 000 Juifs quittent encore l'Allemagne.

Au moment où sa puissance commence à décliner,
Schacht a réussi à améliorer considérablement la situation
économique du pays : la balance des paiements est rééquilibrée, le plein emploi est atteint. En l'espace de trois
ans, il a remis près de cinq millions de chômeurs au travail. Mais il sait[160] que, s'il ne change pas maintenant de
politique, il n'empêchera l'inflation de redémarrer qu'en
passant à une économie administrée, dont il ne veut à
aucun prix. Goering, lui, veut poursuivre l'économie de
guerre, mettre en place une autarcie totale, faire même

225

de l'économie un élément de la guerre, et préparer l'armée à un blocus et à un conflit de longue durée. Pour lui, industriels et banquiers doivent devenir les officiers d'une nouvelle logistique, et l'État doit prendre le contrôle de toute l'économie. Schacht, au contraire, souhaite à présent ralentir la croissance, arrêter les bons « Mefo » et réorienter l'économie vers la production de biens civils. Lui qui a sauvé par deux fois le mark, n'entend pas le voir mainte nant ruiné.

Le débat est alors clairement posé et Schacht ne va pas tarder à perdre la bataille. En mars 1936, il fait remonter le cours du mark et propose à Hitler de réduire les dépenses du Parti et des diverses polices, et de mettre fin aux bons « Mefo »[160]. Le Führer refuse ; Goering, l'as de la guerre aérienne de 1914, devenu son bras droit et maître de l'industrie allemande et de la Gestapo, dénonce ouvertement Schacht comme un « traître économique ». Le Führer retire alors à Schacht tout contrôle sur les sorties de devises lorsqu'elles sont motivées par des raisons militaires[160]. En avril, il lui enlève le contrôle du commerce extérieur, à la demande du patronat rendu furieux par sa gestion du mark à la hausse. Au Conseil des Ministres du 27 mai 1936, Schacht s'oppose à nouveau au projet de Plan présenté par Goering. « On peut, dit-il, avoir des marchés à l'exportation ; l'autarcie n'est pas nécessaire Cette politique de développement d'ersatz est absurde[160] ». Il se déclare aussi très hostile à la réoccupation de la rive gauche du Rhin, qui vient d'être décidée, et à l'aide allemande aux séditieux espagnols. Pour prouver qu'il a raison, à l'été 1936, il va à Paris demander à Léon Blum, le nouveau Président du Conseil socialiste, le droit d'acheter des matières premières dans les ex-colonies allemandes devenues françaises. Mais Blum hésite à cause de l'aide allemande aux antirépublicains d'Espagne. Goering profite alors de cet échec de Schacht pour renforcer sa politique d'autarcie. Le 9 septembre 1936, au Congrès du parti nazi de Nuremberg, Hitler présente le nouveau plan : l'armement en est l'objectif, l'autosuffisance le moyen ; toute l'économie est placée pour 4 ans sous l'autorité du Plan. Goering, sûr de l'appui du Führer, développe alors l'industrie des ersatz et refuse même toute exportation d'armes. Schacht, lui, refuse de financer ce Plan par la création monétaire, et s'oppose désormais nettement au régime ; il essaie même d'obtenir le soutien de l'armée contre Goering, et rencontre fréquemment Max au cours de cette période. En mai 1937, Schacht voit Blum, mais il n'a plus alors le pouvoir de conclure. Cette année-là, un employé d'Oppenheim, une banque juive de Berlin, Hans W. Petersen, cousin de Gert Weisman, ancien officier allemand de la Première Guerre mondiale, et à demi-juif lui-même — sa mère est une Oppenheim, sa femme une von Ganz, une des familles fondatrices de I.G. Farben —, décide de prendre le risque fou de créer une banque à son nom, en plein Berlin, et de choisir ainsi le plein jour pour se dissimuler ; on reparlera de lui plus tard.

Entre temps, les activités de M.M. Warburg se réduisent de plus en plus. Elle ne fait plus qu'organiser l'émigration de clients juifs, liquider les banques étrangères et émettre quelques emprunts à l'étranger pour le compte du Reich. Le nombre de ses clients augmente néanmoins quelque peu. Étrange banque qui emprunte pour le compte d'un État qu'elle aide ses clients à fuir...

Schacht poursuit son chemin de déroute. Le 22 janvier 1937, devant la Chambre Économique allemande qui regroupe les principaux industriels du pays, il attaque violemment Goering[160]. Au même moment, Siegmund, de Londres, se résout à envoyer à Max sa démission de M.M. Warburg, parce qu'il désapprouve trop ce qui s'y passe. Max décide de dissoudre la filiale commune à Berliner Handels Gesellschaft et à M.M. Warburg, d'ailleurs en déconfiture, car les nouveaux dirigeants de la B.H.G. n'ont plus du tout envie d'entretenir des relations d'affaires avec une banque juive aussi voyante que celle de Max Warburg.

En mars 1937, Schacht, dont le mandat à la Banque vient à expiration, souhaite interrompre l'émission des bons « Mefo » pour l'armement et menace le Führer de quitter la Reichsbank si on ne lui permet pas de le faire. Hitler temporise, lui promet qu'il pourra y mettre fin d'ici un an ; Schacht accepte de rester à son poste jusque-là, mais déclare au Führer qu'il démissionnera si on le force alors à poursuivre ce financement inflationniste de la défense[160].

Pour les deux derniers fils allemands de Moritz Warburg, comme pour tous les Juifs sous le joug nazi, l'Allemagne devient invivable. Beaucoup de leurs amis, juifs et non-juifs, ont émigré, d'autres sont en prison, d'autres morts. Mais, malgré les lettres et les coups de téléphone de Félix, de Siegmund et d'Éric, Max ne veut toujours pas partir[55]. Anna et Fritz non plus, qui transforment leur maison de Kösterberg en centre d'hébergement pour les familles en instance de départ et en maison d'accueil pour les orphelins.

A New York, Félix, harassé et angoissé, consacre maintenant tout son temps aux Juifs d'Europe. Au printemps de 1937, lorsqu'il apprend que la Commission Peel a recommandé au gouvernement britannique la partition de la Palestine et la fin du mandat, il voit se dessiner la perspective d'un État juif auquel il est toujours hostile. Pourtant, quand en août 1937 l'Agence Juive se réunit à Bâle en conférence plénière pour approuver ou rejeter le rapport Peel, il s'y rend péniblement, et, bien que déjà très malade, s'oppose aux conclusions de Peel et à Weizmann, qu'il accuse publiquement de lui avoir menti et de lui avoir toujours caché ses objectifs réels. Quelques jours plus tard, malgré les hésitations de Weizmann[177] qui ne veut pas d'un État-croupion, et l'hostilité de Félix qui ne veut pas d'une partition, le rapport Peel est approuvé, et la conférence demande que s'ouvrent des négociations pour la création d'un État juif. Félix, très affecté, tente en vain d'obtenir la démission de Weizmann[55] ; il meurt trois mois après son retour à New York, le 30 octobre 1937, laissant à sa femme et à ses quatre enfants un quart de million de dollars chacun, plus un cinquième du « solde ». Nul ne sait à combien s'élève ce « solde », sinon qu'il est considérable[203].

A Hambourg, les activités d'aide à l'émigration suffisent à maintenir l'illusion d'un mouvement des affaires ; d'un point de vue financier et comptable, l'année marque une certaine stabilisation, même si M.M. Warburg perd 80 des places dont elle disposait encore au sein de conseils d'administration. La « Ligne » débaptise même deux bateaux construits dans les années vingt, le *Max Warburg* et le *Carl Melchior*[137]. Schacht, malgré l'appui de Blomberg et des industriels, n'obtient ni la possibilité d'exporter ni celle d'arrêter la production d'*ersatz*. Il fait peu à peu cesser l'émission des bons « Mefo », puis démissionne le 27 novembre 1937, de son poste de ministre de l'Économie, qu'il n'occupe plus depuis longtemps, mais pas de la Reichsbank. Hitler accepte cette démission, tout en lui laissant le titre de ministre sans portefeuille. Le ministère de l'Économie est alors intégré à l'organisation du Plan[120].

DÉBUTS DE LA NEW TRADING COMPANY

Au même moment, dans les démocraties, la crise mondiale commence également à être maîtrisée. Le chômage baisse légèrement. Toutes les monnaies se fixent par rapport au dollar, même si beaucoup flottent encore. Les gouverneurs des principales Banques centrales se consultent régulièrement, et, en septembre même, les États-Unis, la Grande-Bretagne et la France s'engagent, par un accord auquel adhèrent par la suite la Belgique, les Pays-Bas et la Suisse, à se fixer des objectifs communs de politique économique et monétaire et à se consulter pour leurs décisions majeures, en particulier leurs dévaluations, avec un préavis de vingt-quatre heures. Premier résultat, involontaire, de la conférence manquée de Londres, deux ans auparavant.

Le 7 juin 1935, MacDonald, malade, quitte le 10 Downing Street et Baldwin le remplace à la tête d'un gouvernement en apparence d'union nationale, en réalité conservateur. Il provoque aussitôt des élections et fait campagne en faveur de la préparation à la guerre. Le scrutin du 14 novembre 1935 confirme la prépondérance des conservateurs dans l'Union nationale, qui est prolongée.

La City, elle, ne s'est pas encore remise du choc de la crise et il ne s'y passe pas grand'chose. Siegmund, installé dans ses étroits bureaux, cherche son avenir. En ces années d'humilité forcée et d'exil marginal, étranger à ce monde codifié, sa rage de réussir le pousse à tout tenter. Et c'est nécessaire pour survivre. Car personne, à part Brandeïs ou N.M. Rothschild de temps à autre, ne lui apporte d'affaires ; c'est à lui de les chercher ; et lui, l'Allemand, se doit d'être nettement meilleur que les autres.

Étranger au milieu dans lequel il opère, il peut d'autant plus facilement s'affranchir de ses pesanteurs. A la différence des gens de la City, où le banquier marchand est l'homme des relations mondaines, distantes et superficielles, son intuition l'amène, lui l'hanséatique, qui a horreur de spéculer, à prendre des risques apparemment énormes, mais en réalité très calculés. Il sait qu'il ne pourra réussir qu'en inventant en permanence de nouveaux services à rendre, et que son succès dépendra de son non-conformisme, de son imagination et de son goût du risque.

Le succès ? En tout cas, ce ne sera jamais, ni maintenant ni plus tard, faire fortune. Faire les choses avec style, être le premier, faire gagner de l'argent à ses clients, telles sont

ses ambitions. Il aime d'ailleurs à citer ce mot de Furstenberg parlant d'un de leurs clients : « Non seulement
ces gens sont assez fous pour investir, mais ils ont le culot
(*hutspa* en yiddish) d'en attendre des dividendes ». Pour
lui, tel est d'ailleurs le rôle de tout banquier d'affaires,
médecin de famille des entreprises, qui doit percevoir le
symptôme du mal avant la première douleur, inventer les
stratégies d'attaque avant même de livrer bataille, et faire
gagner de l'argent à celui qu'il conseille.

A la fin de 1935, il a son premier client britannique, le
cinéaste Alexandre Korda qui, mécontent des laboratoires
cinématographiques anglais, veut créer le sien propre et lui
demande d'en organiser le financement. C'est pour lui une
affaire importante, car elle lui donne l'occasion, pour la
première fois, de s'adresser à des détenteurs de capitaux
britanniques, courtiers d'assurances ou gestionnaires de
fortunes, avec quelque chose de sérieux à leur proposer.
Mais c'est un échec, et il se souviendra longtemps des
obstacles apparus dans cette affaire qu'il croyait simple.

En dehors de cela, il gagne sa vie en acceptant n'importe quelles opérations financières, de celles que les
autres banques ne savent ou ne souhaitent pas mener.
Parfois, ce sont des choses élémentaires, comme le financement du mouvement des marchandises ; parfois, ce sont
des choses très complexes dans lesquelles les banques
anglaises n'osent pas se lancer, s'agissant de clients qu'elles ne connaissent pas. Ainsi, un jour, la filiale londonienne de la Chase de New York lui envoie un client qui
souhaite obtenir l'escompte de lettres de créances sur des
bateaux allemands ; or la Chase ne sait pas évaluer ce
genre de risque, mais quelqu'un y sait que Siegmund,
depuis Hambourg, connaît fort bien la valeur de ce type
de papier. On le lui envoie, il l'expertise, trouve un banquier pour l'escompter, et prend là-dessus une commission
fort honorable.

Il fait aussi quelques affaires avec M.M. Warburg et

avec Kuhn Loeb, dirigée maintenant par John Schiff avec douze autres associés. Comme tout Wall Street, la vieille maison commence à retrouver ses marques et à s'installer dans son nouveau métier : elle se concentre sur les prêts à l'industrie américaine et à celle d'Europe, attirée à Wall Street par les taux d'intérêts favorables. Ce mouvement d'affaires s'accélère en 1937 quand le secrétaire au Trésor Morgenthau institue, pour augmenter la rentabilité des banques américaines, une réglementation, dite « Q », qui interdit de rémunérer les dépôts à moins de trente jours et limite à 6,5 % le taux de rémunération de ceux de durée plus longue. Ce plafonnement pousse à emprunter aux États-Unis et contribue donc à résorber l'excédent américain. Kuhn Loeb n'est cependant pas de toutes les réussites de cet immédiat avant-guerre : Jimmy, le fils de Paul, l'original de la famille, en est la preuve. Lui qui, bien que démocrate, avait choisi en 1936 le camp républicain contre Roosevelt — furieux de la façon dont celui-ci l'avait traité lors de la Conférence de Londres, il craignait que Roosevelt n'en vînt à instaurer une dictature — mais s'est finalement prononcé pour lui juste avant les élections, vient de refaire fortune, en aidant à la création de Polaroïd que Kuhn Loeb n'a pas voulu financer.

Au total, dès ces premières affaires, Siegmund se fait remarquer par sa vision du rôle du financier, très au-dessus de ses moyens du moment. Mais on n'aime pas beaucoup, jusque chez Brandeïs-Goldschmidt où il est installé, cet étranger à la fois austère et entreprenant, qui parle constamment de « haute banque ». On est choqué de voir ce jeune homme presque ruiné regarder de haut les gens d'importance et leur faire la leçon. Une maison, dit-il, est « haute banque » ou n'existe pas, quelle que soit sa taille. Un individu a le « style haute banque » ou bien ne mérite d'être ni remarqué, ni associé à la moindre opération, ni recruté. Et il est furieux quand les exigences qu'il pose ne sont pas respectées par les deux, puis trois, puis quatre personnes qui travaillent avec lui. Comme à Hambourg et à Berlin, il hait l'incompétence et l'approximation. A la différence des gens de la City, il juge un client non d'après un bilan ou un carnet d'adresses, mais sur des traits de caractère et des perspectives d'avenir.

Pour lui, les choses sont assez claires ; il sait où il va et s'en ouvre à ses amis : il a tourné la page, il juge la guerre inévitable, souhaitable même ; il pense que la vieille maison d'Allemagne va disparaître dans la tourmente et que le nom de la dynastie, pour la première fois depuis plus de deux siècles, va s'effacer de la finance mondiale. Aussi veut-il être prêt à le restaurer, le moment venu, et donc s'en montrer digne dès maintenant.

Henry Grunfeld se souvient du perfectionnisme de Siegmund, dès ces premières années de travail en commun, de sa force de séduction et de sa capacité d'entraînement vis-à-vis de sa petite équipe, entassée plus de dix heures par jour dans trois petits bureaux. D'autres, qui l'ont également connu à cette époque, évoquent sa rigueur dans le travail : « Un mélange de dynamisme juif et de sérieux allemand[175]. »

Tout cela est loin de la frivolité, ou plutôt de l'hypocrisie d'une certaine fraction de la City de l'époque : en 1936, par exemple, un samedi matin, Siegmund et Henry travaillent à leur bureau ; ils cherchent à voir un banquier de la City, ami de Harry Lucas, qui se vante de ne jamais être là le samedi. Ils se rendent à son bureau et l'y trouvent : on travaille beaucoup, mais cela n'est pas bien vu et on s'en cache.

Il entend aussi être accepté par sa nouvelle patrie. Et, tout de suite, il s'acharne à perfectionner son anglais et exige qu'on corrige le style de ses écrits. Il fait retaper toute lettre partant de la Banque où il repère la moindre erreur d'orthographe ou de syntaxe. Il entreprend aussi de découvrir la littérature anglaise ; et, comme pour tout ce qu'il fait, il s'y adonne systématiquement, passant ainsi tous ses loisirs de ces années à lire Shakespeare, Dickens, Trollope, Butler et à noter au crayon, sur la page de garde, le numéro de pages qu'il relira ensuite régulièrement.

Sa vie est austère, même si elle est un peu plus facile qu'au début : d'année en année, il change d'appartement pour en prendre un plus grand. Il dîne en général en famille et il s'occupe, avec Baffi Balfour, du Comité pour les Réfugiés.

Au moment où, le 28 mai 1937, Baldwin démissionne pour la troisième fois et où Neville Chamberlain devient Premier ministre, à la suite de l'abdication d'Edouard VIII, devenu duc de Windsor, Siegmund déménage une quatrième fois pour s'installer dans une maison en location du Sussex. Et, à la fin de cette même année, ses affaires vont assez bien pour lui permettre d'acheter une jolie propriété à l'étrange nom gallois de « Deerhaddnn », à Missenden, dans la partie du Buckinghamshire où vit à cette époque — beaucoup plus luxueusement que lui — l'élite bancaire anglaise. Il s'y installe et se rend quotidiennement à la City par le train.

Il se sent alors à l'aise dans le monde londonien de la finance. Il en a compris la force, mais aussi les limites, et sait en devancer l'évolution.

Le premier dans la City, il fait de sa quasi *merchant bank* une quasi banque d'affaires, à l'allemande ou à la française. Et pour pouvoir acheter, hors impôts, sans passer par les multiples intermédiaires du Stock Exchange, des titres des entreprises qu'il conseille, il crée une filiale spécialisée dans l'achat de titres et la nomme « Mercury Securities », du nom d'une société qu'il rachète et où il voit une allusion ironique — que personne ne comprend autour de lui — à Mercure, l'Hermès latin, à la fois banquier, marchand, communicateur et messager...

De ses affaires, il n'y a rien de spécial à dire, sinon qu'elles se développent sans initiative nouvelle. L'année suivante, huit personnes travaillent avec lui et il doit déménager, juste à côté, au 10 King William Street, dans quelques bureaux plus spacieux où il restera pendant toute la durée de la guerre.

Il y a aussi, à l'époque, un Warburg imaginaire : paraît en effet à Amsterdam un pamphlet sur *Les ressources du National-Socialisme, trois conversations avec Hitler,* signé d'un certain Sydney Warburg, qui se fait passer pour le fils de Félix, bien qu'aucun Warburg n'ait porté ni ne porte ce prénom. On ne saura que beaucoup plus tard d'où est venu ce faux, qui requiert alors de la famille bien des démentis : un journaliste hollandais en veine de scandale.

« Monsieur Hitler est un gentleman »

Comme Siegmund ne fait rien à moitié, il décide maintenant de demander la nationalité anglaise et entame les démarches nécessaires. Il n'est pas dépourvu d'atouts. Il a l'appui du président de M. Samuel, Lord Bearstead, le petit-fils du fondateur de la Shell, qu'il connaît depuis son premier passage à Londres ; il peut compter sur d'autres parrainages prestigieux : Anthony Rothschild, Olaf Hambro et Andrew Carnwath, de la famille Baring.

Certes, il est résigné à ne plus faire de politique, la seule chose qui l'intéresse vraiment ; car il n'ignore pas qu'un Juif allemand, même naturalisé, n'a aucune chance de devenir un homme d'État en Angleterre. Mais cela ne l'empêche pas de suivre l'actualité avec passion, et, dès son arrivée au bureau, il lit les comptes rendus intégraux des débats au Parlement, prend des notes et garde précieusement, avec d'autres phrases relevées dans ses lectures, quelques grands mots de ces débats.

Harry Lucas lui fait connaître Anthony Eden, Stafford Cripps et Margot Asquith. Il partage leur violente hostilité, alors très minoritaire, au pacifisme de Chamberlain.

Inquiets de voir l'Angleterre si mal préparée à la guerre qu'ils savent inévitable, ils le sont encore plus de voir l'industrie allemande augmenter sa production sans que Londres réagisse, sans même qu'on s'y scandalise de ce qu'une partie des milieux d'affaires britanniques tire profit de ce développement. Et cela, au moment même où Schacht, comme Max l'en informe depuis Hambourg, abandonne tout le pouvoir économique aux mains de Goering.

Comme Stephan Zweig, en ce début de 1938, il est catastrophé par la passivité de l'élite politique, financière et journalistique des démocraties d'Europe : « Sans trêve, écrira Zweig, on vous leurrait de promesses, on assurait que Hitler ne songeait qu'à tirer à lui les Allemands des territoires voisins, qu'il serait alors satisfait, et qu'en témoignage de reconnaissance, il extirperait le bolchevisme ; cet appât produisait admirablement son effet. Hitler n'avait qu'à prononcer le mot "paix" dans un de ses discours pour que les journaux applaudissent avec chaleur, oubliant tout le passé et ne se demandant pas pourquoi l'Allemagne s'armait si furieusement. A part un nombre infime d'Anglais, nous, les émigrés, étions alors les seuls en Angleterre à ne pas nous faire d'illusions sur toute la gravité du danger. A cela près qu'en ma qualité d'étranger, d'hôte toléré, je ne pouvais pas avertir[187]. » La description simultanée de Fred Uhlman est identique : « C'était un pays surréaliste où un ministre de la Défense pouvait annoncer avec fierté que quatre cent trente-six volontaires s'étaient enrôlés dans l'armée, alors que Hitler disposait de millions d'hommes prêts pour la guerre. C'était un pays où des gens soupçonnaient que mon seul motif d'adjurer mes amis de prendre les armes, d'instaurer la conscription, d'aider la République espagnole, était la soif de revanche d'un réfugié[169] ! »

Ces années-là, Siegmund s'entretient souvent avec Stephan Zweig qu'il admire infiniment. « La position de

Zweig en politique, notera-t-il pour lui-même à la mort de l'écrivain, et sa vision de la vie en général, étaient totalement exemptes de partialité et emplies de tolérance, une tolérance qui englobait tout, à l'exception de l'intolérance[212]. »

Après l'Anchluss du 11 mars 1938, Siegmund et Stephan enragent : voici que l'Autriche est prise à son tour et que nul, pas plus ici qu'à Paris ou à Washington, ne réagit vraiment. « Personne au gouverment, écrit Zweig, ne comprenait que l'Autriche était la clé de voûte de l'édifice et que si on la faisait sauter, l'Europe allait s'écrouler. Quant à moi, je considérais la naïveté, la généreuse confiance avec laquelle les Anglais et leurs chefs se laissaient abuser, avec les yeux brûlants d'un homme qui, dans son pays, avait vu de près les visages des troupes d'assaut, qui les avait entendues chanter : "Aujourd'hui, l'Allemagne nous appartient, demain ce sera le monde entier"[187]. »

Mais à qui peut-il en parler ? A qui peut-il dire qu'il ne faut pas se fier à ces fous qui dirigent maintenant son pays natal ? Quand, en avril 1938, commence l'affaire tchèque, la coupe déborde : il voit, lui, qu'approche la guerre, alors que la France et l'Angleterre se raccrochent aux moindres espoirs de paix.

L'histoire vaut d'en être contée, car elle marque le premier contact de Siegmund avec la politique anglaise et les débuts de ses illusions d'influence en politique.

Ce mois-là, le Congrès du Parti allemand des Sudètes réclame l'autonomie de la province, et brandit la menace de sécession en cas de refus du gouvernement tchèque. Benes consulte ses alliés français, anglais et soviétique, sûr de leur soutien, et refuse de céder. En réalité, aucun gouvernement en Europe ne le soutient vraiment : Chamberlain veut bien menacer les Allemands d'une guerre générale, mais sans avoir à la faire ; Lord Halifax, le nouveau secrétaire au Foreign Office, le dit à Ribbentrop qui vient de remplacer Neurath. Le 10 avril, à Paris, Daladier, devenu Président du Conseil, répète que la France tiendra ses engagements si la Tchécoslovaquie est envahie ; mais son ministre des Affaires étrangères, Georges Bonnet, est plutôt d'avis contraire et, comme Chamberlain et Halifax, pense que la Tchécoslovaquie ne vaut pas une guerre. Staline, lui non plus, ne veut pas intervenir, et Roosevelt se moque de ces « États centraux » auxquels il ne comprend goutte.

A la fin mai, à l'instar de Stafford Cripps et de quelques autres, Siegmund pense alors qu'un conflit est non seulement inévitable, mais nécessaire avant que Hitler, qui menace quotidiennement d'occuper Prague, ne devienne trop puissant et ne se contente plus des Sudètes. L'été passe dans l'exacerbation d'une guerre de communiqués, sans que nul ne veuille encore précipiter les événements. A la fin août, l'idée vient à Chamberlain de rencontrer Hitler. Le 12 septembre, dans un discours tonitruant à Nuremberg, celui-ci réclame l'annexion à l'Allemagne du pays des Sudètes. Le lendemain, il envoie un ultimatum au gouvernement tchèque, qui rappelle ses réservistes. Le 14, Chamberlain annonce qu'il part le lendemain pour Berchtesgaden pour y rencontrer le Führer. L'entrevue ne dure que quelques heures, sans conclusion. Chamberlain en retire la conviction que seul le rattachement des Sudètes à l'Allemagne empêchera la guerre, et qu'il vaut mieux le faire par autodétermination plutôt que de courir le risque d'une annexion militaire. Il rencontre Daladier le 18 à Londres, conclut avec lui qu'il est préférable de céder et d'obtenir l'assentiment de la Tchécoslovaquie à cet abandon. Chamberlain est inquiet ; il tient absolument à obtenir l'accord de Benès avant le 26, date du Congrès du parti nazi où Hitler pourrait annoncer qu'il a décidé l'annexion[133]. Le 22, Chamberlain rencontrer de nouveau Hitler à Godesberg ; cette fois, le Führer exige l'évacuation totale des Sudètes par les Tchèques dans les huit jours. Chamberlain lui propose d'en passer par un scrutin d'autodétermination, dont chacun sait d'ailleurs d'avance le résultat.. En le quittant, il pense avoir convaincu le Führer ; mais, le 26, à Berlin, Hitler annonce l'annexion immédiate, pure et simple, des Sudètes pour le 1er octobre. Le lendemain, Benès se range enfin au plan britannique d'autodétermination ; mais il est trop tard : l'invasion allemande se prépare, et Prague décrète la mobilisation générale. Pour tenter d'enrayer la guerre, Mussolini, le 27, inspiré par Chamberlain, propose de réunir à Munich Chamberlain, Daladier, Hitler et lui-même. Tous acceptent et se retrouvent le surlendemain, dans une tension extrême. Hitler n'y modifie en rien ses intentions, mais concède de retarder de dix jours l'occupation des Sudètes, d'autoriser les Tchèques à vendre leurs biens avant de partir, et de confier à une commission mixte le soin de fixer la nouvelle frontière entre la Tchécoslovaquie et les Sudètes. En échange de ces concessions dérisoires, Chamberlain signe une déclaration de non-agression qui parle du désir commun de ne jamais se faire la guerre l'un à l'autre. En rentrant à Londres, Chamberlain agite le texte de cette déclaration sous les yeux de Halifax et de la foule en délire en criant : « Je l'ai, je l'ai ! » Et dans la voiture, sous les vivats, il confie à son ministre : « Cela ne durera pas trois mois[133]. » Parle-t-il alors de la paix ou des faveurs de la foule ?

Comme Stephan Zweig et quelques autres, Siegmund Warburg assiste, désespéré, à cette reculade. Lui, passionné des forces de raison, n'y voit que lâcheté, inconscience, frivolité, aveuglement, tout ce qui lui déplaît dans une certaine Angleterre. « Cela paraissait, écrit Zweig, une victoire décisive de la tenace volonté de paix d'un homme d'État en soi assez sec et insignifiant, et tous les cœurs furent emplis de reconnaissance à son endroit en cette première heure. » Certains Anglais sont aussi lucides que les émigrés. Cette nuit-là, Lord Baldwin écrit à Chamberlain : « Utilisez ce temps au mieux, car cela ne durera pas », et Churchill dira : « Vous aviez à choisir entre la guerre et le déshonneur ; vous avez choisi le déshonneur et vous aurez la guerre. » Depuis son université, Keynes, qui a publié sa *Théorie Générale*, s'élève lui aussi ce jour-là contre Munich, comme il l'avait fait jadis contre Versailles : « L'honneur de notre politique étrangère a subi une terrible défaite[133]. »

Commence aussitôt le dépeçage de la Tchécoslovaquie : au lendemain même de Munich, le 1er octobre, la Pologne annexe une partie du territoire tchèque, la Silésie de Teschen ; le 2, la Hongrie en prend un autre morceau sans que personne ne bouge[133]. Le 3, devant un Parlement largement enthousiaste, Chamberlain déclare : « C'est la paix pour notre temps » et il ajoute, citant Shakespeare : « J'ai extirpé la fleur de la paix hors du buisson du danger. » Mais, à Westminster, ce jour-là, tous ne partagent pas cette euphorie. Stafford Cripps, rentré l'avant-veille de la Jamaïque, après avoir eu une longue conversation avec Siegmund, répond au Premier ministre au nom des travaillistes : « Peut-être aujourd'hui avons-nous retardé la guerre par le sacrifice de l'intérêt national d'autres peuples. C'est une façon commode d'acheter la paix. Une bonne politique étrangère implique d'être capable de faire respecter le droit international et de réorganiser nos relations économiques internationales, fût-ce en sacrifiant certains de nos intérêts impériaux[133]. »

On verra que ces conseils-là, Siegmund ne cessera de les dispenser, trente ans durant, à l'Angleterre. Mais, ce jour-là, Stafford Cripps n'est ni écouté, ni entendu. Et le 6 octobre, par 366 voix contre 144, le Parlement, comme toute la presse, approuve Chamberlain. Au lendemain de ce débat, le *Times* écrit : « Si le gouvernement avait été entre des mains moins résolues, la guerre eût été inévitable et serait allée à l'encontre des vœux de tous les peuples. »

Siegmund est atterré. Il voit venir la guerre, convaincu qu'après cet accord, Hitler va se croire tout permis. Il veut tenter d'influer sur les responsables politiques anglais. Après avoir beaucoup insisté, il obtient, par l'intermédiaire des Rothschild, un rendez-vous avec lord Halifax à son bureau du Foreign Office. Le ministre, pressé, l'accueille derrière son bureau, puis, l'ayant fait asseoir sur l'un des deux canapés qui jouxtent la cheminée, presque sans le regarder, il se lève et se tourne vers la fenêtre :

— Alors, Monsieur Warburg, que puis-je pour vous ?

— Monsieur le Ministre, je voudrais vous parler de la Tchécoslovaquie. La seule garantie qui lui reste est la bonne volonté de Hitler et celle-ci ne durera pas plus de deux mois, sauf si la Grande-Bretagne intervient militairement dès maintenant pour l'empêcher d'aller au-delà des Sudètes. Vous ne pouvez faire confiance à cet homme, il trahira l'accord qu'il a signé avec vous comme il a trahi les Allemands eux-mêmes. Une guerre immédiate eût été préférable à cette reculade, qui lui laisse le temps de mieux se préparer à l'agression.

— Monsieur Warburg, je ne peux pas vous suivre. Certes, votre expérience de réfugié allemand est tragique ; mais elle réduit votre objectivité. Monsieur Hitler s'est comporté jusqu'ici avec nous comme un homme du monde ; aussi longtemps qu'il agira ainsi, nous n'aurons rien à lui reprocher et nous lui ferons confiance. Au revoir, Monsieur Warburg.

Siegmund se souviendra longtemps de ce premier contact avec la politique britannique, et il le confiera à quelques intimes par qui nous revient cette histoire. Cinq ans après s'être fait chasser du bureau du ministre des Affaires étrangères du Reich parce qu'il était venu réclamer le renvoi de Hitler, le voici de nouveau traité, lui, de « politiquement suspect », cette fois par le ministre des Affaires étrangères anglais en personne, parce qu'il l'a mis en garde contre le dictateur nazi. Telles sont les premières limites de son influence en politique.

Pourtant, les faits lui donnent bientôt raison : « Com-

241

mencèrent à filtrer les détails les plus fâcheux, écrit Zweig : on apprenait combien la capitulation avait été sans réserves, combien honteusement on avait sacrifié la Tchécoslovaquie, à laquelle on avait solennellement promis aide et protection, et, dès la semaine suivante, il était manifeste que même cette capitulation n'avait pas suffi à Hitler, qu'avant même que l'encre de sa signature eût séché au bas de la Convention, il en avait déjà violé toutes les dispositions particulières. Sans se gêner, Goebbels le criait publiquement sur tous les toits, qu'à Munich on avait acculé l'Angleterre[187]. »

Le 10 octobre, comme prévu, Hitler occupe les Sudètes, mais il n'est plus question de commission mixte pour fixer la frontière. Le 2 novembre, la Hongrie s'adjuge 12 000 km² et un million d'habitants au sud de la Slovaquie[133].

Trois mois après, le Führer, qui n'a jusqu'ici annexé que des territoires germanophones, bascule dans l'ambition impériale. En janvier 1939, il soutient le mouvement autonomiste slovaque et le 14 mars, rencontre le nouveau Président tchécoslovaque, Hacha, à Berlin, pour le forcer, sous la menace de bombardements, à demander l'intervention des troupes allemandes à Prague. Le 15, celles-ci entrent en Bohême. Hitler s'installe ce jour-là au Château Hradcany, siège des rois de Bohême et symbole du nationalisme tchèque[133]. La Slovaquie devient indépendante et la Bohême Moravie un protectorat dont Hitler confie la garde à une vieille connaissance de Siegmund, le baron von Neurath.

Siegmund est stupéfait d'apprendre que, ce même 15 mars, les représentants des patronats anglais et allemand se réunissent à Dusseldorf, imperturbablement, pour discuter de la coopération future entre industries et banques des deux pays, et signer un accord prévoyant de « supprimer toute compétition malsaine entre les deux industries[107] » et « de tout faire pour obtenir l'aide de leurs gouvernements respectifs afin qu'ils collaborent en vue de compenser les avantages accordés à leurs entreprises par d'autres gouvernements, en particulier celui des Étas-Unis[107] ». Et il est proprement scandalisé quand, à son retour à Londres, le Président du patronat britannique déclare au *Times* : « Les conversations ont été conduites dans un esprit amical avec, de part et d'autre, un grand désir de compréhension mutuelle. » On croit rêver...

Le 26 mars 1939, le Reich réclame Dantzig, la « ville libre », à la Pologne, ainsi qu'une voie ferrée et une autoroute à travers le « Corridor » créé en 1919. Là, l'Angleterre se cabre, et le 31, Chamberlain annonce qu'il interviendra en cas d'agression allemande contre la Pologne. Le 7 avril, Mussolini annexe l'Albanie. L'intense activité diplomatique de l'été n'apporte aucune détente.

Et, malgré cela, continue imperturbablement la coopération entre les entreprises anglaises, allemandes, suédoises et américaines. I.G. Farben et Sterling Products Inc, Bendix et Zénith créent ainsi des filiales communes ; les titres des filiales de Bosch à l'étranger sont tous fictivement vendus à New York à des Wallenberg, et ces entreprises ne pourront donc, jusqu'à l'entrée en guerre des États-Unis, travailler pour les Alliés[107].

En cet avant-guerre là, à la différence du précédent, les Warburg, à Hambourg pas plus qu'à New York ou à Londres, ne font rien, ni ne peuvent plus rien faire, pour rapprocher l'Allemagne et l'Angleterre. Ils sont hors-jeu.

FIN DE M.M. WARBURG

Cependant que se déclare ou s'annonce partout la guerre, depuis la Pologne jusqu'à l'Abyssinie, du fin fond de la Chine à l'Espagne, la situation de Max à Hambourg devient intenable. Quelques jours après l'Anschluss, vient le coup de grâce. Il est appelé à Berlin par Schacht, encore à la tête de la Reichsbank[55] : « Jusqu'ici, j'ai pu laisser ta banque dans le Consortium de Prêts du Reich parce que j'ai pu faire valoir à Hitler l'utilité du nom de Warburg pour le placement des emprunts du Reich à l'étranger. Tu sais que tu étais la dernière banque juive à en faire partie. Mais je n'ai presque plus aucun pouvoir, et Goering a décidé que ta banque doit quitter le Consortium, à moins que tu ne la vendes à des non-Juifs. J'ai eu beau protester, je n'y peux plus rien et je vais d'ailleurs devoir démissionner moi-même d'un jour à l'autre. Au revoir, Max, et bonne chance. »

Max comprend que tout est terminé : une banque sans garantie de l'État ne peut plus vivre, elle n'est plus à même de prêter à personne. Et si son vieux complice des temps difficiles, toujours aussi ambigu et incontrôlable, le lui dit, c'est que c'est vraiment fini. Ce soir-là, en quittant la Reichsbank, Max note sobrement dans son journal : « Nous nous dîmes adieu après avoir pendant trente ans travaillé ensemble de toutes les façons possibles[210]. »

Rentré à Hambourg, il se sent maintenant bien seul avec son frère Fritz pour décider. Il n'a plus avec lui ni Paul, ni Félix, ni Aby, ni Melchior, morts ; ni Spiegelberg, ni Eric, ni Siegmund, ni Karl, émigrés. Le choix est terrible. Doit-il fermer la Banque ou la vendre à des non-Juifs ? Il sait que Siegmund préférerait qu'il ferme plutôt que de laisser le nom aux mains des nazis. Mais lui ne l'entend pas ainsi. « M.M. Warburg » doit continuer, même si c'est sans les Warburg. En quelques jours, il constitue un groupe financier où se mêlent des cadres non juifs et les principaux clients de la Banque, et d'abord un jeune et brillant négociant de Hambourg, Charles Wirtz. On se met d'accord sur le prix de vente de la Banque, évidemment très bas. Tout est fait dans les règles, sans vol ni dol. Des papiers sont établis : la Banque gardera le nom de « M.M. Warburg », mais la famille en perdra la propriété légale. Max en reçoit le prix au nom de tous les Warburg actionnaires.

Tout naturellement, il demande au cadre non-juif le plus élevé dans la hiérarchie de la firme, Rudolf Brinckmann, « employé fidèle et de valeur[136] », de diriger la Banque. Chez Kuhn Loeb, on est rassuré de voir que c'est l'homme choisi par eux, il y a juste dix ans, qui est ainsi chargé de prendre soin des intérêts de la maison.

D'autres banquiers juifs en font autant, au même moment : Salomon Oppenheim confie sa banque de Cologne à l'un de ses fondés de pouvoir, Robert Pfermendges ; Jacob Goldschmidt abandonne aussi la Darmstädter à l'un de ses cadres. Tout se passe dans le non-dit : nul ne sait pour combien de temps Max quitte la Banque, et la vente, formalisée juridiquement, reste fictive aux yeux de certains témoins. Le 3 juin 1938, un grand dîner réunit tout le monde dans un salon privé du plus grand restaurant de Hambourg[55]. Triste soirée. Fritz et Max y prononcent un discours en forme de bilan et de message d'espoir. Rudolph Brinckmann y répond, aimablement. D'ailleurs, Max et Fritz annoncent qu'ils resteront, malgré tout, à Hambourg. On ne fait pas signer de promesse de rendre la banque après. Après « quoi », d'ailleurs ? Le Reich est là pour mille ans.

SORTIR D'ALLEMAGNE

Cette année-là, Éric partage son temps entre Hambourg et New York, où il a fondé une petite société financière, « E.M. Warburg and Co ». Citoyen américain, il peut donc revenir en Allemagne sans risques et y débarque en juin, au lendemain de ce dîner, pour convaincre son père de quitter le pays. Mais Max n'est pas encore résigné à l'exil : il veut bien aller installer sa femme à New York, mais il reviendra à Hambourg, et ne se préparera qu'alors à son propre départ éventuel. On décide d'embarquer au plus vite. Mais il faut d'abord un visa. Comme celui des

États-Unis se fait attendre, on prend celui du Canada.

Pour pouvoir partir, il faut désormais payer une rançon encore plus élevée qu'auparavant. L'impôt sur le capital des Juifs vient d'être relevé par la création d'une taxe de 20 % sur la valeur du capital, payable en deux termes, en décembre 1938 et août 1939[56]. Une fois cette taxe payée, un Juif ne peut faire sortir son capital du pays pour autant : chaque émigrant n'a plus le droit d'emporter que 10 marks en devises étrangères, soit l'équivalent de huit dollars, 300 marks en marchandises, et ses biens mobiliers personnels à condition d'en faire approuver la liste par la police, qui interdit la sortie des bijoux et des œuvres d'art. C'est évidemment dérisoire[56].

Pour sortir sa fortune, Max pourrait utiliser plusieurs des techniques alors employées : changer son argent au marché noir, mais on y perd au moins la moitié ; vendre à perte des marks bloqués sur un compte allemand à des étrangers ou à des Allemands désireux de rentrer eux-mêmes en Allemagne ; sortir des marks en fraude et essayer de les écouler ailleurs, ce qui est alors très difficile, le mark ne pouvant être utilisé qu'en Allemagne et devant alors y être réintroduit illégalement[56]. Il pourrait aussi confier des capitaux à des allemands, et, une fois sorti d'Allemagne, se les faire rembourser par des amis de ceux qui sont restés. Mais c'est très difficile, et en fait, depuis 1936, aucune grande famille ne parvient plus à sortir de grosses sommes, ni d'Allemagne, ni d'Autriche, ni de Tchécoslovaquie, ni d'ailleurs, sauf rares exceptions. Ainsi Jacob Goldschmidt ne réussit-il à sauver sa fabuleuse collection d'Impressionnistes qu'en la confiant à l'ambassadeur d'Italie, en échange de sa splendide résidence de Berlin.

Max, lui, parvient pourtant, même en ce mois de juin 1938, à faire sortir d'Allemagne des sommes considérables. Nul ne sait combien exactement, ni quelles techniques il emploie. Sans doute Schacht a-t-il fait un dernier signe à son vieil ami, en obtenant qu'on ferme les yeux. A la fin juin, Max embarque avec sa femme et son fils pour le Canada, et Fritz avec sa femme et ses deux enfants pour Stockholm où il a déjà passé toute la Première Guerre mondiale. Une fois au Canada, Max peut entrer librement aux États-Unis avec son fils, citoyen américain.

Il n'y a plus alors de Warburg, ni même de Juifs, chez M.M. Warburg.

Quelques jours plus tard, le 6 juillet, un décret interdit aux Juifs d'Allemagne de travailler dans le conseil financier et l'immobilier[56].

En arrivant à New York, Max dit chez Kuhn Loeb qu'il n'est venu là que pour installer sa femme et qu'il va retourner à Hambourg dès que possible, pour ne pas y laisser les autres Juifs sans défense. Et, au début d'octobre, à la nouvelle de Munich, il décide effectivement de rentrer ; le 11 novembre, il s'apprête à prendre le bateau, quand les massacres de la « Nuit de Cristal » lui ouvrent enfin les yeux[55]. Ils décident aussi la mère de Siegmund à partir et à abandonner la tombe de son mari. Le jour de Noël 1938, elle prend le train pour Paris où Siegmund vient la chercher. Dans les notes qu'il a prises à la mort de celle-ci, il raconte : « Vu la situation d'alors, la décision d'émigrer prise en 1938 s'imposait d'elle-même. Ce fut naturellement très dur pour elle de prendre congé de sa chère terre natale de Souabe et de maints amis qu'elle devait y laisser[201]. »

En cet automne 1938 s'accélèrent les ultimes départs : en septembre, Gisela, la plus jeune fille de Max, restée à Berlin pour distribuer aux Juifs de la capitale l'argent des Juifs d'Amérique, et les faire sortir, part une nouvelle fois aux États-Unis chercher des fonds qu'elle entend rapporter dans la capitale allemande. Elle prévoit de revenir avec son père le 12 novembre, mais la Nuit de Cristal la bloque, elle aussi, à New York où elle se mariera un peu plus tard. Lola, la deuxième fille de Max, après s'être occupée

247

pendant quatre ans des orphelins juifs de Hambourg, y fonde l'Aliah des Enfants, avant d'émigrer à son tour à la fin de l'année, en Angleterre, avec son mari, un industriel, Rudolf Hahn. Pour obtenir l'autorisation de sortir sa fortune, elle doit elle aussi abandonner sa maison de Berlin au successeur de Schacht à l'Économie, Funck. La troisième fille de Max, Renate, est partie un peu plus tôt pour se marier en Inde.

Pour beaucoup, ce départ est fait d'inconscience et d'audace ; et certains émigrés juifs, malgré les risques, reviennent encore de temps à autre en Allemagne : ainsi, en octobre 1937, Henry Grunfeld se rend-il à Berlin pour chercher son père, en utilisant un vieux passeport allemand d'avant le nazisme, où ne figure pas la mention « Juif ». Sur la route de l'aéroport, il se trouve côte à côte avec Himmler dans un embouteillage. Ils se dévisagent. C'en est trop pour Henry qui ne remettra plus jamais les pieds dans la capitale du Reich.

De même, Fritz Warburg, une fois installé en Suède, revient-il à Hambourg, en décembre 1938, après la Nuit de Cristal, lui aussi avec un vieux passeport, afin d'assister à une réunion clandestine du Conseil des Hôpitaux juifs d'Allemagne. Dénoncé et arrêté par la Gestapo, son ancien passeport lui est confisqué et il passe plusieurs mois en prison. Il faudra l'intervention d'un grand banquier chrétien de Hambourg pour qu'il soit libébé et autorisé à quitter l'Allemagne. A moins qu'il ne se soit échappé, comme le veut la version qui a cours dans la famille[55]... Il est en tout cas le dernier des petits-fils de Moritz à quitter définitivement le pays. Kösterberg est alors réquisitionnée par la Wehrmacht, qui installe des généraux dans les maisons, et des batteries anti-aériennes dans les jardins.

Le seul Warburg à se trouver encore, avec 250 000 autres Juifs allemands, dans les griffes des nazis est un parent éloigné, excentrique professeur de physique qui vit à Berlin : Otto, un arrière-arrière-arrière-petit-fils de Samuel, devenu biochimiste en 1906, Prix Nobel de Médecine en 1931 pour la découverte du rôle catalytique des phosphorures de fer dans l'oxydation biologique, le premier à avoir su combiner chimie organique et physique des radiations. Vieux célibataire, il partage son temps entre son travail, ses chiens et ses chevaux[55].

Mais rien ne subsiste plus de la famille qui, six ans auparavant, était encore au sommet de sa puissance. Tous ses clients, tous ses associés, tous ses dirigeants sont éparpillés à travers l'Europe, l'Amérique latine, la Palestine ou les États-Unis. Peu à peu, ils se retrouveront. Ces retrouvailles jalonneront l'histoire des quarante années suivantes.

« Aucun, c'est encore trop »

Alors a lieu le dernier grand exode des Juifs d'Allemagne avant le massacre. Durant les quatre premières années du nazisme, seulement 150 000 Juifs allemands ont quitté l'Allemagne, dont plus de 50 000, comme Siegmund, entre l'arrivée au pouvoir de Hitler et la fin de 1933, et 100 000 jusqu'en novembre 1938. 100 000 partiront entre novembre 1938 et septembre 1939. Au total, près de 250 000 émigrent avant la guerre, vers quatre destinations principales : États-Unis, Palestine, Grande-Bretagne et France. En septembre 1939, on en compte encore 185 000 en Allemagne, dont 50 000 seulement ont moins de 40 ans. Le reste a disparu dans les massacres d'avant-guerre[12].

Il existe aussi quelques rares mouvements en sens inverse : ainsi, à la fin de 1939, la « nanny » allemande des deux enfants de Siegmund rentre au pays, sur pressions des autorités allemandes. Elle mourra dans les bombardements de Hambourg.

La sortie des Juifs d'Allemagne et des pays occupés est de plus en plus difficile ; car on n'en veut presque plus nulle part. Les organisations professionnelles, les journaux

249

et même le gouvernement anglais demandent qu'on limite leur entrée en Grande-Bretagne et en Palestine. Le 2 septembre 1939, des garde-côtes britanniques ouvrent d'ailleurs le feu sur un navire accostant à Tel-Aviv avec 1 400 Juifs à son bord. Deux passagers sont tués[56].

C'est à ce moment, cinq ans après son arrivée à Londres, que Siegmund obtient sa naturalisation : le parrainage des principales banques d'affaires anglaises lui a ouvert des portes qui restent fermées à beaucoup d'autres.

Il retrouve un ami, dont la mère est une cousine des Warburg, Gerald Coke, neveu du comte de Leicester qui contrôle le *Daily Telegraph*. Gerald Coke travaille dans une grande entreprise de métaux, Rio Tinto, dont il dirige une des filiales, laquelle possède depuis 1920 une part des titres de Brandeïs-Goldschmidt.

Siegmund s'occupe de ces réfugiés juifs allemands dans le désespoir. Il voit souvent Baffi Balfour et, lorsqu'il est à Londres, Chaïm Weizmann. Nombreux sont à présent les membres de sa famille à se trouver eux aussi en Angleterre : telles ses cousines Anita et Lola qui organisent maintenant les secours aux réfugiés et travailleront plus tard à un bureau de recherche des personnes disparues.

Tous épargnés par l'Holocauste, les Warburg constituent une exception : peut-être faut-il y lire le sort de vigiles hors du commun, échappant grâce à leur séculaire universalité à la tragédie générale.

Car, au total, en ces années d'avant-guerre, l'Occident démocrate n'a pas lieu d'être fier du secours qu'il apporte à ceux que persécutent les nazis. Des centaines de milliers d'entre eux chercheront à quitter l'enfer et ne pourront le faire, faute d'obtenir des visas anglais, suisses, français, américains ou canadiens ; et cela, malgré les efforts de James G. MacDonald, le haut commissaire de la S.D.N., et de quelques autres, tel Raoul Wallenberg qui fabrique à Budapest de faux passeports suédois.

Terrible symbole : personne ne veut même accueillir Edith Stein, philosophe juive devenue religieuse catholique, qui mourra à Auschwitz parce que nul n'a voulu l'accueillir. Chaim Weizmann a raison d'écrire qu'à l'époque, « le monde semblait divisé entre des endroits où les Juifs ne pouvaient pas vivre et des endroits où ils ne pouvaient pas entrer[177]. »

Au Canada où il faut, dans certains consulats, certifier n'être pas Juif pour entrer, un haut fonctionnaire répondra à un journaliste qui l'interroge sur le nombre de Juifs à y admettre : « Aucun, c'est encore trop[1]. »

FIN DE SCHACHT

A l'automne 1938, Hjalmar Schacht, toujours ministre sans portefeuille et président de la Reichsbank, est de plus en plus hostile à la politique de Goering, alors au sommet de sa puissance, tout à la fois chef des S.A., général S.S., président du Reichstag, ministre de l'Intérieur et de la Police de Prusse, ministre de l'Air, commandant en chef de l'Armée de l'Air, membre du Conseil Secret, et enfin — et peut-être surtout — président de « Goering Industries ». Schacht veut mettre fin aux bons « Mefo » et décide de passer à l'opposition active. Le 28 septembre 1938, il s'associe à un projet de coup d'État du chef d'état-major, Franz Halder, reporté à l'annonce ce jour-là de la rencontre de Munich. La Nuit de Cristal l'incite à aller plus loin. Le 12 novembre 1938, au lendemain des massacres, Goering décide que les Juifs ne seront pas indemnisés pour les dégâts subis et qu'ils seront même tenus de les réparer eux-mêmes « pour restaurer l'apparence des rues sous peine d'amende d'un milliard de marks[79]. » Le même jour, un autre décret enjoint aux entreprises de licencier immédiatement tous les Juifs encore employés, interdit à ces derniers l'exercice de la profession d'avocat et exige la fermeture de tous les magasins juifs avant le 31 décembre[56]. Le lendemain, devant les cadres de la Reichsbank, Schacht dénonce violemment la Nuit de Cristal et ces dernières mesures[160].

Il n'a pas encore perdu tout pouvoir : par la Reichsbank, il contrôle le financement de l'économie et peut s'opposer au Plan. Ainsi, le 21 novembre, il refuse de créer de nouveaux bons « Mefo » et n'autorise l'escompte des billets à ordre que pour les travaux publics. Pour Hitler, la coupe est pleine. Et Goering, qui déclare avoir reçu l'ordre du Führer d'accélérer la production d'armement et de mettre davantage de gens au travail, menace : « Si les entreprises privées n'en sont pas capables, dit-il, si les banques ne peuvent financer, on les nationalisera[159]. » Et quand, le 30 novembre, les premiers bons « Mefo » viennent à échéance, la Reichsbank, imperturbable, sur ordre de Schacht, demande à l'État de les lui rembourser. Goering refuse : cette dépense n'est pas prévue au budget. Schacht est alors mis devant un fait accompli ; on le contraint à manquer à sa parole donnée aux prêteurs. Il est absolument hors de lui, mais dépourvu de moyens, et il hésite encore à démissionner.

Pendant ce temps, l'annulation de l'existence économique des Juifs s'accélère. Ainsi, le 3 décembre 1938, l'État ordonne la vente immédiate de toutes les entreprises industrielles, propriétés immobilières et foncières et de toutes les possessions juives[56].

Schacht tente encore s'y opposer et imagine de reprendre le plan de Max Warburg de l'année précédente. Le 6, toujours président de la Banque centrale, il part pour Londres. Il y rencontre Siegmund, puis, le 17, le gouverneur de la Banque d'Angleterre, Norman Montagu, ainsi que des représentants du Comité intergouvernemental pour les Réfugiés. Il leur expose le détail de son plan, repris de celui de Max Warburg : « Je ne veux pas me prononcer sur ce qui se passe actuellement en Allemagne, dit-il, mais les faits sont là, les Juifs n'y ont pas d'avenir. Ils vont bientôt être très mal traités et chassés sans aucune ressource. Aussi, pour des raisons humanitaires, ai-je mis au point un plan pour les faire émigrer. Je propose que chaque année, pendant trois ans, partent 50 000 Juifs, pas nécessairement d'abord les plus riches, au contraire même. Le produit de la vente de leurs biens en Allemagne sera versé à un fonds spécial, qui servira de garantie à un prêt de la communauté juive mondiale à l'Allemagne. L'argent de ce prêt servira, entre autres, à financer le versement de 10 000 marks en devises à chaque famille d'émigrant. Par ailleurs, la Communauté juive mondiale s'engagera à encourager les exportations allemandes, pour que ce prêt puisse être remboursé. Ce plan est à prendre ou à laisser ; vous devez savoir que l'actuel gouvernement allemand n'en acceptera aucun autre et que même celui-ci n'a pas encore reçu l'aval du Führer. »

Le Plan Schacht est assez bien reçu à Londres, et la communauté juive britannique accepte, sans trop d'hésitations, de participer à son financement. Schacht part ensuite aux États-Unis, le proposer également aux dirigeants de la communauté juive américaine. Ses responsables acceptent d'emblée et décident l'envoi immédiat d'une mission en Allemagne pour en mettre au point l'application[160]. Schacht y revoit Max pour la dernière fois. Fin décembre, il demande à rencontrer Morgenthau. Mais le Secrétaire au Trésor refuse de recevoir le président de la Reichsbank : pour ne pas déplaire à Hitler, disent certains ; par haine du nazisme, disent d'autres. Le 2 janvier 1939, Schacht rentre de New York et s'en va voir Hitler à Berchtesgaden, pour obtenir l'accord final à son plan. Or, Ribbentrop, tenu à l'écart de la négociation, a convaincu le Führer qu'il vaut mieux s'en tenir au paiement pur et simple de la rançon exigée jusqu'alors[56]. Hitler annonce alors à Schacht que toute discussion à ce sujet doit cesser ;

253

et que, de plus, après l'assassinat, le 7 novembre précédent, de von Rath à Paris, un impôt spécial va être levé sur les Juifs et toutes les valeurs remises par les Juifs à leur départ devront être converties immédiatement en marks par la Reichsbank.

Pour Schacht, cette réponse marque à la fois la ruine de son plan et l'annonce d'une création monétaire associée aux pillages des biens juifs. Il refuse devant Hitler d'y souscrire et, le 7 janvier, lui confirme ce refus par l'envoi d'un memorandum cosigné de tout le directoire de la Reichsbank[120].

Mais, entre-temps, comme prévu, deux dirigeants juifs américains sont partis pour l'Allemagne, où ils arrivent le 10 janvier 1939 afin de mettre au point avec Schacht les détails du plan d'évacuation[56]. Il repartent bredouilles après huit jours d'errance et de refus polis.

Le 20 janvier, Hitler se décide à renvoyer Schacht de la Reichsbank où il a régné pratiquement sans interruption depuis près de quinze ans. Étrange procédure : la veille même de son limogeage, Funck est déjà nommé à sa place !

Encore ministre sans portefeuille, Schacht se fait alors quelque peu oublier. En avril, il se rend à une réunion de la B.R.I. à Bâle où il représente encore l'Allemagne, avant d'y être remplacé par Schröder. Il y rencontre à nouveau le gouverneur de la Banque d'Angleterre, Norman Montagu, qu'il prévient des ambitions de Hitler en Ukraine. En rentrant à Londres, Montagu transmet le message à Chamberlain qui lui répond que Schacht n'a plus la moindre influence politique, et qu'il ne faut ni le croire ni négocier avec lui. Schacht essaie de se faire inviter en Amérique. Mais le Département d'État s'y refuse, de peur d'indisposer Hitler[160]. Schacht devient alors un opposant déclaré au régime.

Dirigé par Funck, le système bancaire allemand s'intègre totalement à la machine nazie ; la Reichsbank s'apprête à stocker les dents en or et les bijoux d'Auschwitz et autres endroits. La Dresdner Bank prête de l'argent à la D.E.S.T., qui gère au bénéfice des grandes entreprises les « industries carcérales », autrement dit les camps de concentration. Même M.M. Warburg, qui se tient pourtant scrupuleusement à l'écart du parti nazi, participe à l'économie de guerre. Quant à la Banque des Règlements Internationaux, elle continue imperturbablement ses activités à Bâle, au service de l'Allemagne, sous la présidence d'un étrange américain, MacKittick, et assure la commercialisation d'un or étrange, venu de toutes les rapines et de tous les massacres...

A LA FOIS JUIF, ALLEMAND ET ANGLAIS

La Tchécoslovaquie dépecée, la Pologne menacée, Franco à Madrid, le Pacte germano-soviétique signé le 29 août 1939 : voici venir la guerre. Le 1er septembre, les troupes allemandes pénètrent en Pologne et, par le jeu des alliances, la France, l'Italie, la Grande-Bretagne entrent dans le conflit. Ce jour-là, Siegmund dit à sa fille : « Aujourd'hui est un jour grave, tu t'en souviendras toute ta vie. »

Le port du masque à gaz, la carte nationale d'identité deviennent obligatoires. L'impôt sur le revenu augmente. Un effort considérable est déployé pour accroître la production agricole[27].

Londres prend alors des allures de ville assiégée. On évacue les enfants pour les mettre en sécurité.

« Un réveil amer, écrit Zweig, succède en Angleterre à la franche confiance. Même les gens simples, qui n'avaient pas étudié et qui détestaient instinctivement la guerre, se mirent à manifester très vivement leur mauvaise humeur. De nouveau on voyait flotter au-dessus de la ville de Londres les clairs ballons de la défense anti-aérienne, de nouveau on aménageait des abris souterrains, et les masques à gaz qui avaient été distribués étaient soigneusement vérifiés. La situation était exactement aussi tendue qu'un an auparavant, et peut-être encore davantage, parce que cette fois, ce n'était pas une population naïve et sans soupçon, mais un peuple déjà résolu et exaspéré qui se tenait derrière le gouvernement[187]. »

Pour Siegmund, maintenant citoyen britannique, tout va encore bien, mais sa femme, redevenue suédoise en 1933, est désormais astreinte à des contrôles très stricts. Elle ne souhaite pas, comme elle le pourrait, devenir anglaise, car il lui a été déjà très difficile, malgré l'aide du gouvernement suédois, de recouvrer en quelques mois sa nationalité première.

Les organismes humanitaires — le Central Council for Jewish Refugees, le Central British Fund for Jewish Relief and Rehabilitation — dont Siegmund s'occupe très activement, n'ont plus les fonds nécessaires pour aider les 13 000 Juifs sans ressources, et se tournent vers le gouvernement britannique, maintenant franchement hostile aux réfugiés[174]. Aucun visa anglais n'est plus délivré à des citoyens allemands, sauf pour les parents des Juifs allemands vivant dans un pays neutre ou ceux qui ne font que transiter par la Grande-Bretagne. Ceux qui y sont déjà installés, même depuis longtemps et même citoyens britanniques, comme Siegmund, sont étroitement surveillés par la police. Le 4 septembre, le gouvernement de Londres fait examiner par les tribunaux le cas de chaque réfugié juif, y compris ceux qui sont devenus citoyens britanniques, et assigne à résidence ou bien interne les suspects d'espionnage. Les tribunaux répartissent les réfugiés en trois catégories : à interner ; sujet à restrictions ; exempt d'internement et de restrictions. En octobre, 13 000 cas sont ainsi examinés : 186 personnes sont internées ; 189 sont placés en seconde catégorie, dont Henry Grunfeld ; et 9 656 sont libres. En janvier 1940, 528 Juifs sont internés,

8 356 sujets à restrictions et 60 000 exempts de tout contrôle. 8 000 sont même envoyés de force au Canada — tel Eugen Spier, un Juif allemand résidant en Grande-Bretagne depuis 1922 — ou en Australie[174].

Siegmund lui-même qui, dès la déclaration de guerre, a proposé de collaborer aux services secrets et au ministère de l'Économie de guerre, est considéré comme suspect et mis à l'écart. Il en est furieux.

L'attitude anglaise vis-à-vis de l'immigration des Juifs en Palestine devient tout aussi stricte. Malgré l'avis de Churchill, entré au gouvernement lors du déclenchement des hostilités, Chamberlain limite leur admission à 75 000 sur cinq ans. En janvier 1940, un rapport du Ministère des Colonies et du Ministère des Affaires étrangères présente l'immigration illégale en Palestine comme « une invasion organisée de la Palestine, inspirée de motifs politiques ». De nombreuses discussions ont lieu entre les États-Unis et la Grande-Bretagne pour trouver un endroit où « mettre les Juifs ». Tour à tour, des démarches sont faites en direction de l'Australie du Nord-Ouest, de l'Érythrée, de l'Éthiopie, de l'Angola, des Philippines, de l'Alaska, de Madagascar, de la République Dominicaine ; en vain[12].

Au lendemain de l'invasion des Pays-Bas, suivie en direct à la radio — et qui met fin aux activités de la Dutch International Corporation — Churchill remplace Chamberlain, et le Parti travailliste accepte de revenir aux affaires dans le nouveau gouvernement. Un de ses premiers actes est d'astreindre à résidence, dans un même territoire sur le littoral Sud et Est de l'Angleterre, tous les Allemands et tous les Autrichiens de 16 à 60 ans. Le 15 mai, les réfugiés suspects sont internés dans des camps sur l'île de Man et à Manchester. Siegmund a été rayé de la liste grâce à Andrew MacFadyean, et Henry, prévenu la veille de son arrestation, a quitté son domicile à l'aube et vécu en clandestin dans Londres, quatre semaines durant, le temps pour MacFadyean de faire jouer ses relations et d'obtenir sa liberté.

Au début juin, ces internements touchent alors vraiment tout le monde : un membre du gouvernement hollandais, un général norvégien, des musiciens célèbres, et jusqu'aux employés allemands de la B.B.C. [12].

Le 22 juin 1940, l'armistice est signé avec la France. Entre le 7 septembre et le 2 novembre 1940, Londres est bombardé presque chaque nuit.

Alors se révèle, selon les mots de S. Zweig, « la force la plus profonde de l'Angleterre, celle qui se contient et ne se dévoile qu'à l'heure du plus grand danger [187]. » 11 700 personnes sont tuées. La route entre le Buckinghamshire et la City devient moins sûre, et le train qu'emprunte Siegmund chaque matin est parfois bombardé. « Au cours des années de guerre, ma mère vécut plusieurs bombardements allemads sur Londres, mais elle ne se départit pas pour autant de son attitude sereine. Ce qui comptait pour elle dans ce contexte, c'était son pressentiment et sa certitude que la guerre conduirait à la fin de Hitler [211]. »

Une anecdote souriante sous cette pluie de bombes : un député travailliste, qui va devenir ministre, Emmanuel Shinwell, vient demander à Siegmund, un jour de la fin 1940, une aide financière : son appartement a été détruit et il ne sait comment travailler. Siegmund lui prête alors sa propre secrétaire, Mademoiselle Meyer, dont le député fera sa femme...

Quand commence le Blitz, il faut assurer les permanences de nuit de *fire-watchers*. Très souvent, Siegmund et Henry passent ainsi la nuit dans leur bureau, à parler de la guerre et de l'avenir. Pas un instant, à cette époque, Siegmund n'envisage autre chose que la victoire alliée ; il pense qu'après la victoire, l'Angleterre devra prendre la tête d'une Europe unie et délaisser son coûteux Empire. Et, pour lui, il sait ce qu'il ambitionne : faire de Londres ce que Max voulait faire de Hambourg. Ses enfants le taquinent : que peut-il bien surveiller, lui qui est si bavard ? Longtemps après, Siegmund et Henry se souviendront avec nostalgie de ces longues nuits de veille ; et lorsqu'ils manqueront de temps pour approfondir quelque problème, l'un ou l'autre dira alors : « Il nous faudrait encore une de ces nuits de *fire-watch*... » Étranges mots de ces vigiles.

Entre-temps, le Blitz devient de plus en plus dangereux. Les trains sont de plus en plus souvent bombardés. Siegmund rentre tard. Pour aller le chercher, sa femme, toujours de nationalité suédoise, doit demander l'autorisation de sortir, et les policiers, qui ne peuvent la lui donner, font semblant de ne pas la voir, avec cette exquise gentillesse anglaise qu'il apprécie par-dessus tout...

Dans l'Europe occupée commence la descente aux enfers des Juifs : au début de 1940, les Juifs d'Allemagne sont assignés à résidence ; chaque matin, ils doivent se présenter au garde à vous au commissariat de leur quartier ; un peu plus tard, ils sont arrêtés, rassemblés et expédiés dans les camps, où commencent à affluer les autres Juifs d'Europe. Qui en Allemagne sait ce qui s'y passe ? En tout cas, à partir de la fin de 1940, tous peuvent entendre une grande voix allemande, celle de l'auteur préféré de Siegmund, Thomas Mann, émigré en même temps que lui, déclarer depuis Londres à la radio : « Personne au monde ne croit que le peuple allemand se sente fier de l'histoire que fabriquent ses despotes, misérable charlatanerie faite de sang et de larmes. Les aventuriers maudits qui poursuivent l'asservissement du monde sentent au fond d'eux-mêmes que, dès aujourd'hui, ils ont perdu[101]. »

Le 15 mai 1941, l'émigration des Juifs allemands est officiellement interdite. Le 22 juin commence l'opération Barberousse, nom de code de l'invasion de l'U.R.S.S. Durant l'été, Schacht, en contact avec l'opposition et sans activité officielle, écrit une dernière lettre à Hitler pour lui conseiller de signer la paix le plus tôt possible.

Lorsqu'au même moment, les atrocités allemandes contre les Juifs d'Europe commencent à être connues en Grande-Bretagne, l'opinion publique évolue et la situation des réfugiés tend à s'améliorer. La plupart des internés sont libérés. Certains sont même appelés à travailler comme experts pour les services secrets ; Siegmund parvient enfin à prendre contact avec le département de l'Économie de guerre, que dirige Dalton, et continue à s'occuper du Conseil central des réfugiés.

En octobre 1941, il apprend que M.M. Warburg and Co est devenue à Hambourg « Brinckmann, Wirtz & Co », que Brinckmann la gère correctement, sans zèle excessif, mais sans velléité particulière d'opposition au nazisme, à ses rites et à ses horreurs. Max, lorsqu'il l'apprend à New York, est heureux que son nom ne soit plus mêlé à ces monstruosités.

Le 23 octobre, sur ordre de Himmler, l'émigration des Juifs est effectivement interdite et le piège se referme sur tous les Juifs d'Europe. Thomas Mann exhorte toujours les Allemands à se réveiller du cauchemar : « Je sais bien qu'au bout de ces huit années d'abrutissement, vous ne pouvez plus guère vous imaginer l'Allemagne sans le national-socialisme. Mais vous est-il plus facile de vous représenter sa perpétuation par la victoire finale à laquelle il veut vous faire croire ? Voulez-vous être plus petits, avoir moins de caractère, être plus lâches que les autres[101] ? »

Siegmund aide à dresser des obstacles contre les emprunts allemands et conseille les responsables britanniques de la guerre psychologique contre l'Allemagne : nul mieux que lui ne connaît les réseaux d'emprunts allemands à Wall Street, que sa famille a tissés depuis un siècle. Patiemment, il explique aux hauts fonctionnaires anglais où se trouvent les amis des Allemands en Amérique et, avec des banquiers américains de ses relations, il s'efforce de rompre les réseaux nazis en pays neutres. Sans doute se rappelle-t-il alors l'époque où, trente ans plus tôt, son oncle Max s'efforçait de convaincre l'Amérique de prêter à l'Allemagne plutôt qu'à l'Angleterre...

Cette année-là, le jour de Kippour, Siegmund, pour la première fois depuis son enfance, passe une partie de la journée en prières dans une synagogue de Londres. Ses deux enfants l'accompagnent. L'un et l'autre s'en souviennent encore comme d'un jour très solennel.

LA CITY EN GUERRE : « CASH AND CARRY »

La City, vidée de ses cadres rappelés sous les drapeaux, est en sommeil. L'économie de guerre concentre les moyens financiers entre les mains de l'État. La situation des banques n'était déjà pas brillante à la veille du conflit, et la quasi-disparition des lettres de change, la suspension des émissions, l'interdiction de s'occuper du commerce extérieur et la réduction des crédits ne font évidemment que l'aggraver[27]. Certaines entreprises entièrement tournées vers le commerce extérieur, comme Brandeïs-Goldschmidt, doivent réduire leurs activités, et Paul Kohn-Speyer confie alors à Siegmund la gestion de ces fonds.

La New Trading Company ne manque pas, elle, de travail, finançant les importations de matériel.

Car pour financer ses achats, la Grande-Bretagne ne peut plus compter sur beaucoup de devises. Ses exportations vers l'Europe sont interrompues et elle doit donc emprunter ou vendre ses actifs. Or, l'*US Neutrality Act* interdit de consentir des prêts et de vendre des armes à un belligérant, et depuis le *Johnson Act* de 1934, il est interdit de prêter à un pays ayant fait défaut sur les dettes de la Première Guerre mondiale, comme c'est le cas, depuis 1931, de tous les pays européens, dont l'Angleterre[49] ; et il n'existe pas beaucoup d'autres prêteurs possibles : ni le Commonwealth, ni les neutres ne sont candidats.

261

La Grande-Bretagne ne peut donc financer ses importations qu'en vendant ses réserves d'or, encore égales au tiers de celles des États-Unis, ou ses avoirs étrangers, évalués à 3 milliards de livres sterling. Ces opérations ne peuvent plus s'effectuer que sur le seul marché de New York où, d'ailleurs, depuis mai 1939, tous les titres britanniques ont été physiquement envoyés.

Dès le début de la guerre, le Trésor britannique fait estimer la valeur de la part des titres qui est aliénable. Première déception : leur valeur en Bourse n'est que d'un milliard de livres. Et il faut agir vite, car tous les pays en guerre vont brader les leurs, faisant baisser les cours à Wall Street. En octobre 1939, un bureau du Trésor anglais y est installé, dirigé d'abord par un cadre de Flemming and Co, Walter Whigan, puis par un ami de Siegmund, John Gifford. Et tout de suite commencent les ventes de titres appartenant à des institutions publiques ou privées, à raison de deux millions de livres par semaine[149]. En novembre, le Congrès américain modifie le *Neutrality Act* afin d'autoriser la Grande-Bretagne à acheter des armes, mais sans rapporter l'interdiction d'emprunter. L'Angleterre doit donc payer ses marchandises comptant et les acheminer sur des bateaux non américains. C'est le *Cash and Carry*, à l'occasion duquel Siegmund va jouer un rôle considérable.

La vente d'actifs devient de plus en plus nécessaire. Malgré les réticences du Secrétaire au Trésor, préoccupé par la chute de Wall Street, le Trésor américain laisse s'accélérer les ventes étrangères. Le 17 février 1940, une première vente massive — quoique discrète — rapporte à l'Angleterre 30 millions de livres (en dollars). Après l'armistice de juin, Wall Street croit à l'effondrement de l'Europe et les titres d'entreprises anglaises chutent à New York. On ne peut donc plus vendre que les titres d'entreprises américaines ou de filiales d'entreprises britanniques implantées hors des pays en guerre. Or, les besoins en devises restent considérables, et le Trésor anglais décide de vendre tout ce qu'il peut, en prévision d'une guerre de trois ans. Mais, dans les faits, on vend à un rythme déjà beaucoup plus rapide. Car dès juin 1940, tous s'attendent à une attaque allemande majeure pour la fin de l'année, et il faut commander 3 000 avions par mois. Il devient vite évident que les réserves vont être épuisées en décembre au plus tard. Churchill, pour acheter l'armement nécessaire, décide alors de jouer le tout pour le tout ; il ordonne de vendre tout de suite tous les titres et toutes les réserves, y compris les dépôts des banques centrales d'Europe, l'or français, belge et hollandais, à l'exception du minimum nécessaire pour financer la zone sterling[149].

Siegmund a très vite compris l'intérêt de la nouvelle réglementation. En mai 1940, avant tout le monde, la New Trading Compagny organise, seule dans la City, un « syndicat » pour financer les importations d'entreprises anglaises, avec trois banques : Hambros, Rothschild et William Brandt. Il annonce la création de ce « syndicat » par un communiqué à la presse. New Trading Company, qui ne peut pas en être membre, en assure le secrétariat. Des entreprises (surtout moyennes) et des administrations s'adressent alors à lui pour monter de nombreuses opérations d'achat de marchandises en Amérique, les banques associées leur ouvrant les crédits nécessaires pour payer comptant. D'autres, après eux, feront de même.

Avec ses amis new-yorkais — et il en compte plus qu'aucun autre financier de la City —, il entreprend aussi de vendre à des industriels américains certaines filiales d'entreprises américaines à Londres, ou anglaises à New York. Il réussit même à vendre à des Américains des immeubles de bureaux dans Londres ; ce qui, en ces temps de Blitz, tient de l'humour patriotique autant que de l'exploit bancaire...

Mais les devises s'épuisent et, en novembre 1940, le gouvernement de Londres demande à la Maison Blanche de l'autoriser à emprunter des dollars en échange de dépôts en livres qui seraient faits au Federal Reserve Board. Le Secrétaire d'État, Cordell Hull, refuse : cela reviendrait en effet à considérer la livre comme un actif de réserve, ou à violer le *Neutrality Act*. Les Anglais, qui ne tiennent pas trop à s'endetter — en souvenir de l'autre après-guerre — n'insistent pas.

Le 2 décembre, les réserves britanniques sont épuisées, et Winston Churchill, dans « une des plus importantes lettres qu'il eût jamais écrites », lance alors à Roosevelt un appel au secours : « Nous avons besoin, écrit-il, de bateaux, d'avions, d'armes, et le moment approche où nous ne pourrons plus payer[171]. » Le 10, Jimmy Warburg écrit dans le *New York Tribune* que si la loi interdit à l'Amérique de prêter à l'Angleterre, elle devrait lui donner les sommes dont elle a besoin, et il mène campagne pour qu'une réponse positive soit apportée aux demandes britanniques. Le 17, Roosevelt répond à Churchill qu'on « ne peut pas refuser de prêter une lance à incendie au voisin dont la maison est en feu[171] », et il se prépare à autoriser les prêts à l'Angleterre. Il exige seulement qu'avant d'emprunter de nouveau, la Grande-Bretagne rembourse ses emprunts antérieurs, et qu'elle mobilise toutes ses ressources financières. Morgenthau, qui craint que l'Angleterre ne cache quelques réserves, exige que les Britanniques rassemblent tout leur or au Cap, où un navire militaire américain viendra le chercher. Les Anglais acceptent. Le 10 janvier 1941, dans le plus grand secret, le *Louisville* embarque à Simonstown pour 42 millions de livres d'or, qui arrivent aux États-Unis le 26 janvier. Mais l'effet est inverse : Morgenthau est alors conforté dans son idée que la Grande-Bretagne n'a pas vraiment besoin de l'aide supplémentaire qu'elle réclame[171]...

Et début 1941, attendant toujours une réponse concrète à la lettre de Churchill, les Britanniques aux abois vendent à New York la Viscose Corporation of America, dont

Courtaulds détenait 97 %. D'après Siegmund, qui s'occupe avec d'autres de la vente, cette participation vaut 120 millions de dollars ; selon les banquiers américains, elle n'en vaut que 75 millions. Le Trésor britannique n'en obtient en fait que 40, et la promesse de recevoir plus tard un complément de 14 millions de dollars.

Comme les prêts américains se font attendre, la Grande-Bretagne doit brader aussi à New York, à partir du début mars 1941, les titres que des Anglais possèdent dans des entreprises d'Amérique latine et dans le caoutchouc de Malaisie. L'ensemble rapporte en dollars au Trésor britannique dans les 70 millions de livres. Mis à part les filiales des sociétés industrielles anglaises et les compagnies d'assurances, l'Angleterre est à bout de moyens de guerre. Si rien n'est fait, elle sera à genoux.

Pendant ce temps, on sait fort bien à Berlin à quoi s'occupe Siegmund. « Lord Haw-Haw », à la radio allemande, le dénonce comme le Juif qui finance la guerre.

LE PRÊT-BAIL

Le 11 mars 1941, Roosevelt se décide, pour éloigner la guerre de l'Amérique, à augmenter vraiment l'aide à l'Angleterre, et il fait voter le *Lend Lease Act* par le Congrès. L'idée en était venue d'abord à Jean Monnet, qui est sans doute, avec Siegmund Warburg, l'un des plus grands hommes d'influence de ce siècle. Énorme changement : comme on ne peut pas prêter, on loue. Alors que depuis dix-huit mois, l'Angleterre ne survit que grâce à la seule vente de ses titres, elle obtient maintenant des quasi prêts, et même des dons, pour des achats d'armes et de matériels à l'Amérique. Mais avant que le *Lend Lease* ne se mette en place, se déroule toute une négociation entre Londres et Washington sur ses modalités. Lord Keynes la mène au nom de l'Angleterre.

Le Congrès exige en effet qu'avant la mise en œuvre du

Lend Lease Act, tous les avoirs britanniques aux États-Unis soient considérés comme gages de ces nouveaux emprunts et que tous les anciens prêts — soit 700 millions de dollars — soient réglés préalablement à la mise en œuvre du nouveau Plan. En mai, Morgenthau suggère même à Keynes de solliciter un prêt du gouvernement américain de 400 millions de dollars pour rembourser les emprunts anglais antérieurs. Pressentant un refus probable du Congrès, Keynes suggère plutôt que ce prêt soit accordé non par l'État américain, mais par la Reconstruction Finance Corporation, créée avant le New Deal, qui serait plus discrète. Le 10 juin, afin de rendre cette opération possible, une loi accroît les ressources de la R.F.C. et l'autorise à prêter à des gouvernements étrangers, sans préciser lesquels. Ainsi peut-elle prêter, sans ostentation excessive, 425 millions de dollars pour 15 ans au Trésor anglais, gagés sur les avoirs anglais aux États-Unis[171]. On discute ensuite des conditions d'usage des biens qui seront reçus dans le cadre de l'accord.

Le Trésor américain entend empêcher tout profit anglais dans l'usage des biens obtenus avec ces avantages, et interdire que, réexportés, ils entrent en compétition avec les produits américains, en particulier en Amérique latine. Les Américains souhaitent donc distinguer entre les fournitures destinées à l'effort de guerre commun, qui sont de droit, et les autres fournitures, pour lesquelles les Américains attendent quelque chose en retour. Roosevelt demande au Département d'État de préparer avec Lord Keynes un rapport définissant avec précision ces deux catégories, et proposant certaines formes de compensation pour la seconde[171]. En réalité, il n'attend pas de l'argent — les Américains ne souhaitent pas qu'il y ait de dettes de guerre —, mais la renonciation des Britanniques à leurs accords commerciaux privilégiés avec les Dominions, et leur appui à la mise en place, après la guerre, d'un étalon-dollar[149].

Toutes ces négociations sont très difficiles. Les communications entre Londres et Washington sont lentes ; en hiver, il faut parfois attendre six semaines la réponse à une lettre. Enfin, l'appareil statistique britannique est peu développé, et les Anglais hésitent à fournir des informations précises aux Américains, de peur de les retrouver dans la presse. Keynes note joliment : « L'amitié et l'exaspération avançaient main dans la main[171]. »

LES WARBURG AMÉRICAINS DANS LA GUERRE

Le 7 décembre 1941, Pearl Harbor n'est pas une surprise pour tout le monde. A Londres, l'entrée en guerre des États-Unis est accueillie à la fois avec soulagement et ironie : cela fait trop longtemps qu'on l'attend. A New York, les banquiers d'affaires — Morgan, Kuhn Loeb, Dillon Read — écartés des affaires publiques par le New Deal, y reviennent en force pour financer l'économie de guerre. Le gouvernement américain distribue pour 175 milliards de dollars de contrats militaires, et le complexe militaro-industriel se développe autour des banques. La R.F.C. finance le prêt-bail pour toute l'économie américaine, et y dépense jusqu'à 55 milliards de dollars. Certains en Amérique identifient à l'époque, sans doute avec quelque schématisme, huit groupes financiers qui contrôleraient alors l'essentiel de l'économie industrielle américaine engagée dans la guerre : le groupe Du Pont (General Motors, du Pont, U.S. Rubber), le groupe Mellon (Gulf Oil, Westinghouse), le groupe Morgan (United Steel, General Electric, Kennecott Coppers, A.T.T.), le groupe Rockefeller (Standard Oil, Chase National Bank), le groupe Kuhn Loeb (tous les services publics) et le groupe Boston (United Fruit, First National Bank of Boston). Même si le tableau est simpliste[81], la réalité n'en est pas trop éloignée.

Au même moment, l'attitude du capital américain n'est pas sans ambiguïté et ses liens avec l'Allemagne restent importants : ainsi, en 1942 encore, quelques Américains, avec des Français et des Allemands, créeront un syndicat de banques à Vichy pour opérer en Europe occupée sous le nom de Société de Crédit Intercontinental. On y trouve la Banque d'Indochine, la Banque Schneider, le Syndicat des Assureurs, la Deutsche-Kredit Bank et les filiales françaises de Ford et d'IBM[107]. Mais l'Amérique y met vite bon ordre et l'association se dénoue rapidement.

Les Warburg américains, qui ont maintenant beaucoup moins de pouvoir que leurs pères, s'engagent en masse dans l'armée : pendant que Max récrit son journal sous forme de Mémoires (dont la famille empêchera la publication), Frederick s'engage dans la Marine ; Éric devient l'un des rares officiers américains nés allemands, lieutenant-colonel des renseignements dans la campagne d'Afrique ; Jimmy, dès Pearl Harbor, se rend à Londres et s'occupe de la propagande en Allemagne pour le compte de l'Office de l'Information de guerre dirigé par Elmer Davis. Il y rencontre souvent Siegmund et travaille avec les ambassadeurs américains à Londres, John G. Winant, puis Averell Harriman, qui coordonnent les propagandes anglaise et américaine[55], et avec Sir William Wiseman.

Un des fils de Félix, Paul, mécène et marchand d'art, qui a succédé à son père comme président du Joint, passe aussi par Londres avant de débarquer en France. Il deviendra ensuite l'assistant de Lewis Douglas, ambassadeur après Harriman[55]. Anna et George se souviennent également des cadeaux qu'ils recevaient, en ce temps-là, des États-Unis, de Jimmy, Frieda, Gerald et Mortimer...

DES ARMES CONTRE L'EMPIRE

Dès octobre 1941, on commence à parler de la gestion du monde d'après-guerre, et chaque concession militaire de l'Amérique s'échange contre une concession politique de l'Angleterre, autrement dit du reste du monde[149].

L'Establishment anglais et américain est alors très hostile à un accord monétaire, c'est-à-dire à l'idée d'organiser les échanges financiers et monétaires et de coordonner les politiques économiques pour libéraliser le commerce. Le patronat britannique, en particulier, est très hostile au libre-échange, pensant que, si les échanges sont libérés, l'Amérique, qui va entrer en dépression, entraînera la Grande-Bretagne dans sa chute. Il veut aussi conserver la « préférence impériale » et le rôle de livre, pensant qu'il faut maintenir deux zones monétaires : une pour la livre et une pour le dollar[220].

Les deux principaux plans monétaires qui vont s'affronter pendant deux ans et demi, celui de Harry Dexter White, secrétaire adjoint au Trésor américain, et celui de John Maynard Keynes, sont formulés au tout début de 1942[171].

White, dans son *Programme pour une action monétaire interalliée*, propose de créer deux institutions, un Fonds interallié destiné à stabiliser les taux de change, et une Banque interalliée, afin d'aider à la reconstruction et au développement du commerce international : l'idée est de lier l'octroi de prêts de cette banque à la mise en place de politiques commerciales et monétaires libérales. Rien n'est dit sur les mécanismes de régulation des taux de change, ni sur la nature de l'étalon de change, mais il est implicitement admis que ce ne peut être que le dollar, avec ou sans référence théorique à l'or.

Keynes, lui, propose un système très différent, extrêmement centralisé. Dans ses *Propositions pour une Union monétaire internationale*, il écrit que « le système idéal consisterait sûrement dans la fondation d'une banque supranationale qui aurait avec les banques centrales nationales des relations semblables à celles qui existent entre chaque banque centrale et des banques subordonnées[196] ». Pour lui, « cette banque centrale mondiale, de statut supra-national, échappant tant à l'étalon-or qu'à l'hégémonie d'une devise sur les autres, devrait avoir tous les attributs d'une banque centrale, avec une monnaie supra-nationale de réglement entre banques centrales. Cette banque des banques centrales, dite "l'Union", gérerait des comptes libellés en "Bancor", monnaie internationale définie par rapport à l'or ; les pays membres recevraient des "Bancors" en échange de leur or ; les soldes seraient rémunérés. En cas de dépassement du découvert autorisé, le pays membre pourrait ajuster son taux de change en accord avec l'Union et devrait prendre les mesures d'ajustement recommandées par elle[196] ».

Ainsi commence un débat théorique considérable. Mais il est déjà certain que le projet américain, qui assure le contrôle du dollar sur les institutions internationales, l'emportera.

Le 23 février 1942, deux mois après la déroute allemande devant Moscou, Anglais et Américains s'engagent, par un Mutuel Aid Act, à favoriser après la guerre le libre-échange sans que l'« Imperial Preference » soit explicitement mentionnée. En avril 1942, White expose un projet plus précis « en faveur d'un Fonds de Stabilisation des Nations Unies et d'une Banque pour la Reconstruction et le Développement de pays associés ». Pour lui, l'essentiel réside dans la limitation des obligations de l'Amérique, en tant que créancier, et dans son droit de disposer, avec les autres créanciers, d'une majorité de blocage pour toute décision importante, en particulier en matière de prêts. Constitué par souscriptions, le Fonds de stabilisation aurait le pouvoir d'acheter la monnaie de tel ou tel pays. Il serait maître des taux de change auxquels s'effectueraient les transactions et pourrait imposer des mesures d'ajustement ; une modification de taux de change ne devrait être opérée que lorsqu'elle s'avérerait essentielle à la correction

270

des déséquilibres ; seuls les pays ayant des avoirs en or pourraient bénéficier des prêts du Fonds. Pour Keynes, cette nouvelle version du plan White, meilleure que la précédente, ne permet cependant pas assez d'adapter la liquidité internationale aux besoins, et donne encore trop le pouvoir aux Américains[171]. Ainsi commence le débat.

En mai 1942, pour payer les dernières annuités de ses emprunts antérieurs, la Grande-Bretagne doit vendre ses participations dans l'industrie de l'armement américaine.

HOLOCAUSTE, MORT D'UN AMI

Au début de 1942, Siegmund se réinstalle à Londres et emménage dans un appartement au 23 Fairacres Roehampton Lane, qu'il gardera plus de dix ans.

A ce moment-là, nul ne peut plus ignorer que les Juifs, en Europe nazie, commencent à être exterminés. En janvier 1942, au moment où se tient la conférence de Wann Zee qui va décider explicitement de la Solution finale, Thomas Mann déclare à la radio : « 400 jeunes Juifs hollandais ont été déportés en Allemange afin que l'on expérimente sur eux des gaz toxiques... Mais cette histoire paraît incroyable et, dans le monde entier, beaucoup se refuseront à y croire[101]. »

Siegmund, au milieu de cet océan de drames, s'occupe autant qu'il peut de la German Jewish Refugees Aid Society ; et au milieu de tant de morts anonymes, il subit la mort d'amis : Harry Lucas meurt de tuberculose, Paul Kohn Speyer meurt lui aussi de maladie, et enfin Stephan Zweig, parti à la fin de 1941 à Rio, se suicide en octobre 1942, juste avant le débarquement allié en Afrique du Nord. Ce jour là, abasourdi, Siegmund note pour lui-même : « Son idéalisme ne signifiait pas la foi en un progrès terrestre, mais la ferme croyance en la puissance éter-

271

nelle de forces et de valeurs irrationnelles qui trouvent leur expression, indépendamment des apparents succès ou insuccès à accomplir de bonnes actions, dans la création artistique, avant tout dans la personnalité pleine de grandeur et de noblesse de certains êtres humains ». « Il était tout autre chose qu'un cynique — écrit encore Siegmund — et cependant, il avait un réalisme fait de froid scepticisme, tel qu'on le rencontre rarement, même chez les plus cyniques... Cela allait si loin que, souvent, presque intentionnellement, il énonçait des prophéties en contradiction avec ce qu'il souhaitait pour lui-même... Il pressentait avec frayeur que nous allions devoir traverser une sombre période transitoire de plusieurs générations, jusqu'à ce que de nouveaux concepts aient pu se mettre en place. Son espoir était qu'après un long interrègne de tumulte et de chaos, jusqu'au milieu de la gestion planifiée des nouveaux États bureaucratiques qu'il voyait poindre, parviendrait à se faire jour un modèle culturel de l'individu, et que cet individualisme serait à la fois plus réaliste et plus inflexible que celui de la fin du siècle passé[212] ».

Le 22 janvier 1943, une semaine avant la défaite de Stalingrad, Schacht est enfin démis de son poste de ministre sans portefeuille et quitte l'Allemagne.

LA PAIX DU DOLLAR

Voici que, sans qu'aucun Warburg n'y joue un rôle, commence une nouvelle phase de l'ordre monétaire mondial : après l'échec de la B.R.I., voulu par Max, et celui de l'I.A.B., voulu par Paul, s'installe Bretton Woods dont Siegmund saura, bien plus tard, prévoir et utiliser les failles mieux que tous ses contemporains.

L'Amérique aide désormais sans compter ses alliés, à qui elle prête jusqu'à 13 milliards de dollars par an. De mars 1941 à septembre 1945, à elle seule, la Grande-Bretagne en reçoit — en armement, munitions et vivres — l'équivalent de 30 milliards de dollars[171]. Concurremment, la discussion sur le futur ordre monétaire futur continue : White amende tant soit peu son projet. En mai 1943, il adresse un questionnaire aux représentants à Washington de 46 pays. En juin 43, juste avant le débarquement américain en Sicile, des consultations officieuses ont lieu à Washington entre 18 pays sur le système à mettre en place. A l'automne, une réunion d'experts britanniques et américains aboutit à une déclaration conjointe, trop vague pour engager qui que ce soit sur quoi que ce soit.

En ce printemps de 1943, le Plan Keynes est très mal reçu aux États-Unis. Le *Wall Street Journal* le décrit comme « une machine à enrégimenter le monde », le *New York Times* propose « d'en revenir à l'étalon or, le système le plus satisfaisant jamais imaginé[220] ». Un peu plus tard, l'American Bankers Association, très réservée aussi sur le Plan White, déclare que la création « d'un système de quotas ou de parts dans un pool monétaire international qui donnerait aux pays endettés le sentiment qu'ils ont droit à des crédits est malsain par principe et soulève des espoirs irréalistes[220].

Pendant ce temps, grâce à l'aide américaine, les Anglais reconstituent peu à peu leurs réserves d'or et de dollars, pour faire face à une dette extérieure croissante et se préparer à la reconstruction d'après-guerre : leurs réserves passent ainsi de 40 millions de dollars en juillet 1941, au creux de la guerre, à 1 200 millions de dollars à l'hiver 1943. Ils peuvent même organiser des prêts en dollars à certaines pays du Commonwealth. Les Américains réclament alors un accroissement de la participation anglaise à la guerre. Le 23 février 1944, alors que l'avance russe s'accélère et que les Alliés piétinent en Italie, Roosevelt écrit à Churchill pour lui demander de réduire les réserves anglaises à 1 milliard de dollars[171]. De nombreuses discussions ont lieu. Mais les réserves britanniques continuent d'augmenter, jusqu'à atteindre 1,6 milliard de dollars au moment où se décide le débarquement allié en Normandie.

En mars 1944, de nouvelles consultations américano-britanniques ont lieu sur l'ordre monétaire à instaurer après la guerre. Émerge l'idée d'une conférence destinée à mettre sur pied un Fonds Monétaire International. Les Britanniques, qui n'ont pas encore consulté les autres pays du Commonwealth, font traîner les choses. En avril, une déclaration conjointe d'experts anglais et américains est mise au point.

John Winant, l'ambassadeur américain à Londres, câble alors à Washington qu'« une majorité des directeurs de la Banque d'Angleterre sont opposés à l'ordre du jour de la conférence qui se tiendra à Bretton Woods : s'il est adopté, il enlèvera à Londres sont contrôle de la finance mondiale et détrônera, comme étalon, le sterling au profit du dollar[220] ».

Au début de mai, un débat s'ouvre aux Communes : les propositions de Keynes y sont critiquées par certains députés conservateurs qui n'y voient qu'un retour à l'étalon-or, dont ils ne veulent pas. Pourtant, le 10 mai, les Communes et la Chambre des Lords autorisent le Gouvernement à poursuivre les discussions sur ces bases.

Ce jour là encore, le Président américain de la B.R.I., qui poursuit imperturbablement son travail soi-disant neutre, déclare : « Nous continuons à faire marcher l'institution pour que, quand viendra l'armistice, les anciens ennemis trouvent un instrument efficace[81]... »

Au même moment, Jimmy Warburg est appelé par le secrétaire adjoint à la Défense pour étudier la politique d'après-guerre des États-Unis en Allemagne.

Le 23 mai, les Américains annoncent qu'ils vont convoquer la Conférence pour le début juillet. Le lendemain, Morgenthau invite 44 gouvernements, et le représentant du Danemark à titre d'observateur, à participer à compter du 1er juillet à une conférence destinée à « formuler des propositions définitives pour un Fonds Monétaire International et éventuellement une Banque pour la Reconstruction et le Développement ». Le 15 juin, une semaine après le débarquement en Normandie, un comité de rédaction, comprenant des représentants de 17 pays, se réunit à Atlantic City et élabore l'ordre du jour de la conférence. Les Américains, qui craignent que Keynes fasse des difficultés sur l'organisation du F.M.I., se réservent le secrétariat de la conférence et la présidence de la Commission sur le Fonds, nommant Keynes président de celle sur la Banque. Le 26 juin, les délégations britannique (dirigée par Keynes) et américaine (dirigée par Morgenthau) se rencontrent et discutent de deux des problèmes capitaux : le contrôle des parités et les droits de vote. Les Britanniques souhaitent que chaque pays puisse décider seul de son taux de change, alors que les Américains veulent que le Fonds contrôle toutes les variations importantes de parité[171]. Rien n'est décidé. On parle peu de l'étalon de change, qui reste ambigu, même si les prêts de guerre ont installé l'hégémonie du dollar.

Le 1er juillet 1944, la conférence s'ouvre à Bretton-Woods, avec 700 délégués. Morgenthau en est élu président, assisté de trois vice-présidents belge, brésilien et soviétique. La langue officielle est l'anglais. Comme prévu, trois commissions sont créées : l'une, présidée par White, consacrée au F.M.I. ; la seconde, par Keynes, à la BIRD ; la troisième, présidée par le Mexicain Suarez, étudie les autres moyens de la coopération financière internationale. Les débats sur les quotas sont serrés. Le 4 juillet, les discussions publiques sont suspendues. Pierre Mendès France obtient pour la France un siège dans les deux institutions, mais pas les droits de vote qu'il demande. Dans la commission sur la Banque, Keynes mène les débats à une cadence telle que personne ne le suit vraiment.

Se joue alors le sort de l'étalon : la Commission du Fonds décide que les taux de change seront exprimés en or ou « en une monnaie convertible au 1er juillet 1944 ». Or, le dollar est la seule à l'être à cette date. Cette décision est prise à la va-vite, le délégué américain ayant présenté cette rédaction comme « insignifiante », alors qu'il s'agit en fait tout simplement de la reconnaissance de l'étalon-dollar. Mieux encore, le 12 juillet, à la demande d'un délégué britannique mais contre les instructions de Keynes, la formule « monnaie convertible en or » est changée, dans le texte final, en « monnaie convertible en or ou en dollar U.S. ». Ce changement fondamental n'est pas repris dans le document de 96 pages que signent les délégués, mais il réapparaît dans le texte soumis à l'approbation des différents gouvernements, rédigé, lui, par les seuls Américains.

Ainsi naît l'étalon-dollar, dans l'ambiguïté. Comme l'écrit Michel Aglietta : « La souveraineté politique se substitue à la transcendance religieuse. La convertibilité est descendue de son piédestal. Elle devient à la fois une commodité et un problème[197]. » Au total les anglais et les américains ayant rejeté l'idée d'un équilibre des responsabilités entre les pays en excédent et en déficit, les deux gouvernements ont fini par réduire à presque rien le contrôle des nouvelles installations sur les politiques économiques intérieures.

Le 14 juillet, un accord est néanmoins réalisé sur les quotas. La Chine, l'Égypte, la France, l'Inde, la Nouvelle-Zélande et l'Iran émettent des réserves. Le 18 juillet, il est décidé que les sièges du F.M.I. et de la BIRD seront situés aux États-Unis. Est également décidée la liquidation de la Banque des Règlements Internationaux, pour le rôle qu'elle a joué dans l'évasion de l'or pillé par les nazis en Europe. Cette résolution ne sera pas appliquée.

Le 22 juillet, à la session finale de la conférence, Henry Morgenthau déclare que les accords vont permettre « de chasser les usuriers du temple de la finance internationale[220] ».

Entre-temps, Schacht revient à Berlin pour participer à l'organisation de l'attentat contre Hitler. Le 23 juillet 1944, il est arrêté. Miraculeusement épargné, il est envoyé au camp de Flossenberg, puis, le 8 avril 1945, à Dachau.

Folle période : le 2 février 1945, Hermann Abs se souvient d'avoir été reçu par Ribbentrop, de plus en plus en disgrâce, qui lui confie : « J'ai vu Hitler hier soir, qui m'a dit : si nous perdons la guerre, nous mettrons la capacité de travail du peuple allemand au service des Soviétiques. »

En mars 1945, le Congrès américain, devant la défaite imminente de l'Allemagne, ne reconduit le Lend Lease Act que pour les besoins purement militaires, et précise que le système prendra fin avec la guerre. Le 12 avril meurt Roosevelt.

Le 23 mai, quand Churchill demande au Roi la dissolution de la Chambre, il ne reste plus rien de l'empire Warburg, hormis une famille dispersée entre diverses armées.

A Berlin, quelques très rares Juifs allemands sont encore cachés en plein jour : Hans Petersen a survécu. Il est toujours banquier sous les décombres. Otto Warburg travaille toujours dans son Institut, et il aurait même reçu un second Prix Nobel, en 1944, si Hitler n'avait interdit à tout Allemand d'accepter cette distinction. Quand les Russes arrivent à Berlin, il y reste encore, puis il partira en visite aux États-Unis, s'y fâchera avec ses confrères américains et s'en reviendra alors à Berlin pour y mourir[55].

Le premier Warburg à revenir, à ce même moment, en

Allemagne, est Éric, le fils de Max. Chargé de questionner les officiers allemands de l'Armée de l'Air faits prisonniers, il est ainsi le premier à interroger Goering, celui qui, après avoir pris le pas sur Schacht, a été à son tour écarté, et a fini la guerre en satrape drogué, monstre victime d'un monstre.

CHAPITRE IV

Richesses de paix
(1945-1960)

Quand s'achève la guerre, le rideau se lève pour Siegmund sur le néant en même temps que sur l'espérance. La terreur nazie a accompli ce qu'aucune crise financière, aucun pogrome, aucune guerre n'avait encore obtenu depuis deux siècles : effacer son nom de toutes les portes des banques du monde, et disperser la famille aux quatre coins des pays-Warburg : Max vit ses derniers jours à New York ; Éric, démobilisé, de retour sur les bords de l'Hudson, songe à s'en retourner à Hambourg ; ses sœurs sont à Londres, New York ou Delhi ; Fritz vit à Stockholm et ses enfants partent s'installer dans un kibboutz en Palestine ; des enfants de Paul et de Félix, seul Frederick travaille encore chez Kuhn Loeb, avec John Schiff ; Jimmy, lui, court les universités ; Gerald fait du violoncelle ; Edward s'occupe de chevaux, et Paul de l'Agence Juive.

Siegmund est à Londres. Il a quarante-trois ans. Pas une seconde il ne pense se réinstaller en Allemagne. Même s'il n'aime pas tous les Anglais, et si certains le lui rendent bien, il se plaît beaucoup maintenant dans ce pays d'affabilité, de courage et de droiture. Il a plus que jamais le « feu sacré », mais sa personnalité est trop complexe pour se résumer à quelques lignes simples : élégant sans goût du luxe, ambitieux sans arrivisme, Juif mais pas sioniste, intellectuel sans être écrivain, passionné de politique mais peu engagé lui-même, enthousiaste mais pessimiste, il laisse peu voir ce qui le fait courir.

Pas l'argent, en tout cas, à la différence de la quasi-totalité des banquiers de son temps : cela, il le dit et le répète à qui veut l'entendre, avec une violence qui rappelle celle de son père et de ses plus lointains ancêtres. Pour lui, aimer l'argent est une sorte de déviation sexuelle de type nécrophile : « Souvent, quand je voyage dans ce monde de fous, je rencontre des gens qui ont une relation vraiment érotique avec l'argent, aussi passionnée que celle qu'on peut avoir avec une femme qu'on adore aveuglément. Cette relation, pour moi, est difficile à comprendre. Mais elle m'amuse : l'orgueil que procure à ces gens le fait de pouvoir à leur gré signer un chèque d'un ou deux millions de dollars est, en un sens, presque macabre[175]... » « Plus je vieillis — dira-t-il plus tard —, plus je ressens la richesse comme un fardeau, et non comme une aide. Or, me simplifier la vie est devenu pour moi la première des exigences[207]. » Et il est cohérent avec ce qu'il dit. Il ne cherchera jamais à devenir riche. Son raffinement ne le porte que vers les jolis meubles, ces vieilles boîtes en argent qu'affectionne depuis toujours une certaine élite allemande, et les beaux livres, surtout les beaux livres. Il ne tient guère en estime les gens avares ou intéressés : « Je me rappelle avoir un jour signalé à un très riche industriel la situation d'un membre de sa famille que je savais dans le besoin. Nous en avons longuement parlé et au terme de cette conversation, il ne voulut même pas lui donner la moitié de la somme que je pensais nécessaire. Je lui rappelai alors qu'il jouait chaque soir dans les casinos des montants beaucoup plus importants, et il me répondit : "Vous savez, Siegmund, je peux faire des tas de choses, mais me séparer de l'argent, quand ce n'est pas pour le jouer, est pour moi la chose la plus difficile au monde"[207] ». Il méprise vraiment cet homme-là. Et s'il va gagner lui-même beaucoup, énormément même, les commissions que lui rapporteront ses affaires ne seront jamais une fin en soi, ni une raison de faire des affaires, seulement le sous-produit, dont on parle le moins possible, d'une affaire réussie. Elles resteront dans sa maison, pour la faire prospérer en puissance et en influence, en faire une institution. Au fond, l'argent est pour lui comme le pinceau pour le peintre : un outil.

Ce n'est pas non plus le pouvoir qu'il ambitionne. Certes, il aurait naguère aimé en avoir en Allemagne, si l'avènement de Hitler n'avait interrompu sa carrière politique. Mais il sait qu'un Juif allemand ne sera jamais ministre en Grande-Bretagne, et, pense-t-il, à quoi bon vouloir être moins que cela ?

Non, s'il a une ambition affichée, c'est, dit-il, dans l'accomplissement de ses devoirs. Il cite d'ailleurs souvent cette phrase de sa mère : « Ton bonheur, ô enfant d'homme, ne crois nullement que ce soient tes désirs réalisés ; ce sont tes devoirs accomplis. » Et il entend bien traverser le monde des affaires en restant fidèle à la vieille éthique de sa famille. Il se veut homme de Justice et de Tradition. Beaucoup plus tard, il sera fier de ce qu'un ami lui dira à ce propos : « Ta force dans les affaires tient à ce que tu ne changes pas de manteau : quand tu quittes ton domicile, tu es toujours le même homme[175]. »

En réalité, il place toujours son nom très au-dessus de ceux qui l'incarnent et au plus haut de ses devoirs et de ses objectifs. Et cette ambition-là est comme une signature au bas d'un parchemin : en s'acceptant ainsi comme héritier d'une tradition, il témoigne de ce qu'il y a d'essentiellement juif en lui, quoi qu'il en ait : la quête de ses espérances dans son propre passé.

En ces mois de dégel du monde, il se fixe trois buts précis : devenir le premier banquier de la place de Londres, reprendre le contrôle de la banque familiale à Hambourg et retrouver une influence dans chacun des pays où les Warburg ont été grands.

Pour cela, il sait qu'il va falloir se tenir prêt à rouvrir ces circuits internationaux qu'il connaît bien et dont, le premier, après la guerre, il perçoit le formes à venir : « Il n'est pas d'affaire importante, conduite pour des clients importants, qui ne revêtira une dimension internationale[175]. ».

Il voit se profiler le rôle nouveau des banquiers : aider les vaincus, prêter, lorsque le moment sera venu, aux grandes firmes, par-delà les frontières, et aux firmes moyennes en Angleterre. Il prévoit que le crédit et la gestion de fortune vont devenir des activités relativement secondaires et que les fusions, les acquisitions, les emprunts « syndiqués » vont exiger de vrais spécialistes, qu'il réunira autour de lui avant même que de telles opérations deviennent possibles.

Lui qui, plus que tout autre, a su gérer entre les deux guerres des emprunts internationaux d'État, voit venir le temps des emprunts internationaux d'entreprises ; le premier, il devine que les capitaux américains vont retrouver le chemin de l'Europe, par d'autres voies que celles du réarmement ou de la guerre. Lui qui s'est trouvé au cœur des plans Dawes et des emprunts Young, du « Cash and Carry » et du Prêt-Bail, perçoit que le développement du capitalisme d'après-guerre supposera encore la poursuite du mouvement des capitaux du « cœur » vers le « milieu », de New York vers Londres ; mais, cette fois, il ira vers les entreprises multinationales au moins autant que vers les Trésors publics. Et, pour accélérer ce mouvement, il a alors l'idée, comme naguère à Hambourg, de mettre en commun les capacités de conseil, d'emprunt et de placement de plusieurs banques, de New York à Hambourg, en passant par Londres.

Enfin, il se fixe une autre ambition plus diffuse, celle qu'eurent avant lui tous les grands Warburg, lorsque la politique les a tentés : conseiller le Prince, exercer sur lui cette influence qu'il aime à dire « plus importante que le pouvoir, qu'elle émane des nations aussi bien que des individus[175] », tenter de réussir mieux que ses ancêtres à faire triompher la raison.

Mais une contradiction se noue au cœur même de ce projet, celle qu'ont connue avant lui et que rencontreront après lui tous les hommes d'influence : influencer, même par la seule finance, peut entraîner à passer sur le devant de la scène, à se montrer aux autres comme un exemple, ce qui augmente d'autant la menace d'être dénoncé comme bouc émissaire par ceux que l'on sert. Et en ces débuts d'après-guerre, il choisit d'esquiver ce risque, pour ce qui le concerne, en choisissant l'ombre, en cultivant le secret : secret de Juif et de banquier. Il refuse toute photo, toute rencontre avec la presse : « Notre clientèle vient à nous parce qu'elle a entendu parler de nous par un tiers... Ce qui compte avant tout, ce sont les relations personnelles[175]. »

« SIEGMUND » POUR LES UNS, « SIGI » POUR LES AUTRES

Comme l'influence s'exerce sur des hommes et non sur des choses, c'est sa formidable capacité de séduction qu'il s'emploiera à développer. Ceux qui l'approchent à cette époque évoquent son extraordinaire rayonnement, son charme, le raffinement de ses manières, le caractère amicalement inquisiteur de ses questions, la rigueur de son intelligence, sa curiosité universelle, sa fermeté d'âme, sa volonté, sa liberté de ton. Le charme de cet homme — que ceux qui font croire qu'ils le connaissent appellent maintenant *Sigi* et ses vrais amis *Siegmund* — va de pair avec une patience infinie et un maniement subtil de la flatterie, au service d'une machiavélique habileté. Si le souci de sa propre fortune ne l'anime guère, la rage qu'il manifeste lorsque les affaires d'un client, même peu importantes, n'ont pas été traitées avec l'attention requise, est déjà célèbre. Soucieux de cultiver ses relations comme un jardin, il écrit mille et une lettres, juste pour entretenir le contact. Et on se moque de son goût pour les voyages sans raison, les relations gratuites, cultivées pour le plaisir, qu'il sait rappeler au moment le plus inattendu, lorsque le besoin s'en fait sentir.

Les témoins de l'époque parlent à son propos de charme, de brusquerie, d'obstination et de brutalité. Il émane de lui « un mélange d'humilité et d'arrogance », dit de lui un peu plus tard Paul Delouvrier. Quand il veut quelque chose, rien ne peut le distraire de son objectif. Aucune forme d'intervention n'est à ses yeux secondaire, et ses recours n'excluent ni la cajôlerie, ni la fermeté, ni l'indignation, ni la colère. Sa connaissance approfondie des affaires et des hommes, son souci poussé du détail nourrissent des interventions parfois brutales, reposant sur une anticipation aiguë des réactions intimes de ses interlocuteurs, un sens du théâtre qui font de lui le plus redoutable des négociateurs.

Quand il s'empare d'une affaire, il ne pense qu'à ça, de jour comme de nuit. Dans le contournement des difficultés, des obstacles sur la voie de la progression de sa firme, il est un tacticien incomparable. « L'échec, même consacré par un événement apparemment irréversible, stimule son ardeur au combat. C'est ainsi qu'il a su rétablir nombre de situations qui, pour d'autres, auraient été perdues[221] », dit un de ceux qui l'ont connu, Pierre Haas. Ce mélange de pugnacité et d'intransigeance suffit souvent à créer, chez le client ou l'associé infidèle, les conditions psychologiques d'un complet retournement de situation.

Il a alors quelques faiblesses, qu'il connaît bien et qu'il cultive. Il adore par-dessus tout la *kindness*, cette notion britannique intraduisible en d'autres langues, et quand il rencontre quelqu'un de « gentil », il surestime toujours ce

284

qu'il peut en attendre. « Il pouvait s'emporter facilement, mais il avait bon cœur et n'était jamais malicieux. Il ne donnait jamais congé à personne sans lui trouver un emploi ailleurs. Un moyen infaillible de conquérir sa sympathie était de commettre quelque faute et de la lui avouer[222] », témoigne Charles Sharp, qui travaille alors à ses côtés, un des rares parmi ses collaborateurs à oser le contredire en public.

Mais il a aussi ses côtés noirs : il n'estime pas ceux qui ne lui résistent pas, et ne supporte pas ceux qui lui résistent, faisant même montre avec certains d'un sadisme raffiné.

Sa curiosité passionnée des autres, son sens aigu de la psychologie et du rationnel l'amènent aussi à s'intéresser, dès l'immédiat après-guerre, entre autre choses, à la graphologie, comme un moyen, dit-il, de « pénétrer le tempérament d'autrui, d'en savoir plus long sur lui que des années de fréquentation ou qu'une simple impression personnelle n'en diraient[175] ». Il lit alors beaucoup Jung, Freud, et les grands graphologues. « J'ai appris que l'écriture d'un individu contient des signes de tension qui en disent plus long au psychologue que les mouvements des muscles faciaux ou les inflexions verbales n'en disent à tel ou tel d'entre nous[175]. » Toute sa vie, il restera fidèle à cette passion et aucun collaborateur, aucun ami n'échappera à cette sorte d'examen. Mais il s'agit pour lui d'un élément rationnel, d'une volonté de mieux connaître le réel.

Il mène une vie très simple : beaucoup de voyages d'affaires, peu d'amis, dix jours de détente par an dans un hôtel anglais où il joue au bridge avec des amis, et l'éducation de ses enfants qu'il surveille sévèrement. Et puis sa mère, qu'il voit beaucoup : « Pendant la plus grande partie de son séjour en Angleterre, elle ne résida pas chez ses enfants mais resta en contact presque quotidien avec eux. Elle me disait souvent qu'il ne fallait jamais oublier le rythme de vie différent d'une génération à l'autre et que, par conséquent, mieux valait que les personnes âgées n'habitassent point avec d'autres sensiblement plus jeunes[211]. »

Il n'aime ni les dîners, ni les cocktails. Une fois même, beaucoup plus tard, à New York, il refusera de se rendre à un cocktail donné par sa propre filiale[207]. Pourtant, sa vie n'est pas dépourvue d'aventures et il sait exercer son charme ailleurs que dans la finance.

S'il admire la classe moyenne anglaise qui a su tenir bon dans la tempête quand celle d'Allemagne cédait au vertige nazi, il se sent totalement étranger à la haute société britannique dont il déteste le conformisme. « Mon expérience de la vie m'a montré que les gens de l'Establishment sont en général dans l'erreur, parce qu'ils n'admirent que ceux qui leur ressemblent », notera-t-il plus tard[214]. Le portrait qu'il en fait est précis, clinique, sans appel : « La plupart des gens importants de la City, écrit-il à ce moment pour lui-même, sont si soucieux d'éviter tout désagrément qu'il leur arrive de commettre des bévues sciemment, dans le seul but de s'épargner des conflits[214]. » Il abhorre l'atmosphère de ces quelques arpents de ville parcourus de rumeurs et de ragots : « manière de compenser, chez ces gens-là, quelque indigence sexuelle[175] ».

La City le tient pareillement à distance et se méfie de cet étranger à peine naturalisé, qui parle encore anglais avec un accent. Certes, son nom est célèbre, et les Rothschild ou d'autres lui viennent quelque peu en aide. Mais, pour beaucoup dans l'Establishment, il n'est qu'un drôle d'homme aux exigences hautaines, aux relations bizarres et aux conceptions étranges, doté de capitaux et d'affaires dont on ne connaît pas très bien la provenance.

Peut-être au fond est-il timide, de cette timidité de l'intellectuel trop conscient de la force des mots pour parler de lui ou pour juger les autres à voix haute ? Lire reste sa passion majeure ; il y sacrifie l'essentiel de son temps, hors de la banque, avec une passion dévorante et méthodique. Lorsqu'il disparaît pendant une quinzaine de jours, lorsqu'il refuse des dîners, qu'il s'isole, qu'il attend un avion dans quelque aéroport ou qu'il traverse l'Atlantique en bateau, il oublie tout et lit, en anglais, en français, en allemand, en suédois, en latin ou en grec, tout ce qui lui tombe sous la main — des milliers de livres, dira-t-il un jour avec fierté. Il aime particulièrement les biographies et les livres d'histoire, il connaît l'essentiel de Balzac et de Dickens, de Thomas Mann, de Goethe et de Dostoïevski ; et, s'il s'efforce à contre-cœur de rester à la page, il préfère relire inlassablement ses livres favoris, en consigner dans un cahier quelques extraits qu'il apprend par cœur et dont il se sert ensuite dans ses lettres, ses notes internes ou ses discours.

Il n'aime pas, par contre, lire les journaux, et il y consacre le moins de temps possible : « Leur lecture entraîne une perte progressive de mémoire dans la mesure où les gens les lisent avec le souhait inconscient d'oublier au plus vite ce qu'ils ont lu », note-t-il pour lui-même[214]. Sauf, étrange passion, le compte rendu des débats aux Communes qu'il lit tous les jours avec délectation...

RÉVEIL DE LA CITY

En Europe, la situation des vainqueurs vaut à peu de chose près celle des vaincus. L'Angleterre est exsangue. Une partie de sa jeunesse n'est pas rentrée du front. Cinq millions d'habitations sont détruites. L'industrie est vieillie. Ella a perdu les deux tiers de ses marchés, ses revenus extérieurs ont diminué de moitié[35]. La flotte marchande est amputée d'un tiers. La livre, qui ne vaut plus que moitié moins qu'en 1914, n'est plus guère utilisée ni pour les réserves ni pour les transactions. La zone sterling est devenue débitrice du reste du monde et l'Empire a cessé d'être une source de profits pour devenir une charge. Londres doit maintenant trouver des dollars, et non plus créer des livres, pour payer ses importations.

Comme le reste du pays, les *merchant banks*, qu'elles appartiennent ou non au Comité d'Acceptation, sont affaiblies. Elles n'ont pratiquement plus à faire ni émissions de titres, ni opérations de change, se limitant à acheter et placer des bons du Trésor.

En politique aussi, la table est rase. La dissolution du Parlement est prononcée par le Roi le 15 juin alors que Winston Churchill, qui l'a réclamée, doit partir pour la conférence interalliée de Potsdam. La campagne électorale est âpre : les travaillistes demandent la nationalisation du charbon, des transports, de l'acier et de la Banque d'Angleterre, mais pas celle des banques et, à la surprise générale, gagnent. Le 28 juillet, Clement Attlee, qui a accompagné Churchill à Potsdam, devient Premier ministre. Siegmund compte deux amis au sein du gouvernement : le Chancelier de l'Échiquier, Hugh Dalton, et le ministre de l'Économie, Stafford Cripps.

Les accords de Bretton Woods sont alors ratifiés par le Congrès américain. Au nom des républicains, le sénateur Robert Taft y dénonce ces accords qui obligeront les États-Unis à mettre « tout leur argent dans le Fonds comme dans un trou à rat ». De son côté, l'Association des Banquiers Américains les critique de nouveau : « [Nous] abandonnons à une institution internationale le pouvoir de déterminer la destination et la durée d'utilisation de notre argent[220] ».

Le 11 août les Britanniques sont informés que le Lend Lease prendra fin le 20 du même mois et que les livraisons en cours devront être réglées : « Le Président a ordonné aux services compétents de l'Administration de prendre immédiatement toutes dispositions pour mettre un terme à l'ensemble des opérations de prêt-bail et notifier cet arrêt aux gouvernements étrangers bénéficiaires. Le Président ordonne que tous les contrats en cours au titre du prêt-bail soient résiliés[171]. »

Siegmund rencontre alors Lord Keynes, qui lui dit être convaincu du déclin anglais si la Grande-Bretagne ne se ressaisit pas et si elle n'obtient pas une aide majeure de l'Amérique. Siegmund est furieux que le grand économiste ne veuille pas le proclamer publiquement.

L'Angleterre n'a plus, il le sait, les moyens de ses importations de base. Il lui faut trouver à tout prix des dollars, seule devise d'échange désormais reconnue.

Une délégation britannique, dirigée une dernière fois par Lord Keynes, se rend à Washington en octobre pour négocier une nouvelle aide américaine, en échange de nouvelles concessions de politique économique. De Washington, le 28 octobre, Keynes écrit à Dalton ce qu'il a dit à Siegmund peu auparavant : « Il n'est pas d'issue compatible à long terme avec la politique intérieure du gouvernement actuel en dehors d'une aide américaine. Le fait que certains Américains en sont de plus en plus conscients constitue en réalité l'un des obstacles cachés que nous rencontrons en travers de notre chemin. » En décembre 1945, un accord est trouvé : l'Amérique versera 650 millions de dollars et en prêtera de surcroît 3,750 milliards au taux de 2 % ; le Canada, de son côté, prêtera 250 millions de dollars. En échange, la Grande-Bretagne s'engage à ratifier les accords de Bretton Woods, à rendre la livre convertible et à ne pas utiliser ces dollars pour rembourser ses dettes à la zone sterling : Keynes doit donc accepter à Washington ce qu'il s'était acharné à éviter à Bretton Woods, quelques mois auparavant.

Les statuts du Fonds Monétaire International entrent en vigueur le 27 décembre 1945. Les pays choisissent alors librement leurs parités, libellées en dollars[171], presque toujours avec un excès d'ambition. L'assemblée inaugurale des gouverneurs du Fonds a lieu le 8 mars 1946 à Savannah, en Georgie. Nommé gouverneur anglais, Lord Keynes meurt le 21 avril, avant même la première réunion du conseil.

Durant cette année, les *merchant banks* retrouvent une partie de leur rôle ; elle recommencent à financer des effets commerciaux, des emprunts à moyen terme et des exportations. Mais elles restent très surveilléées : l'État, le plus grand emprunteur sur le marché intérieur, contrôle aussi strictement le calendrier des émissions pour l'industrie anglaise. Les émissions à destination de l'étranger, essentiel de leurs activités avant 1914, sont très faibles, et la gestion des réserves des pays du Commonwealth est de plus en plus assurée par des banques de ces pays. Exception qui confirme la règle, Hambros organise, en 1946, le premier prêt à l'étranger émanant d'une banque anglaise à une entreprise tchèque. Encore est-ce pour l'achat de matières premières dans la zone sterling. L'Angleterre, devenue débitrice, ne peut plus, comme naguère, prêter des capitaux au reste du monde, sauf en reprêtant l'argent qu'elle reçoit en dépôt. Et la livre étant encore inconvertible, le gouvernement réserve ces prêts à la zone sterling. Le dollar étant stable et librement convertible, ce sont les banques de New York qui se chargent des premiers prêts de capitaux à l'étranger.

Avec les prêts qu'elle reçoit, l'économie anglaise redémarre lentement : en 1946, ses exportations[35] dépassent de 37 % leur niveau de 1938. Mais la fin de l'année est très difficile et 1947 est, selon le mot de Dalton, une « année terrible[35] ». Malgré cela, le 15 juillet 1947, pour respecter l'engagement souscrit à Washington lors de l'octroi du prêt, la livre devient convertible. Mais le capital n'a pas confiance dans les travaillistes et la crise des paiements est immédiate. De juin à juillet, les sorties d'or passent de 75 à 237 millions de dollars par semaine. Un mois après, Cripps renonce, rend à nouveau la livre inconvertible, et limite strictement les importations[35].

Entre-temps, l'Empire se lézarde. Le 15 août 1947,

l'Inde et le Pakistan accèdent à l'indépendance, et le Roi, qui comptait encore 457 millions de sujets en 1945, n'en a plus maintenant que 70 millions[35]. L'Angleterre continue néanmoins de financer des bases militaires dans nombre de ses colonies et en Allemagne, ce qui lui coûté fort cher[35]. Comme le dit Dalton[35], « l'addition en dollars que nous avions à régler pour nourrir les Allemands était de plus en plus salée », et celle-ci pèse sur l'économie britannique. « A la fin de la guerre, écrit Sir Stafford Cripps, nous pensions que l'après-guerre serait plus facile qu'il ne s'est avéré en fait. Et, depuis lors, nous essayons de nous en sortir par une série d'expédients temporaires qui, dès que leurs effets sont épuisés, débouchent à nouveau sur la crise[35]. » De fait, en septembre 1947, pour tenir la livre, Cripps lance un plan d'austérité, le premier d'une longue série. Nul ne sait exactement le rôle qu'y joue Siegmund, sinon qu'il voit beaucoup le ministre de l'Économie à ce moment-là et lui recommande de réduire la présence anglaise à l'étranger, de ne pas freiner la croissance, de ne pas s'accrocher à une parité intenable et de proposer aux autres pays du Continent de faire l'union de l'Europe.

Rien de cela n'est fait, et quand, en mars 1948, les prêts canadien et américain sont épuisés, la prédiction de Keynes semble bien près de se réaliser.

« NEW TRADING COMPANY » DEVIENT « S.G. WARBURG AND CO »

Siegmund ne dispose pas encore d'une vraie banque. New Trading Company a une bonne clientèle, et pas seulement d'émigrés installés à Londres. Mais il n'a pas les moyens d'aider ni les entreprises moyennes anglaises, ni les grandes entreprises américaines. Il se borne, en cette première année d'après-guerre, à conseiller ses clients habituels. Sa première opération importante d'après-guerre consiste à vendre, au nom de la famille Kohn-Speyer, la majorité de Brandeïs-Goldschmidt à Rio Tinto, qui en détient déjà une partie depuis les années vingt, le reste continuant d'appartenir à la famille et à sa compagnie.

Lui-même veut maintenant ouvrir une véritable banque, et la faire à son nom. Son nom ? De tout temps, il a été entendu qu'il n'existera qu'une banque Warburg et que nul dans la famille n'aura le droit d'en créer une autre.

Mais, justement, celle-là s'appelle maintenant Brinckmann, Wirtz & Co et garde cette appellation même après la guerre.

A ce propos, deux versions circulent, invérifiables :

Selon l'une, en juin 1945, la première lettre arrivant d'Allemagne chez Kuhn Loeb est une lettre de Rudolf Brinckmann pour Max Warburg. Elle dirait en substance : « Monsieur, j'ai été votre homme de confiance. J'ai maintenu votre banque du mieux possible. Maintenant que le diable est mort, elle est à vous, si vous voulez revenir. Je la tiens à votre disposition. » Max aurait répondu immédiatement : « Comment pouvez-vous croire une seule seconde qu'un seul Warburg reposera jamais le pied en Allemagne après tout cela ? Faites ce que vous voulez avec ce qu'il reste de la banque. Nous n'avons plus rien à y faire ». Il semble que Siegmund ait cru en cette version ou, pour le moins, qu'il ait laissé croire à certains de ses interlocuteurs qu'il la tenait pour vraie.

Selon l'autre version, la plus répandue, il n'y a pas eu de lettre, et Max n'est pas rentré pour autant, tout occupé à obtenir de sa famille l'autorisation, qu'il n'a pas eue, de publier ses Mémoires, et il meurt au début de 1946 sans rien avoir sollicité ni obtenu de Brinckmann.

Avec lui disparaît le principal obstacle à l'utilisation du nom par une autre institution bancaire. Certes, Éric, qui gère après lui les intérêts de la famille depuis New York, est très jaloux du titre et veut le garder pour lui. Mais Siegmund n'a pas la même révérence envers lui qu'envers son père. Il décide alors de transformer New Trading Company en une vraie banque, et de lui donner son propre nom, *S.G. Warburg*. Il en prévient Éric, qui tente l'interdire. Siegmund répond qu'il n'y a plus de banque Warburg à Hambourg dans la mesure où lui, Éric, et son père Max, l'ont laissée devenir Brinckmann & Wirtz, « scandale auquel il faut mettre fin dès que possible ». Il ajoute que lui, Éric, a aussi donné son nom à un établissement financier à New York, créé avant-guerre, et que nul n'est plus « Warburg » que lui, Siegmund. Il est prêt d'ailleurs, dit-il, à faire tout ce qu'il faut avec son cousin pour remettre le nom sur la porte de l'immeuble de la Ferdinandstrasse, et à voir ensuite comment réunir les diverses banques Warburg à Hambourg, New York et maintenant Londres, en une seule maison, qu'on nommera évidemment Warburg.

Éric ne répond pas, furieux quand, au mois d'octobre 1946, sur un étage du 82 King William Street, la New Trading Company cède la place à la banque S.G. Warburg and Co. Et comme la loi britannique a changé, Siegmund peut en être président sans dire ni écrire qu'il est « né allemand ».

Retour aux États-Unis

Cela fait, Siegmund entend reprendre pied dans tous les autres pays-Warburg. Et d'abord à New York, qu'il n'a d'ailleurs jamais vraiment quitté : la guerre, si elle a rendu plus difficile les communications par téléphone et par lettres, n'a pas interrompu ses contacts avec Kuhn Loeb. Avec sir William Wiseman, il a œuvré à détruire les réseaux financiers nazis et, avec John Shiff, il a financé les opérations de l'avant-guerre. Il y revient donc au tout début 1946, et y revoit Max, juste avant sa mort. Il y rencontre également Éric, de retour à la tête de sa petite banque personnelle, administrateur d'une dizaine de sociétés et qui, lui, n'attend, malgré l'avis de son père et de sa femme, que le moment favorable pour retourner s'installer à Hambourg ; son bureau new-yorkais est d'ailleurs rempli de portraits de famille et de gravures de Warburg[203].

Siegmund revoit aussi les autres Warburg, les Américains, qui n'exercent plus maintenant aucune influence, ou presque : la maison de Félix sur la Cinquième avenue devient le Musée juif de New York. Jimmy, le fils de Paul, un pied dans la banque, un autre dans la vie publique, écrit des livres toujours en avance sur leur temps, dont Siegmund et lui-même s'entretiennent beaucoup, sur l'aide au tiers monde (*Foreign Policy at Home*) ou sur la constitution d'une Europe de l'acier (*Germany, Bridge or Battle-Ground*[55]). Jimmy subvient à l'édition de revues libérales ; très antisioniste et démocrate, il soutiendra par la suite Adlaï E. Stevenson dans ses campagnes[55] contre Eisenhower. Il retrouve aussi Frederick, seul des quatre fils de Félix à travailler chez Kuhn Loeb. Comme son père, il s'intéresse plus au théâtre et au cinéma qu'à la banque, et vit à Riverview Terrace, en Virginie, la résidence paternelle dont il hérite ; il ne sera jamais, pour dire le moins, un allié de Siegmund. Ses trois frères mènent des vies de Warburg périphériques : Gerald devient violoncelliste et chef d'orchestre ; Edward, mécène et philanthrope, prend le relais de son père à la tête des institutions juives , le dernier, Paul, qui a travaillé avant la guerre à l'International Acceptance Bank aux côtés de son oncle, devient conseiller d'ambassade à Londres, puis lance le premier navire-hôpital humanitaire de l'après-guerre, le *Projet Espoir*[55]. Aucun n'a, comme on dit, le « feu sacré ».

Siegmund souhaite, malgré tout, voir ce qu'il peut faire avec Kuhn Loeb, alors banque d'une énorme puissance : l'essentiel de son activité réside dans l'émission d'obligations pour des mines de fer dans le Labrador, d'uranium dans l'Utah, des entreprises de pointe en télévision, électronique, photographie. Comme tout Wall Street, Kuhn Loeb n'aime guère acheter et revendre des titres et se borne à conseiller et à organiser le placement des titres d'entreprises, qui la rémunèrent en honoraires. Elle ne place plus ces titres, comme avant-guerre, auprès de fortunes privées, mais de plus en plus auprès de compagnies d'assurances et de caisses de retraite[217]. A sa direction, de très fortes personnalités. Si l'Amiral Strauss la quitte pour devenir membre, puis président de la Commission de l'Énergie Atomique des États-Unis, d'autres deviennent alors cadres puis associés : J. Thors, R.E. Walker, et plus tard J.R. Dilworth et J.C. Andersen[217]. Sir William Wiseman, après avoir travaillé pour le « M.I. 5 » pendant la guerre, est toujours là.

A l'époque, le principal associé de Kuhn Loeb est toujours John, fils de Mortimer et petits fils de Jacob Schiff. Joueur de polo et yachtman, encore une des très grandes fortunes d'Amérique, homme aux relations les plus variées, il ne s'intéresse que peu aux affaires et y consacre peu de temps et peu d'argent[203]. Sa tante dit de lui : « Il a grandi dans la tradition des gens bien élevés de Long Island, ce qui, de temps à autre, entre assez drôlement en conflit avec son héritage juif allemand[203] ». Sa sœur Dorothy est propriétaire du *New York Post*[203].

Siegmund retrouve aussi, dans le New York explosant de gaieté et de puissance de l'immédiat après-guerre, d'autres anciens de Berlin, tels Ernest Spiegelberg, l'ancien associé de Max, et Jacob Goldschmidt, l'ancien président de la Darmstädter Bank.

Ses premiers contacts d'affaires à New York sont mauvais : il n'a pas le sentiment de pouvoir faire grand chose avec cette collection de milliardaires de Kuhn Loeb, non plus qu'avec Éric.

Pourtant, il entend bien être présent à Wall Street, et, lors de son deuxième voyage outre-Atlantique, cette fois avec Henry Grunfeld, au début de l'été 1947, juste après la création de S.G. Warburg and Co, il y fonde une petite filiale de sa banque, *American European Associates*, et engage Ernest Spiegelberg, son vieux complice de Hambourg, pour la diriger. Pendant des années, elle placera pour Siegmund les capitaux que ses clients souhaitent investir en Amérique.

PREMIER RETOUR EN ALLEMAGNE

L'Allemagne sort en ruines de la guerre. A Hambourg, bombardée entre le 24 juillet et le 3 août 1943, prise par les Anglais le 4 mai 1945, l'immeuble de la Ferdinand-strasse est resté miraculeusement intact. En y arrivant en 1945 avec l'armée américaine, Éric y retrouve Rudolph Brinckmann avec plaisir : l'un des rares dirigeants d'établissements allemands à ne pas s'être compromis avec les nazis, il a conservé ses fonctions à l'arrivée des Anglais. Quant à Wirtz, il n'est plus de ce monde : la mort l'a fauché à 38 ans. Mais la maison ne peut reprendre aussitôt ses activités. Comme toute l'économie allemande, les banques se trouvent alors, en effet, en déshérence : celles de zone russe sont liquidées, celles de Berlin (comme celle de Petersen, qui a survécu à la terreur nazie) ferment ; à Hambourg, très rares sont celles encore en état de fonctionner. Il n'y a plus ni capital, ni activité.

Et le risque est grand de voir tout recommencer comme trente ans auparavant : réparations et occupation. D'autant que, dans un premier temps, l'occupant américain choisit la voie de la brutalité. Roosevelt et Morgenthau n'entendent pas, en effet, pardonner le nazisme à l'Allemagne et veulent lui interdire de retrouver toute influence. « Trop de gens, ici et en Angleterre, dit F.D. Roosevelt, pensent que le peuple allemand en tant que tel n'est pas responsable de ce qui s'est passé, et que seuls quelques nazis le sont. Cela n'est malheureusement pas corroboré par les faits[107]. » Aussi décide-t-il de réduire la puissance économique de l'Allemagne au minimum. Un conseil secret, tenu dans son bureau le 8 août 1944, adopte un plan proposé par le Secrétaire au Trésor, Henry Morgenthau : démonter les usines de la Ruhr et les reconstruire ailleurs, faire de l'Allemagne une puissance moyenne, essentiellement agricole. Un protocole signé à Londres le 14 novembre 1944 stipule que les « commandants en chef des armées alliées exerceront l'autorité suprême en Allemagne au nom de leurs gouvernements respectifs, chacun dans sa zone, et tous trois conjointement dans les affaires concernant l'Allemagne dans son ensemble[107] ». Au fur et à mesure de l'avance alliée, les institutions allemandes sont placées sous tutelle, sans qu'on se donne toujours la peine de changer les hommes. C'est ainsi par exemple qu'en mars 1945, le Cartel international de l'Acier de Luxembourg est placé sous la tutelle d'une mission militaire américaine dirigée par un certain colonel Franck E. Frazer, mais on en laisse la charge à Hans Meyer, patron du Cartel depuis les débuts de Weimar[107]. En avril 1945, quand la Ruhr est occupée, l'état-major américain, conformément au Plan Morgenthau, décide d'en limiter au maximum la reconstruction, de la reconvertir dans le bâtiment, le charbon, l'agriculture, de détruire les cartels et d'exclure tous les nazis des postes de responsabilité[107].

A la mort de Roosevelt, Morgenthau demeure encore aux affaires et continue d'appliquer son plan. James F. Byrnes, qui a remplacé Stettinius qui lui-même avait remplacé Cordell Hull, parti en 1944, reste le Secrétaire d'État de Truman. Après la capitulation signée les 7 et 8 mai 1945 à Reims et à Berlin, la Conférence de Potsdam est réunie le 17 juillet pour décider de l'avenir de l'Allemagne. Mais Morgenthau comprend vite que Truman n'est pas disposé à appliquer son plan et il préfère démissionner, le 5 juillet 1945.

Les intérêts économiques des vainqueurs sont alors contradictoires : Russes et Américains veulent éviter que l'Allemagne ne retrouve une position dominante en Europe et réclament le démontage de ses usines. Les Anglais, qui ont besoin de l'acier allemand pour se redresser, poussent au contraire au rétablissement du pays et au redressement des relations d'avant-guerre entre les deux industries[107]. L'accord trouvé à Potsdam prévoit la décentralisation politique de l'Allemagne et le développement des responsabilités locales : « L'économie allemande doit être décentralisée au plus vite en vue d'éliminer la concentration excessive du pouvoir et de donner priorité au développement de l'agriculture et des industries de paix, c'est-à-dire des mines et des transports ». Doit être centralisée à Berlin la gestion de l'agriculture, de la politique des prix et des revenus, du commerce extérieur, de la monnaie, des finances publiques, de la reconstruction et des communications ; la fabrication de matériel de guerre est interdite, la chimie et la métallurgie sont placées sous surveillance[107]. Est créé un Conseil de Contrôle composé des quatre commandants en chef alliés, qui décide pour toutes questions concernant l'ensemble du pays[72].

Le Conseil de Contrôle se réunit pour la première fois le 30 août à Berlin, il se dote de « directions », sortes de départements ministériels administrés par des hauts fonctionnaires alliés. Mais « comme il est plus commode de gouverner seul qu'à quatre, les zones deviennent rapidement des sortes de pays indépendants à frontières quasi-infranchissables pour les hommes comme pour les marchandises[72]. » Déjà la machine de la reconstruction est en marche. Les vice-gouverneurs occidentaux, le général Clay pour les États-Unis, Sir Brian Robertson pour l'Angleterre, le général Kœnig pour la France, s'installent à Berlin avec pour mission officielle de détruire l'excessive concentration du pouvoir économique dans le pays[72]. Clay s'emploie d'abord à créer une division économique dirigée par le général William H. Draper, un banquier, ancien associé de Dillon Read. Sa première tâche consiste à mettre au jour et à combattre le plan nazi organisant, en cas de défaite, le rachat des filiales allemandes saisies en Angleterre, aux États-Unis et en Amérique latine, par des prête-noms, et le départ des ingénieurs nazis à l'étranger. En août 1945, le général Clay propose au Conseil de Contrôle qu'une commission quadripartite prépare une loi anti-trust applicable à toute l'Allemagne. Français et Soviétiques acceptent tout de suite, et c'est un texte russe qui sert de base à la discussion. Seuls les Anglais s'y montrent hostiles : rien ne doit réduire la force de leurs fournisseurs futurs[107]. Malgré eux, en novembre 1945, I.G. Farben, impliqué dans la monstrueuse économie des camps, est démantelée en plusieurs entreprises.

Au mois d'août 1945, la plupart des hauts dirigeants de l'économie allemande sont internés au camp de Nienburg. Herman J. Abs, qui a passé la guerre comme associé chez Delbruck & Schickler, puis comme directeur de la Deutsche Bank et de I.G. Farben, est parmi eux. Cela ne dure pour lui que trois mois, car Français et Anglais se disputent ses conseils[175].

A la même époque et, peut-être, malgré le vœu de son père, Éric s'en retourne en Allemagne, qu'il vient de quitter comme militaire, et y reprend possession de Kösterberg qui n'a pas été détruite. Mais, fidèle à cet aspect de la décision de son père — pour autant que l'on croie que celui-ci l'a fait connaître —, il ne demande pas qu'on lui restitue la Banque. Rudolph Brinckmann continue de la diriger au milieu des ruines de la ville.

Au même moment, Hans Petersen, dont le fils a disparu sans laisser de traces sur le front russe, quitte Berlin occupée par les Russes et crée à Francfort une banque — ce qui n'exige alors aucune autorisation d'aucune sorte — avec son beau-frère, Richard Daus, un officier allemand cinq fois blessé sur le front russe, et Hans von Gans, son autre beau-frère, héritier d'une des familles des fondateurs de I.G. Farben.

La réorganisation continue ; le 18 décembre 1945, le gouvernement militaire anglais saisit les industries du charbon et de l'acier dans sa zone. Des conférences sur les réparations ont lieu à Paris et à Londres en novembre et décembre 1945. Conséquence, en mars 1946, le Conseil de Contrôle définit la liste des productions interdites à l'Allemagne. Liste ahurissante : « matériel de guerre, roulements à billes, machines-outils, tracteurs, chantiers navals, aéronautique, essence, caoutchouc synthétique, ammoniaque, aluminium, matériel de radio-diffusion[107]. » Une production non supérieure à 20 à 30 % de celle de 1939 est autorisée pour les automobiles, l'acier, l'outillage lourd, les produits chimiques de base, l'industrie électrique, la mécanique et l'optique, tous secteurs jadis générateurs d'exportations industrielles. Dans leur zone, les Américains décident de n'encourager que les productions suivantes : « charbon, coke, équipement électrique, cuir, vins, bière, spiritueux, jouets, instruments de musique, textiles[107]. » Ils pensent pouvoir exercer leur contrôle en n'accordant du charbon qu'aux entreprises qui produiront selon leurs consignes.

Malgré les aides versées par l'Amérique et l'Angleterre, la situation économique devient vite intenable et absurde : d'un côté on subventionne la consommation, de l'autre on interdit la croissance de la production. Pendant ce temps, les discussions à quatre sur la loi antitrust se poursuivent dans la plus grande confusion[107] ; comme les Anglais s'obstinent dans leur refus, en août 1946, Clay, excédé, décide de promulguer cette loi pour la seule zone américaine. Mais à Washington où le plan Morgenthau est peu à peu oublié, on commence à se dire que la dénazification, en retardant la reprise économique allemande, coûte trop cher aux contribuables américains, et que, comme l'écrit avec un peu d'outrance un haut fonctionnaire de la zone américaine d'occupation, J.S. Martin, « les hommes qui avaient exercé un contrôle sans partage sur l'économie allemande depuis Weimar, puis l'avait menée dans une voie où seuls la guerre et un pillage systématique pouvaient encore la sauver, redevenaient à présent indispensables[107]. »

Fin août, on lève certaines restrictions à la circulation en Allemagne ; le 6 septembre, dans un discours prononcé à Stuttgart, le Secrétaire d'État américain James F. Byrnes limite la mission des autorités d'occupation à la seule destruction du potentiel militaire de l'Allemagne et au redressement de son économie. C'en est alors bien fini du plan Morgenthau[72]. A la fin de l'année, les 5 000 administrateurs de la zone américaine mis en place par Morgenthau — pour la plupart des hauts fonctionnaires, des militaires et des universitaires — sont progressivement remplacés par des industriels et des banquiers d'affaires américains, puis de plus en plus par des Allemands avec, « parmi eux, dit Martin amer à son départ, beaucoup de nazis et de partisans des nazis qui retrouvent des positions-clés dans la vie économique et administrative de l'Allemagne[107]. »

Soulagée de voir l'Amérique se rallier ainsi à sa thèse, l'Angleterre, le 2 décembre 1946, se débarrasse du fardeau économique allemand et signe à New York un accord de fusion de sa zone avec la zone américaine. Ainsi est créé la bizone. Se trouve alors définitivement enterré le projet de loi antitrust, et une loi est promulguée dans la bizone, le 12 février 1947, qui ne fait qu'interdire une « excessive concentration du pouvoir économique[72] ». Elle ne sera d'ailleurs jamais vraiment appliquée.

Cette année-là, Hjalmar Schacht, acquitté à Nuremberg, réapparaît dans le débat public et présente un plan de redressement allemand : il propose que des capitaux anglais et américains prennent des parts minoritaires dans les entreprises allemandes et que soit créée une union économique européenne, dont l'Allemagne serait le centre et la Ruhr le cœur[160] : on n'est pas loin de ce que sera la C.E.C.A. aux yeux de certains.

Pendant ce temps, l'Allemagne devient un des premiers théâtres de l'affrontement Est-Ouest. L'U.R.S.S. entreprend dans sa zone une réforme agraire à marches forcées, et l'échec à Moscou, le 24 avril 1947, de la quatrième session du Conseil des ministres des Quatre marque le vrai début du gel des relations entre l'Est et l'Ouest.

Tout s'accélère alors. Le 25 mai 1947 est créé dans la bizone occidentale un Conseil Économique de 54 membres allemands qui réduit peu à peu les restrictions mises aux cartels et laisse revenir certains anciens cadres[107] ; les filiales de quelques entreprises américaines en Allemagne, telles General Motors, Singer, International Harvester, sont remises en activité dès juillet 1947. La pénurie de charbon et d'acier, qui freine la reprise économique en Europe, pousse maintenant les États-Unis et la Grande-Bretagne à autoriser, malgré l'opposition française, un doublement de la production d'acier allemand dans la Ruhr. Hermann Abs devient conseiller financier du Conseil économique de la bizone[175], et Hugo Stinnes, dont le frère Edmund, l'ami de Siegmund, vit toujours en Suisse, revient s'occuper de ses houillères. Martin écrit joliment : « On passe d'une période où les réformes étaient retardées dans l'intérêt de la reprise, à une période où le retard de la reprise est imputé aux réformes. Quand on regarde en arrière, on a du mal à discerner à quel moment eut lieu cette mutation[107]. »

Truman a désormais clairement choisi sa ligne : réduire les subventions à l'Allemagne et la renforcer pour en faire un rempart contre une menace d'invasion soviétique. Pour ce faire, il convient de lui rendre sa puissance autonome, et de mettre un frein aux velléités de contrôle.

Siegmund, de Londres, s'est d'abord beaucoup opposé à la première attitude américaine. A ses yeux, il faut tirer un trait sur le passé, arrimer l'Allemagne à l'Europe, pour l'éloigner de ses tentations orientales. Il faut, pense-t-il, que l'Allemagne redevienne forte, car « sans une grande Allemagne, il n'y aura jamais de stabilité en Europe », confiera-t-il plus tard à l'essayiste anglais George Steiner, confident de la fin de sa vie. Il voit dans les relations anglo-allemandes la clé de l'avenir de l'Europe. Si les deux pays s'entraident vite et bâtissent l'Europe unie, celle-ci pourra prendre le pas sur les États-Unis.

Même s'il n'entend pas confondre l'Allemagne de Thomas Mann, qu'il retrouve alors à Zurich, avec celle de Himmler et Goering, exécutés, ou de Flick ou von Neurath, en prison, même s'il persiste à accuser le nationalisme de l'élite allemande qui a fait verser la classe ouvrière dans la dictature, même s'il reconnaît que ce pays n'avait que quinze ans d'expérience de la démocratie, il se sent, là comme ailleurs, à la fois Allemand et étranger, citoyen de nulle part, trop universel pour prendre vraiment parti.

Il ne perdra pourtant jamais le souvenir de l'Holocauste et, un peu plus tard, il dira à un ami, regardant la foule dans le hall d'un grand hôtel de Francfort : « Je préfère ne pas savoir ce que tous ces gens-là faisaient du temps de Hitler. »

En février 1948, lorsqu'il crée à Londres, avec la B.N.C.I., le premier établissement commun à deux banques européennes après la guerre, la « British and French Bank », c'est parce que, lui qui n'entretient alors aucune relation avec la France, y voit un premier lien avec le continent, un détour vers l'Allemagne, en passant par un pays où il lui est à nouveau possible de mettre les pieds.

Le mois suivant, il revient à Hambourg pour la première fois depuis quinze ans, et y retrouve bien peu de « son » pays. Berlin et Hambourg sont encore en ruines. Uhenfels, vendue, est à l'abandon. Il revoit une cousine, Gerda, revenue rejoindre son mari Reinhart Mayer, devenu ministre-président du Land de Bade-Wurtemberg. Il y voit Brinckmann qui relève peu à peu la Banque, par des émissions de titres et des opérations habiles de financement du commerce international avec la Joint Export Import Agency (J.E.I.A.). Il y rencontre aussi Éric, de plus en plus réinstallé, et lui demande d'intervenir pour qu'on leur restitue la Banque. En vain. Éric a fait son choix : ne pas forcer le destin.

A compter de cette première visite, Siegmund emploiera près de trente ans de sa vie à essayer de reprendre le contrôle de la vieille maison. Et dès son retour à Londres, il plaide auprès des autorités britanniques d'occupation pour l'obtenir : « En février 1948, Robert Pfermendges a rendu sans barguigner sa banque à la famille Oppenheim. De même pour Stein à Cologne, Trinkhaus à Dusseldorf et d'autres ailleurs en zone américaine. Pourquoi Brinckmann, en zone anglaise, n'en ferait-il pas autant avec les Warburg ? »

L'Allemagne renaît. En mars 1948, le Conseil de Contrôle allié est dissous à la suite de dissensions avec les Soviétiques ; la France cesse alors de s'opposer à l'unification des trois zones occidentales ; en juin, une conférence occidentale à Londres en jette les bases et décide la convocation d'une Assemblée Constituante en Allemagne de l'Ouest. Le 20 juin, pour faire face à une invasion de faux billets venus de l'Est, les Occidentaux décrètent une réforme bancaire et monétaire. C'est la fin du marché noir. Le Docteur Erhard devient administrateur de la zone occidentale. Les Américains puis les Anglais et les Français mettent alors en place onze banques centrales régionales, une pour chaque land. Le deutschmark est créé, ainsi qu'une Banque fédérale émettrice à Francfort, la Bank der Deutscher Länder (B.D.L.), pour contrôler l'émission de billets, fixer le taux de l'escompte et le taux de réserve de ces onze banques centrales. Les trois grandes banques allemandes, la Deutsche Bank, la Dresdner Bank et la Commerzbank sont éclatées en une trentaine d'établissements de moindre dimension, dont le président est nommé par l'autorité élue de chacun des onze länder. On leur donne des dénominations locales : par exemple, la « Hessische Bank », mais elles restent en réalité sous la tutelle de leur ancien centre. Les Américains proposent à Herman Abs le poste de directeur général de la Bank der Deutscher Länder, avec un ancien adjoint de Schacht comme président[175]. Mais, n'obtenant pas tous les pouvoirs, il décline l'offre. Les responsables du Plan Marschall lui demandent alors de réorganiser le Kreditanstalt für Wiederaufbrau, ce qu'il accepte. Peu après, grâce à l'appui du futur directeur général de la Midlands Bank, Tony Helmuth, alors colonel dans des troupes d'occupation britanniques, il revient à la direction de la Deutsche Bank qui se reconstitue.

Les Soviétiques répliquent le 23 juin à cette réforme bancaire par une réforme monétaire dans leur propre zone et par le blocus des secteurs occidentaux de Berlin. Le 28, Clay réplique par la mise en place d'un pont aérien qui permettra à l'ancienne capitale du Reich de tenir pendant les dix mois que durera le blocus.

Abs se rend alors en Angleterre pour proposer aux Britanniques la création à Hambourg d'une banque centrale unique pour toute l'Allemagne. A Londres, il manque d'être jeté à nouveau en prison et ne doit d'y échapper qu'à une intervention de Tony Helmuth et de Siegmund Warburg, qu'il retrouve au bout de quinze ans de séparation. Siegmund lui parle alors de son désir de se voir restituer la maison de Hambourg. D'ailleurs, une loi de restitution rend maintenant possible cette récupération.

Siegmund pousse alors Éric à aller plus loin et à demander à Brinckmann de rendre le nom et le capital. Brinckmann aurait alors répondu en substance : « Je l'ai proposé une fois. Max n'a pas voulu et m'a repoussé. Aujourd'hui que j'ai redressé la banque, c'est non ». Encore une fois, Éric se refuse alors à exercer lui-même des pressions ;

305

mais il s'installe pour plusieurs mois par an dans sa maison de Kösterberg avec sa femme Dorothée, elle, toujours, hostile à ce retour ; et il transforme les autres résidences en maisons de repos destinées à des œuvres sociales[55].

La loi de restitution fait quand même céder quelque peu Brinckmann, qui rend 25 % du capital de la Banque à Éric, en tant que représentant de la famille. Rien dans la loi ne l'oblige à faire plus. Brinckmann en garde 20 %, l'Industrie Kreditbank en prend autant. Siegmund, qui reçoit quelques titres et un siège au conseil de la Banque, n'est pas satisfait de cet arrangement qui valide la vente de 1938 et ratifie, contre quelque titres, la perte du nom. Et s'il revient travailler alors en Allemagne, les opérations qu'il monte pour de grandes entreprises comme Daimler Benz, G.H.H. ou Siemens, se font sans Brinckmann, Wirtz & Cie. Trois fois par an, il vient à Hambourg assister au conseil de la Banque, mais, avec la faible part dont il dispose dans le capital, il ne peut guère espérer influer sur ses destinées.

Pourquoi le nom n'est-il pas revenu, à cette époque cruciale, au fronton de la banque de la Ferdinandstrasse ? Sans doute, disent les plus proches et les plus sûrs témoins, parce qu'Éric n'a pas voulu, comme le suggèrent Siegmund, d'autres membres de la famille et beaucoup d'amis allemands, menacer Brinckmann de s'adresser aux autorités d'occupation pour obtenir le rétablissement du nom, ou de créer, à côté de Brinckmann, Wirtz & Cie, une autre banque au nom de Warburg. Plusieurs disent l'avoir entendu dire à cette époque : « Mon père se retournerait dans sa tombe si ma famille quittait cet immeuble ».

L'Allemagne renaît en tant qu'État, le 1er septembre 1948, et un conseil parlementaire ouest-allemand est alors réuni afin d'élaborer une Constitution. En novembre, les 26 sociétés de charbon et d'acier créées en 1945 sont réorganisées sous direction allemande. Ce même mois, redevenu banquier à Cologne sous son propre nom, Robert

Pferdmenges négocie avec Schacht et les de Wendel la propriété des entreprises de la Ruhr[120]. L'hiver voit la mise en place des institutions allemandes : la Loi Fondamentale est votée le 8 mai 1949. Le 18 mai, le secrétaire adjoint à la Défense, John MacCloy, remplace le général Clay comme haut-commissaire américain. Le 23 est créée la République Fédérale d'Allemagne. A l'Est, l'Allemagne Démocratique voit le jour le 30.

John MacCloy, qui a travaillé chez Cravath, Henderson & Gersdorff, le cabinet d'avocats de Kuhn Loeb, y a connu Dewey et un associé de Kuhn Loeb, Buttenwieser, qu'il emmène comme adjoint à Berlin[81]. Celui-ci prie Éric de revenir, le plus souvent possible, à Hambourg afin d'aider à reconstruire la ville. MacCloy demande également à Gert Weisman, devenu Whitman après la guerre, le cousin de Hans Petersen, l'ancien secrétaire privé de Schacht, qu'il a connu aux États-Unis pendant la guerre, de venir aussi travailler avec lui. A son retour en Allemagne, Whitman signe un papier du département d'État lui interdisant à tout jamais de reprendre contact avec Schacht.

Le 14 août 1949 ont lieu les premières élections générales en République Fédérale, le 15 septembre, Adenauer est élu chancelier. MacCloy laisse alors se restaurer les cartels et se renforcer l'autorité du Conseil allemand dirigé par l'ancien maire de Cologne, avec des ministres anglais, français et américains. Le 21 septembre, le gouvernement militaire allié cesse ses actions, remplacé par une commission tripartite. Mais, bientôt, « les hauts-commissaires n'ont plus prise sur le Gouvernement allemand, et le statut d'occupation cesse en fait d'être appliqué[72] ».

Le 1er avril 1950, l'Allemagne retrouve ses deux sièges au conseil d'administration de la Banque des Règlements Internationaux qui n'a pas fermé, malgré la résolution adoptée à Bretton Woods. Tout naturellement, on y désigne le président de la Bank der Deutscher Länder et futur président de la nouvelle Bundesbank, Wilhelm Vocke. Il faut aussi quelqu'un du secteur privé, et il appartient à Vocke de le choisir. On demande son avis à Siegmund qui, après avoir proposé en vain trois noms, dont celui de Hermann Abs, refusés par les Alliés, suggère celui de Rudolf Brinckmann. Non parce qu'il l'apprécie, mais parce qu'il souhaite renouer par là avec la tradition d'avant-guerre, qui faisait de la Banque des Règlements Internationaux une sorte d'émanation de la banque familiale. Brinckmann, accepté par les Alliés, n'est là, à son sens, que pour occuper le siège laissé vacant par Carl Melchior, rien de plus. Il n'empêche qu'en agissant ainsi, Siegmund le conforte dans la place, et le regrettera...

PREMIERS DOLLARS POUR L'EUROPE

Cet après-guerre commence dans l'abondance de dollars et non, comme la précédente, dans leur rareté. Les dettes sont annulées et, malgré cela, voici que la monnaie américaine continue de pleuvoir sur l'Europe ; non plus pour financer la guerre, mais pour édifier la paix. Siegmund se souvient de sa jeunesse : il ne veut pas revoir les réparations, les faillites, les dettes ; il rêve de voir l'Angleterre tendre la main à l'Allemagne, construire quelque chose avec la France, mettre en chantier une Europe unie dont Londres deviendrait la capitale et le pivot. Il en parle à tous ceux qu'il connaît dans la classe politique anglaise. « Dans les cinq premières années de l'après-guerre, il aurait rampé à genoux pour que l'Angleterre accepte de diriger une Europe unie avec Londres comme capitale[206]. » En vain. Les conservateurs, tel Anthony Eden, et les travaillistes comme Ernest Bevin au grand dam de Siegmund, rejettent les plans d'union économique proposés par Jean Monnet, qui, après avoir organisé le Lend Lease, se lance maintenant dans la construction de l'Europe. Siegmund y voit le signe d'un déclin inexorable de l'Angleterre et dira plus tard que « le déficit budgétaire britannique avec le Marché Commun est le prix payé pour ne pas avoir entrepris la création des États-Unis d'Europe dans les cinq premières années de l'après-guerre[209]. »

En 1947, il rencontre George Ball, encore avocat, l'un des Américains les plus passionnés par les questions européennes, qui deviendra son ami intime et l'un de ses principaux relais d'influence à Washington au temps de Kennedy. Siegmund s'évertue à convaincre les uns et les autres d'utiliser l'aide américaine à la construction d'une Europe unie. Puis vient le Plan Marshall, du nom d'un général qui vient d'échouer dans sa mission de conciliation entre Tchang Kaï-chek et Mao Tsé-toung et qui est devenu en janvier 1947 secrétaire d'État de Truman à la place de Byrnes. Le 5 juin, dans un discours à Harvard, il propose un Plan de reconstruction européenne qui, un an plus tard, va prendre le relais des aides bilatérales.

A cette époque, en mai 1947, le F.M.I. fait son premier tirage, de 25 millions de dollars, soit 5 % de sa quote part, pour la France[161]. Deux autres tirages de même montant sont effectués en juin et juillet, pour le même pays. Mais en vain : le 25 janvier 1948, la première dévaluation condamnée par le F.M.I., car assortie de l'institution d'un double marché des changes, est celle du franc.

Le 28 juin 1948, le Président Truman signe la loi autorisant, dans le cadre du Plan imaginé par Marshall, quatre milliards de dollars de prêts annuels et deux milliards de dollars sous forme d'aides diverses à seize pays, et l'on charge l'O.E.C.E., créé six mois avant, de gérer cette aide américaine.

Au même moment, la Banque des Règlements Internationaux retrouve ses fonctions d'agence de répartition des prêts américains à l'Europe. Son ancien président, Mac-Kittrick, devient vice-président de la Chase — devenue la Chase Manhattan Bank et conseiller d'Averell Harriman, alors en charge de la coopération économique en Europe. L'or pillé pendant la guerre, évalué à 3 740 tonnes, est remboursé et la Banque des Règlements Internationaux maintenue.

« UN AGNOSTIQUE RELIGIEUX »

Même si Siegmund partage, avec Félix et les autres Warburg, une grande méfiance à l'égard du sionisme au point de se prétendre parfoi antisioniste plus tard, il n'en suit pas moins avec passion les affaires de ces réfugiés qu'il a aidés à s'installer en Palestine dans les années trente. La tragédie des camps en a fait un partisan déterminé de la création de l'État d'Israël.

Il revoit Chaïm Weizmann et David Ben Gourion en Angleterre et s'évertue à convaincre ceux des dirigeants anglais qu'il connaît de laisser les rares survivants du massacre entrer en Palestine. En vain, car Attlee et Bevin « voyaient dans les Juifs les adeptes d'une grande religion internationale et non pas une race ou une nation [35]. » Et en août 1945, quand Truman, sur la pression des communautés juives américaines, demande à Attlee d'admettre 100 000 Juifs de plus en Palestine, celui-ci, pour gagner du temps, propose qu'une commission anglo-américaine enquête sur l'ensemble du problème des réfugiés juifs des pays de l'Axe [35]. Un an plus tard, en avril 1946, la Commission confirme qu'il convient d'admettre 100 000 Juifs en Palestine et d'y créer un État binational. Bevin entend alors refuser et maintenir la Palestine sous mandat britannique, pour y créer ultérieurement un tel État. Le 22 juillet 1946, plus de cent personnes trouvent la mort dans l'explosion de l'hôtel King David à Jérusalem. Weizmann se rend de nouveau à Londres où il rencontre encore Siegmund et lui demande de faire pression sur le gouvernement anglais en faveur de la création d'un État juif.

Londres renvoie alors le problème devant l'O.N.U.

En juin 1947, Siegmund reçoit à Londres une visite qui le touche beaucoup, celle de ses neveux, les deux enfants de Fritz, installés au kibboutz de Netser Sereni depuis un an, et venus lui parler de leurs espérances. Le 29 novembre 1947, par 33 voix contre 13 et 10 abstentions dont celle de la Grande-Bretagne, la partition de la Palestine est votée à New York. Les Pays arabes déclenchent aussitôt une guerre qui se terminera par un armistice précaire quelques mois plus tard. Le 14 mai de l'année suivante, à l'expiration du mandat britannique, l'État d'Israël est proclamé.

Siegmund suit cela avec la passion et la pudeur d'un agnostique, profondément passionné d'histoire juive et marqué d'une religiosité abstraite, héritage de son judaïsme allemand. A cette époque, Dieu est souvent cité dans ses cahiers personnels. Il note par exemple une phrase entendue qui l'a frappé : « Nous devons être emplis de gratitude envers Dieu parce qu'Il ne cesse d'encourager cette continuelle aventure qu'est la libre conduite de notre propre vie[214] », ou encore : « Quelle distorsion de l'esprit que de ne pas voir que l'affirmation de la vie et celle de Dieu se confondent[214] ! » — et aussi : « Mon père était un bon jardinier. Il avait l'habitude de dire que le mieux à faire pour un arbre était de le tailler une fois l'an, et de s'en remettre à Dieu pour le reste[214]. »

Il va souvent à l'Abbaye de Quarr, près de Ryde, sur l'île de Wight, voir un Allemand de ses amis, devenu moine bénédictin, Paul Ziegler. « Nous discutions fréquemment de Ziegler, dit Sharp qui le connaît également, et avions l'habitude de nous montrer les lettres que nous recevions de lui, et, de ce fait, nous discutions implicitement de religion. Je dirais que Siegmund était un agnostique à l'esprit très religieux ; par quoi je veux signifier qu'il ne croyait pas en un Dieu anthropomorphe, mais qu'il a toujours été à l'écoute d'une conscience supérieure et vigilante... Toujours il s'est identifié à la cause du judaïsme comme force morale, mais il n'hésitait jamais à s'opposer au gouvernement d'Israël quand il jugeait sa politique par trop nationaliste[222]. »

Déjà Siegmund s'affirme comme citoyen du monde, heureux jusqu'aux larmes quand, le 27 septembre 1951, Konrad Adenauer, dans une déclaration au Bundestag, reconnaît que les crimes perpétrés au nom du peuple allemand valent « une réparation matérielle et morale », et quand, un peu plus tard, le Président allemand Theodor Heuss reconnaît l'existence d'une « honte collective ». Il suit avec passion les pourparlers entre Allemands et Israéliens qui s'ouvrent à La Haye le 21 mars 1952, dans un climat très dur, entre des négociateurs qui, de part et d'autre de la table, parlent l'anglais avec un accent souabe. Le 10 septembre, un accord est signé entre Adenauer et Moshe Sharett, encore ministre des Afaires étangères d'Israël : paiement sur 12 ans de 800 millions de dollars à l'État d'Israël et versement d'une pension à vie aux victimes du nazisme. La R.D.A., quant à elle, se refuse à toute reconnaissance d'Israël et à verser les 500 millions de dollars que lui réclame ce pays. Ben Gourion, qui pense alors que les Allemands ne paieront pas ces réparations, comme après Versailles, sollicite de surcroît un prêt de 500 millions de dollars de l'Allemagne de l'Ouest.

Siegmund est amusé quand Herman Abs lui raconte que, consulté sur ce prêt par le Chancelier Adenauer, il s'est montré plutôt réservé, mais que le Chancelier lui a dit alors avec un sourire malicieux : « Cher ami, mettez-moi donc votre avis noir sur blanc. Mais je veux une lettre positive. J'en enverrai d'ailleurs copie à David Ben Gourion. » La lettre est évidemment positive et le prêt accordé.

NATIONALISATIONS ET RAPATRIEMENTS

Durant ces années de tâtonnement, S.G. Warburg and Co se lance dans ses premières opérations. D'abord sur la firme Brandeïs dont Siegmund rachète peu à peu les parts à la famille. Rio Tinto, qui en a acquis la majorité l'année précédente, s'avère incapable de la bien gérer et, à l'été 1947, revend les 51 % qu'elle possède, Mineral Separation. Brandeïs-Goldschmidt rapporte déjà beaucoup à la Banque, notamment en honoraires élevés rétribuant des conseils et des opérations de crédit.

Dès cette époque, Siegmund tente des affaires inédites et d'avant-garde par la vente, inattendue, de titres d'entreprises à l'État et à des personnes privées, anglaises ou étrangères.

Et d'abord lors des nationalisations, que les travaillistes n'ont absolument pas préparées, bien qu'elles soient à leur programme. Emmanuel Shinwell, l'ami de Siegmund, devenu ministre de l'Énergie, écrit dans ses Mémoires : « Durant toute ma carrière politique, j'avais entendu les orateurs du parti prôner l'appropriation publique et le contrôle des mines de charbon ; j'en avais moi-même parlé comme de l'une des tâches prioritaires d'un gouvernement travailliste. Je croyais, comme les autres, que les projets étaient tout prêts dans les dossiers du parti. Une fois ministre de l'Énergie, je découvris que rien de pratique, rien de tangible n'existait[155]. » Et pourtant, on décide de faire vite. La plus facile, la nationalisation de la Banque d'Angleterre, est réalisée dès février 1946, sans problèmes. Comme le dit alors Stafford Cripps à la Chambre des Communes, il s'agit de « mettre la loi en accord avec les faits[35]. » Les autres nationalisations sont plus malaisées, en raison d'une opposition patronale très combative qui rend complexe la négociation sur l'indemnisation des actionnaires[35]. C'est là précisément qu'intervient Siegmund.

Alors que les titres de ces entreprises sont au plus bas et

que tout le monde s'attend à une nationalisation spoliatrice, Siegmund pressent que les indemnisations ne pourront pas ne pas être plus élevées que les cotations en Bourse. Alors, il regroupe, en « syndicats », des actionnaires de ces sociétés. Les propriétaires privés sont d'ailleurs soulagés de le laisser négocier avec l'État. Et il devine juste : quand la nationalisation des 800 sociétés privées de l'industrie charbonnière prend effet, Siegmund en contrôle avec ses amis une part significative. Les indemnités, d'un montant de 164,6 millions de livres, calculées en 1947 par deux juges de la Haute Cour, sont fixées comme il s'y attendait à un niveau très supérieur à la valeur boursière des titres[35]. New Trading Cy y gagne alors un peu d'argent, avant même la création de S.G. Warburg. Mais pas pour lui : pour sa firme. De même, juste avant la nationalisation de l'électricité, le 4 février 1947, il contrôle une part importante des 195 entreprises privées et des 375 entreprises municipales à être indemnisées[8]. Il agit pareillement dans la nationalisation du fer et de l'acier et dans celle des transports et de l'industrie du gaz. De l'argent qu'il y gagne, il ne garde rien pour lui, mais l'investit dans sa maison, à engager des jeunes cadres et à prendre des risques dans d'autres opérations.

Cette affaire, qui occupe longuement son temps avant la fin des années quarante, lui rapporte aussi, indirectement, beaucoup pour plus tard : il se fait en effet à cette occasion des relations à la Banque d'Angleterre, qu'il informe ensuite de ce qu'il estime l'évolution prévisible des marchés des matières premières et des titres. En échange, il est choisi par la Banque comme l'un des banquiers de plusieurs de ces nouvelles entreprises publiques. Plus tard, on le verra, il tirera de la même façon d'énormes bénéfices d'autres relations qu'il tisse à cette époque à Londres avec des industriels, des journalistes ou des hommes politiques.

Par ailleurs, il monte, durant ces années, des prêts à l'intention de collectivités locales et d'entreprises indus-

314

trielles britanniques moyennes, que les autres banques négligeaient. Il y a peu à en dire, sauf que c'est sans doute là le « cœur » du métier de banquier, et que parfois cela l'amène à organiser des prêts quadrangulaires en passant par Sydney et Tokyo.

Son troisième secteur d'activité est celui dont il s'est fait une spécialité depuis les années trente : vendre à des étrangers des titres d'entreprises détenues à l'étranger par des Anglais. Convaincu, comme Cripps, de ce que l'Angleterre doit se débarrasser à tout prix et au plus vite de son fardeau colonial, l'idée lui vient en 1948, avec un banquier autrichien qu'il vient d'engager, Victor Bloch, de vendre à des capitalistes locaux certaines entreprises appartenant à des Anglais et devenues trop coûteuses à gérer depuis Londres. Idée de « haute banque » et de saine économie tout à la fois. Pendant deux ans, il envoie Éric Korner repérer, dans ces pays, les capitalistes disposant de sterlings gagnées pendant la guerre grâce à leur commerce avec l'Angleterre. Ils trouvent ainsi des Brésiliens à qui vendre une plantation et un réseau de distribution de café, la Brazilian Warrant Company ; des Colombiens à qui céder une compagnie de thé, des Argentins acquéreurs de tramways, des Indiens pour reprendre des chaînes de magasins, des Mexicains pour acheter une compagnie de chemins de fer.

Sa quatrième activité de ces débuts consiste, à l'inverse, à racheter pour le compte d'Anglais des entreprises britanniques vendues à des étrangers avant ou pendant la guerre. Il a le premier l'idée simple de faire revenir ces titres anglais « à la maison », de rapatrier en Grande-Bretagne le capital cédé pour subvenir au financement de la guerre. Et il ramène ainsi en Angleterre le quart du capital d'Associated Electrical Industries, acquis avant la guerre par General Electric, et trouve des acquéreurs britanniques pour les immeubles de bureaux anglais qu'il a vendus à des Américains pendant la guerre, du moins ceux qui tiennent encore debout... Surtout, en 1950, il réalise une énorme affaire : Jacob Wallenberg, un très grand banquier suédois, patron de l'Enskilda Bank, ami de son oncle Fritz et de sa femme Eva, lui demande de trouver des banques en Europe pour placer 20 % du capital d'Ericsson, qu'I.T.T. possède après le scandale Kreuger et qu'elle ne peut plus conserver pour des raisons liées à la législation américaine. C'est une opération énorme pour Siegmund, sa première vraie affaire de « haute banque » depuis qu'il a quitté Berlin : car placer ces titres d'une très grande entreprise, dont le banquier est jusqu'ici Kuhn Loeb, en les dispersant entre les premières places d'Europe lui ouvrira le monde de la finance du Vieux Continent ; c'est sa première bonne raison de prendre contact avec la Banque de Paris et des Pays-Bas à Paris, avec la Deutsche Bank à Francfort, le Crédit Suisse à Zurich. Opération difficile, car il est encore un inconnu ; et lorsqu'un de ses cadres, tout juste engagé, Ronald Grierson, va rue d'Antin pour proposer l'affaire, on lui demande d'épeler le nom de Warburg, avant d'accepter et de prendre un cinquième du total. Les autres suivent. Premier succès.

UNE POIGNE DE FER

En ces années de construction et d'accumulation, Siegmund met en place une organisation et des procédures inconnues à l'époque. Elles méritent d'être décrites en détail, car elles sont à la source de la réussite, unique dans l'histoire de la finance mondiale, du seul financier à avoir fait de sa banque, de son vivant, une institution internationale.

Il organise la vie de sa banque, qui ne compte encore qu'une trentaine de personnes, autour d'une obsession unique : *tout savoir*. Aucune information, même apparemment inutile, ne doit être gaspillée, aucune relation, même secondaire, ne doit être délaissée, car à long terme elles peuvent être à l'origine d'une idée, d'un contact, d'une affaire. Aucun client ne doit être considéré comme perdu si l'on sait inventer pour lui une opération ou lui révéler une faiblesse qu'il n'aurait pas lui-même perçue. Et, pour cela, il fait de sa maison une cage, de verre pour lui, de fer pour les autres.

Henry et lui disposent chacun d'un bureau. Tous les autres sont rassemblés, par deux, trois ou quatre, dans des salles, selon leur activité : gestion de fortunes, organisation d'emprunts, conseils financiers aux entreprises, fusions et acquisitions, change et devises, administration du groupe. Le bureau de Siegmund, froid et sobre, orné de quelques très beaux objets anciens, est ouvert à tous. Une lumière rouge à la porte prévient — rarement — quand il n'est pas disponible. Il connaît ses rendez-vous à déjeuner ou à dîner, et parfois même ses rendez-vous téléphoniques, trois semaines à l'avance. Il déjeune en général à la Banque, très brièvement, avec un client, un industriel, un ministre, un haut fonctionnaire ou un écrivain de passage. Les autres dirigeants peuvent aussi convier, dans deux salles à manger, des relations de toute sorte, dirigeants d'entreprises, anglais et étrangers. Quelques-uns, tel Éric Korner, sont même réputés dans la City pour avoir deux déjeuners par jour, l'un à midi trente, l'autre à treize heures trente ; et il est plus chic d'être invité au second[207]. A la différence des autres repas de banquiers, on n'y parle pas crickett ou vacances, mais marchés et produits, en surprenant toujours l'invité par une exceptionnelle connaissance de son entreprise et de ses concurrents, longuement préparée à l'avance.

Chaque affaire, pour pouvoir être connue de tous, doit être traitée par deux personnes, par quatre si elle est importante, même quand Siegmund y est lui-même intéressé. Chaque matin, le courrier est ouvert par l'un des cadres qui résume chaque lettre en une ou deux lignes, et rassemble ces résumés en une note d'ensemble distribuée quelques heures plus tard à toute la Banque. Toutes les conversations téléphoniques sont, elle aussi, résumées le même jour à tous par leurs auteurs, et toute lettre, avant de partir, doit être contresignée par un autre cadre et résumée à l'usage de tous. Le "style" est d'ailleurs sa hantise et le mot "élégant" s'applique à tout ce qui est fait chez lui. Aussi les notes internes, qu'il appelle les "billets jaunes", doivent-elles être également d'une forme très soignée. Et il est très fier quand le gouverneur de la Banque d'Angleterre lui dit que ses lettres sont mieux écrites que la plupart de celles qu'il reçoit d'autres banquiers de la City.

Comme avant la guerre, et comme à Hambourg au XIXe siècle, tous les matins à 9 h 15, alors que la City de l'époque est, encore endormie, un comité réunit en sa présence l'ensemble des cadres, sous la présidence tournante de l'un d'eux, sans distinction hiérarchique. En trente minutes, les affaires en cours sont discutées, les nouvelles sont attribuées, Siegmund pose des questions précises, souvent inattendues, parfois ironiques.

Les relations avec l'étranger sont traitées avec la même exigence ; et l'on voyage déjà beaucoup chez Warburg à l'époque. Ceux qui sont au-dehors doivent rendre compte quotidiennement à Siegmund, par téléphone ou télégrammes codés, de ce qu'ils font. Quand il est lui-même en voyage — ses déplacements sont organisés plusieurs semaines à l'avance et dans le moindre détail —, il se fait envoyer tous les jours, où qu'il soit, deux gros dossiers dans une enveloppe jaune : l'un contient les résumés du courrier, des conversations téléphoniques et de la réunion du matin, la liste des titres achetés et vendus, l'emploi du temps des principaux dirigeants, à Londres ou ailleurs, la liste des invités à déjeuner à la Banque et la revue de presse financière anglaise ; l'autre contient l'état des principaux comptes, les propositions en cours, les réflexions sur les stratégies en voie d'élaboration, et les mouvements de fonds[175].

Ainsi sait-il tout en permanence. Ainsi la moindre information reçue par quelqu'un de chez lui, même si elle ne fait pas directement partie des affaires, lui est communiquée. Et il saura en faire usage.

« ONCLES » ET « FILS ADOPTIFS »

Toute cette information, en apparence collégiale, est en réalité mise au service d'une gestion extraordinairement centralisée : Siegmund gouverne seul sa maison, d'une main de fer, avec un premier cercle de fidèles qu'il associe à tout, et qu'on appelle, selon un mot de Ronald Grierson, les "oncles" : Henry Grunfeld, Éric Korner et E.G. Thalmann ; ces gens-là n'ont d'autre ambition que de l'accompagner dans une grande aventure et de créer avec lui une grande institution. Ils l'admirent et le respectent, mais n'en attendent rien. Il a avec eux une profonde amitié, assortie d'un grand respect mutuel. Tous sont des Juifs allemands ou autrichiens, naturalisés anglais. Tous se comportent dans la City comme des étrangers, jouant les faux naïfs qui peuvent oser dire n'importe quoi et poser les questions les plus saugrenues. Ils parlent d'ailleurs souvent allemand entre eux, parfois devant ceux qui ne les comprennent pas.

Étrangers heureux d'être presque admis, sans le vouloir, dans des mondes dont ils devraient être par nature à tout jamais exclus. Ainsi riront-ils longtemps entre eux de cet officier britannique couvert de décorations qu'on a dû engager après la guerre pour plaire à un important client, qu'on a réussi à faire partir en douceur au bout de six mois et qui, à son départ, a eu cette superbe formule : « Je n'imaginais pas qu'il serait si agréable de travailler avec des gens que j'ai combattus les armes à la main pendant cinq ans... »

Au-delà des "oncles", d'autre émigrés l'entourent. D'abord l'Autrichien Charles Sharp, rencontré à Berlin chez A.E. Wassermann, volontaire ensuite dans l'armée britannique, puis rentré chez S.G. Warburg dès sa création pour s'occuper de prêts et d'émissions de titres en devises, et qui, tous les ans, divertit la banque d'une parodie des principaux dirigeants ; et un autre Autrichien, Victor Bloch, dont le seul métier est de réfléchir et de discuter des heures durant avec Siegmund sur les opportunités que réserve l'avenir, d'inventer des services à rendre, des techniques à expérimenter.

Puis, au-delà, dans un second cercle, entreront et sortiront, au gré des faveurs de Siegmund, les meilleures recrues d'après-guerre, des Anglais, ceux-là, ses successeurs potentiels, qu'il appellera ses "fils adoptifs" : d'abord Ronald Grierson, puis George Warburg, son vrai fils, puis Ian Fraser, Peter Spira, Eric Roll, et, enfin, David Scholey.

Les trouver et les former constitue une de ses activités essentielles et une de ses passions : pour lui, une institution, c'est une équipe, c'est-à-dire des hommes, les meilleurs possibles, et capables de travailler ensemble. Il les choisit selon des méthodes alors inconnues dans la City. Pour la première fois, en effet, les cadres d'une banque d'affaires sont sélectionnés non pas selon leur naissance, leurs relations, ni même leur formation, mais en fonction de leur originalité d'esprit, de leur intelligence, de leur courage, de leur force de caractère, de leur culture, de leur sens du détail, et, par-dessus tout, de leur "style" et de leur "feu sacré"[207]. Lorqu'un candidat est repéré par les adjoints de Siegmund — il envoie des missions dans les universités anglaises pour y détecter les meilleurs —, il le reçoit et le fait parler littérature ou politique, en aucun cas de banque. Puis, à brûle-pourpoint, il lui lance : « Oseriez-vous contredire votre patron si vous n'êtes pas d'accord avec lui ? » ; ou encore : « Accepteriez-vous d'être considéré comme un non-conformiste[175] ? » Beaucoup donnent la mauvaise réponse. Celui qui passe ce cap subit l'ultime test, celui de la graphologie.

Il ne faut donc pas s'étonner qu'il ait ainsi rassemblé des gens étonnants, pas des forcenés du profit, mais des gens de style et d'imagination venus de partout ; à la fin de sa vie, il dira d'ailleurs, pour évoquer les changements intervenus depuis son départ dans le mode de recrutement : « Je crains bien que si j'avais aujourd'hui trente ans, on ne m'engagerait pas chez S.G. Warburg, parce qu'on me trouverait trop excentrique, trop imprévisible[207]. »

Un « mess de la R.A.F. »

A la fin des années quarante, dix nouveaux se sont ajoutés aux quinze personnes qui collaborent à ses côtés depuis dix ans. L'ambiance, dit un témoin, est celle d'un « mess de la R.A.F. » ; on y travaille, témoigne un autre, « comme les membres d'un orchestre de musique de chambre. » Siegmund y met une volonté de fer et une inventivité très communicatives. Lui-même passe beaucoup de temps à veiller sur ses hommes : « Pour construire une bonne équipe, dit-il à cette époque, le chef doit, au moment critique, non seulement les défendre, mais aussi les protéger[175]. » Pour distiller à chacun le « feu sacré », pour mieux les associer à toutes les affaires, il invente ce qu'il appelle le « principe de la pouponnière » : un des "jeunes" rédige un compte rendu de chaque réunion importante, corrigé par Siegmund avant d'être distribué dans la maison. Immense réservoir d'archives, encore indisponibles pour l'essentiel, et qui fournira peut-être un jour la matière d'une passionnante histoire de la City.

Tout cela soude ses collaborateurs en une équipe aux réflexes conditionnés. C'est un peu, disent même certains

qui y ont travaillé et n'y sont pas restés longtemps, comme
« un service militaire qui n'en finirait pas[206]. »

Mais c'est aussi comme une cour : autour de lui, l'on
est toujours, dit-on dans les couloirs, soit dans « l'ascenseur qui monte », soit « dans celui qui descend[206]. » Siegmund sait d'ailleurs faire alterner les démonstrations
d'affection et de considération, de fermeté et de douceur,
d'indifférence et de férocité. « Il ne connaît ni pitié ni
même compassion »[221], dit un Français, Pierre Haas, qui a
beaucoup travaillé avec lui : « Un manquement, et l'on
voyait immédiatement son visage se fermer et, pour une
faute jugée grave, se fermer à jamais. Les griefs moyens
entraînaient une période de pénitence s'étalant de trois
jours à trois mois. Pour les autres, il était impitoyable, une
attitude de suspicion permanente de sa part acculait en
quelques semaines ou en quelques mois le pécheur à la
démission[221]. »

Quand il n'aime plus quelqu'un, il l'envoie dans un
bureau éloigné où, brusquement, il se trouve sans plus rien
à faire ; et il dit ou écrit des choses terribles à Henry
Grunfeld, du genre : « Ce type est nul, pourquoi est-ce
qu'on le garde ? ».

Tout cela produit des gens précis, travailleurs, exigeants, élégants, avec un esprit de corps et une grande
vénération pour le Chef.

A cette époque, aucun autre banquier d'affaires au
monde ne travaille ainsi. Aucun n'a, comme lui, des gens
chargés à plein temps de réfléchir aux affaires à réaliser
dans deux ans et aux techniques à utiliser dans cinq ans.
Aucun n'a non plus une vision à peu près claire des perspectives économiques à long terme. Aucun autre ne prend
deux ou trois jours pour aller au bout du monde déjeuner,
sans autre but que de créer le contact, avec des industriels
qui ne se révéleront des clients potentiels que nombre
d'années plus tard.

La dévaluation de 1949 et après

Au début de 1949, la situation de l'économie britannique semble en passe de s'améliorer. La production industrielle dépasse d'un tiers, et les exportations de moitié, leur meilleur niveau d'avant-guerre. Mais ce ne sont là qu'apparences, car les importations se sont accrues dans le même temps de 85 % et la balance des paiements ne se rééquilibre pas[35]. Au printemps, le pays est de nouveau au bord de la faillite extérieure, et Stafford Cripps est trop malade pour diriger efficacement les Finances.

L'Angleterre n'est pas le seul pays d'Europe à aller mal : les accords de Bretton Woods sont à peine en place que déjà tous les pays d'Europe se trouvent pris dans la première grande tourmente monétaire. La parité choisie par chaque État lors de son adhésion au F.M.I. se révèle alors irréaliste : Suède, Norvège, Finlande, France, Grèce, Nouvelle-Zélande, Italie, Argentine, Chine, Japon changent la leur[161]. Cette année-là, l'Europe est en déficit des paiements de 9 milliards de dollars vis-à-vis des États-Unis et le Plan Marshall, qui rapporte à la seule Grande-Bretagne, durant la même année, quelque 1 196 millions de dollars, ne suffit pas à compenser les pertes de devises[35]. Le déficit des paiements anglais augmente et les sorties d'or s'accélèrent. Une réunion anglo-américaine, début septembre, chargée de chercher à réduire le déséquilibre entre la zone dollar et la zone sterling, ne résoud rien[10]. Il faut céder et Attlee se résigne à dévaluer, second chef de gouvernement travailliste à le faire, encore une fois après qu'une parité trop haute eut été fixée, quelque temps auparavant, par un gouvernement conservateur.

Le 18 septembre 1949, la livre sterling est dévaluée de 30,5 % et sa valeur passe de 4,03 depuis 1939 à 2,80 dollars. De nombreux autres pays, européens ou non, dévaluent à leur tour[161] : le Commonwealth, la France, l'Allemagne, la Belgique, Israël ; seule en Europe, la Suisse ne dévalue pas. Avant même d'être mis en service, le système virtuellement parfait de Bretton Woods est ainsi remis en cause[10].

Pour l'Angleterre, cette dévaluation est un succès technique : stimulant les exportations et décourageant les importations, elle améliore la balance commerciale et celle des paiements[4].

En novembre, Attlee fait voter la nationalisation du fer et de l'acier, et provoque des élections. Au début de 1950, la campagne électorale bat son plein. Les travaillistes, favoris, font assaut d'imagination nationalisatrice : certains demandent la nationalisation des *merchant banks,* des briquetteries, des minoteries et des fabriques de margarine[35] ; dans une brochure intitulée *More Socialism or less,* que publie la Société Fabienne, d'autres y ajoutent la nationalisation du commerce alimentaire de gros, de l'industrie automobile, des assurances-vie, des moteurs d'avion, des constructions navales, des installations portuaires, de la distribution du charbon, d'I.C.I. et d'Unilever[35]. Néanmoins, il ne sera jamais sérieusement question de nationaliser les *merchant banks.*

Mais les élections ne dégagent pas une majorité claire et, conservant huit sièges d'avance, les travaillistes continuent de gouverner, en reléguant aux oubliettes la plupart des promesses de leur programme.

A la fin d'octobre 1950, Stafford Cripps, malade, démissionne et Gaitskell lui succède aux Finances. La politique économique, au grand dam de Siegmund, reste extraordinairement classique : ainsi, au début 1951, pour réduire le poids de la demande sur les importations, le Chancelier de l'Échiquier propose des économies massives sur le budget de la Santé ; le 29 avril, Bevan et un jeune ministre du Commerce, Harold Wilson, démissionnent pour protester contre ces coupes sombres. Harold Wilson devient alors, entre autres choses, conseiller d'une compagnie d'importation de bois, Montagu Mayer, et il rencontre souvent

Siegmund Warburg que Stafford Cripps lui a présenté.

Les travaillistes sont pourtant à bout de souffle, affaiblis sur leur droite et leur gauche, et, en juin 1951, de nouvelles élections amènent une large majorité conservatrice. A 77 ans, Winston Churchill redevient Premier ministre et Butler Chancelier de l'Échiquier. « Peu importe pour l'heure que vous ne soyez pas un économiste, lui dit Churchill. Je ne l'étais pas non plus[35]. » On peut penser en effet qu'en réinstallant en 1926 la livre à sa parité de 1913, il ne l'était pas vraiment...

Quinze jours après le retour au pouvoir des conservateurs, s'ouvre la première crise outremer, que Siegmund pressentait depuis l'avant-guerre : le gouvernement du Caire dénonce le traité anglo-égyptien de 1936 et l'accord de Condominion soudanais de 1899 en vertu desquels des troupes britanniques peuvent stationner en territoire égyptien[35]. Commence ainsi une histoire qui se terminera, un peu plus tard, par la disparition du rôle international de la livre.

Pendant ce temps, Siegmund développe ses affaires avec les moyennes entreprises anglaises, et voit venir à lui de nouveaux clients aussi peu conformistes que lui.

Ainsi, en 1951, Cecil King, neveu de Lord Northcliff, un des inventeurs de la presse moderne, qui prend avec seulement 4 % du capital la direction du *Daily Mirror,* où il travaille depuis la guerre : sans le connaître, il choisit Siegmund pour banquier, parce qu'il a entendu dire que l'Establishment le rejette, tout comme lui[145]. La même année, Siegmund rencontre Roy Thomson, un Canadien qui vient de faire l'acquisition de son premier journal anglais en Écosse. Lui aussi deviendra son client.

A la fin de 1951, les derniers tickets de rationnement sont supprimés[35]. L'Angleterre, comme le reste de l'Europe, a besoin de capital. La dévaluation semble avoir réussi. La balance commerciale est rééquilibrée ; Butler et le gouverneur de la Banque d'Angleterre envisagent même une seconde fois de rendre sa convertibilité à la livre, manquée trois ans auparavant. Mais, en janvier 1952, des rumeurs dans les couloirs de la conférence du Commonwealth déchaînent une spéculation contre la livre, obligeant Churchill à maintenir l'inconvertibilité. « A long terme, écrira Butler, je pense que la décision de ne pas libérer la livre a été une erreur fondamentale. L'absence d'un taux de change flottant a privé les chanceliers de l'Échiquier successifs du régulateur interne que constitue pour l'essentiel le taux de l'escompte. Si un tel régulateur interne avait existé, si un taux de change flottant avait été accepté, les aléas et les indignités des *stop-go* économiques auraient été épargnés aux conservateurs, et l'expérience traumatisante d'une seconde dévaluation de pure forme l'aurait été aux socialistes[35]. »

La livre n'étant plus utilisable, les *merchant banks* perdent leur rôle dans le Commonwealth au profit des banques canadiennes et australiennes, ainsi que le contrôle de l'émission de titres étrangers au bénéfice des banques de New York, moins chères que Londres en raison de la convertibilité du dollar. La City se tourne alors vers les entreprises britanniques, en créant des fonds d'investissements spécialisés, avec quelques années de retard sur Siegmund, qui travaille à présent avec tout un réseau de petites et moyennes entreprises du pays.

Mais l'embellie ne dure pas. En juillet 1952, le général Neguib prend le pouvoir au Caire et réclame à son tour le départ des troupes anglaises[35]. A la fin de l'année, la balance des paiements britannique est à nouveau en déficit. En 1953, les transports routiers, le fer et l'acier seront partiellement dénationalisés.

EUROBANK

Si les pays de l'Est refusent d'emblée l'aide Marshall, ce sont pourtant les dollars américains mis en réserves autant dans les banques centrales de l'Est qui seront, les premiers, utilisés entre banques européennes. Aini surgit la première « *euro-monnaie* » d'après-guerre, très loin hors des chemins soigneusement balisés à Bretton Woods.

De cette monnaie, créée de rien en ces jours de guerre froide, viendront ces dettes encore accumulées aujourd'hui sur nos têtes. Les Warburg n'y sont pour rien, mais Siegmund en fera, plus tard, une source de financement formidable de l'industrie multinationale.

Étrange est la première banque à « détourner » ainsi le dollar en contrebande, la Banque Commerciale pour l'Europe du Nord ; l'histoire vaut d'en être contée.

Le 30 août 1921, des émigrés russes qui veulent s'établir comme banquiers à Paris, achètent un « Comptoir parisien de Banque et de Change », au 26 avenue de l'Opéra, et le rebaptise « Banque Commerciale pour l'Europe du Nord » — avec « Eurobank » comme adresse télégraphique. Ils ont alors une clientèle d'émigrés russes dont ils essaient de replacer les capitaux. Ce n'est pas une grande réussite et, au printemps de 1925, au moment où le gouvernement Herriot établit les relations diplomatiques entre l'U.R.S.S. et la France, la banque se trouve en difficulté.

Or, les Soviétiques souhaitent justement acheter un établissement bancaire à Paris pour leurs opérations commerciales et financières avec la France. La création d'une banque soviétique en France aurait posé de nombreux problèmes, notamment en raison du contentieux encore vivace sur les emprunts russes du début du siècle, jamais remboursés après la Révolution. Moscou décide donc de racheter un établissement existant et s'intéresse à cette Banque Commerciale pour l'Europe du Nord, où l'on parle russe et où l'on connaît bien l'Union Soviétique. L'affaire est vite conclue et la banque passe des mains de Russes blancs à celles de Soviétiques, sans perdre pour autant l'essentiel de son personnel. Et jusqu'à la guerre, la banque gère le petit commerce existant entre l'U.R.S.S. et la France.

Après l'invasion de la Russie par les Allemands en juin 1941, la banque est fermée par l'occupant qui désigne un administrateur séquestre. Rouverte en 1946 dans un nouveau siège, 21 rue de l'Arcade, elle ne développe guère d'activités financières en France (il reste en effet impossible, pour une banque française, de s'installer symétriquement en U.R.S.S.). Elle se concentre alors sur le commerce international pour le compte des pays de l'Est, vendant de l'or bulgare ou roumain à la Banque de France, à l'U.B.S., à la Banque d'Indochine et à d'autres établissements.

Pendant deux ans, tout fonctionne normalement. Le développement des échanges marchands en Europe et, à compter d'avril 1950, la création d'une Union Européenne des Paiements, substitut aux accords bilatéraux antérieurs, ne changent rien à la nature des activités de la Banque.

Le 24 juin 1950 commence la guerre de Corée. L'armée américaine s'en mêle. Truman, avec McArthur, décide d'y lancer les troupes américaines mais les troupes de Mao Tsé-toung, entrées dans Pékin le 22 janvier 1949 se jettent, l'année suivante dans la bataille. C'est là qu'apparaît l'*eurodollar*.

La banque de Chine craint en effet le blocage de ses réserves en dollars, déposées dans des banques occidentales depuis le début des années trente, et qu'elle n'a pas rapatriées. Pour mieux se prémunir contre toute enquête américaine éventuelle, ses fonds sont déposés à la B.C.E.N. et enregistrés sur un compte spécial, ouvert au nom de la Banque Nationale de Hongrie. Les Chinois commencent par y placer 5 millions de dollars pour six mois. Là se situe la formidable — mais d'abord marginale — nouveauté : la banque, brûlant de se débarrasser de ces dollars pour mieux les protéger, les replace à faible taux à la B.N.C.I., à la B.U.P. et à la Bank of America. Cette opération est renouvelée en partie pour six autres mois, puis élargie. Bien en prend aux Chinois : dès leur entrée dans la guerre de Corée, ceux de leurs fonds restés en d'autres banques, comme la Banque d'Indochine, sont bloqués à la demande des autorités américaines.

Ainsi, pour la première fois, une transaction en dollars a lieu, hors des États-Unis, sans être soumise ni aux règles bancaires américaines, ni aux taux d'intérêt américains. Et, à moins d'être utilisée par l'emprunteur pour retirer de l'or ou rembourser une dette aux États-Unis, elle crée des dollars *ex-nihilo,* sans réduire le volume de monnaie américaine et sans limite, puisque les banques qui reçoivent les dollars peuvent les reprêter sans même en garder un minimum, comme c'est le cas pour leurs dépôts d'origine interne[51].

Cette première rature dans le texte de Bretton Woods, en juin 1950, est donc une bien étrange opération : en ces temps d'extrême guerre froide, ce sont des Banques d'État de l'U.R.S.S. et de la Chine qui prêtent *à court terme* des dollars à l'Europe de l'Ouest pour financer sa reconstruction !

Dans un tout autre contexte, cette année-là, une autre opération est considérée par certains[204] comme le premier prêt *à moyen terme* en dollars, la première *euro-émission :* Philips N.V. émet alors un emprunt à moyen terme libellé en dollars, pour 25 millions, sur le marché hollandais. En réalité, cet emprunt n'est pas vraiment une émission, car il est réservé à quelques actionnaires identifiés à l'avance. La première émission réelle en dollars hors d'Amérique, n'aura lieu que treize ans plus tard, imaginée par Siegmund Warburg depuis Londres.

L'année suivante, 1951, les eurodollars à court terme se développent. Avec la poursuite de la guerre de Corée et l'installation de la guerre froide, les dollars de l'Est continuent d'arriver à la B.C.E.N. ; la B.N.C.I., la Société Générale et le Crédit Lyonnais bénéficient ainsi de dépôts de dizaines de millions de dollars ; et, à plusieurs reprises, la B.C.E.N. aide même la Banque de France à boucler ses échéances à l'Union Européenne des Paiements. L'Italie, la Belgique, la Hollande, l'Allemagne fédérale, l'Angleterre reçoivent aussi, par le même canal, des centaines de millions de dollars, de marks et de francs suisses venus de l'Est.

Plus tard, quand la guerre de Corée se termine, le 27 juillet 1953, les comptes de l'Est aux États-Unis sont libérés. Mais l'« Eurobank » continuent de recevoir l'essentiel des devises occidentales de la Banque d'État de l'U.R.S.S., les rémunère à vue et les replace dans les banques américaines et européennes[51]. Mais elle n'est plus la seule à le faire, et bien des banques privées font circuler entre elles les dollars provenant des ventes effectuées en Amérique : l'eurodollar devient monnaie courante.

PRISE DE KUHN LOEB

Dès la fin des années quarante, Siegmund se rend régulièrement aux États-Unis, en principe deux fois l'an, à bord de l'un de ces superbes paquebots de la Cunard où l'on rencontre l'élite fortunée de l'époque. Sa filiale d'investissements à New York lui attire quelques rares clients allemands et anglais dont il investit les fonds aux États-Unis.

Mais il sent que les temps changent, que la croissance industrielle va se ralentir aux États-Unis mêmes, qu'il sera utile aux entreprises et aux financiers d'outre-Atlantique de trouver des débouchés sur le Vieux Continent, et qu'il va falloir maintenant, comme il l'attendait depuis longtemps, amener des dollars et des entreprises américaines en Europe.

Et, pour les avoir plus tard comme clients à Londres, il décide d'aller les chercher dès maintenant à New York, et pour cela, de remettre la main sur une des banques de la famille Kuhn Loeb, alors au sommet de Wall Street.

Les plus grands financiers de l'époque se disputent alors l'honneur d'y entrer. J.R. Dilworth y devient associé. John Schiff dirige toujours cette association de milliardaires qui partagent entre eux les profits sans les réinvestir. C'est, avec Morgan Stanley, Dillon Read et Lehman, où le général Lucius D. Clay, l'ancien gouverneur militaire en Allemagne, devient associé, l'une des quatre plus grandes banques d'investissements américaines. Elle vend ses conseils financiers contre d'énormes honoraires, organise des augmentations de capital, des fusions et des absorptions pour les entreprises les plus prestigieuses, des transports aériens aux chantiers navals et aux compagnies ferroviaires.

Au début de 1952, un jeune homme tout juste entré chez Kuhn Loeb, Alvin E. Friedman, va se trouver par hasard à l'origine de la première relation d'affaires entre la Banque américaine et S.G. Warburg : chargé par les dirigeants de la Hudson Bay Company — une curieuse entreprise publique anglaise créée au XVIIe siècle par des trappeurs, et dont le contrôle, d'après les termes mêmes de ses statuts, doit rester entre des mains britanniques — de trouver des actionnaires privés, il propose de passer à Londres par N.M. Rothschild, dont Kuhn Loeb est depuis toujours le correspondant à New-York. Sir William Wiseman, son complice du temps de la guerre, suggère au contraire de choisir S.G. Warburg, ce qui est fait. Siegmund organise alors le placement de ces titres, au milieu de 1952, mais ne trouve d'acquéreurs que pour une fraction d'entre eux.

Cette même année 1952, Siegmund est associé au lancement par Kuhn Loeb d'un emprunt sur le marché helvétique de 75 millions de francs suisses, pour International Standard Electric Corp. Il organise, encore avec Kuhn Loeb, la vente à une firme anglaise, l'Imperial Gas, d'une filiale de la compagnie canadienne Gatineau Power Co. Et

331

peu à peu, il se glisse dans les conseils et les comités de la firme américaine.

A la fin de cette année où le général Eisenhower devient Président des États-Unis contre A. Stevenson, où Mac-Cloy quitte l'Allemagne, où Gert Whitman, quitte l'Allemagne pour s'installer à Zurich, la prise de pouvoir de Siegmund à New York est foudroyante : par son charme et son exigence, il s'impose chez Kuhn Loeb, délaissant même quelque peu sa propre filiale new-yorkaise.

Au début de 1953, John Schiff lui propose d'occuper un bureau chez Kuhn Loeb et de le conseiller pour l'ensemble des affaires, américaines ou non. Il accepte ; mais les réglementations du marché new-yorkais lui interdisent d'être associé dans une société du New York Stock Exchange, il est déjà l'actionnaire d'une banque. Aussi, en novembre 1953, est créé, pour diriger Kuhn Loeb, un comité exécutif composé de deux associés américains et de Siegmund, à rang égal. Et au début de 1954, il y prend les commandes — autant que faire se peut — et s'installe quelques mois par an à New York, à l'Hôtel Drake, essayant d'imposer ses méthodes et ses conceptions à ce regroupement d'individualités.

Dix-huit mois plus tard, le 5 mai 1955, un mémorandum interne précise qu'il doit être traité comme un associé, avoir le titre de « directeur exécutif » et passer la moitié de l'année à New York.

A l'époque, il y a, dans le nouvel immeuble fastueux de Wall Street, onze associés, dont les plus importants sont John Schiff, Frederick Warburg, Sir John Wiseman, George Bovenizer et J.R. Dilworth. Son nom apparaît dans les brochures de la banque après celui des associés et avant celui des fondés de pouvoir[197], dont Henry Necarsulmer, qui deviendra associé deux ans plus tard et se révélera son pire ennemi.

Mais il ne peut empêcher que la brochure de la firme ne minimise les liens avec sa propre maison : « En Europe, nous avons récemment établi une relation étroite entre S.G. Warburg and Co à Londres, tout en maintenant nos autres contacts traditionnels avec les banques de Londres et du Continent. Ces liens nous ont conduits à être consultés pour des achats d'entreprises européennes et à fournir à nos clients américains l'aide maximale lors de leurs investissements en Europe[217]. » Pourtant, à cette date, seuls les prêts montés par lui, malgré les réticences de tous les autres associés de New York, peuvent justifier pareille fierté...

MERCURY SECURITIES ET TÉLÉVISION PRIVÉE

S.G. Warburg est désormais une petite banque active, imaginative, formidablement mobile. Ses profits passent de 40 000 livres en 1945 à 60 000 en 1948, puis à 160 000 en 1951 et 200 000 en 1953. C'est peu encore à l'échelle de la City, mais tout est réinvesti dans la Banque. Les directeurs — Siegmund et les « Oncles » — ne gagnent au total que 38 000 livres annuelles, ce qui est fort peu si l'on rapporte cette somme aux revenus des seigneurs de la City et de Wall Street, voire même à ses propres profits de l'année.

En août 1953, quand reprennent les transactions sur le cuivre, Siegmund Warburg s'intéresse de plus en plus à Brandeïs-Goldschmidt qu'il veut concentrer sur la production de ce métal et de sous-produits. Une autre entreprise lui tombe entre les mains par hasard cette année-là : une agence de publicité anglaise alors très dynamique, *Masius Ferguson* dont le président se retire, est à vendre. Cet achat, qu'il hésite alors à faire, peut paraître absurde de la part d'un banquier. Mais il sera en fait déterminant, car il lui permettra de s'introduire sur un marché qui deviendra ultérieurement pour lui considérable, celui des medias.

333

Car, avec l'aide de quelques amis, nouveaux venus comme lui, tels Lionel Fraser et Cecil King, Siegmund va, en quelques années, devenir le banquier de la presse anglaise la plus dynamique, et commencer ainsi, fortuitement, à ouvrir la voie à la télévision privée en Europe.

La télévision privée existe depuis quelques années déjà à New York, à Los Angeles et à Chicago. L'organisme américain de tutelle a accordé, en juillet 1946, 24 autorisations à des stations de radio pour créer, en s'appuyant sur la publicité, des chaînes de télévision. Puis elle a bloqué pour cinq ans toute création nouvelle, avant d'autoriser à nouveau, en 1953, quelques centaines de stations supplémentaires[6]. L'Europe des medias est alors, elle, balbutiante : la télévision publique commence tout juste à s'installer en France et en Angleterre ; les conservateurs et le patronat anglais voient dans la télévision privée une occasion de s'opposer au monopole de la B.B.C. Ainsi, en janvier 1953, ils élaborent un Livre blanc demandant de « favoriser le libre jeu de la concurrence » et de créer, à côté de la B.B.C., des chaînes privées[144]. Mais, au sein de l'opposition travailliste et dans certains autres milieux, ultra-conservateurs ou de gauche, beaucoup craignent au contraire que la privatisation de la télévision ne renforce l'influence américaine ; et en juin 1953, un groupe hétéroclite, allant des syndicats aux Lords, déclenche une campagne contre le projet[35].

A cette époque, la City ne croit guère à la rentabilité de ce genre de projets, et ne s'y intéresse aucunement. Seul Siegmund, sollicité par les quelques amis qu'il s'est faits dans le milieu de la presse, s'y intéresse ; même s'il n'aime pas lui-même la télévision et ne la regarde jamais, il y voit une occasion d'entrer dans un secteur d'avenir. Par ailleurs, l'ancien président d'une société d'électricité nationalisée, Sir Robert Renwick, devenu agent de change, devance aussi une loi éventuelle et se met à préparer un autre projet de chaîne privée.

A la fin de l'année 1953, le gouvernement demande au Parlement d'autoriser la création de télévisions privées[6]. En mars 1954, la loi est votée de justesse, sur le modèle de l'organisation de Chicago : un organisme public, l'I.T.A., a la charge de construire les stations émettrices et d'accorder les licences[144]. Le financement des programmes est assuré par la publicité et par une subvention annuelle de 750 000 livres. Un cahier des charges impose des contraintes de qualité des programmes[35].

Au même moment, Siegmund entreprend de réorganiser sa banque, afin de pouvoir accéder au marché des capitaux et acheter des titres hors taxes, tels ceux de Brandeïs ou de Masius Fergusson. Aussi décide-t-il de créer un nouveau holding et d'y rattacher à la fois la banque et les entreprises qu'il contrôle, dans le seul secteur des services.

L'opération est assez complexe. Siegmund trouve une très vieille compagnie de location de wagons, dont j'ai parlé plus haut « Central Waggon Company », créée au XIXe siècle, au temps où les banques refusaient de financer les chemins de fer britanniques. Elle est devenue une filiale de British Railways lors de sa nationalisation, et ses wagons furent alors vendus, ne laissant plus en caisse que de l'argent liquide. Le 1er mars 1954, les actionnaires de la S.G. Warburg la rachètent à l'État contre de l'argent liquide, lui-même obtenu en vendant la Banque et ce que Siegmund possède de Brandeïs-Goldschmidt à Central Waggon. On rebaptise alors celle-ci du nom de la vieille filiale de la banque, « Mercury Securities Ltd ». Dans le formulaire légal émis à cette occasion, on peut lire : « Les directeurs de M.S.L. pensent que la société S.G.W. dispose d'un revenu satisfaisant et, compte tenu des circonstances imprévues, s'attendent à être en mesure de recommander pour l'année en cours un dividende non inférieur à 8 %. » La direction de Mercury est le décalque total de celle de S.G. Warburg, avec Siegmund Warburg, Gerald Coke et les « Oncles » Grunfeld, Korner et Thalmann. Le capital de Mercury Securities est alors réparti entre quelques mains. Le plus gros actionnaire devient Rio Tinto, car elle revend en même temps à Mercury, ce qu'il lui reste de Brandeïs, dont Henry Grunfeld devient président.

Mercury Securities Limited, à peine créée, achète l'agence de publicité *Masius Fergusson*, et Siegmund se remet à préparer avec elle son projet de télévision privée. Deux entrepreneurs de spectacles, Lew Grade et Val Parwell, et un agent publicitaire, miss Suzanne Warner, parachèvent sa mise au point. Siegmund le monte financièrement à l'été 1954. Mais l'I.T.A. juge ce projet trop tourné vers la publicité, et ne lui accorde une licence, à la fin de 1954, qu'après l'avoir regroupé avec un autre projet, celui préparé par un journaliste, Norman Collins[144] avec Renwick. Ainsi naît l'*Associated Television*. C'est un échec au début, et Siegmund en arrange un peu plus tard le rachat partiel par le *Daily Mirror* de Cecil King. Thomson achète, au même moment, 80 % d'une chaîne de télévision privée tout juste créée en Écosse, qui marque les débuts de sa fortune.

Cette année-là, la situation de l'économie anglaise se dégrade encore : l'expansion entraîne un excès de demande intérieure, l'inflation se développe, la dévaluation épuise ses effets. Au début du printemps de 1955, Churchill laisse la place à Eden, qui dissout la Chambre le 15 avril. Dans leur campagne, les travaillistes se bornent à demander la renationalisation de l'acier et des transports routiers[35] : en vain, le pouvoir reste aux Conservateurs pour presque dix ans encore.

VIE DE FAMILLE, MORT DE SA MÈRE

La vie de famille de Siegmund est alors sans histoires. L'avis de sa femme compte beaucoup pour lui et il n'y a rien à dire de ses aventures, sinon qu'elles existent. En 1954, il quitte le petit appartement du 23 Fairacres Roehampton Lane pour emménager dans un autre, beaucoup plus luxueux, sur Eaton Square, qu'il gardera vingt ans.

Son fils entre dans la banque avec Milo Cripps, le neveu de sir Stafford ; sa fille part faire des études de lettres à Oxford. Nombre de Warburg passent alors par Londres : Fritz, qui vit toujours à Stockholm ; Frederick, qui vit à New York ; Eric, qui partage son temps entre Hambourg et New York et James, qui travaille avec Adlai Stevenson.

Sa mère, dont il est toujours très proche, se sent à présent très fatiguée : en février 1954, à cause de son état, il hésite à partir pour quelques semaines en Amérique, pour une des toutes premières fois en avion. « Elle était franchement ulcérée si elle soupçonnait que j'avais pu modifier un quelconque rendez-vous ou projet de voyage à cause d'elle. Mais, évidemment, plus elle s'affaiblissait (...), plus nos adieux devenaient difficiles de part et d'autre. C'est pourquoi je lui dis en plaisantant, lors de mes derniers départs pour New York : "En fait, tu devrais prendre l'avion avec moi pour l'Amérique." La réponse ne se faisait pas attendre : "J'aimerais bien le faire si je n'avais autant d'obligations mondaines qui me retiennent ici". » Il part quand même ; mais, en avril, sa mère fait une grave chute dans sa chambre : sérieux traumatisme, quelques côtes brisées. « Elle exigea de tous ceux qui étaient alors à ses côtés qu'ils lui promettent solennellement de ne point m'informer de son état[211]. »

Elle ne se remet pas de cet accident et meurt le 25 octobre 1955, à plus de quatre-vingts ans. « Un désir particulier que ma mère exprima souvent en ma présence était qu'aucune cérémonie funèbre ne fût organisée pour elle... C'était là le reflet de son comportement éminemment modeste et de son refus de tout tapage, de tout cérémonial[211]. » Elle est incinérée à Londres dans la plus grande discrétion. Plus tard, Siegmund évoquera ses cendres à maintes reprises.

Quelques jours après cette disparition, il écrit un long texte sur sa mère « à l'intention de ceux qui lui furent proches. Je le fais en allemand, car c'était là sa vraie langue, tout comme sa vision du monde était imprégnée de l'art de Beethoven et de Goethe[211] ». C'est de ce texte que sont extraites les citations ci-dessus qui la concernent.

LE F.M.I. FAIT DE LA POLITIQUE

En 1956 commence la crise de Suez, qui marquera la première utilisation politique ouverte des moyens du F.M.I. Le 26 juillet, douze ans avant le terme de la concession, Nasser annonce la nationalisation et la saisie des biens de la Compagnie du Canal de Suez. En Angleterre et en France, les esprits sont considérablement échauffés. Le *Times* écrit : « Si on laisse Nasser jouir de son coup, tous les intérêts britanniques et occidentaux au Moyen-Orient s'effondreront[35]. » Simultanément, la situation de la livre s'aggrave. La parité de 1947 est devenue intenable. Le déficit de la balance des paiements devient énorme et la probabilité d'une dévaluation accélère la fuite des capitaux. Durant le seul mois de juillet, les réserves d'or et de devises diminuent de 50 millions de livres. Un plan de stabilisation est alors décidé, et, comme toujours, c'est un plan de récession. Mais, pour la première fois depuis sa création, le F.M.I. va être utilisé politiquement de manière ouverte par l'Amérique et la faiblesse de la livre va interdire à l'Angleterre toute politique étrangère autonome. Car les États-Unis d'Eisenhower — lui-même préparant sa réélection — ne veulent absolument pas entendre parler d'un conflit d'aucune sorte avec personne, et ils sont prêts à utiliser tous les moyens, y compris la rupture des accords de Bretton Woods, pour éviter une guerre pour

Suez. « La Grande-Bretagne, explique R.A. Butler, devait se montrer surtout sensible à la menace américaine de jouer contre la livre[35]. »

Vingt-quatre pays se réunissent alors en conférence à Londres du 16 au 23 août afin d'élaborer un statut international du canal ; ce sera un échec, car Eden, obsédé par Munich, ne veut pas céder ; le 29 octobre, il prépare avec Guy Mollet et Ben Gourion une intervention armée en Égypte. Le 30, le Gouvernement anglais lance un ultimatum à l'Égypte. Le 31, les forces franco-britanniques débarquent à Port Saïd. Sir Anthony choisit ce moment pour partir se reposer à la Jamaïque et laisser l'intérim du gouvernement à Butler. Le 2 novembre, les Nations Unies demandent le retrait des forces alliées et les Russes brandissent la menace d'une troisième guerre mondiale.

Depuis le début de la crise l'Angleterre a perdu 15 % de ses réserves d'or et de dollars, et doit solliciter, début novembre, un prêt du F.M.I., que les États-Unis se chargent de lui faire refuser : « Je considérai cette attitude, écrira plus tard Macmillan, et la considère toujours comme une trahison de l'esprit — et même de la lettre — du système qui était censé régler le fonctionnement du Fonds[35]. »

Jamais en effet les signataires européens des accords de Bretton Woods n'avaient imaginé que l'Amérique les utiliserait comme un tel moyen de pression : c'était pourtant déjà clair dans la manière dont s'étaient déroulées à l'époque les négociations.

L'Angleterre, puis la France, finissent par céder, le 7 novembre 1956 ; et le 22, Butler annonce le retrait des forces britanniques et l'instauration d'un rationnement de l'essence. Tout est réglé : il faut tirer définitivement un trait sur les ambitions coloniales de l'Europe. La livre a vécu. Le F.M.I. a imposé la loi des Grands.

Entrée au saint des saints

Siegmund, lui, continue à se développer à Londres et à New York. Il exerce avec passion son métier, qui n'est pas fait que de coups spectaculaires, mais aussi d'affaires très prosaïques. Ainsi, en 1956, en dehors des grosses opérations dont il s'occupe, il en réalise d'autres, plus petites, par exemple pour M. Sobell, le beau-père de M. Weinstok, qui dirige la Radio and Allied Industry, ou pour une entreprise de ventilateurs, la PIFCO, d'un M. Webber pour qui il émet des titres. Et il les suit toutes avec le même souci exigeant du détail.

Sa banque regroupe désormais 60 personnes, dont plus de la moitié sont des cadres. Sa réputation commence à intriguer : « La maison est bien connue pour jouer le rôle d'une sorte de ferment dans la City, à cause de ses idées nouvelles, de son organisation minutieuse favorisant la communication interne, de ses horaires de travail », note Sharp à propos de cette époque[222].

La City ne l'aime toujours pas, ce dont il souffre beaucoup. Dans ce club fermé, on le considère toujours comme un étranger, le banquier des émigrés.

Il n'aime toujours pas non plus certains comportements de l'élite anglaise et en décembre 1956, il note pour lui-même : « Une des attitudes dominantes de la City est la tolérance vis-à-vis de la médiocrité et le plaisir de critiquer les moindres faiblesses décelées chez les fortes personnalités[214]. » Il adore aussi citer ce trait qui la décrit bien : « Un Anglais, visitant Paris vers 1805, aperçoit Napoléon de loin : "Vous pouvez voir du premier coup d'œil que ce type n'a jamais mis les pieds à Oxford"[214]. » Il déteste toujours autant les dîners officiels, notamment ceux de Mansion House auxquels il est maintenant convié : « Il faut se mettre en habit, c'est très inconfortable ; on assiste à la lecture d'un long discours que vous pouvez tout aussi bien lire le lendemain matin dans la presse[175]. »

L'establishment financier se gausse de ses voyages « inutiles », de ces gens « inemployés » regroupés dans une « salle de syndicat » comme on en voyait dans l'Allemagne d'avant-guerre, alors qu'il n'existe pas encore d'emprunt « syndiqué » à Londres. On s'étonne de voir Mercury regrouper maintenant tout un ensemble de sociétés de services, achetées presque au hasard, à des clients de la Banque morts sans successeurs, allant de la vente de métaux à la publicité, en passant maintenant par le courtage en assurances, avec l'achat, cette année-là, de *Stuart Smith Wrightson*. Ses profits avant impôts se montent à présent à un million de livres, soit cinq fois plus qu'en 1951. Lui-même continue à ne retirer que peu d'argent de la Banque : quelque 10 000 livres par an, autant que les "Oncles", un peu plus que les cadres suivants dans la hiérarchie.

Cette année-là, il recrute un jeune correspondant de Reuter à Bonn, Ian Fraser, qui souhaite devenir banquier. La façon dont il l'engage est symbolique du climat qui prévaut à l'époque chez S.G. Warburg. Nul ne veut de ce journaliste dans la City. Sir William Keswich l'envoie alors chez Siegmund qui, à ce moment, recherche des jeunes connaissant bien l'Europe, pour se développer en Allemagne. Siegmund le reçoit longuement, puis le fait recevoir le même jour par Henry Grunfeld, par E.G. Thalmann, par son fils George, par Robinow, par Grierson, par Sharp et par Bloch. On lui pose toutes sortes de questions et au terme de plusieurs jours de discussions du même genre, on l'engage à 800 livres par an.

Le 8 janvier 1957, Anthony Eden, à peine revenu de Downing Street, démissionne pour raisons de santé. Harold Macmillan lui succède le lendemain[35]. Le 13 mai, le gouvernement décide de ne plus intervenir dans la région du Moyen-Orient qu'à la demande des États intéressés, et sous réserve du soutien américain[35]. Mais il ne va pas jusqu'à se dégager outre-mer ni jusqu'à participer à la construction européenne qui entre dans les faits avec la signature du Traité de Rome.

C'est à cette époque que Siegmund est admis dans le « saint des saints ». En septembre 1957, un agent de change de ses amis, Richard Jessel, qui a fondé N.T.C. avec lui, toujours à l'affût de ce qui se passe dans la City, lui signale que Seligman Brothers, la célèbre maison installée à Londres depuis 1869, et l'un des membres du Comité d'Acceptation depuis sa création en 1914, cherche à fusionner avec une autre banque. Sur les 17 *merchant banks* du Comité, l'habitude est certes déjà prise d'accueillir des étrangers — deux seulement, en fait, n'ont pas été fondées par des immigrants —, mais c'est la première fois depuis 1907 qu'une banque du « saint des saints » de la City est sur le marché. A l'heure où Siegmund est ainsi informé, aucun autre acquéreur ne s'est encore déclaré. L'idée plonge Siegmund dans l'enthousiasme : il serait le premier fondateur d'une banque à faire entrer de son vivant sa maison dans ce Comité. Il rencontre les associés de Seligman, rassemblés dans la même pièce. On se connaît mal : Seligman n'est pas la maison par laquelle S.G. Warburg and Co passe habituellement pour transmettre ses billets à la Banque d'Angleterre. L'affaire se conclut néanmoins en l'espace de quatre semaines. On se met d'accord sur un prix. Seligman accepte que le rachat se traduise par l'intitulé : « S.G. Warburg and Co Ltd (Incorporating Seligman Brothers) ». Il faut aussi obtenir l'autorisation de la Banque d'Angleterre, et, comme il ne se trouve aucun autre candidat, cet aval est facile à obtenir.

A la fin de 1957, c'est chose faite. Quatre associés de Seligman demeurent chez S.G. Warburg. Deux d'entre eux, Geoffrey Seligman et son frère Spencer, y resteront jusqu'à leur retraite.

Ailleurs que dans la City, cette consécration peut paraître dérisoire. En réalité, elle est la clef qui ouvre de nombreuses portes de la finance mondiale et au lendemain de la signature de l'accord, Siegmund note pour lui-même : « Une occasion ne se présente jamais deux fois, et cela décide de tout[214] ».

DES DOLLARS D'AMÉRIQUE POUR L'EUROPE ; LA C.E.C.A.

Le dollar est sans conteste la première des monnaies, même si un tiers du commerce mondial reste libellé en livres et si les banques anglaises continuent de dominer la finance internationale : plus de la moitié des agences bancaires à l'étranger sont encore britanniques, leur nombre étant près de cinq fois supérieur à celui des américaines.

Simultanément, les premiers dollars créés par les déficits américains ont tendance à rester en Europe, où les banques italiennes, pour financer les déficits commerciaux de leur pays, les empruntent à court terme et se les passe de banque en banque, en en créant d'autres au passage.

Pour autant, il ne s'agit que d'emprunts à court terme, et l'essentiel des capitaux à long terme qui circulent à travers les frontières sont encore des capitaux d'État, prêtés à des États, même si de très rares emprunts à long terme en monnaies faisant référence au dollar commencent aussi à être émis en Europe : tel, en 1951, celui de la S.A.C.O.R., un raffineur pétrolier portugais[204].

Pourtant, comme Siegmund l'a pressenti, d'une part des emprunteurs européens songent maintenant à venir chercher des dollars à Wall Street, attirés par des taux d'intérêt plus bas, et d'autre part certains industriels américains s'intéressent à l'achat d'entreprises européennes.

L'essentiel, en cette année 1956, est néanmoins l'appari-

343

tion à New York d'emprunts européens à long terme, en dollars, les premiers d'après-guerre sur le marché, signe du dégel des capitaux libres.

Le premier d'entre eux est réalisé par Siegmund Warburg, au nom de Kuhn Loeb, pour le compte de la C.E.C.A.[207]. Il est étrange que le premier grand emprunt européen sur le marché de New York soit ainsi organisé par un banquier anglais au nom d'une banque américaine, et pour le compte d'une institution à laquelle l'Angleterre elle-même n'a pas voulu adhérer.

L'histoire de cet emprunt est importante : elle montre bien la façon dont Siegmund, usant de son charme et de sa force de conviction, réussit une « première », ouvre une voie, à l'époque entièrement neuve dans la finance, qui nous paraît aujourd'hui bien balisée.

L'Angleterre est alors explicitement hostile à la construction balbutiante de l'Europe[35]. Aux Communes, le 27 juin 1950, juste après la déclaration de Robert Schuman du 9 mai, Winston Churchill, alors encore dans l'opposition, résume bien cet état d'esprit quasi unanime de son pays : « Compte tenu de notre position au centre de l'Empire britannique et du Commonwealth, compte tenu de nos liens fraternels avec les États-Unis dans le cadre du monde anglophone, nous ne pourrions accepter de faire partie intégrante d'un système européen de nature fédérale[35]. » Bevin estime lui aussi vital « qu'on ne laisse pas les efforts déployés pour l'organisation de l'Europe occidentale remplacer ou entraver la conception plus large de l'unité atlantique[62] ».

Ainsi, quand, en octobre 1950, René Pleven avance l'idée de Communauté Européenne de Défense, les Anglais en approuvent le principe pour les autres, mais sans s'y associer. « Nous n'envisageons pas de nous fondre dans une armée européenne, déclare Churchill aux Communes le 6 décembre 1951, mais nous lui sommes d'ores et déjà associés. Nos troupes sont sur le terrain, et nous ferons tout pour y apporter notre contribution[35]. » Après la conclusion du traité de la C.E.D. en mai 1952, la Grande-Bretagne passe avec elle un accord de sécurité mutuelle ; quand le Parlement français en refusera la ratification le 30 août 1954, Eden obtiendra de Pierre Mendès France, le 28 septembre, que l'Union Européenne Occidentale associe la R.F.A. et l'Italie et serve ainsi de structure de substitution[62].

Au grand dam de Siegmund, convaincu que l'avenir de l'Angleterre se joue en Europe, Churchill conservera ces mêmes distances vis-à-vis de l'autre projet européen, qui, lui, va réussir, celui de la C.E.C.A. Le Traité, qui reprend le schéma du Cartel de l'Acier d'avant-guerre, est signé à Paris le 18 avril 1951. C'est encore Pferdmenges, entre autres, qui le négocie au nom d'Adenauer. « Une chose est certaine, dira un peu plus tard Harold MacMillan[35], et autant la regarder en face : notre peuple ne déléguera jamais à une quelconque autorité supranationale le droit de fermer nos puits et nos aciéries ».

La C.E.C.A. est dirigée par une Haute Autorité dont Jean Monnet, jusqu'alors commissaire au Plan à Paris, est nommé président dès sa création le 10 août 1952. Siegmund en devine tout de suite les perspectives et va de temps en temps, sans raison particulière, en voir les dirigeants à Luxembourg.

En novembre 1954, la C.E.C.A. emprunte, avec l'aide de la B.R.I., 100 millions de dollars au gouvernement des États-Unis représenté par l'Export-Import Bank, sous forme de prêts à des entreprises des six pays[62]. Pour négocier ces prêts, Jean Monnet et son directeur financier, Jean Guyot, s'appuient sur la banque Lazard à New York et sur celui qui en est devenu le patron, son vieil ami de la guerre, André Meyer, ainsi que sur le Crédit Suisse[62].

Quand Jean Monnet décide de quitter la Haute Autorité à la fin de juin de 1955 pour y être remplacé par l'ex-président du Conseil français René Mayer, il lui lègue un projet d'une toute autre ampleur, un énorme emprunt pour l'époque, totalement inédit[110] : non plus cette fois un prêt d'État, mais 40 millions de dollars à trouver sur le marché de New York. L'idée peut paraître folle : ce serait en effet le premier grand emprunt étranger à être lancé depuis la guerre sur le marché américain, et il le serait pour le compte d'une entité inconnue, encore largement abstraite, qui n'a vraiment rien d'une entreprise, et sans objectif de profit. Avant sa démission, Jean Monnet choisit lui-même les banquiers qui en seront les chefs de file. Pour respecter la loi qui oblige à les choisir américains, puisqu'il s'agit d'emprunter sur le marché de New York, il retient deux Européens établis en Amérique : André Meyer et Siegmund Warburg, dont le nom évoque pour lui celui de la banque qui a réalisé l'essentiel des emprunts allemands aux États-Unis pendant un siècle. Monnet ne connaît pas Siegmund, mais il a entendu parler de lui par John Mac-Cloy, par Hermann Abs, par André Meyer et par tous les dirigeants de Luxembourg avec qui Siegmund entretient des relations "gratuites" depuis deux ans, sous les sarcasmes de ses pairs, sans bénéfice immédiat.

Au début de juin 1956, après six mois de préparatifs, René Mayer réunit à Luxembourg les deux banquiers et les deux financiers de la C.E.C.A., deux personnalités d'exception qui vont faire de cette institution l'un des tout premiers emprunteurs d'Europe : un Français, Paul Delouvrier, devenu directeur financier de la C.E.C.A. après le départ de Jean Guyot chez Lazard, et son adjoint, un étrange personnage, Ivan Scribanovitz, dit "Scriba", sorte de génie de la finance allemande d'avant-guerre, devenu en 1942 ministre des Finances du gouvernement Vlassov dans l'Ukraine occupée par les nazis, avant de resurgir à Luxembourg en 1950 comme directeur financier de la C.E.C.A. Siegmund, comme bien d'autres à New York et Londres, n'aime pas trop lui adresser la parole, sauf en présence de Paul Delouvrier. On se met d'accord sur les conditions de l'opération, et Siegmund accepte de se charger de la placer[207].

L'aventure a de quoi intéresser l'Européen convaincu qu'il est : persuader en 1956 la communauté financière internationale que l'Europe a un avenir et que les institutions qu'elle se donne méritent de recevoir l'argent qu'on peut leur prêter, c'est, pour lui, faire à la fois de la "haute banque" et de la politique. Mais comme c'est un emprunt en dollars, on ne peut le placer à cette époque que par une banque de Wall Street ; et quand, en juillet, il s'en va exposer le projet chez Kuhn Loeb, nul n'y croit : impossible de placer un emprunt aussi énorme pour l'époque au bénéfice d'un emprunteur aussi peu établi. Au demeurant, quels que soient l'emprunteur et le garant, placer un tel emprunt est en soi difficile, car il n'existe plus de ces grandes fortunes d'avant-guerre capables d'en prendre d'emblée une part significative. Aussi ses associés refusent-ils d'en garantir le placement. Et, à défaut de cette garantie, le montage de l'opération devient encore plus problématique. Siegmund fait alors, par téléphone, un premier tour des rares détenteurs de dollars en Europe. Décevant : personne ne veut prêter ses dollars à long terme, à moins de s'assurer préalablement qu'à Wall Street, quelqu'un se porte acquéreur d'une part importante de l'emprunt. Siegmund comprend alors qu'il ne pourra placer le tout que s'il parvient à en placer au moins 5 % chez un grand investisseur de New York. Il cherche à convaincre l'un d'eux et, en août 1956, s'adresse à l'une des grosses institutions américaines d'épargne de l'époque, une compagnie d'assurances, la Metropolitan Life. Il s'en va voir son directeur général, Hagerty[207] :

— Je vous propose de placer deux millions de dollars, à un bon taux d'intérêt, en le prêtant au meilleur emprunteur d'Europe, plus sûr encore que le gouvernement anglais ou allemand, puisqu'il est garanti par tout l'acier et le charbon européens : la C.E.C.A.

— Je ne comprends pas. A ma connaissance, ces gens de la C.E.C.A. dont vous parlez ne possèdent eux-mêmes ni le charbon ni l'acier, n'est-ce pas ? Ce sont des fonctionnaires et des bureaux... Alors, c'est quoi, leur actif ?

— Ils n'ont pas d'actif à proprement parler, mais le remboursement de cet emprunt sera garanti par la taxe que la C.E.C.A. va percevoir sur la sidérurgie et les charbonnages européens. Cette taxe a fait l'objet d'une loi. Elle vaut donc bien un actif réel.

— Je ne suis pas convaincu, Monsieur Warburg. Pour l'instant, l'Europe n'existe pas et votre C.E.C.A. n'est qu'un morceau de papier. Je ne vois pas quelle est la garantie que vous m'apportez.

— Vous allez comprendre, Monsieur Hagerty. On peut comparer la Haute Autorité de la C.E.C.A. à celle qui gère le Port de New York. Vous la connaissez ; elle non plus ne possède ni bateaux, ni docks, mais elle administre le port et perçoit pour cela une taxe. Jamais vous n'hésiteriez, ni vous ni personne, à lui prêter de l'argent...

— Monsieur Warburg, donnez-moi dix jours. Je vous rappellerai.

Dix jours plus tard, Hagerty téléphone à Siegmund : « On a réfléchi à votre emprunt, ici, et on a décidé de prendre pour deux millions de dollars de ces obligations de... comment dites-vous ? l'Autorité du Port de la C.E.C.A. ? »

Le reste est placé en l'espace de huit jours.

L'emprunt est signé à Luxembourg par René Mayer et Paul Delouvrier, en présence de Siegmund, le 16 septembre 1956. Ainsi naît une longue relation entre la C.E.C.A. et Kuhn Loeb, qui fera de celle-là, dix ans après, le premier client non-américain de la seconde. Aboutissement financier d'une exemplaire politique de relations et d'une rare capacité de séduction.

Après cette affaire, Siegmund continue à rencontrer souvent les gens de Luxembourg, qui deviennent vite des

experts financiers parmi les plus sophistiqués du monde.
Et, parmi eux, Paul Delouvrier. Bien qu'il parle très correctement le français, Siegmund connaît mal la France où
il ne compte encore que peu d'amis et réalise peu d'affaires. Quand, fait plutôt rare à l'époque, il se rend à Paris, il
descend le plus souvent au Plazza et y déjeune avec
Delouvrier qu'il fait parler de son pays. Il est impressionné quand celui-ci lui prédit, avec quelques mois
d'avance, le probable retour au pouvoir du Général de
Gaulle.

L'UNION PERSONNELLE

A la fin de 1956, un amendement au droit fiscal américain permet à Siegmund de devenir associé de Kuhn
Loeb sans pour autant quitter sa banque. John Schiff lui
demande même de s'installer définitivement à New York
et de diriger Kuhn Loeb avec lui. Siegmund refuse : il
souhaite construire sa propre maison, et non pas travailler
à valoriser le nom des autres. Il veut bien diriger les deux
firmes, mais alors ce serait pour les regrouper peu à peu
sous son propre contrôle. Et au demeurant, s'il accepte de
devenir associé de Kuhn Loeb, c'est au nom de S.G. Warburg and Co, et non pas à titre personnel. Pour ce faire, à
la fin de 1956, on échange dix pour cent des actions d'une
firme contre autant d'actions de l'autre, ce qui révèle d'ailleurs la faiblesse du capital de Kuhn Loeb par rapport à la
réalité de sa puissance.

Il est à ce moment le seul banquier européen associé
dans une banque de New York, et passe près de la moitié
de l'année à Wall Street, où chacun l'y regarde avec curiosité ou jalousie. Et même si, cette année-là encore, il
avance masqué, il recrute, place ses hommes et impose ses
méthodes. Beaucoup comprennent à présent qu'il vise directement — ou par personne interposée, c'est-à-dire par

J.R. Dillworth qu'il a choisi comme son homme — à contrôler la vieille maison. Lui-même n'ignore pas qu'il lui sera beaucoup plus difficile de s'imposer à des associés millionnaires en dollars à New York qu'il ne lui en a coûté, à Londres, de bâtir une maison avec des émigrés aussi ruinés que lui.

Sa vie devient harassante. A New York, il passe ses journées à gérer les affaires américaines et une partie de ses nuits à suivre celles de Londres, étudiant dans sa chambre d'hôtel les dossiers quotidiens, qu'il reçoit désormais par télex, et auxquels il répond le lendemain par la même voie, ou par appels téléphoniques codés. A Londres, son emploi du temps est inverse, mais aussi dense. Très vite, cependant, cette association se révèle on ne peut plus bénéfique pour lui, tant par les contacts pris que par les enseignements recueillis. Appartenir au cercle des associés de John Schiff lui ouvre toutes les portes, non seulement outre-Atlantique, mais partout à la surface du globe ; et son carnet d'adresses, déjà épais, s'en trouve considérablement augmenté.

Son travail dans l'un et l'autre endroits reste cependant très cloisonné : alors que les banques commerciales américaines, poussées par une législation datant du New-Deal qui limite leur développement en Amérique même, développent leur réseau à l'étranger, les banques d'investissements, elles, comme leurs homologues françaises ou les *merchant banks* anglaises, restent sur leur propre marché, à New York, protégées par leur réglementation contre la concurrence étrangère. L'émission de titres étrangers ou même la présence de banques étrangères garantes y sont en effet mal tolérées. Aussi les banques des différents pays, quand elles font affaire ensemble — ce qui reste peu fréquent —, ne cherchent pas à se concurrencer, nouent des alliances, et se choisissent des correspondants, sans marcher sur leurs plates-bandes respectives. Les rares accords financiers sont bilatéraux : ainsi, exception alors unique, les banques canadiennes peuvent émettre depuis les États-Unis.

Kuhn Loeb, comme tout Wall Street, s'occupe, encore, surtout de prêts aux grandes entreprises américaines. C'est l'époque où la General Motors lance une augmentation de capital de 325 millions de dollars, jusque-là la plus forte de l'histoire américaine ; Ford, un peu plus tard dans l'année, en lance une deux fois plus importante...

Cette année-là, 1956, hormis l'emprunt de la C.E.C.A., S.G. Warburg réalise depuis New York une autre opération de grande ampleur : avec l'aide d'Éric Korner, resté à Londres, il lance le premier prêt au bénéfice de l'Autriche. Ce pays traverse alors un moment terrible : la Hongrie vient d'être envahie et certains, à l'Est, songent même à réinvestir l'ancienne zone d'occupation russe en Autriche, évacuée l'année précédente. Un jeune Secrétaire d'État aux Affaires étrangères, Bruno Kreisky, est envoyé aux États-Unis négocier des emprunts pour la nouvelle République. Il a du mal à les placer et cherche en vain un banquier pour l'aider. Il contacte Siegmund, dont lui a parlé le nouveau président du Kreditanstalt viennois, nationalisé après la guerre, le Docteur Grimm, étonnant personnage, ami de jeunesse d'Éric Korner, qui, de Zurich, plaque-tournante de la résistance autrichienne pendant la guerre, fit revenir Kreisky en Autriche au début de 1945. Warburg et Kreisky prennent ensemble le petit-déjeuner chez Kuhn Loeb à la fin de 1956, en compagnie de Thomas Dewey, un nouvel associé de la banque, candidat malheureux aux présidentielles contre Truman. Siegmund accepte d'essayer de placer cet emprunt difficile. Il y réussit et se gagnera ainsi pour trente ans le respect, la confiance et l'amitié des dirigeants autrichiens.

Siegmund contrôle alors presque vraiment l'une des trois premières banques d'investissements new-yorkaises avec Dillon Read et Morgan Stanley. Il s'intéresse à toutes ses opérations, soit aux États-Unis mêmes, — qu'il s'agisse de prêts ou de fusions d'entreprises dans l'équipement électrique, les télécommunications, l'électronique, l'aluminium, l'optique, la chimie, les transports, le pétrole, les biens d'équipement, le nucléaire, les biens de consommation, l'agro-alimentaire et le textile — soit lors de prêts à des gouvernements d'Amérique latine et d'Asie[217].

Comme à Londres, il se passionne pour le recrutement de collaborateurs. Il consacre un temps substantiel à rechercher les jeunes éléments les plus brillants de Wall Street, afin de les intégrer à son équipe. Il engage ainsi un Français, Yves-André Istel, dont il fera un associé un an plus tard. Mais il perd J.R. Dillworth, dont il ne réussit pas à faire l'associé-gérant, et qui part en 1958 gérer la fortune des Rockefeller.

Au cours de ces deux années, Siegmund organise encore depuis New York d'autres emprunts en dollars pour le compte de la Jamaïque, participe au placement d'émissions pour I.T.T., pour Reed Paper Group et pour British Aluminium, et met sur pied des prêts en dollars à destination des pays scandinaves, telle la Norvège, et des villes d'Oslo et de Copenhague[217].

Il remarque alors que ces emprunts en dollars, émanant d'entreprises ou de pays d'Europe, sont en fait souscrits par des prêteurs Européens, surtout des Suisses. Cela lui rappelle l'avant-guerre, quand lui-même plaçait aux États-Unis des emprunts destinés au Vieux Continent et qu'il pouvait déjà y récupérer des dollars tournant en Europe depuis les débuts de Weimar.

Il en parle à l'un de ses nouveaux fidèles, qu'il vient d'appeler à Londres, Gert Whitman, celui qui, sous son vrai nom de Gert Weisman, fut jadis le chef de cabinet de Schacht. Voici que s'annoncent les euro-émissions.

Deuxième échec à Hambourg

Tout rentre progressivement dans l'ordre en Allemagne fédérale. En 1952, les dix banques régionales issues de la Deutsche Bank sont regroupées en trois établissements : l'un à Hambourg, l'autre à Dusseldorf, le troisième à Francfort, et tous les cadres ne rêvent que de voir leur réunification autorisée. Schacht recrée sa propre banque à Munich et, en 1953, va donner des conseils aux Philippines, au Chili, en Argentine[160]. Force étrange du droit, le 9 janvier 1953, la B.R.I. conclut avec la République Fédérale d'Allemagne une convention qui apure juridiquement les comptes des emprunts Dawes et Young : sans doute ses signataires sont-ils les derniers à se souvenir qu'ils n'ont pas été payés. En novembre 1954, von Neurath est libéré pour raisons de santé et meurt peu après.

A Hambourg, la vieille maison s'appelle toujours Brinckmann, Wirtz and Co et elle se développe bien, intelligemment dirigée. Siegmund se rend trois fois par an aux réunions de son conseil et y voit Éric. A chacune de leurs rencontres, Siegmund s'évertue à le convaincre d'en finir une bonne fois avec sa banque de New York, E.M. Warburg, devenue entre temps « E.M. Warburg-Pincus », et d'exiger qu'on redonne à celle de Hambourg le nom de la famille. Rien ne se passe jusqu'en 1954, date à laquelle, si l'on en croit certains témoins, Brinckmann demande à Éric et Siegmund de devenir associés en même temps que son propre fils, Christian. Éric est prêt à accepter. Mais pas Siegmund : il ne peut tolérer qu'une autre dynastie prenne pied dans *sa* banque, et n'entend pas y devenir associé si elle ne porte pas son nom. Il propose donc qu'en échange de l'association de Christian Rudolf, Brinckmann rende son nom à la Banque. Celui-ci refuse et on en reste là.

Mais ce nouvel échec marque beaucoup Siegmund, qui en parle à sa mère quelque temps avant sa mort : « Je n'oublierai jamais le ton profondément convaincu sur lequel elle me répondit : "Si l'on s'emploie de toutes ses forces à quelque chose, alors tout finit par tourner pour le mieux". Je lui dis que j'avais souvent bien du mal à m'en tenir à un tel principe sans fléchir. Elle répliqua par le mot de Goethe : "Se maintenir dans l'adversité, ne jamais ployer, et voilà que les dieux veulent t'aider"[211]. »

Mais Éric ne résiste pas longtemps à la tentation de s'en revenir comme associé à Hambourg : malgré l'opposition de sa femme[55] et celle de Siegmund, il accepte l'année suivante l'offre insistante de Rudolf Brinckmann et devient « associé général » de la Banque Brinckmann, Wirtz and Co, et s'intalle alors complètement à Hambourg, tout en conservant sa banque de New York[55].

FIN DE LA LIVRE

Le 22 décembre 1956, un mois après la reculade de Suez, les crédits refusés par le F.M.I. sont mystérieusement accordés : alors qu'Eisenhower vient d'être réélu à la Maison Blanche et que s'achève l'écrasement de l'insurrection hongroise, le Royaume-Uni reçoit 561 millions de dollars du F.M.I. en plus d'un crédit de 739 millions de dollars[161].

Mais la livre ne se relèvera pas de l'humiliation de Suez[35]. Au début de 1957, au moment où explose la première bombe H anglaise et où un Livre blanc sur la Défense réclame, pour réduire le budget militaire, la diminution des forces armées et la suppression du service militaire[35], la livre est attaquée. En septembre 1957, Harold MacMillan s'obstine à refuser la dévaluation, porte le taux d'escompte à 7 % et freine encore la demande intérieure. La stabilité monétaire et l'équilibre de la balance des paiements sont ainsi une fois encore rétablis au détriment de la croissance. En outre, la Banque d'Angleterre, pour limiter l'usage de la monnaie nationale à la zone sterling, et récupérer ainsi ses dettes, demande aux banques de restreindre l'octroi de crédits en livres aux non-résidents[35]. Bien que sa monnaie redevienne transférable l'année suivante, Londres ne parviendra jamais à recréer un marché libellé en sterlings. La livre tend ainsi à disparaître du commerce international, même si elle se maintient encore quelque temps sur la place de Zurich.

Aussi, pour continuer de jouer un rôle dans le financement du commerce international, les banques de la City doivent-elles se procurer de nouvelles devises fortes et donc accepter des dépôts à court terme en dollars de la part de non-résidents. Le prêt à court terme de ces dollars y est alors tout de suite beaucoup plus facile qu'à New York, où l'on ne peut obtenir que des prêts à trois mois, renouvelable une fois, alors que dans la capitale anglaise on peut obtenir d'emblée un crédit de douze mois, renouvelables à l'infini[38]. Tel est le génie financier de la City que de réussir à garder le contrôle du marché mondial des capitaux en acceptant de le faire dans une autre devise que la sienne !

Pourtant, d'autres villes pourraient lui disputer ce rôle : ainsi, en 1958, Paris est encore au centre du marché de l'eurodollar, dont les mouvements, essentiellement entre banques, ne dépassent pas cette année-là 500 millions de dollars.

Un autre facteur va d'ailleurs accélérer cet usage du dollar en Europe : à partir de cette même année, en effet, l'Amérique, qui depuis cinq décennies prête au monde entier sans connaître de déficit, voit sa balance des paiements se déséquilibrer. Sa stabilité interne et sa compétivité stagnent. Elle réagit très mal, cherchant à réduire ses prêts à l'étranger au lieu d'augmenter ses emprunts. La conséquence en est, paradoxalement, que les dollars déjà sortis ne reviennent plus en Amérique, mais alimentent les prêts entre banques multinationales, c'est-à-dire le marché de l'eurodollar. De cette erreur américaine découleront bien des catastrophes.

En plus, dans le même temps, les taux d'intérêt montent en Europe, et les dollars ont un avantage à s'y placer. Aussi les emprunts à moyen terme émis sur le marché américain par des banques américaines sont-ils de plus en plus des fictions : on ne prête plus à des entreprises européennes ou multinationales que des dollars venus de prêteurs non américains. Wall Street reçoit pour cela une commission de 1 %, alors que les banques européennes, qui font tout le vrai travail de prêt et de placement en Europe, ne reçoivent, elles, que 0,5 %.

Siegmund Warburg, qui vit maintenant à New York près de six mois par an, en contact permanent avec ce qui s'y passe, assimile et diffuse dans sa banque toutes les techniques financières qui s'inventent çà et là de par le monde. Ainsi peut-il le premier, de Londres, comprendre ce que veulent les industriels d'Amérique : acheter l'industrie de l'Europe avec des dollars d'Europe. Voici venu le temps des multinationales.

GUERRE DE L'ALUMINIUM

Cet émigré de cinquante-six ans tente, et réussit, une très grande « première » dans l'histoire du capitalisme mondial : faire racheter une entreprise en Bourse par un étranger, contre la volonté de ses dirigeants. C'est la première *offre publique d'achat* étrangère et, du même coup, la première acquisition d'une entreprise européenne importante pour le compte d'une société américaine. C'est aussi une révolution dans le mode de désignation des élites du capitalisme : ce n'est plus l'hérédité ni la cooptation, mais le coup de force. Siegmund y réussit en mettant sur la table plus d'argent que toute la City réunie et en utilisant une stratégie révolutionnaire pour le capitalisme de l'époque : l'appel aux actionnaires contre les dirigeants, à l'opinion publique contre les institutions. S'ouvre alors l'ère de la « migration du capital » et du rajeunissement des cadres qu'il annonce depuis l'après-guerre et à laquelle il a minutieusement, mieux que personne, préparé sa propre banque.

Cette première se joue sur le marché de l'aluminium. Après la guerre, la croissance de la demande et la montée des producteurs de l'Est imposent aux grandes firmes américaines — Alcoa, fondée en 1888 ; Alcan, créée par Alcoa au Canada en 1901 ; Reynolds et Kaiser's, qui ont misé sur les besoins militaires ; et American Metal & Co, la filiale américaine de Metalgesellschaft — de produire pour le monde entier et pour cela de racheter des entreprises dans le reste du monde[24].

En Europe, les entreprises à racheter sont relativement petites. Seules Pechiney et Alusuisse ont une taille mondiale. British Aluminium, qui satisfait à peine aux besoins nationaux, est, elle, relativement modeste et dépassée. Dirigée par deux prototypes de l'Establishment anglais, le vicomte Portal of Hungerford, ex-chef d'état major de la R.A.F., héros national et gentleman jusqu'au bout des ongles, et Geoffrey Cunliffe, fils d'un ancien gouverneur de la Banque d'Angleterre, elle va devenir l'enjeu de cette grande bataille. Tout part d'un investissement au Québec qui se révèle un gouffre financier et le cours de ses actions, réparties entre de très nombreux porteurs, tombe, en l'espace de deux ans, de 80 à 37 shillings[144]. Elle est alors, comme on dit en Bourse, « à ramasser ».

La bataille pour son contrôle commence en février 1958. Trois entreprises la lorgnent. D'abord American Metal & Co, dont le président, Hans Vogelstein, un ami de Siegmund depuis l'Allemagne qu'il a quitté au début du nazisme : il lui demande d'organiser le rachat de British Aluminium à partir de Kuhn Loeb. Avant même de négocier, Siegmund raffle en Bourse 10 % du capital. Mais la direction anglaise, contactée en avril, refuse de ˈenare l'entreprise à un étranger, et Lazard, l'autre banquier d'American Metal, conseille à Vogelstein d'abandonner, ce qu'il fait.

Siegmund, lui, n'entend pas renoncer à l'affaire et rachète en juin à Vogelstein — moitié par Kuhn Loeb, moitié par S.G. Warburg — ses 10 % de British Aluminium. Au même moment, Alcoa prend à son tour contact avec la direction de la British Aluminium, qui lui répond tout aussi négativement : pas à vendre. Cet été-là, les deux frères Reynolds, Richard et Louis, sont eux aussi en quête d'une entreprise d'aluminium à racheter en Europe, si possible déficitaire pour des raisons fiscales. Or, Louis possède en Jamaïque une maison qui jouxte celle de sir William Wiseman, lequel lui parle en août de la tentative avortée d'American Metal. Louis adore Londres et voudrait bien y vivre : il saute sur l'occasion et pousse son frère aîné à tenter d'acheter British Aluminium. Richard Reynolds accepte et demande à Wiseman de lui trouver un banquier en Angleterre. Tout naturellement, celui-ci lui répond : « Il n'y a qu'un seul homme capable d'en venir à bout, c'est Siegmund Warburg ».

Fin août, Siegmund, alors à New York, rencontre les Reynolds et leur expose la situation : « On ne peut pas faire d'offre pour le compte d'une entreprise américaine, j'ai déjà essayé et ça n'a pas marché. Je veux bien recommencer, mais à condition d'y associer une entreprise anglaise comme actionnaire majoritaire ». Richard est réticent. Pour lui, c'est tout ou rien. Mais il finit par céder à son frère. Siegmund propose alors de s'associer à un sidérurgiste anglais, Tube Investment. Il en approche le président, Ivan Stadeford, lequel, intéressé, consulte sa propre banque, Herbert Wagg, dirigée par un ami de Siegmund, Lionel Fraser[144]. Siegmund et Fraser se mettent au travail et tombent d'accord, fin septembre, pour proposer 78 shillings par action, dont 51 % pour Tube Investment et 49 %

pour Reynolds. Avec la Chase, ils constituent des réserves de liquidités — en partie des eurodollars — qui s'avéreront nécessaires en cas de guerre des cours ; et ils organisent l'achat de titres en Bourse avec l'aide de deux agents de change, John Gilmour et Anthony Lyttleton. Les « joueurs », comme les appellera plus tard la presse, sont prêts à affronter le camp des « gentlemen[144] ».

Siegmund ne pense pas parvenir à un achat à l'amiable. Il sait que Lord Portal ne voudra pas vendre, surtout pas à lui. Il essaie néanmoins et, fin septembre, s'en va lui proposer 78 shillings l'action pour les titres que contrôlent les groupes qui soutiennent la direction. Portal refuse. Dans le même temps, puisque les règles alors en vigueur au London Stock Exchange le permettent encore, Siegmund achète anonymement des titres. Le 15 octobre, il en contrôle déjà 15 %, sans que les cours aient eu trop tendance à monter. Prévenus, les dirigeants de British Aluminium sentent venir la menace et s'inquiètent. Fin octobre, sans informer leur propre conseil d'administration, ils demandent à Olaf Hambro et au président de Lazard, Lord Kindersley, également président de Rolls Royce et administrateur de la Banque d'Angleterre, d'organiser une contre-attaque et de faire acheter une partie des titres de British Aluminium par Alcoa, afin de réunir les moyens de faire face à une attaque extérieure[144]. Au bout d'un mois de négociations, à la mi-novembre, Portal vend à Alcoa le tiers du capital, qu'il contrôle, pour 60 shillings l'action, soit beaucoup moins que ce qu'il sait pouvoir obtenir de Siegmund. Mais, de la sorte, il conserve[29] son fauteuil.

Commence alors entre Alcoa et Reynolds ce que le *Financial Times* a joliment appelé un peu plus tard un « combat entre deux grands empires pour la conquête de quelque province reculée, un peu comme la Russie et l'Autriche s'entredéchirèrent jadis pour les Balkans[144]. »

Siegmund, informé dès le début novembre des négociations entre Alcoa et Portal, part pour les États-Unis afin d'y rencontrer les dirigeants de Reynolds. Le vendredi 18, alors qu'il s'y trouve encore, Portal invite Ivan Stedeford, avec le directeur général de Reynolds, Joe MacConnel et Henry Grunfeld, à Saint-James Place. Les recevant à seize heures, il leur propose de racheter ce qu'ils ont, à l'amiable. Ils refusent et proposent de lui acheter ses titres à 78 shillings pièce. Curieusement, Lord Portal se montre expéditif, comme si cette proposition, qu'il connaît déjà et qu'il décline derechef, le laissait indifférent. C'est qu'il est pressé : il a rendez-vous à 17 heures avec la presse. Il écourte la réunion et va annoncer aux journalistes la vente à Alcoa du tiers du capital, sans faire évidemment état de l'offre de Tube Investments. « En concluant cet accord avec Alcoa, dit-il, jamais notre société n'a fait une meilleure affaire ». Henry Grunfeld, qui a assisté à cette déclaration à la presse depuis le couloir où il a pu se dissimuler, essaie de téléphoner aussitôt à Siegmund à New York. Impossible. La communication est trop longue à établir. Stupéfait, furieux, il décide, puisqu'on leur a manqué, de manquer à son tour ; et, comme prévu avec Siegmund, S.G. Warburg déclenche la bataille au grand jour, en lançant la première offre publique d'achat étrangère de l'histoire économique mondiale.

Henry Grunfeld convoque pour le soir même une conférence de presse, au siège de Tube Investment, afin que les journaux du lendemain parlent simultanément des deux offres. Il met tout sur la table et explique à la presse financière de Londres, jamais si bien traitée, que British Aluminium dissimule à son propre conseil d'administration une offre à 78 shillings l'action. « Dans la langue de la City, dit-il, quand Alcoa veut acheter un tiers du capital, cela s'appelle une "collaboration américaine" ; quand c'est Reynolds qui veut en acheter 49 %, cela s'appelle une "volonté de domination américaine". On vend moins cher, ajoute-t-il, mais on reste ainsi entre soi... Je précise donc qu'à compter de maintenant, nous proposons à tous les actionnaires de British Aluminium de leur racheter leurs titres à 78 shillings... Il leur suffit de faire connaître leurs intentions à leur agent de change [144]. »

Le lendemain 19 novembre, la presse anglaise est pleine de l'affaire. Plus moderne que la City, elle choisit d'emblée le camp des « nouveaux » contre celui de l'Establishment. C'est là un tournant pour Siegmund : la presse est avec lui. C'est que, depuis des années, il rencontre les journalistes, juste pour parler avec eux, les informer, les écouter, et, par la suite, il pourra toujours (ou presque toujours) compter sur leur soutien.

Ce jour-là, le *Financial Times* décrit Portal comme l'« auteur d'un putsch contre la démocratie des actionnaires. » Lord Portal est assailli de questions. « Pourquoi ne pas avoir parlé aux actionnaires de la proposition de Tube Investments ? » Il répond : « Ceux qui sont familiers des négociations entre grandes compagnies savent que cela aurait été impraticable [175] ». Au bout de dix jours de procédures légales, le lundi 1er décembre, la bataille commence en Bourse. Elle sera brève, car les actionnaires de British Aluminium ont tôt fait de se décider. A côté de quelques dizaines de milliers de petits porteurs, quelques grands actionnaires vont faire la décision. Siegmund se souviendra d'avoir entendu alors bien des remarques ouvertement antisémites, dirigées contre lui, l'étranger qui veut vendre un joyau de la nation à des étrangers...

Le 14 décembre, Siegmund attaque : par publicité dans la presse, il offre officiellement 78 shillings pour toute action de British Aluminium. Le 19 décembre, afin d'inciter les actionnaires à « ne pas vendre à ces étrangers », Portal fait monter les cours, en fixant le dividende de l'année à 17 shillings, au lieu des 12 décidés un mois auparavant par son conseil d'administration [144]. Nouveau coup de force ! La bataille devient alors frontale et fait la « une » de tous les journaux. Siegmund, qui s'en est donné les moyens, rafle en Bourse tout ce qui se présente. Dans le camp adverse, Portal veut en faire autant ; pour trouver de l'argent, ses deux banquiers, Olaf Hambro et Lord Kindersley, regroupent autour d'eux les quatorze autres membres du Comité d'Acceptation, les « gentlemen » — dont Morgan Grenfell, Samuel Montagu, Hill Samuel, Brown Shipley et Guinness-Mahon —, en un consortium d'achat ligué contre le nouveau venu[144]. Le 29 décembre, Portal écrit à tous les actionnaires et publie dans la presse un appel à résister à l'offre de Reynolds et de Tube Investments, « en raison de l'intérêt national », leur proposant, s'ils sont vendeurs, de leur racheter leurs titres au même prix de 78 shillings, bien plus élevé que celui auquel lui-même a vendu à Alcoa un mois auparavant. « Nous devons, écrit-il, sauver British Aluminium, pour la civilisation[175] ! ». Le 31 décembre, le consortium annonce qu'il contrôle deux millions d'actions, soit un peu plus du tiers du capital, et offre à présent 82 shillings pour toute action supplémentaire[55].

Siegmund Warburg, surpris par la violence de la contre-attaque, est ennuyé. Il entend gagner cette bataille, mais ne veut pas pour autant briser les fils, encore ténus, qu'il a tissés depuis quinze ans dans la City et qu'il vient de consolider par son entrée au Comité d'acceptation. Le 1er janvier 1959, il demande à rencontrer Olaf Hambro, afin de trouver un compromis[175]. Hambros et Lazard prennent cette demande de rendez-vous pour une marque de faiblesse et refusent de le recevoir, convaincus que Siegmund ne tiendra pas, faute de moyens financiers. Le même jour, le gouverneur de la Banque d'Angleterre, Lord Cromer, patriarche de la plus ancienne dynastie bancaire britannique, les Barings, et le Chancelier de l'Échiquier appellent Siegmund chez lui pour lui conseiller de renoncer à son offre et l'informer que tel est aussi l'avis du Premier ministre, Harold MacMillan[144]. Siegmund est furieux de ce qu'on ait pu prendre son esprit de conciliation pour de la faiblesse : désormais, il est absolument décidé d'aller jusqu'au bout, retrouvant cette haine des institutions et de la banque anglaises qu'il nourrit depuis 1931. Plus de quartier : la bataille devient totale.

Elle sera brève. Siegmund achète tout et porte son prix d'achat à plus de quatre livres l'action. Le lendemain, les gestionnaires de grandes fortunes commencent à vendre, et choisissent de vendre à Siegmund. Les 2 et 3 janvier, il achète 1,3 million d'actions. Le 4, il contrôle près de 40 % des titres. Le mouvement s'accélère encore les jours suivants, et le 9 janvier, Tube Investments et Reynolds peuvent annoncer à la presse qu'ils possèdent plus de 50 % du capital de British Aluminium[144]. Le consortium a perdu. La semaine suivante, Lord Portal et Geoffrey Cunliffe démissionnent. Un peu plus tard, le premier deviendra président de la British Match Corporation. Lord Plowden, choisi par Ivan Stedeford, le remplace, et Louis Reynolds s'installe à Londres.

Explicable par tout ce qu'a fait Siegmund depuis ses débuts de banquier, la guerre de l'aluminium fait l'effet d'un coup de tonnerre dans la City. Voilà donc ce que peut réussir ce monsieur ! A partir de cette date, il ne sera plus honteux de se lever tôt ni de travailler tard. La finance cessera d'être confinée dans les clubs, pour être admise sur la place publique. Aucune direction d'entreprise, aucun héritier ne sera plus à l'abri d'un coup d'État. Toute la légende feutrée et de bon aloi de la City est en pièces. Pour le meilleur et pour le pire.

La guerre est finie, mais les blessures sont profondes. Les attaques ont été violentes. Jamais l'antisémitisme n'a été si présent. Lord Cromer ne décolère pas. Lord Kindersley déclare à qui veut l'entendre : « Je ne parlerai plus jamais à ce type ». Vingt ans plus tard, Siegmund racontera encore combien il jubila, ce jour de janvier 1959 où, sortant de son bureau, il vint à croiser sur Threadneeddle Street Lord Kindersley qui, après avoir hésité à le saluer, changea de trottoir pour ne pas avoir à le faire. Le 11 janvier, le vieil Olaf Hambro, son ancien complice, écrit même une lettre amère au *Times,* publiée le lendemain : « On a vraiment peine à comprendre pourquoi la majeure partie de la presse de la City s'est exprimée contre la City et en faveur de l'offre de Reynolds ». Dans le même journal, le jour suivant, un député travailliste, Anthony Crosland, lui répond pour « s'indigner contre ce consortium qui semble aussi moderne que le style architectural dans lequel la City a été reconstruite : l'un et l'autre sont à frémir[175]. »

Siegmund Warburg aime alors à dire que « les gens de qualité pardonnent plus volontiers aux autres qu'à eux-mêmes[214]. » Sans doute a-t-il le sentiment qu'autour de lui, à ce moment-là, les gens de qualité sont bien rares. Il note aussi : « La plupart des triomphes de l'homme placé dans des circonstances adverses sont des triomphes du caractère plus que de l'intelligence[214]. » Du caractère, nul ne lui en conteste plus même s'il n'est pas toujours *kind*.

En quelques jours, Siegmund a abattu sous les yeux des autres banquiers les atouts qu'il a accumulés depuis des années : son réseau de relations, son équipe, sa propre capacité de travail, sa volonté d'oser et, surtout, son souci du travail parfaitement préparé et accompli, hors de tout souci de profit. Le premier, il a su se servir de la presse contre les institutions, organiser des entreprises à l'échelle mondiale, bousculer des élites installées dans leurs certitudes, et d'un simple coup de téléphone faire bouger du capital privé d'un continent à l'autre et balayer des dirigeants. Méprisé jusque-là, dit-il lui-même, comme « le Juif, le nouveau venu, le type qui n'a pas été élevé dans les écoles anglaises et qui parle l'anglais avec un accent étranger[207] », il est désormais célèbre et chacun ne peut faire autrement que le prendre au sérieux.

Au fond, lui-même n'aime point trop cela. Depuis ses débuts, il pratique la vertu de discrétion, et le voilà cette fois obligé de passer sur le devant de la scène. Lui qui aime la distance se trouve maintenant admis dans le cercle des orthodoxes, ce qui, pense-t-il, est « la chose la plus dangereuse qui puisse arriver à sa banque, car elle entraînera une propension à la paresse et à l'auto-satisfaction[175]. » "Auto-satisfait" : la pire chose à ses yeux.

Dans la notice nécrologique qu'il lui consacrera le 20 octobre 1982, le *Financial Times* écrira à propos de cette affaire que Siegmund Warburg « a été [à cette occasion] considéré par ses adversaires comme un financier parvenu. Cette extraordinaire déformation de la réalité reflète la faiblesse de l'Establishment à la fin des années cinquante, et son isolement des grands courants internationaux de l'époque. » Son complice dans l'aventure, Lionel Fraser, écrit de lui dans sa propre autobiographie, *All to the good*[60] : « J'admire Siegmund, pas seulement à cause du courage dont il fit preuve en recommençant une nouvelle vie dans ce pays et en en faisant un extraordinaire succès, mais également pour son indifférence quasi monastique aux plaisirs éphémères, qui lui conféra une perception suraiguë de ce qui fait l'essentiel de la vie. »

Les blessures finissent par s'oublier. Trois mois plus tard, en mars 1959, un ami commun propose de réunir les adversaires. Siegmund accepte. Olaf aussi, à condition que cela se passe dans son bureau. Siegmund traverse en silence la grand-salle des partenaires d'Hambros ; le géant Olaf l'attend au milieu. Chacun épie les réactions de l'autre. Olaf s'avance vers lui et l'embrasse : « Siegmund, n'avons-nous pas été de complets idiots[175] ? »

Huit mois après, Alcoa fusionne avec I.C.I. pour constituer Imperial Aluminium. Un peu plus tard encore, Alcan et Kayser Aluminium achètent à leur tour des entreprises anglaises. Olaf Hambro demande à un nommé Patrick Dolan, qui s'occupe de relations publiques, de redresser sa propre image, très atteinte par cette défaite.

Certains, à l'époque, noteront non sans ironie que ledit Patrick Dolan est Américain[144]...

Le rôle et l'action de Siegmund sont désormais clairement reconnus dans la City. Le 19 janvier 1959, le *Financial Times* dresse le bilan de la maison S.G. Warburg : « Derrière à peu près chaque grande affaire à Londres, on trouve la figure quelque peu mystérieuse de Siegmund George Warburg... La publicité est pour lui une sorte de blasphème. Sa photographie ne doit jamais paraître dans la presse et n'y est jamais parue. Mais, le rideau une fois levé, on découvre un homme charmant, cultivé, dont la fierté suprême est d'avoir su rassembler une équipe de talent dans les domaines bancaire, industriel, comptable et financier... Monsieur Warburg entretient aussi des liens étroits avec le Continent où était implantée sa maison jusqu'à ce qu'il ait dû fuir la terreur hitlérienne. »

Mais Siegmund ne peut s'empêcher de mettre le journaliste sur une fausse piste : « A présent, il n'a plus qu'une ambition : se retirer, jouir de sa passion pour l'histoire et la philosophie, écrire peut-être un livre ou deux... » Il n'en fera rien, naturellement. Car c'est alors que commence vraiment la carrière du plus grand financier d'après-guerre.

PREMIER RETRAIT

Cette année-là, Siegmund déborde d'activité : il conseille Chrysler dans son rachat de Rootes, recommandé par Lazard ; il introduit Ericsson sur le marché anglais, organise les emprunts du National Coal Board et le rachat par Timken de sa filiale anglaise.

Le *Financial Times* peut alors écrire de Siegmund qu'« il se spécialise dans les clients ayant du goût pour les affaires internationales ; il conseille ainsi les firmes anglaises qui souhaitent prendre pied sur le Nouveau Continent et ailleurs, et les Américains désireux de s'implanter dans l'industrie européenne ».

Surtout, il organise l'achat du groupe Kemsley par Thomson[145]. A l'instar de Cecil King, qui l'avait choisi comme banquier en 1955 parce qu'il était comme lui étranger à la City, Thomson vient du dehors : fils d'un coiffeur de Toronto, il a, six ans auparavant, acheté son premier journal britannique en Écosse. Il adore choquer : « Mon hobby ? Les bilans », et se dit très à droite[145]. Il demande à Siegmund de l'aider à acquérir l'empire de presse de Lord Kemsley qui compte en particulier le *Sunday Times,* parmi 23 autres titres. Kemsley, vieil entrepreneur devenu gentleman, qui vit maintenant à la campagne où on lui apporte les dépêches d'agences sur un plateau d'argent[145], a demandé à Lionel Fraser, son banquier depuis longtemps, de trouver preneur pour 40 % du capital. A côté de celles détenues par la famille Kemsley, 1,5 million d'actions sont dans le public. Le titre est alors coté à 2,2 livres. Kemsley en veut 6. Fraser lui dit qu'il ne peut en demander plus de 4 ou 5 et prend alors contact avec Warburg, qu'il sait avoir été choisi comme banquier par Thomson. Le prix est fixé par Siegmund à 4,10 livres, d'après la valeur estimée des bénéfices potentiels du groupe. Siegmund offre le même prix à Kemsley et au public[145]. Henry Grunfeld a alors l'idée de proposer d'échanger les journaux de Kemsley contre la chaîne de télévision privée écossaise de Thomson[145]. L'opération se fait sans heurts, à l'avantage de l'une et l'autre parties.

Au début de 1960, le sursaut économique de 1959 qui a permis cette année-là, aux Conservateurs de gagner largement les élections, est oublié. Le taux de chômage atteint 2,4 %, et jusqu'à 4,7 % dans le nord de l'Angleterre[35]. Charbon, constructions navales, coton ne suffisent plus à soutenir la croissance[35]. Le Trésor anglais doit emprunter encore 892 millions de livres au Fonds Monétaire International, soit plus de la moitié des prêts consentis dans l'année par le F.M.I. Per Jacobson, directeur général suédois du Fonds, obtient en échange une notable augmentation du taux d'intérêt de la Banque d'Angleterre, et de grandes coupes sombres dans les dépenses de l'État. A Vienne, deux mois plus tard, il déclare : « L'Angleterre a reçu une aide non pour continuer comme par le passé, mais pour avoir le temps de remettre de l'ordre dans sa maison. Un changement de politique est essentiel pour le rôle futur que la Grande-Bretagne entend jouer dans le monde. A quoi servirait-il que les gens disent : "les Anglais sont bien gentils, mais ils n'ont plus le sou"[146] ? » Le gouvernement britannique instaure alors le contrôle des revenus et l'encadrement du crédit. L'investissement en pâtit au moins autant que la consommation[35].

Warburg, la même année, réalise beaucoup d'autres affaires. Il achète des entreprises clientes laissées sans successeurs : le Gallup Poll anglais et un marchand de caoutchouc, Heacht, Levis & Kahn. Il les regroupe comptablement dans une filiale de Mercury Securities, British Industrial Corporation, acheté par ailleurs pour y englober tout ce qui n'est ni la Banque, ni Brandeïs. Ses profits se montent à 2,5 millions de livres, soit quarante fois plus qu'en 1948. Siegmund décide alors d'installer la direction de la Banque, celle de Mercury et celle de Brandeïs dans de nouveaux bureaux, sur Gresham Street, aussi austères que les précédents, et d'y loger une centaine d'employés.

Il est devenu un maître de la finance, avec sa maison à Londres et son influence sur New York et Hambourg.

Mais, à New York et à Hambourg justement, il doit reculer : à New York, son protégé Dick Dillworth est parti, face à l'opposition de Necarsulmer qui est lui-même devenu associé. Il voit venir la fin de son ambition de contrôler Kuhn Loeb. A Hambourg, il doit se contenter d'un compromis : en échange de l'entrée de Christian Brinckmann comme associé, il obtient qu'un de ses hommes, Hans Wuttke, jeune directeur de Mercedes Benz — "repéré" deux ans auparavant lors d'une de.ses visites en Allemagne pour le compte de Kuhn Loeb — y entre lui aussi comme associé, pour le représenter.

Sa vie personnelle change également cette année-là : sa fille, après avoir enseigné deux ans dans un lycée à Londres, part se marier et vivre en Israël. Lui-même achète une maison à Roccamare, près de Grossetto, au nord de Rome, où il va souvent travailler à la rédaction de son autobiographie, à laquelle il renoncera un peu plus tard.

En mars 1960, il quitte la présidence de la Banque et fait écrire au *Financial Times* qu'« en tant que fervent partisan de la Communauté Atlantique, il pourra consacrer davantage de temps au renforcement des liens entre la Grande-Bretagne et les États-Unis d'une part, le Continent de l'autre. » Dans un autre article paru sur lui au même moment dans le *Times*, il fait écrire : « Au lieu d'avoir, comme d'autres banquiers, jeté ses filets sur le monde entier, il s'est tenu à l'écart de l'Asie et de l'Afrique et s'est concentré sur l'Amérique du Nord, la Grande-Bretagne et l'Europe continentale. Il est le seul banquier de Londres à compter parmi les associés d'une grande banque new-yorkaise. »

Le 13 juin 1960, avec les deux "Oncles" les plus âgés, Eric Korner et E.G. Thalmann, il se retire même, à cinquante-huit ans, du comité exécutif de la Banque, dont il céde la présidence à Henry Grunfeld.

Le lendemain, le *Financial Times* publie un étrange article, typique de ces confidences indirectes que Siegmund se plaît à distiller à l'époque : « Bien qu'il ait passé toute sa vie dans la banque, il prétend être plus intéressé par l'histoire et la philosophie que par son propre métier. Il possède d'ailleurs une très belle et immense bibliothèque. C'est un banquier moderne, qui croit en l'importance de se diriger selon des orientations non traditionnelles. A cette fin, avec ses quatre adjoints, il a constitué une équipe de grande qualité. Sa conviction qu'il est nécessaire de donner leurs chances aux jeunes se traduit par le fait qu'avec les deux doyens de la firme, il s'est retiré du comité exécutif pour se consacrer désormais au développement des liens entre les États-Unis et la Grande-Bretagne. »

Il note alors dans son cahier[214] : « L'objectif réel de l'élan vital est de porter les diverses potentialités de l'être humain à leur plus haut niveau possible. » Et cela, à ses yeux, il ne l'a pas encore fait.

CHAPITRE V

Dollars de contrebande
(1960-1973)

Quand le pays d'origine de la monnaie-étalon refuse les charges qui en découlent, vient l'idée d'une monnaie-substitut. Quand il ne s'en trouve pas, germe l'idée de monnaies de contrebande et commence l'activité en port-franc. Quand les entreprises réduisent leurs investissements et laissent s'accumuler les dollars, s'annonce, bien plus tôt qu'on ne le dit et ne le croit, la crise où nous sommes encore.

Bien longtemps avant que les autres n'en aient eu l'idée, Siegmund réussit à amener à Londres les emprunteurs et les prêteurs des « pays Warburg », pour en faire une sorte de double de New York utilisant — d'abord en quasi-contrebande, puis au vu et au su de tous — toutes les devises du monde en un lieu abstrait, marché de l'argent universel et du dollar sans patrie.

DE L'OR EN POOL

Au début des années soixante, le système de Bretton Woods ne tient plus qu'en apparence, comme une merveilleuse machinerie trop fragile pour être jamais mise en mouvement. Car il n'a jamais été vraiment mis à l'épreuve : la valeur en or du dollar n'a pas changé depuis 1934 et celle des autres devises a peu bougé depuis 1949. Rien de ce que prévoyait White ne s'est réalisé : la plupart des monnaies sont restées inconvertibles ou ont été frileusement libérées, les dollars en circulation hors des banques sont devenus plus abondants que l'or censé les garantir ; et la modification des parités revêt un tour si solennel qu'elle en devient presque impossible. Le déficit des paiements américains ne sert plus à reconstituer les réserves de l'Europe, mais à alimenter des prêts entre banques privées.

L'équilibre construit après la guerre s'effrite donc, sans qu'il soit pour autant possible de parvenir, dans le cadre prévu par Bretton Woods, à de nouvelles parités : chacun croit que si l'une des devises principales — et d'abord la livre — cède, les autres suivront, entraînant catastrophes en chaîne. Alors, nul ne bouge.

La décennie commence pourtant, en Grande-Bretagne et ailleurs, dans l'euphorie : Harold MacMillan demande l'ouverture de négociations en vue de l'adhésion à la C.E.E. et la livre devient enfin convertible. En réalité, elle reste d'une très grande fragilité, car les dettes à court terme du Royaume-Uni représentent déjà plusieurs fois le montant de ses réserves, et les déficits de sa balance des paiements entraînent une hémorragie continuelle de devises. Le nouveau Chancelier de l'Échiquier, Selwyn Lloyd, pas plus que ses prédécesseurs, n'imagine d'autre solution que dans une politique monétaire rigoureuse, un budget très strict, la hausse du taux de l'escompte et celle de l'impôt sur le revenu. Le 6 février 1961, il déclare devant le Parlement : « Nous avons à choisir entre le Charybde de la facilité et le Scylla du découragement[214]. » Siegmund citera souvent cette formule qu'il aime bien.

A la même époque, les États-Unis bénéficient encore d'un excédent commercial considérable, mais leurs paiements sont en déficit, en raison de la croissance des dépenses militaires à l'étranger. Et s'ils laissent ainsi les étrangers détenir des dollars, c'est pour éviter que ceux-ci ne leur réclament de l'or à la place. Ces années-là, ils réussissent même à ne pas payer en or les trois quarts de leur déficit.

Mais ce déficit commence à ternir la réputation du dollar et à la fin du mandat d'Eisenhower, la question du prix de l'or refait surface et devient même un enjeu politique. En octobre 1960, le prix de l'or monte même à 40 dollars l'once sur le marché de Londres, et la hausse n'est stoppée que par la vente d'or par huit banques centrales[161]. Dès avant son élection le 31 octobre 1960, J.F. Kennedy doit faire solennellement savoir qu'il ne touchera pas au prix du métal précieux. Dès lors, l'engrenage fatal est en marche : il ne sera plus possible de faire jouer les mécanismes prévus à Bretton Woods, de peur d'une tragédie politique. Mais tout se met lentement en place pour qu'elle ait lieu.

Car ces dollars qui circulent et se multiplient entre banques hors d'Amérique développent l'euromarché. Il atteint maintenant plusieurs milliards de dollars et sert à tout : en 1961, le Japon y emprunte pour un milliard de dollars ; l'Italie s'en sert pour développer ses exportations, et même ses propres activités intérieures ; Singapour et l'Allemagne y puisent à leur tour.

Peu à peu, l'idée se répand que le dollar ne tiendra pas sa parité et donc, à l'inverse, que le prix de l'or, exprimé en dollars, augmentera. Apparaissent alors sur le marché libre de l'or les premières tensions, à Londres et à Zurich. En décembre 1961, pour en maintenir le prix, les banques centrales d'Allemagne fédérale, de Belgique, des États-Unis, de France, d'Italie, des Pays-Bas, du Royaume-Uni et de Suisse décident de constituer un pool de l'or, géré par la B.R.I. et la Banque d'Angleterre[197], et se déclarent prêtes à vendre une partie de leurs réserves pour empêcher le prix de monter sur le marché de Londres en réalité : elles le font déjà[197]. Une autre ligne de défense est érigée sous la forme d'un réseau de facilités mutuelles de soutien

373

entre banques centrales, destiné à se prêter réciproquement des réserves, en or ou en dollars, en cas de difficultés, et à faire face aux mouvements de capitaux à court terme[197]. Le F.M.I. acquiert aussi la possibilité, pour agir, d'emprunter des devises à six banques centrales[161]. Le système fonctionne aussitôt pour défendre la livre sterling, attaquée une fois de plus.

En février 1962, les mêmes banques centrales décident de coordonner non seulement leur vente, mais également leurs achats d'or sur le marché de Londres, à un prix plafond de 35,08 dollars l'once. Le 5 juin sont enfin élaborés des accords généraux d'emprunts entre banques centrales, visant à aider les pays en crise en leur accordant le répit nécessaire pour élaborer un programme de redressement.

Toutes ces digues vont retarder de dix ans l'effondrement du système, mais, déjà, il ne permet plus de dégager de façon stable les capitaux dont le monde a besoin.

S.G. WARBURG ENTRE LONDRES ET NEW YORK

Siegmund est désormais un peu plus lointain. Il ne vit plus à Londres que cinq à six mois par an. L'autre moitié de l'année, il est à New York, à Hambourg ou ailleurs. A Pâques 1961, le groupe entier, qui compte maintenant plus d'une centaine de personnes, s'installe dans les nouveaux locaux, au 30 Gresham Street, achetés l'année précédente. Siegmund y maintient ses traditions d'austérité et se refuse, comme à King William Street, à faire apposer une plaque sur la porte d'entrée du bâtiment. Cet anonymat, dit-il, est nécessaire « pour conjurer le sort ». Les rapports annuels de la Banque continuent à être imprimés sur papier ordinaire et à ne pas être reliés : « Je ne crois pas qu'en procédant autrement, cela nous rapporterait un seul nouveau client, mais je pense que si je viens demain à mourir, on l'imprimera alors sur beau papier[207], dit-il plus tard. »

Il se rend moins souvent à la réunion du matin et se contente de donner des idées d'un peu plus loin, poussant les uns et les autres au maximum d'eux-mêmes, continuant à tisser son réseau d'influence, à réfléchir aux voies de l'avenir d'une institution désormais reconnue sur toutes les places. Cette année-là, le *New Statesman* écrit de lui : « On aurait du mal à trouver à New York un succès comparable à celui de Warburg. » Mais cette distance ne l'empêche pas de tout savoir, de veiller sur toutes les décisions, de se mêler de tout, de prendre l'avion, si nécessaire, et de téléphoner, s'il le faut, à un fondé de pouvoir ou à un président de banque pour défendre ses intérêts.

Les affaires anglaises, en ces temps d'illusoire euphorie, sont surtout faites de fusions et d'acquisitions, de concentrations financières et d'augmentations de capital. En six ans, les entreprises des États-Unis y investissent deux milliards de dollars. Parfois, elles opposent entre eux deux de ses clients, qui se disputent alors ses services[145]. Ainsi, en janvier 1961, Odham Press, l'un des deux plus grands groupes de journaux anglais de l'époque, avec *The People* et le *Daily Herald*, craint d'être racheté par son rival du moment, le groupe de Cecil Hansworth King, propriétaire du *Daily Mirror*[145]. Telle est bien l'intention de King. Pour éviter cette absorption, Odham, sur les conseils de N.M. Rothschild, essaie de fusionner avec un autre groupe moins important, celui de Roy Thomson, qui n'en possède pas moins le *Sunday Times*, 14 quotidiens en Angleterre et 80 journaux dans le reste du monde[145]. Celui-ci, intéressé, demande tout naturellement à Siegmund, son banquier, de l'aider à préparer l'opération ; mais Cecil King, informé par des actionnaires d'Odham de ce qui se prépare, décide de brusquer le rachat du groupe et demande lui aussi à S.G. Warburg de l'aider. Siegmund doit alors choisir entre deux vieux clients et il donne la préférence à King, qu'il a connu deux ans avant Thomson. Ce dernier le prend d'ailleurs très bien et fait appel à l'autre grand banquier de Londres à l'époque, Kenneth Keith, qui dirige Philip Hill Higginson[145].

La bataille sera rude. Encore une fois, c'est Henry Grunfeld qui mène l'opération pour S.G. Warburg. Lionel Fraser écrira dans ses Mémoires que, dans cette affaire, « le sang de la finance et du travail a coulé[60] ». En huit jours, les actions d'Odham montent de 40 à 64 shillings. Au grand étonnement des milieux parlementaires, du Premier Ministre et des dirigeants d'Odham eux-mêmes, c'est Cecil King qui l'emporte, ajoutant le plus grand groupe de presse britannique au sien propre, s'assurant ainsi le contrôle de 40 % des quotidiens du pays et devenant alors le premier homme de presse au monde[145].

Ce succès ne coûte pas même à Siegmund la clientèle de Thomson, maître du second groupe anglais : en dix ans, il est ainsi devenu le banquier des deux plus grands groupes de presse européens.

Au lendemain de cette affaire, le *Sunday Times* écrit de lui qu'il est « la merveille de la banque d'après-guerre ». Lui-même note ce jour-là dans ses carnets : « En finance, il faut être impitoyable avec soi-même et généreux avec les autres[214]. »

Mais, en réalité, tout ne va pas au mieux : à New York, il a échoué à faire nommer un de ses hommes comme associé-gérant chez Kuhn Loeb, et il place que peu d'espoirs en John Schiff, pourtant en position d'arbitre, et en Frederick Warburg, qui ne l'aide pas : dans cet univers collégial et feutré, ni l'un ni l'autre n'ont le rayonnement nécessaire pour imposer une stratégie, et les conflits se multiplient entre Siegmund et ses associés new-yorkais.

A Londres, sa banque commence en effet à disputer certains clients de taille à Kuhn Loeb, car il devient possible de faire de Londres ce qu'on ne faisait jusqu'ici que de New York. Certes, quand l'un des deux établissements a une affaire transatlantique, il la partage encore en principe avec l'autre ; mais il apparaît assez malaisé de déterminer à qui doit en revenir la direction quand c'est lui — un pied dans l'une, un pied dans l'autre — qui l'a trouvée. Ainsi, par exemple, quand il enlève à Hambros son monopole séculaire sur les emprunts scandinaves, il le fait de Londres et n'y associe pas Kuhn Loeb. Il fait ainsi coter sur le marché de la City ses relations allemandes (Thyssen, Hoechst), scandinaves (Ericsson), israéliennes (la Banque Leumi) et japonaises (dont Toray), sans même en parler à Kuhn Loeb.

Il ne s'inquiète pas outre mesure de cette évolution, car il pressent que les sorties de capitaux hors des États-Unis vont se réduire, en raison de la lutte contre le déficit américain, et qu'il va devenir difficile d'émettre à Wall Street des emprunts au bénéfice d'entreprises européennes.

A la fin de 1961, les placements à court terme en devises de petits épargnants, sont autorisés à la Bourse de New York, sous la forme de certificats de dépôts. Cette innovation pousse au développement du marché spéculatif. Devant le developpement des prêts, Siegmund pressent que vont se manifester d'énormes besoins d'emprunt à long terme pour assainir le bilan des entreprises ; sans qu'une autre monnaie que le dollar puisse être jugée acceptable par les emprunteurs.

A l'aune des critères classiques, S.G. Warburg and Co est encore une banque modeste. Mais son influence ne se mesure pas aux chiffres de son bilan : cette année-là, plus une fusion ne s'opère sans combats, et Siegmund est de beaucoup d'entre eux. Pas de tous : Courtaulds, avec l'aide de Barings, rachète des sociétés presque tous les mois ; Imperial Tobacco, aidée par Morgan Grenfell, en fait tout autant. Le *Daily Mirror*, aidé par lui, vend à British Printing l'imprimerie Hazell Sun. Burmah Oil, aidée par Barings, repousse la tentative d'OPA de Shell et de B.P. Les dirigeants des entreprises changent de plus en plus vite.

L'année suivante, 1962, son équipe change : E.G. Thalmann et Gerald Coke se retirent. De plus jeunes les remplacent. George Warburg et Ronald Grierson deviennent administrateurs, respectivement à 32 et 37 ans. Mais George le quitte néanmoins pour créer, d'abord seul puis avec un autre directeur de S.G. Warburg, Milo Cripps, sa propre firme de consultants financiers.

C'est un coup terrible pour son père qui le touche au plus profond de lui-même, même s'il n'en parlera guère : « Ayant l'ambition de restaurer la dynastie, Siegmund se heurte à une déception. Son fils unique a créé sa propre firme et les deux hommes ne sont pas très proches », écrira un peu plus tard *Time Magazine*. C'est la seule confidence qu'il laissera jamais filtrer sur cette séparation. Il note d'ailleurs ce jour-là dans son cahier : « Dans la vie, on ne peut rien changer d'autre que soi-même[214]. »

En apparence, il s'en relève vite et se choisit un « fils adoptif ». Ronald Grierson est encore le favori, mais un autre apparaît à l'horizon : Ian Fraser, nommé administrateur en remplacement de George. Cette intuition des potentialités de Fraser en tant que banquier se vérifiera puisque, quelques années plus tard, il deviendra le premier directeur général de la Commission des Offres Publiques d'Achats, puis le président de la banque Lazard.

AUTOSTRADE ITALIANE

Emprunter à long terme des dollars pour des entreprises multinationales, américaines ou non, sur la place de New York, devient, en 1962, totalement absurde : d'une part, l'Administration américaine oblige toujours les emprunteurs non américains à transiter fictivement par une banque de Wall Street ; d'autre part, elle rend de plus en plus couteux tout emprunt sur la place de New York, car elle y voit la source des déficits de la balance des paiements américaine.

Avec Gert Whitman, l'ancien assistant de Schacht, venu à Londres travailler avec lui, et avec Hans Scribanoviz, le financier de la C.E.C.A., Siegmund projette alors de faire des emprunts à long terme en dollars directement depuis Londres. Ce ne serait pas nouveau pour eux : ils se souviennent de Berlin et Hambourg, aux tragiques débuts de Weimar, quand on empruntait directement en dollars d'une place à l'autre en Europe, et pas seulement à court terme, et ils se rappellent également des emprunts en dollars du Lend Lease entre pays du Commonwealth. Pourquoi ne pas recommencer ? Après tout, rien n'interdit de placer en Europe des dollars détenus par des Européens.

Au début de 1962, alors que nul autre n'y songe encore, ils décident de préparer, juridiquement et financièrement, un nouvel emprunt pour la C.E.C.A., toujours en dollars, mais de l'émettre cette fois directement de Londres, et non plus de New York, en s'adressant aux détenteurs d'eurodollars. Au bout de deux mois de travail, ils renoncent cependant à la C.E.C.A., car cela reviendrait à prendre un client à Kuhn Loeb, son banquier depuis 1956, même s'il l'est devenu grâce à Siegmund. Et cela, dans la « haute banque » ça ne se fait pas.

Au printemps, Siegmund et Gert Whitman, devenu associé de S.G. Warburg, cherchent donc un autre emprunteur qui n'aurait, lui, eu aucune relation antérieure avec Kuhn Loeb. Il faut, décide-t-il, une entreprise européenne, financièrement saine, ayant besoin d'investir à long terme. Le temps presse, car à l'été 1962, le nouveau Secrétaire américain au Trésor, Douglas Dillon, multiplie les déclarations, aux États-Unis et en Europe, pour encourager les Européens et les entreprises américaines en Europe à emprunter des capitaux sur leur propre marché, et à ne plus faire sortir de capitaux d'Amérique. On peut donc craindre de voir se tarir la source des dollars.

A la fin de l'été, Siegmund va à Washington voir son ami George Ball, devenu Secrétaire d'État adjoint. Il le conforte dans l'idée d'obtenir du président Kennedy un soutien à la construction européenne et l'encourage à laisser se créer d'autres marchés financiers en dollars hors des États-Unis. Pour Ball, l'économie américaine se porte encore bien : le taux d'intérêt n'y est toujours que de 3 % ; General Motors déclare cette année-là un profit énorme, le premier du monde, et Du Pont une rentabilité de 18,5 % ; le chômage n'est encore que de 3 %. Il n'est donc pas inquiet. Mais cette apogée précède un début de déclin : on n'est pas impunément en déficit aussi lourd, et avec une si faible productivité. De ses amis de la Banque Mondiale, Siegmund apprend que quelque 3 milliards de dollars circulent à présent hors des États-Unis, dont un milliard hors des institutions officielles, servant à des prêts de banque à banque. Voilà, se dit-il, une masse qui pourrait être utilisée autrement qu'à court terme.

Éclate alors, le 22 octobre 1962, la crise de Cuba. Étrangement resurgit alors, pour la dernière fois dans la vie politique américaine, le personnage de John Mac Cloy, devenu conseiller spécial du Président Kennedy et acteur de cette formidable partie de bluff stratégique.

Siegmund, à ce moment-là, tient son emprunt : tous les problèmes techniques sont résolus et il ne sait à qui le proposer : une institution publique italienne contrôlant les participations d'État dans l'industrie, l'I.R.I., et plus spécialement une de ses filiales, Finsider, parce qu'elle a de gros investissements à faire.

Il envoie Ronald Grierson proposer au président de l'I.R.I., le professeur Enzo Donatini, un prêt de 15 millions de dollars sur six ans. Donatini hésite : Finsider n'a pas un bilan très présentable, et va connaître certaines difficultés. L'argent serait certes le bienvenu, mais la firme n'a aucun moyen de le garantir. Il est au regret de refuser l'offre. Qu'à cela ne tienne, fait répondre Siegmund, on va faire comme si l'emprunt était destiné à une autre filiale de l'I.R.I. ; de toute façon, cela ne change rien, car le vrai garant est l'I.R.I. lui-même, adossé à l'État italien[204]. Il suffit donc de choisir la filiale la plus rentable. Donatini accepte. On choisit Autostrade Italiane, florissante gestionnaire du réseau autoroutier.

Le 14 janvier 1963, un accord est trouvé pour un emprunt de 15 millions de dollars sur six ans, à 5,5 %, le jour même où le général de Gaulle rompt les pourparlers engagés avec l'Angleterre sur son adhésion au Marché Commun, amorcés deux ans auparavant par Éric Roll et Olivier Wormser.

Ian Fraser se lance dans le travail d'écriture et la quête des diverses autorisations juridiques et administratives. Cela prend encore six mois. Ultime obstacle : la Banque d'Angleterre, surtout en la personne de son gouverneur, réticent et même hostile, exige des droits de timbre exorbitants, ce qui rend l'affaire impossible[204]. Un ami de Siegmund, membre du conseil de la Banque centrale, Sir George Bolton, obtient de les faire réduire. Malgré cette concession, Siegmund décide de localiser juridiquement l'émission à Luxembourg, où les droits sont presque nuls. Les juristes Allen et Overy mettent au point l'ensemble de l'opération. Une fois le titre élaboré, on choisit deux agents de change de la City, L. Messel & Strauss, Turnbull & Co, pour l'introduire à la Bourse de Londres. C'est d'ailleurs Julius Strauss qui, dans le prospectus d'émission décrivant en long et en large les prétendus avantages que le réseau d'autoroutes italien va tirer de cet emprunt, remplace l'expression « emprunt étranger en dollars », utilisée jusque-là dans les emprunts contractés à New York, par le mot « euro-obligation », qui va passer dans le langage courant[204]. La commission de S.G. Warburg est fixée à 3,5 % du montant de l'emprunt, soit

520 000 dollars à partager avec ceux qu'il associe à son placement : la Banque de Bruxelles, la Deutsche Bank et la Rotterdamsche Bank N.V.

Le contrat est prêt à être signé le 1er juillet 1963 : étrange contrat, établi selon la loi anglaise, signé à La Haye, coté à Luxembourg, émis en dollars, pour financer les investissements payés en lires d'une entreprise italienne qui n'est pas celle qui emprunte !

Son lancement crée une énorme surprise sur le marché et il a du mal à se placer, malgré les efforts déployés en Suisse par Éric Korner et Gert Whitman, et ceux de Robert Genillard qui en place beaucoup pour White Weld. A sa sortie, l'emprunt subit une décote de 5 points. Et pendant quatre mois, on n'assistera à aucune autre émission de ce genre.

Pourtant, il était temps ; et Siegmund n'a fait là que devancer l'évidence : dix-huit jours plus tard, le 18 juillet 1963, devant l'aggravation du déficit des paiement américains, John F. Kennedy, annonce au Congrès la création d'une taxe sur les emprunts étrangers contractés en Amérique, qui revient à en relever les taux ; l'Interest Equalization Tax varie de 2,75 % à 15 % selon la durée de l'emprunt et est applicable à compter de la date de ce discours. Elle aboutira à un résultat contraire à celui escompté : au lieu de freiner les sorties de dollars, elle freinera le retour de ceux qui se trouvent déjà au-dehors, aggravant ainsi le déficit des paiements américains ; le centre de gravité du marché international des capitaux se déplace hors des États-Unis, sans qu'une autre devise vienne remplacer ou compléter le dollar, comme cela avait été le cas cinquante ans auparavant, quand la livre s'était effacée devant la monnaie américaine.

Comme toutes les grandes bifurcations, celle-ci était probablement nécessaire et inévitable ; et si Siegmund n'avait pas été le premier à la pressentir, un autre s'en serait chargé un peu plus tard. Et s'il l'a fait, lui, c'est qu'il a su y réfléchir à partir de sa longue expérience allemande dans l'usage des dollars émigrés. Homme d'influence, il est ici accélérateur du rationnel et devancier des probables. Rien de plus.

Au demeurant, en février 1963, la Banque Morgan avait déjà émis à Paris un emprunt de 80 millions de deutsch-marks pour une entreprise allemande, Neckerman, assorti d'une commission de 3 % à partager avec cinquante autres banques. En juin de la même année, elle est même sur le point d'en refaire un autre depuis Paris, cette fois en dollars, pour une entreprise chimique japonaise, Takeda, d'un montant de 15 millions. Mais les problèmes comptables et les innombrables obstacles soulevés par la Banque de France — qui n'admet pas, en période difficile pour les changes, qu'une monnaie autre que le franc soit empruntée depuis le territoire national — empêchent Morgan de réussir ; et l'emprunt Takeda n'aura lieu que le 22 novembre 1963, jour de l'assassinat du président Kennedy.

Paris perd ainsi un temps précieux, quasi irrattrapable, dans la réorganisation de son marché financier. Grâce à Siegmund qui donne l'exemple, et malgré la Banque d'Angleterre, la City va saisir cette chance et devenir le premier port-franc pour dollars de contrebande.

Le mauvais départ de son emprunt et le scepticisme général des banquiers privés et des banques centrales européennes n'empêchent pas Siegmund d'être sûr qu'il s'agit là d'un marché énorme. Il sait qu'en Suisse et au Japon, en Italie, en Israël, et même en Angleterre, beaucoup de gens possèdent des dollars et ne demandent qu'à les prêter à long terme hors d'Amérique. Pour lui, sans ce marché, la croissance industrielle hors des États-Unis sera paralysée, ou bien devra être financée de plus en plus à court terme par les banques commerciales, ce qui relancera l'inflation et affaiblira les comptes des entreprises.

En août, il fait le tour des principales banques centrales européennes. A Londres, à Bonn, à Rome, à Paris, il déclare à chaque gouverneur[207] : « Ce n'est pas parce que New York se ferme qu'on va laisser mourir le marché international des capitaux. Il faut que les entreprises puissent emprunter sans que vous ayez à créer de la monnaie. D'ailleurs ces dollars surgiront de toute façon, car seule une réduction du déficit des paiements américains pourrait tarir cette source : or elle n'aura pas lieu, car au lieu d'empêcher les sorties de dollars des États-Unis, la taxe va, au contraire, les aggraver. Le mieux est donc pour vous de laisser émettre des emprunts à long terme en dollars. Au demeurant, regardez, je viens de le faire il y a un mois, à Londres, avec l'aide de certaines de vos banques. Laissez-les donc s'associer à nous dans des opérations de ce genre. »

Difficile tournée. Tout le monde hésite à laisser prêter à terme des dollars de contrebande. Pourtant, il convainc : si on ne le fait pas, tout va se bloquer et les investissements des multinationales d'Europe et d'Amérique vont se ralentir. Et il obtient que les banques centrales lèvent peu à peu les obstacles.

Il note ce mois-là pour lui-même que « de temps en temps, les obstacles constituent un défi incitant à trouver de nouveaux chemins[214]. »

Mais l'ouverture des « nouveaux chemins » n'empêchent pas d'utiliser ceux de la facilité : alors que les banques d'affaires hésitent encore à se lancer dans les euro-émissions, le marché des euro-devises se développe sans contrôle ni limites. Même les banques centrales viennent désormais y emprunter, pour reconstituer leurs réserves et défendre leur parité : cette année-là, le Trésor belge y emprunte à Londres les 20 millions de dollars dont il a besoin.

Siegmund se lance à fond dans ses nouveaux projets. A la fin de cette année 1963, il organise, pour la ville d'Oslo, un second prêt en dollars depuis Londres, puis réalise l'euro-émission à laquelle il n'avait pas osé procéder un an auparavant pour la Communauté Européenne du Charbon et de l'Acier. Il monte parallèlement son propre réseau pour placer de tels emprunts et choisit la Banque de Paris et des Pays-Bas, que préside encore Jean Reyre, l'Union de Banque Suisse, que préside Hans Schaeffer, la Deutsche Bank, avec à sa tête Hermann Abs, et la Banca Commerciale Italiana, dirigée encore par Carlo Bombieri. Les cinq se voient régulièrement, à l'occasion des déplacements des uns et des autres à Francfort, Zurich, Milan, Londres ou Paris. Le marché naissant de l'eurodollar fournit une structure de fait à ce réseau d'amitiés, où chacun invite l'autre dans les émissions que les uns ou les autres commencent à organiser.

Un marché encore dérisoire : au total, 13 euro-émissions ont lieu en 1963 pour un montant de 147,5 millions de dollars, soit trois cents fois moins qu'aujourd'hui[204].

Warburg sait à présent qu'il peut réussir à faire dans la City ce qu'il avait vainement tenté de faire de Berlin avant l'avènement de Hitler : une sorte de New York hors les murs. Après tout, Londres a une longue tradition de financement du commerce international et des gouvernements ; elle a d'abord prêté l'épargne européenne aux États-Unis, puis, entre les deux guerres, elle a géré les prêts effectués en sens inverse.

D'ailleurs, quand Londres devient port-franc du dollar, on y renoue tout naturellement avec le vocabulaire d'avant-guerre ; un chef de file, joliment appelé « teneur de plume », dirige l'euro-émission et s'engage, avec d'autres garants, à placer l'emprunt, soit directement, soit par l'intermédiaire de vendeurs. Les commissions des banques sont fixées par un barème, en fonction de la valeur de l'emprunt. Ce revenu, perçu en dollars, vaut pour le pays de siège de la banque comme une exportation de services : seul bénéfice pour l'Angleterre de l'activité de la City.

Siegmund fait ainsi de sa banque la première de l'Euromarché à long terme, au moment où celui-ci apparaît. Et il va rester, jusqu'à aujourd'hui, à ses sommets. Parce qu'à la différence des autres, sans prendre de risques excessifs, il va très vite trouver des clients, sollicitant les entreprises dès qu'il a dans l'idée qu'elles sont des emprunteuses potentielles, souvent avant qu'elles le sachent vraiment elles-mêmes.

Ses méthodes sont originales, scandaleuses même pour l'époque. Il travaille à partir d'un centre unique, sans bureaux à l'étranger ni filiales à travers le monde : « Les bureaux sont aussi inutiles que les ambassadeurs », dit-il comme son cousin Max. Ses hommes vivent en état d'alerte permanente ; dans les quelques heures qui suivent la réception d'un renseignement fourni par un informateur local, un commando de deux ou trois membres décolle de Londres et commence à exploiter l'information reçue et à produire la demande chez le futur client[221]. Siegmund se tient aussi informé de ce que font les autres : à Londres, il met en place un petit groupe, sous la direction de Sharp, chargé de suivre l'activité des six cents premières banques mondiales et de savoir en permanence qui est en train d'émettre un emprunt, pour y être associé, ou qui a des capitaux disponibles, pour lui placer une émission[222].

Un autre événement confère à cette année quelque importance : il rencontre à Zurich une parente éloignée, Theodora Dreyfus-Schiff. Extraordinaire personnage, née à Vienne, devenue cinéaste ; puis, après une guerre héroïque, elle devient, au début des années cinquante, à Zurich, l'une des meilleures graphologues de son temps. Siegmund, ce jour-là, lui confie, pour voir, l'écriture d'un de ses proches. La réponse le stupéfie, bien plus fine que celle des analyses axquelles il recourait jusqu'ici à Londres. D'emblée, Theodora devient la conseillère de la Banque, et elle le restera trente ans durant. Son influence sur Siegmund est considérable ; il le reconnaît et en joue très ouvertement : quelques années plus tard, lors d'une soirée, il aborde Karl Kahane, grand industriel et banquier autrichien qu'il connaît encore à peine : « Theodora a vu votre écriture, elle m'a dit que vous étiez une personne de grande qualité et que nous devrions faire des affaires ensemble. Je ne vois pas bien lesquelles, mais pourquoi ne pas essayer, puisqu'elle le dit ? »

Siegmund vient souvent à Zurich où il l'aide à créer une Fondation européenne de Graphologie, à l'Université de Zurich. Il note alors : « Si l'amour d'un être et celui de la vie se confondent en un seul, c'est la plus belle chose qui puisse arriver[214] », et il prend quelques libertés avec sa propre austérité : « On vit toujours, écrit-il, dans le souvenir du passé ou l'anticipation de l'avenir. Le plus difficile est de vivre au présent. C'est un des plus importants fondements du bonheur[214]. »

La banque fait maintenant plus de 600 000 livres de profits après impôts, soit seulement le quart de ceux que déclare le holding. Son rayonnement augmente de mois en mois, à Londres comme ailleurs. Anthony Sampson écrit : « C'est la plus spectaculaire réussite de toute la City. » Tous viennent déjeuner à Gresham Street : des ministres, à qui Siegmund explique que l'Angleterre paiera un jour ses erreurs d'après-guerre et son refus de quitter les terres lointaines, aussi bien que des dirigeants de l'opposition.

Il est de plus en plus assuré d'avoir vu juste dans la définition de son métier : le banquier, pense-t-il, se doit d'être petit s'il veut influer : « Pour ce qui est de fournir de l'argent à l'industrie, les banquiers ont perdu de leur importance ; mais pour ce qui est de conseiller, ce que j'appelle être des "ingénieurs financiers", ils en ont gagné beaucoup[146]. »

Il considère d'un œil de plus en plus critique tout ce qu'il voit monter autour de lui. Et son exigence vis-à-vis des hommes devient d'une grande sévérité. En septembre 1963, il écrit : « J'espère encore en une nouvelle aristocratie, une nouvelle élite dont les qualités devront être le mépris du luxe et de l'accumulation de biens, le respect pour la substance plutôt que pour les apparences, pour la qualité de préférence à la quantité, enfin la noblesse et l'indépendance de jugement[214]. »

Il se sent de plus en plus éloigné de la morale d'argent et des normes du conformisme ambiant. Il confie d'ailleurs à Anthony Sampson : « On dit toujours que la City est en mutation, mais les révoltés d'une génération deviennent les conformistes de la suivante[145]. »

EN FINIR AVEC KUHN LOEB

Fin 1963, les premières euro-émissions entraînent des conflits d'intérêt avec Kuhn Loeb. Les incidents deviennent hebdomadaires ; on s'accuse même réciproquement d'avoir fait des offres qu'on sait inacceptables à des clients communs, pour éviter d'avoir à y associer l'autre partenaire. Pour tenter de réduire ces conflits, un comité de coordination est institué, comprenant d'un côté Nat Samuels et Alvin Friedman, de l'autre Gert Whitman et Ronald Grierson. Mais cela n'empêche pas les liens de se distendre et les méfiances de s'installer. John Schiff, de plus en plus lointain, ne souhaite pas choisir entre ses traditions et ses pairs, entre Siegmund et les autres, conduits désormais par Necarsulmer, devenu associé.

Le 22 novembre 1963, jour où J.F. Kennedy est assassiné, Siegmund se trouve à New York et voit dans cette tragédie le signe de l'ébranlement d'une certaine idée de l'Amérique et de la fin de son propre rêve américain.

A Londres, le marché des euro-émissions s'organise. Après avoir émis 14 emprunts pour 147 millions de dollars d'euro-obligations en 1963, on en émet 44, pour un montant de 680 millions de dollars, en 1964 ; l'essentiel est fait par S.G. Warburg, pour le compte de la ville de Turin ou à nouveau pour celui de l'I.R.I., et cette fois explicitement pour Finsider[204].

Le marché est encore étroit. Chaque euro-émission demande plusieurs semaines pour être négociée. Les emprunteurs sont des entreprises connues, allemandes, norvégiennes, autrichiennes, italiennes et japonaises. Les prêteurs sont anonymes, ce qui permet de placer des capitaux douteux et de recevoir des intérêts sans payer d'impôts — c'est ce qui fera le succès du marché. En ces débuts, certains disent que des anciens nazis, la Mafia, des souverains déchus, ou plus simplement des fraudeurs du fisc qu'on nomme joliment à l'époque les « dentistes belges », trouvent dans ces émissions une bonne occasion de « blanchir » leur argent[204]. Le fait que des banques suisses placent l'essentiel de ces premiers euro-emprunts et des banques luxembourgeoises en découpent les coupons, autrement dit en paient les intérêts, donne quelque consistance à cette thèse. En fait, pour autant qu'on le sache, les tout premiers acheteurs de ces titres sont de riches particuliers honorables, armateurs grecs ou scandinaves, et la Banque Centrale d'Israël qui y place les revenus de ses exportations[204]. Au printemps de 1964 s'y rallient les grands prêteurs américains, telle la Fiduciary Trust Company, qui achète des titres pour le compte de très nombreux fonds de pensions d'entreprises américaines et pour celui des Nations Unies, et qui s'installe à ce moment à Londres.

De même, la Moscow Narodny Bank et la Banque de l'Europe du Nord signent un accord avec les gestionnaires de fortunes du Commonwealth pour placer une partie des dollars soviétiques sur ces marchés : voilà que les euro-dollars achètent maintenant des euro-émissions...

AVOIR SON NOM A FRANCFORT

Simultanément, Siegmund poursuit son autre objectif majeur : faire revivre son nom en Allemagne. Depuis qu'en 1958 l'Allemagne est redevenue exportatrice de capitaux, pour la première fois depuis 1913, il est parvenu à introduire des entreprises allemandes sur le marché de Londres et à y lancer des euro-émissions avec le concours de banques allemandes. Mais il n'a pas réussi à reprendre un pouce de terrain dans la vieille maison de Hambourg sinon que certains appellent maintenant sans fondement la banque « *Brickmann, Wirtz, Warburg* & Cie ». Aussi souhaite-t-il s'installer dans une autre ville, afin de trouver là une autre voie, indirecte, qui pourra la mener à la reconquête de la Ferdinandstrasse. Il décide donc de créer une banque à son nom à Francfort où se joue maintenant l'essentiel de la vie financière allemande.

Et il choisit de prendre le contrôle d'une petite banque dont on a déjà parlé, celle de Hans W. Petersen, le banquier juif caché en pleine guerre à Berlin.

Au début de 1964, Gert Whitman téléphone à Richard Daus qui a pris la suite de son cousin, pour lui demander, au nom de Siegmund, de lui vendre « H.W. Petersen ». On lui donnera, dit-il, le nom de « S.G. Warburg » et il en restera le seul associé résident. Siegmund Warburg, lui dit-il, l'appellera le lendemain, s'il est d'accord sur le principe.

Siegmund l'appelle comme prévu et lui donne rendez-vous au Savoy, où il lui raconte toute son histoire allemande, à sa façon sans doute ; et il lui explique sans fard son intention de se servir de lui pour redonner son nom à une banque en Allemagne : « Ma famille était stupidement trop allemande pour admettre que Hitler ferait ça. Et maintenant je veux revenir. » On se met d'accord et, en avril 1964, « S.G. Warburg Francfort » est créée. Siegmund y met peu de moyens et y associe Jean Reyre et George Bolton. Richard Daus en devient l'associé résident. Siegmund étant encore associé chez Kuhn Loeb, c'est Gert Whitman qui y devient associé pour représenter la maison de Londres. Il est décidé qu'en cas de désaccord entre Francfort et Londres, c'est Siegmund qui partira, laissant la banque à Richard Daus.

L'année suivante, Siegmund persuade Brinckmann Wirtz and Co, de devenir aussi associé à Francfort. La banque se développe. Elle fait des euro-émissions, des prêts au commerce international et du conseil financier. Siegmund la suit en détail et y vient de temps en temps. D'autres banquiers anglais, tel Hill Samuel, font comme Siegmund et s'installent à Francfort.

A Hambourg, Éric Warburg pas plus que Rudolf Brinckmann n'en sont heureux : « si le nom, leur dit Siegmund, s'en revient à Hambourg, je renoncerai à la banque de Francfort ». Brinckmann, qui est aussi associé dans une autre petite banque de Francfort, Hanck & Co, ne cède pas pour autant : il garde la maison.

Siegmund joue alors la carte de la séduction et associe Brinckmann, Wirtz and Co à de nombreuses affaires, comme, l'année suivante, le premier emprunt libellé en livres et en deutschmarks pour le compte de la Nouvelle-Zélande. Mais ces efforts ne le mènent pas loin.

ROMPRE AVEC KUHN LOEB

Siegmund voudrait aussi éviter de rompre totalement avec New York : il devine que les entreprises américaines vont vouloir maintenant financer par la City leurs filiales en Europe, et y utiliser, pour ce faire, les filiales de banques américaines. Aussi souhaiterait-il conserver des liens avec Kuhn Loeb et continuer à se présenter à Londres comme l'associé d'une grande banque de New York. Mais il est bien tard. Les conflits d'intérêt sont trop nombreux ; Necarsulmer fait tout pour s'opposer à lui et les associés américains, au premier chef Frederick Warburg, son cousin, n'acceptent plus ses méthodes de travail.

Il tente alors de s'associer à un autre grand de Wall Street, Lehman Brothers, et crée avec eux, Paribas et diverses sociétés d'assurances anglaises, un établissement bancaire à Londres. Opération manquée : Lehman ne s'y intéresse guère et n'est pas même représenté au conseil, où S.G. Warburg compte un seul administrateur.

En juillet 1964, le conflit avec Kuhn Loeb s'accentue à propos d'une nouvelle émission lancée par la ville d'Oslo : nul ne sait au juste si Siegmund a entendu parler de cette affaire à Londres ou bien à New York, où il se rend moins souvent. D'un côté comme de l'autre, on tient à être le chef de file et, même, à ne pas associer son partenaire. Chacun va jusqu'à redouter que son associé ne fasse échouer l'affaire pour éviter que l'autre n'en ait le bénéfice. C'est d'ailleurs ce qui arrive : Morgan emporte le marché. La coupe est pleine. Siegmund souhaite en finir, dans un sens ou dans l'autre : faire venir Kuhn Loeb à Londres ou rompre avec elle. Il a peu d'alliés dans la place : Wiseman n'est plus là ; les Warburg de New York, avec Frederick à leur tête, ne l'aident pas ; Dillworth est parti chez Rockefeller, et John Schiff se montre hésitant.

Et lui ne veut pas bouger. Tel est son tempérament : il n'est pas demandeur. Pour forcer le destin, Henry Grunfeld, sans en parler à Siegmund, va, un dimanche d'août 1964, rendre visite à John Schiff dans sa propriété d'Oyster Bay ; et il met tout sur la table. On parle jusqu'à quatre heures du matin. A l'aube, John Schiff fait le bilan :

« Je voudrais que vous restiez et que Siegmund prenne le pouvoir dans la maison, mais je ne peux forcer mes partenaires à accepter vos méthodes. A vous de choisir. Ou vous restez en vous pliant aux règles de Wall Street, ou vous partez. »

Henry raconte cette rencontre à Siegmund, et ils prennent immédiatement leur décision : on rompt avec Kuhn Loeb à compter du 31 décembre 1964 ; on vend aussi l'American European Associates, qui végète encore comme fonds d'investissements, et on crée sur place une autre banque, « S.G. Warburg Inc », avec un directeur venu de la Chemical Bank, D. Mitchell.

Siegmund ressentira cet échec avec beaucoup d'amertume. Quinze ans plus tard, il dira encore : « J'étais très attaché à Kuhn Loeb, et je pensais qu'il était possible d'en faire une firme d'élite à New York. Nous étions sur le point d'y arriver et j'ai été très déçu quand ça a "cassé"... J'ai fait beaucoup de choses pour eux. Je leur ai amené beaucoup de clients. C'est moi qui ai engagé bien des gens qui sont devenus essentiels chez eux, tels Nat Samuels, Harvey Kruger ou Yves A. Istel... J'ai démissionné à cause de divergences d'opinions sur ce qu'il convenait de faire... J'y ai gardé beaucoup d'amis[207]. »

Trois ans plus tard, en 1967, dans le livre publié à l'occasion du centenaire de Kuhn Loeb, Frederick M. Warburg est cité parmi les 22 associés, Siegmund parmi les « associés du passé »...

LE « NIGHT CLUB »

Londres se révèle là, une fois de plus, terre d'asile : chacun y loue l'extrême compétence de ses banquiers, la qualité de la vie, l'ampleur de l'équipement culturel et la certitude que ni un changement de gouvernement, ni un contrôle des changes, ni quoi que ce soit d'autre ne viendra jamais perturber les habitudes des multiples acteurs de la City.

Mais celle-ci est de plus en plus comme un bouquet sophistiqué dans un jardin à l'anglaise : car à côté d'elle, la situation économique et politique du pays s'aggrave. On s'enfonce dans l'austérité pour éviter la dévaluation au lieu de réduire les dépenses à l'étranger. Selwyn Lloyd, désigné injustement comme bouc émissaire de la crise, est renvoyé par Harold MacMillan[35].

Malgré le soutien apporté l'année précédente par les

banques centrales d'Europe, la livre n'est pas stabilisée et sa parité n'est plus le reflet de sa compétitivité. L'Angleterre dépense toujours trop à l'étranger et n'en tire pas suffisamment de revenus. La structure du budget, l'état de l'industrie et les dépenses militaires à l'étranger rendent impossibles une croissance, même faible, sans déficit extérieur. Les réserves s'épuisent, les dettes gonflent, la parité n'est plus tenable.

En septembre 1963, Harold MacMillan, alors en visite officielle à Washington, le dit très clairement à John F. Kennedy : s'il n'y a pas de hausse du prix de l'or en dollars, ou de dévaluation du dollar, la livre elle-même devra être dévaluée et tout le système de Bretton Woods sera menacé. A l'époque, proférer une telle menace confine au sacrilège. Kennedy, effrayé qu'on puisse apprendre qu'il a seulement entendu de tels propos, fait effacer toutes traces de cette conversation, jusque dans les notes de ses propres collaborateurs[21].

Le 19 septembre, quelques semaines avant la mort de Kennedy, Harold MacMillan démissionne, au bout de six ans de gouvernement ; et il est remplacé, le 29 octobre, par Sir Alec Douglas Home[35].

Maudling, nommé Chancelier de l'Échiquier à la place de Lloyd, ne prend pas davantage les mesures nécessaires : il ne réduit pas les dépenses militaires à l'étranger, comme le lui recommande Siegmund et d'autres, ni ne développe les investissements industriels ; la situation empire. En janvier 1964 est rendu public le plus fort déficit de la balance des paiements de toute l'histoire britannique[35]. Les capitaux quittent de plus en plus l'Angleterre et réclament de l'or ou des dollars en échange de livres[21]. En février, pour attirer ou retenir les capitaux fuyants, Sir Alec décide une hausse du taux de l'escompte ; mais c'est encore, pour l'époque, une décision si considérable qu'il se rend lui-même à Washington en aviser le nouveau président américain, Lyndon Johnson. Celui-ci lui demande de

394

limiter la hausse à un demi-point, pour éviter une guerre des taux. Sir Alec obtempère[21]. Cette hausse se révèle insuffisante et à la fin mai, il faut affronter une nouvelle fuite de capitaux. Pour le mois de juillet, le déficit commercial atteint 60 millions de livres. Le 8 octobre, on annonce que le déficit de la balance des paiements pour l'année en cours sera de 650 millions de livres. Tout dérape.

Pendant ce temps, le groupe Mercury est devenu une vraie puissance. A Gresham Street, on travaille beaucoup, tard le soir. Dans la City, la banque est surnommée le *Night Club*. Elle rachète plusieurs entreprises de ses clients et regroupe à présent, en dehors de Brandeïs-Goldschmidt, une agence de publicité, Masius Fergusson devenu Masius Wynne William, un cabinet d'assurances, Steward Smith, les filiales anglaises d'un groupe américain d'entreprises de sondages, Gallup Poll ; cette année-là, il acquiert aussi le plus grand conseiller anglais en fonds de retraite, Fund Metropolitan Pension Association. Ces entreprises versent des honoraires à la Banque pour ses conseils financiers, et des dividendes au holding, leur actionnaire. La même année, Siegmund organise la première émission d'obligations américaines en Europe depuis la guerre, pour le compte de Socony Mobil[204].

Il craint toujours que le succès n'entraîne à la fois autosatisfaction et croissance trop rapide, conduisant à la bureaucratisation et à la détérioration de la qualité du service ; il exhorte chacun, au "Night Club", à « déployer des efforts particuliers pour préserver le style personnel et les caractères que nous considérons comme primordiaux dans l'activité d'une banque marchande[175] ».

Mais si l'on travaille dur, on est désormais mieux payé que partout ailleurs à Londres, et c'est au surplus un honneur de venir travailler chez lui. Lord Weinstock, par exemple, à l'instar de toute l'élite anglaise ou étrangère, lui confiera plus tard son fils comme stagiaire.

Il n'y a plus aucune vision dynastique dans cet ensemble dont la jeunesse est exceptionnelle : sur les 18 administrateurs, sept ont moins de 45 ans, et quatre moins de 40 ans. Cinq sont étrangers : deux Hollandais, un Irlandais, un Américain et un Canadien. On y trouve un ancien journaliste, Ronald Grierson, un ancien ambassadeur à Paris, Lord Gladwyn, et deux anciens hauts fonctionnaires, James Helmore et, toujours là, Andrew MacFadyean.

Cette année-là, à vingt-huit ans, David Scholey entre chez S.G. Warburg. Le parcours de l'actuel président de la Banque vaut d'être conté : né le 28 juin 1935, élève à Wellington College, puis à Christ College à Oxford, il sert dans les lanciers, puis devient courtier d'assurances, d'abord chez un assureur à Toronto, puis à Londres dans une compagnie des Lloyds. A la fin des années cinquante, il n'est encore qu'un jeune courtier, jouant le soir de la guitare au Monrose Club. En 1959, il rejoint son père, Dudley Scholey, chez Guiness-Mahon, et entre au conseil d'administration d'une société d'assurances, Orion. En 1960, il épouse la fille de l'ambassadeur du Canada à Londres. En 1963, son père devient président d'Orion, qu'il revend en 1964, par l'intermédiaire de S.G. Warburg, à une compagnie hollandaise. Dudley quitte alors Guiness-Mahon pour entrer chez S.G. Warburg et y entraîne son fils, lequel devient l'assistant personnel de Siegmund. On lui donne un petit bureau, entre ceux de Siegmund et de Henry. Le jeune David y est témoin de tout. Siegmund, séduit par son calme et son originalité, le considère peu à peu comme un nouveau « fils adoptif », aux côtés de R. Grierson et P. Spira, entre autres : il ne déteste pas la concurrence, au-dessous de lui.

SECOND DÉPART

Le 31 mars 1964 (jour choisi parce que, par superstition, il déteste le 1er avril), Siegmund, quatre ans après avoir quitté la présidence de la Banque, abandonne celle de Mercury Securities. Ce jour-là, il déclare à ses cadres :

« Il est essentiel de modifier en permanence la composition d'une équipe pour la rajeunir... Les anciens, qu'il faudrait appeler comme les Japonais les "vieux sages", doivent faire de la place aux autres, bien formés pour leur succéder. Ainsi, je suis convaincu que mon départ de la présidence renforcera notre groupe au lieu de l'affaiblir. Avec les années, notre équipe s'est développée en un organisme qui vit maintenant par lui-même et qui est aujourd'hui plus fort que la somme des individus qui le composent. »

Il est assez content de lui et il note dans son cahier : « Un type bien ? Quelqu'un sans qui les choses seraient ou auraient été pires[214]. » Sans doute lui-même se voit-il ainsi : il a réussi de jolis coups et il a aidé les autres à éviter le pire. Il ne se voit surtout pas comme quelqu'un qui a voulu gagner de l'argent. « L'argent, qui doit être le serviteur de ceux qui le possèdent, peut en devenir le tyran s'il est pris comme emblème de statut social[214]. »

L'année suivante, les profits de S.G. Warburg en font la première *merchant bank* avec Morgan Grenfell. Devant l'avalanche de compliments, Siegmund revendique avant tout l'originalité de sa méthode : « Je ne veux pas faire les choses comme les autres. Je n'ai pas de modèle. Je fais les choses à ma façon[214]. » Pour le reste, il se veut modeste. Il compare désormais son métier à celui d'avocat aux États-Unis : « Nous sommes comme des amis qui aident leurs clients à formuler leurs décisions. Nous essayons de réduire les divergences entre sociétés[175]. » Mais il reste d'une brutalité extrême avec ceux qu'il n'aime pas. En juillet 1965, il note à propos de quelqu'un : « Chez lui, comme souvent, la diarrhée verbale et la trivialité des propos vont de pair avec la constipation des idées et des émotions[214]. »

Le 25 septembre 1964, Sir Alec conduit les conservateurs aux élections. Il a en face de lui Harold Wilson, son cadet, directeur des Statistiques pendant la guerre, député depuis 1945, qui a remplacé Gaitskell, mort l'année précédente, à la tête du parti travailliste[58]. Wilson remporte les élections et, le 16 octobre 1964, devient Premier ministre.

WALL STREET DÉBARQUE A LONDRES

L'Amérique entre dans l'ère des déficits. D'abord parce qu'au même moment où l'économie tourne à plein et ou on lance la « Grande Société », la rentabilité du capital baisse et n'y attire pas les investisseurs. Ensuite parce que commence l'escalade au Viêt-nam — qui va durer plus de dix ans —, entraînant inflation et détérioration des équilibres extérieurs[163]. Or, tout déficit extérieur américain revient à créer des dollars pour le monde. Ils se substituent aux épargnes nationales insuffisantes sans qu'il soit visible qu'il s'agit là de dettes de l'Amérique, qu'un jour, beaucoup plus tard, il lui faudra bien payer. Ainsi, le dollar reste roi, mais sa prééminence réside désormais dans sa circulation en contrebande et non plus dans la garantie de l'économie-reine dont il était jusque-là l'expression.

Certes, l'excédent commercial moyen est encore de deux milliards de dollars par an, au lieu de 3,3 durant la décennie précédente. Mais les dépenses militaires à l'étranger augmentent de 70 %, l'essentiel à destination du Viêt-nam, coûtant environ deux milliards de dollars par an à la balance des paiements[163]. Et les déficits des paiements de 1965, 1966 et 1967 atteignent au total près de 6,5 milliards de dollars, pour moitié payés encore en or[163].

L'Europe et le Japon, qui croissent plus vite que l'Amérique, commencent eux aussi à réexporter des dollars.

Comme l'a prévu Siegmund, la taxe .d'égalisation des taux d'intérêt ne réduit pas le déficit de la balance des paiements, mais l'aggrave au contraire, en freinant le retour des dollars dans les banques d'Amérique. Or, persistant à croire que c'est en réduisant les sorties de capitaux qu'on réduira le déficit, le Président Johnson décide, en plus le 10 février 1965, d'inciter à une limitation volontaire des investissements et des prêts à l'étranger. Cette mesure, aussi inefficace que les précédentes, ne fait en réalité que pousser davantage les entreprises américaines à emprunter des eurodollars en Europe pour les investir hors d'Amérique.

Cette explosion des mouvements de capitaux privés, inédite dans l'histoire, ouvre l'âge d'or de S.G. Warburg and Co. Première banque à s'intéresser aux concentrations industrielles transatlantiques et première à s'être lancée dans les euro-émissions, elle devient le symbole de la nouvelle forme du capitalisme mondial d'après-guerre : totalement délocalisé.

Et Londres en devient le lieu principal : si les banques américaines créent des filiales partout en Europe et débarquent à Londres, à Paris, à Francfort, à Zurich, c'est avant tout en Grande-Bretagne qu'elles s'implantent, au moment même où Wilson réaffirme la volonté anglaise d'entrer dans la Communauté Européenne[147]. Cette année-là, 98 banques étrangères s'installent à Londres, 48 à Paris, 17 à Zurich. Leurs débuts ne sont guère brillants : leur relative jeunesse, leur expérience limitée du monde extérieur constituent d'abord des handicaps, mais aussi, bientôt, la source d'une imagination financière et d'une ardeur au travail inédites, qui en feront les maîtres des marchés off-shore en leur propre monnaie[147].

Siegmund n'est donc plus seul sur le marché. Il s'y heurte, entre autres, à la Deutsche Bank, à Kuhn Loeb et à Morgan. Pour résister à cette nouvelle concurrence, il lui faut donc, comme dans les années d'avant-guerre, inventer les besoins des autres avant qu'ils ne le sachent eux-mêmes.

Cette année-là, par exemple, il monte, pour le compte de la Nouvelle-Zélande, avec Brinckmann, Wirtz & Co et la Commerzbank, contre Kidder Peabody, banquier traditionnel de ce pays du bout du monde, une émission complexe dont il est très fier, de 10 millions de livres sur quinze ans, libellée pour partie en livres, pour partie en deutschmark, afin de répartir les risques de change : on enprunte en une devise et on rembourse en une autre. Quand il parvient à en placer 10 % à la banque américaine White Weld à Londres, l'opération, initialement risquée, devient un franc succès[204]. Il en monte un autre pour Mobil Oil. Cette même année a lieu en septembre la première émission en dollars pour le compte d'une entreprise américaine, American Cyanamid[204].

Par rapport à l'année précédente, le marché des euro-émissions augmente quelque peu en 1965 : il atteint maintenant 800 millions de dollars, pour 45 émissions, dont la moitié déjà pour le compte de filiales d'entreprises américaines ; 7 des 12 principales banques chefs de file sont américaines, 3 sont anglaises, avec à leur tête S.G. Warburg, encore première sur le marché pour le nombre d'émissions, et seconde derrière la Deutsche Bank pour les montants[204].

Les bruits les plus absurdes commencent à courir sur les raisons des succès de Siegmund, face à ses énormes concurrents. La rumeur, parfois ouvertement antisémite, est entretenue par les formidables montants qu'il s'engage à placer et par son rachat, cette année-là, d'une petite banque zurichoise, la Banque de Gestion Financière. En fait, il n'y a rien de mystérieux dans sa réussite : elle tient à l'extraordinaire réseau de contacts accumulé depuis deux siècles par sa famille, soigneusement entretenu et développé par lui. « Il faut devenir l'ami de quelqu'un pour devenir son banquier, et non pas l'inverse[175] », dit-il lui-même, et il y a d'une façon exceptionnelle réussi très au-delà des autres. Il n'est plus une seule grande institution bancaire ou financière dans le monde industriel où il ne compte au moins un ami sûr au sommet de la hiérarchie. C'est ainsi qu'il réussit les émissions d'emprunts du secteur public autrichien, grâce à ses liens avec ses dirigeants. Ses émissions en Italie découlent de ses relations avec Guido Carli. Son rôle dans les émissions en deutschmarks tient à son amitié avec le président de la Deutsche Bank, Herman Abs, et à sa coopération avec celui de la Commerzbank, Paul Lichtenberg. Carlo Bombieri à la Banca Commerciale Italiana, Schaeffer à l'Union de Banque Suisse, Jean Reyre à Paribas, Marcus Wallenberg à l'Enskilda, David Rockefeller à la Chase, Robert Lehman chez Lehman Brothers, Baldwin chez Morgan Stanley, sont des amis très proches. Et, pour faire s'ouvrir les rares cercles encore fermés, il fait entrer à sa propre banque d'autres « ouvreurs de portes ». Tout cela ne l'empêche pas de devoir être très compétitif, car aucun ami, où qu'il soit, ne l'aide jamais, évidemment, à battre un concurrent moins disant.

Ce réseau unique en fait l'un des plus grands vigiles du capitalisme mondial de ce temps : il sait mieux que personne, en permanence, qui — banques, États, ou entreprises, d'Amérique, d'Europe ou du Japon — a de l'argent à placer ou des emprunts à faire. Et il ne s'occupe que des gros morceaux : « Les petites maisons de vente en gros sont souvent plus efficaces que les grandes maisons de vente au détail. Ainsi, si la Deutsche Bank replace entre dix clients 2 millions de dollars d'une émission, ce n'est pas mal, mais si je peux en placer dix millions de dollars à deux clients, ça présente aussi quelques avantages[207]. » Et pour obtenir sa part dans un emprunt, aucun moyen de pression, ou de séduction, ne lui est étranger. Il n'hésite pas à téléphoner à qui que ce soit, ministre, président de la Commission Européenne ou modeste collaborateur d'une autre banque, pour convaincre ou menacer. De plus, la prudence exige la rapidité : comme il continue, à l'instar d'un simple courtier, à n'acheter une émission qu'après l'avoir déjà vendue, il lui faut être capable de s'assurer très rapidement du placement qu'il s'engage à faire, afin de pouvoir proposer une offre, sûre pour lui et séduisante pour les emprunteurs. C'est le seul moyen de battre les grandes banques qui peuvent, elles, courir plus facilement le risque de garantir le placement d'un emprunt avant de savoir si leur réseau le placera effectivement.

Il se spécialise ainsi dans les opérations les plus difficiles, celles où la concurrence s'exerce sur la capacité d'innovation et non sur les taux d'intérêt ; ce n'est pas fait pour lui déplaire : car ce sont les seules affaires à répondre à son critère de « haute banque », les seules à exciter son imagination.

Parfois, ses idées sont trop en avance sur leur temps, et il n'obtient pas que des succès. Ainsi, cette année-là, 1965, il essaie, pour le compte d'un emprunteur suédois, de placer un emprunt en panier de monnaies européennes, qu'il nomme « Euromoneta », bien avant qu'on ne songe à l'Écu. Mais il ne parvient pas à la faire accepter[204]. Quinze ans plus tard, la chose deviendra presque banale.

L'année suivante, en 1966, les taux d'intérêt à court terme à Londres crèvent le plafond imposé par la réglementation américaine pour les dépôts à long terme aux États-Unis. Cela pousse plus que jamais les épargnants du monde entier à déposer leurs devises à Londres, et les deux marchés européens du dollar, à court et à moyen terme, ne cessent de se développer : très vite pour le court terme, plus lentement pour le moyen terme.

Le marché des euro-émissions représente cette année-là 1,3 milliard de dollars[204], soit exactement autant que le déficit de la balance des paiements américaine. Malgré sa fragilité croissante, le dollar y reste la devise largement préférée, même si un quart des euro-émissions sont à présent libellées en deutschmarks. Le nombre des émissions augmente lui aussi et atteint 69. Le temps de leur réalisation diminue. Chaque banquier ajoute une subtilité à la technique de la précédente : en mai 1966, S.G. Warburg invente ainsi, pour la Société générale immobilière Di Lavori Di Utilita Publica, les premières euro-obligations partiellement convertibles en actions, ce qui permet de réduire leur coût pour l'emprunteur[204]. En juin, N.M. Rothschild invente une euro-émission avec un « zéro coupon », autrement dit un report du paiement des intérêts en fin d'emprunt, qui, quinze ans plus tard, fera fortune auprès des assureurs. Les plus grandes entreprises américaines, telles Union Carbide, General Food ou Gillette, empruntent désormais régulièrement sur ce marché pour leurs investissements hors d'Amérique.

Et le marché se démocratise : le 23 juin 1966, l'achat à Londres de titres en eurodollars à court et moyen terme est ouvert aux petits épargnants, comme c'est déjà le cas à Wall Street depuis 1961. Les banques londoniennes peuvent alors émettre des certificats de dépôts en dollars et les proposer à un large public, puisqu'ils sont négociables par les banques elles-mêmes, sans passer par les intermédiaires traditionnels des titres[81]. C'est une énorme mutation : pour la première fois depuis l'Allemagne de Weimar, les petits épargnants européens — et non plus seulement, comme jusqu'ici, les banques ou les grands investisseurs — vont ainsi pouvoir placer leur épargne en dollars, et les banques pouvoir conserver tout leur attrait aux yeux des déposants. L'homogénéisation des marchés des capitaux franchit un seuil. La première banque à émettre ces titres à Londres est la First National City Bank, et White Weld Ltd crée pour eux un marché secondaire[81].

Sans doute peut-on s'étonner de voir la Banque d'Angleterre donner une telle autorisation, en cette année difficile pour la livre. Mais ce n'est pas là sa seule erreur, en ces années d'ébranlement.

AGONIE DE LA LIVRE

La devise anglaise, démissionnaire de son rôle en 1957 pour tenir sa parité, est à présent à bout de résistance. Avec l'effondrement du cours défini seize ans plus tôt se lézarde tout le système de Bretton Woods, jamais, en réalité, vraiment mis en service.

Cette agonie se terminera, au bout de deux ans de vaine obstination et d'audaces refusées, par une dévaluation, dont l'histoire[21], à laquelle Siegmund est intimement lié, mérite d'être contée, car c'est le véritable point de départ de la grande crise monétaire et économique où l'Occident se trouve encore aujourd'hui plongé.

Très injustement, l'Histoire en tient rigueur à Harold Wilson et à lui seul. En réalité, il est des rendez-vous inévitables avec les faits, résultat de longues années d'erreur et de conservatisme ; et nul acteur de circonstance ne saurait en être tenu pour le responsable. Siegmund y jouera, là encore, le rôle presque dérisoire de l'homme d'influence emporté par les courants.

Dès le soir de sa désignation, le 16 octobre 1964, Harold Wilson est confronté à la même spéculation contre la livre qu'ont connue tous ses prédécesseurs depuis dix ans. Mais, parce qu'il est travailliste, la violence est neuve et la discrétion n'est plus de mise. La City, la presse financière, la Banque d'Angleterre et surtout son gouverneur, Lord Cromer, se montrent furieusement hostiles au gouvernement travailliste. Les banques américaines déclenchent et propagent les rumeurs les plus alarmistes sur l'avenir de la monnaie britannique. On parle de dévaluation, de flottement, de nationalisation des *merchant banks,* d'impôt sur le capital, de contrôle des capitaux, de quotas aux importations, de fermeture du marché de l'or. Plusieurs *merchant banks* songent sérieusement à quitter l'Angleterre[21]. Les conservateurs, qui ont tout à la fois refusé la dévaluation de la livre, la réduction des dépenses militaires et le retrait de bases à l'étranger, prônent maintenant la réduction des dépenses sociales et des investissements publics, qu'ils n'ont pas eu le courage d'imposer quand ils étaient aux affaires. Les travaillistes, eux, n'ont qu'une obsession, qui dictera toute leur conduite en ces années terribles : au pouvoir lors de la dévaluation de 1931 et de celle de 1949, ils n'entendent pas devenir « le parti de la dévaluation », même si celle de 1931 n'était que l'aboutissement de l'absurde politique de Churchill en 1926, et celle de 1949 la suite logique des parités choisies par le même Churchill à la fin de la guerre.

Mais Wilson ne veut pas non plus, pour l'éviter, faire payer à son électorat les erreurs accumulées par les gouvernements précédents, et il se refuse à réduire les dépenses sociales, qu'il trouve déjà insuffisantes. Sûr de l'aide de Washington et de celle de l'Europe, il souhaite au contraire miser sur la réussite d'un programme de restructuration de l'industrie.

Mais, en attendant que celui-ci fasse effet, il faut bien gérer une crise des changes, qui s'alourdit de jour en jour : les réserves d'or filent, par le jeu combiné des déficits et de la spéculation, d'autant plus que chacun s'attend à une dévaluation immédiate.

Aussi, dès le jour de son arrivée au 10 Downing Street, Harold Wilson met en place une structure originale de direction des affaires économiques. Il scinde les Finances en créant un ministère des Affaires économiques, et il nomme George Brown à l'Économie et James Callaghan aux Finances. Il les réunit dans la soirée avec son conseiller économique personnel, Tom Balogh, puis fait annoncer qu'il n'y aura pas de dévaluation de la livre. Mais, au lieu de rasséréner l'opinion, ce communiqué ne fait que lui révéler l'existence d'une crise financière, jusqu'ici soigneusement dissimulée par les conservateurs. Et il donne à la presse une première occasion d'attaquer les travaillistes, en oubliant la situation à leur arrivée au pouvoir.

Le lendemain, Wilson organise son cabinet[21] : à côté de conseillers officiels comme Sir William Armstrong, Sir Donald MacDougall et Robert Neild, il verra Siegmund Warburg de temps en temps, comme un conseiller officieux. Trente ans après avoir conseillé un Ministre des Affaires étrangères de droite à Berlin, le voici devenu conseiller d'un Premier ministre travailliste à Londres ! Étrange destin d'un homme d'influence... Lui-même ne s'en cache pas, à la fois par fierté et pour provoquer la City, scandalisée qu'un banquier puisse ainsi travailler pour les « rouges ». A New York, *Time Magazine* se borne à diffuser ainsi la nouvelle : « Le Premier ministre Wilson, admirateur de l'influence modernisatrice de Warburg dans la finance anglaise, en a fait un de ses proches conseillers. »

Wilson doit alors décider comment enrayer les déficits et la fuite des capitaux. Le temps presse : il reste moins d'un milliard de livres dans les caisses de la Banque d'Angleterre.

Les avis qu'il reçoit sont contradictoires : le dossier de politique économique laissé par le dernier Chancelier conservateur, Reginald Maudling, propose de taxer les importations[35]. Le professeur Kaldor, devenu conseiller de Callaghan, pense qu'il faut limiter les importations par des quotas et faire flotter la livre pendant plusieurs mois, jusqu'à retrouver une parité stable. Éric Roll, nommé secrétaire général du Ministère des Affaires économiques, pense, quant à lui, qu'il ne faut pas réduire les dépenses publiques à l'étranger. Thomas Balogh, Lord Cromer, Sir Donald MacDougall, Robert Neild, Sir William Armstrong sont du même avis[21].

Siegmund expose alors aux dirigeants travaillistes son diagnostic : pour lui, le système de Bretton Woods s'est révélé pervers, parce qu'il a ôté son rôle d'étalon à l'or sans le remplacer par un autre mécanisme de régulation. Mais puisqu'il faut vivre avec, il convient de ne pas dévaluer, car cela ne ferait qu'aggraver la situation du pays. Le déficit anglais, explique-t-il, est provoqué essentiellement par les dépenses publiques à l'étranger, surtout militaires, qui dépassent structurellement l'excédent déclinant du commerce extérieur. Il faut donc essayer d'augmenter les recettes en devises, et de diminuer les dépenses à l'étranger. Or les gouvernements conservateurs n'ont fait qu'essayer d'augmenter ces recettes, sans rien faire pour réduire ces dépenses. MacMillan a même dépensé davantage pour la défense, en pourcentage du PNB, que tous les autres pays occidentaux, exception faite des États-Unis. Sans compter qu'il y a d'autres charges : la zone sterling, par exemple, coûte cher à l'Angleterre, son banquier : l'argent qu'elle y dépense est replacé chez elle et les devises qu'elle doit conserver en contrepartie de ces dépôts en livres ne lui rapportent rien, alors qu'elles lui coûte des devises supplémentaires pour payer les intérêts de ces dépôts.

« Si, par exemple, on avait coupé depuis la guerre nos dépenses militaires en Inde et en Égypte, expose Siegmund, l'Angleterre aurait économisé deux milliards de livres... Je ne veux pas dire par là qu'il faut annuler tous nos engagements à l'extérieur, ni n'avoir qu'un rôle passif dans les affaires mondiales ; je crois qu'il y a un point moyen à trouver : telle est la difficulté des décisions de politique étrangère que vous allez avoir à prendre. Mais jusqu'ici aucun gouvernement, conservateur ou travailliste, n'est parvenu à ajuster notre politique étrangère à notre capacité d'engranger des devises. Il suffirait donc de réduire nos dépenses à l'étranger pour que tout rentre dans l'ordre, fait-il savoir à Wilson, car, en fait, l'état des finances anglaises est bon, et il n'y a aucune raison de dévaluer : nos réserves à court terme égalent nos dettes à court terme, et nos actifs à l'étranger sont du même ordre que nos dettes. De plus, il ne faut pas compter les sommes dues en sterling dans les dettes, car ce ne sont pas de vraies créances sur l'Angleterre. En cas de crise de change, même sans engager tous les actifs, il y a assez de réserves mobilisables pour tenir. Mais il faut arrêter de dépenser à l'étranger plus qu'on n'y gagne, et cesser de dire que tous nos maux viennent de la faiblesse de notre industrie sans rien faire pour la moderniser. Il faut tuer les vaches sacrées, oublier les ambitions dont nous n'avons plus les moyens, et pour inciter à la productivité et augmenter les recettes d'exportations, introduir la TVA ou une déduction fiscale à l'exportation, comme en France ou en Allemagne. »

On est très sensible à ce plan, le plus détaillé, entendu en ces derniers jours d'octobre 1964. Mais Wilson qui ne veut pas dévaluer, ne se sent cependant pas à même de frapper aussi fort que le recommande Siegmund Warburg : il n'entend pas toucher à la présence militaire britannique à l'étranger, qui fait encore l'objet d'un consensus national. Le 26 octobre, il se borne à décider d'un budget rigoureux, sans réduire les dépenses à l'extérieur, et d'une surtaxe de 15 % sur les importations, quasi-dévaluation qui déclenche les protestations des autres pays européens, tout en aggravant la fuite devant la livre[21]. A la fin novembre 1964, les réserves d'or s'abaissent à 876 millions de livres.

Au sein du gouvernement, on commence à parler de réduire la présence britannique à l'étranger, mais sans oser le faire, face à l'opposition de la droite. En novembre, à l'un de ces ennuyeux dîners de banquiers qui se tiennent à Mansion House, Lord Cromer entre dans la bataille et s'oppose fermement à de telles réductions : « Les investissements outre-mer, dit-il, ne doivent pas être considérés comme un solde, ni comme la première cible des économies en cas de mauvais coups de l'adversité[21]. » Le 18 novembre, Wilson est convaincu de la nécessité d'augmenter le taux de l'escompte pour défendre les réserves. Il envisage un moment d'en informer par téléphone Lyndon Johnson, mais il y renonce : à la différence de son prédécesseur, il n'entend pas solliciter l'avis du Président américain sur une question qu'il juge relever de la seule souveraineté nationale.

Sur ce sujet, là aussi, le gouvernement est divisé et a du mal à arrêter une ligne. Callaghan est hostile à cette hausse qui casserait selon lui la croissance, alors que Brown y est favorable, pour casser pense-t-il, la spéculation[21]. Finalement, ce jour-là, au terme de longues discussions, Wilson décide d'élever le taux d'un point. Mais cela ne suffit pas à enrayer les fuites de devises et d'or. Dans la City, le lieu de toutes les rumeurs, et de toutes les spéculations les critiques anti-gouvernementales se multiplient. Le 19, Wilson se déchaîne contre elle, déclarant : « Si quelqu'un, ici ou à l'étranger, doute de notre résolution et agit en conséquence, qu'il soit prêt à payer le prix de son manque de confiance en la Grande-Bretagne[21]. »

Le même jour, George Brown dénonce, dans un discours devenu fameux, les « *gnomes de Zurich* ». Le lendemain, le mot fait mouche. Renaît alors le débat sur la responsabilité des financiers dans la crise, comme en 1913 à New York, en 1931 à Londres, en 1933 à Berlin. Le Gouverneur répond à Brown qu'il n'y a pas de « gnomes », mais seulement des gens, dans la City et ailleurs, qui défendent leurs intérêts en se détournant de la livre, parce qu'ils n'ont pas confiance dans les travaillistes[21]. Ce jour-là, la City considère la dévaluation comme inévitable ; les demandes d'or s'accélèrent sur le marché libre, tenu à grand'peine et à bout de bras par le « pool de l'or ».

Très tard dans cette soirée du 20 novembre, Wilson, perplexe, s'interroge ; George Brown convoque Henry Grunfeld à Carlton Gardens. Celui-ci redit aux « princes », en son nom et en celui de Siegmund, leur commune hostilité à la dévaluation, et suggère de défendre la livre par un grand emprunt international à long terme dont la seule annonce suffirait à calmer les spéculateurs. Ceux-ci seraient alors convaincus de perdre leur temps, face à des moyens de défense renforcés, en attendant que les mesures à moyen terme fassent effet. Le lendemain, le Royaume-Uni emprunte donc. Mais il ne s'agit que d'un milliard de dollars, et empruntés au F.M.I. au titre des accords généraux[161] d'emprunts, jamais encore utilisés : ce n'est donc pas ce que recommande Siegmund. Les deux jours suivants, les réserves continuent de filer et Cromer commence à se résigner à la dévaluation, pensant même qu'il faut faire très vite pour ne pas perdre davantage de réserves et éviter de se trouver en cessation de paiements : il ne reste plus que l'équivalent de 500 millions de livres en or à la Banque d'Angleterre.

Constatant la poursuite de la spéculation, Wilson, le 23 novembre, porte le taux d'escompte à 7 %. Il ne comprend pas pourquoi ni comment elle se déroule : « Nous sommes en guerre, dit-il, et nous ne connaissons pas l'ennemi. Que veut-on de plus de moi ? J'ai réduit les dépenses publiques et restreint la politique monétaire, et pourtant la crise financière continue. Dévaluer ? Pas question... Imposer davantage de rigueur à la classe ouvrière ? Pas question non plus... On va tenir. D'ailleurs, les États-Unis ne peuvent pas se permettre une dévaluation de la livre, et vont nous aider[21]. »

Le lendemain, Wilson accepte enfin la solution proposée par Siegmund quelques jours auparavant : un vrai prêt international à long terme. Le 24 novembre au soir, il demande à Cromer de fixer le montant nécessaire à emprunter pour être sûr d'éloigner la spéculation : 2,5 milliards de dollars, répond celui-ci. Pour donner l'impact maximal à cette décision, il faut trouver les fonds en secret dans la journée du lendemain et l'annoncer aussitôt. Ce soir-là, le téléphone commence à sonner dans toutes les banques centrales du monde[21] : alerté par Cromer, le président de la Federal Reserve américaine promet 750 millions de dollars ; l'Export Import Bank en promet 250 millions. Voilà un milliard de trouvé. Le Secrétaire au Trésor Dillon et son adjoint Roosa, avertis, téléphonent toute la nuit à plusieurs banques privées américaines pour leur demander de l'aide. Leur principal argument est que si la livre s'effondre, le dollar suivra, entraînant tout le système de Bretton Woods et le système bancaire américain lui-même. De son côté, Siegmund Warburg appelle d'abord Kuhn Loeb et Lehman, puis, le lendemain matin, dès l'ouverture des marchés européens, il téléphone à Hermann Abs et à Jean Reyre. Le Président de la Bundesbank, Karl Blessing, appelé également par Cromer, accepte de coordonner les appels aux banques centrales européennes. Le Général de Gaulle, informé et irrité du trop bref délai qu'on lui laisse pour décider, finit par laisser la Banque de France participer au prêt, « pour la dernière fois[21] » : en France comme en Allemagne, l'heure n'est pas à la tendresse... A midi, Blessing a recueilli l'accord de douze banques centrales. Au total, à sept heures du soir, trois milliards de dollars sont réunies, mais pour six mois seulement[21] : les « gnomes de Zurich » ont aidé la livre, mais sans risques excessifs. On fête cela au champagne dans le bureau de Wilson. Pour cette fois au moins, la dévaluation n'aura pas lieu. La spéculation se calme[21].

Au lendemain de ce demi-succès, Wilson peut se rendre à Washington la tête haute : le prêt lui permet de tenir. Mais ce n'est qu'un répit : en janvier suivant, la balance des paiements continue d'être en déficit et les devises partent de nouveau. Le 1er février 1965, Lord Cromer commence à admettre en public que, pour réduire les sorties de devises, il faut faire de nouvelles économies budgétaires, « y compris dans les dépenses excessives des collectivités locales et à l'étranger[21]. »

Wilson et Callaghan protestent alors publiquement contre ces déclarations : non, il n'est pas question de réduire davantage les dépenses publiques, pas plus en Angleterre qu'à l'étranger, et Wilson écrit au Gouverneur : « Il serait politiquement irresponsable et économiquement inutile d'abandonner nos bases[21] ». Le 24 mars 1965, l'emprunt du 20 novembre 1964 est renouvelé par les Banques centrales lors d'une réunion de leurs gouverneurs dans le cadre de la B.R.I.[161]. Le surlendemain, 26, la livre est attaquée ; elle ne se stabilise que pour quelques semaines après l'annonce, le 6 avril, d'un budget sévère pour l'année à venir. En voyage aux États-Unis à la fin d'avril, Wilson explique très brillamment devant un parterre de banquiers réunis à New York son nouveau programme économique, mis au point avec Brown, Callaghan, Siegmund Warburg, Kaldor et Ballogh : il confirme la priorité accordée à la modernisation industrielle et au contrôle des prix et des salaires ; il renouvelle « son inaltérable détermination à maintenir la valeur de la livre et les valeurs qui en dépendent[21] ».

Mais le problème du retrait des bases reste posé, et lors de ce voyage, Wilson souhaite se faire une idée de la position des États-Unis à ce sujet. Et c'est bien difficile, car elle est très confuse : au sein de l'administration, certains, comme MacNamara et Dean Rusk, souhaitent que l'Angleterre continue de jouer son rôle de gendarme supplétif de l'Occident, et pensent que « l'Angleterre doit rester à l'est d'Aden », même si Rusk ajoute : « Nous seuls pouvons nous permettre d'être les moteurs du monde ». Mais d'autres, tels Dillon, Roosa et Martin, craignent que ces dépenses n'entraînent inéluctablement une dévaluation de la livre, puis celle du dollar. Ils pensent donc que la livre doit être défendue, même s'il faut pour cela réduire les dépenses militaires anglaises à l'étranger[21]. Johnson s'abstient de trancher entre ces deux thèses.

Wilson en conclut qu'il vaut mieux rester « à l'est d'Aden », car si l'Angleterre quitte ses bases, elle cessera d'être considérée comme une grande puissance et les États-Unis perdront tout intérêt à l'aider[21]. Le 25 mai, pour rembourser le second prêt de novembre, l'Angleterre emprunte 1,4 milliard de dollars au F.M.I. et le reste à des banques privées. La confiance en la livre revient un peu et le taux de l'escompte à Londres peut baisser de 7 à 6 %. Mais le déficit des paiements ne se réduit toujours pas et le 16 juillet 1965, la livre est à nouveau attaquée.

Wilson ne sait plus quoi faire. Chacun y va alors de son conseil : les ministres des Finances français et allemand recommandent de réduire encore davantage les dépenses. Les États-Unis conseillent de bloquer les salaires. Cromer, lui, suggère la formation d'un gouvernement d'Union nationale. Wilson en est furieux : jamais il ne rééditera la trahison du travaillisme d'avant-guerre.

L'été passe sans solution. Début septembre, il faut encore emprunter deux milliards de dollars aux Banques centrales pour consolider de nouveau les prêts du F.M.I. Même scénario, mêmes appels, mais, cette fois, la France refuse de participer. Le 10 septembre, Callaghan annonce qu'il a réuni un nouveau concours international, mais sans annoncer pour quel montant ; celui-ci n'est en fait que d'un milliard de dollars[21]. Le 16, il présente son projet de plan quinquennal et met en place un système de concertation volontaire sur les salaires. A la fin du mois, le mandat de Lord Cromer vient à expiration et Wilson nomme à sa place son adjoint L.K. O' Brien. Ni Wilson, ni Brown, ni Siegmund Warburg ne regrettent ce départ.

En octobre et novembre, les attaques contre la livre continuent, les réserves empruntées s'épuisent peu à peu. Pourtant, la politique industrielle de Wilson commence à faire effet et, à la fin de l'année, le Premier ministre peut présenter un bilan honorable : le déficit de la balance des paiements s'est réduit à 278 millions de livres en 1965, contre 757 en 1964.

Le 31 mars 1966, Wilson provoque des élections anticipées et est reconduit pour cinq ans.

Mais la situation ne s'est calmée que grâce à des emprunts souscrits auprès du F.M.I. et des banques. Il faudra bien les rembourser : les principales échéances viendront en novembre 1967, et nul ne sait encore comment on les honorera.

Siegmund voit alors assez souvent le Premier ministre et lui fait rencontrer tous les grands banquiers du monde, lors de leur passage à Londres. En mai, on lui propose d'être chevalier. Il refuse : ce n'est pas son genre d'ambition, et c'est le type d'honneur que la famille refuse depuis deux siècles, obstinément. Il note ce jour-là : « Les gens sont soit exigeants avec eux-mêmes, soit contents d'eux-mêmes. Les premiers sont ceux qui rendent le monde meilleur. Celui qui accepte des défis supérieurs et qui succombe à la fin dans son effort pour relever ces défis est le seul vrai vainqueur dans la vie[214]. » Puis finalement, le 10 juin 1966, il accepte. Le lendemain, le *Financial Times* écrit : « Sa firme, sous sa direction, a connu une croissance météorique, mais sa nomination reconnaît plutôt la valeur de ses conseils économiques au gouvernement. Il a en particulier recommandé la réduction des dépenses de défense outre-mer. »

En juillet, la livre est à nouveau attaquée, et Brown juge désormais la dévaluation inévitable[21]. Wilson, lui, ne veut pas en entendre parler ; il décide des coupes budgétaires, un contrôle des marges, un contrôle très strict des salaires liant pour la première fois leur évolution à celle de la productivité[35]. Le plan quinquennal de Brown, vidé de sa substance par ces nouvelles mesures, est abandonné un an à peine après avoir été proposé. La gauche travailliste, avec Ian Mikardo, hurle à la trahison[35]. Brown, ulcéré, démissionne du Ministère de l'Économie en août, et passe aux Affaires étrangères. Le Ministère de l'Économie est à la dérive. Eric Roll le quitte. A force d'austérité, la récession s'aggrave : on compte 600 000 chômeurs et les réserves, toutes empruntées, égalent à peine le montant des dettes à court terme, soit 3 milliards de dollars[35].

Siegmund considère alors que le gouvernement court à l'abîme s'il ne choisit pas clairement et tout de suite entre

414

la livre et la présence militaire à l'étranger. Il faut, pense-t-il, l'aider à choisir la livre, clé de la puissance financière anglaise et, par là, sauver en même temps tout le système de Bretton Woods, c'est-à-dire les finances de l'Occident.

Alors, pour la première et la dernière fois de sa vie, il décide d'intervenir publiquement dans le débat politique anglais. Le 2 octobre 1966, il publie dans le *Sunday Times* un très long article, mûrement préparé, où il rend public ce qu'il conseille depuis deux ans au Premier ministre.

Avant d'y énoncer de sévères critiques contre la politique du gouvernement, il prend explicitement parti en sa faveur :

« Je ne suis pas socialiste, et je crois que la libre entreprise a un rôle important à jouer aujourd'hui, au moment où commence la seconde révolution industrielle. Cependant, je pense que ceux qui ne sont pas socialistes devraient, en tant que patriotes, admettre qu'ils ne doivent pas affirmer a priori que tout ce que fait le gouvernement travailliste est mauvais, et reconnaître que l'actuelle mise en place d'une politique courageuse, liant prix et salaires à la productivité, revêt une grande signification historique. Je ne veux pas plaider ici pour la constitution d'un gouvernement de coalition, ni pour la cessation de toute discussion sur n'importe quel sujet politique, qu'il s'agisse de la monnaie ou de tout autre, mais je me demande s'il n'est pas certains domaines comme la défense, la monnaie, le soutien aux Nations-Unies, entre autres, dont il serait possible d'envisager le retrait de la bataille des partis. Le gouvernement a engagé une sorte de "Bataille d'Angleterre économique" qui mérite, au moins pendant un an, le soutien de tous, car elle constitue notre dernière chance. »

Puis il approuve le plan d'austérité qui vient d'être mis en place, entre autre sur ses conseils :

« Ces mesures visent à court terme à restaurer la confiance de l'étranger dans la livre et, à moyen terme, à produire un excédent de la balance commerciale qui permettra, avec les revenus des invisibles, de couvrir les dépenses publiques extérieures et d'amortir la dette extérieure. Si cette nouvelle politique est correctement appliquée, elle peut nous conduire aux résultats visés. »

Il prend ensuite parti contre la dévaluation de la livre, à laquelle, il le sait, Wilson est maintenant le seul, au sein du gouvernement, à n'être pas résigné :

« Ceux qui vantent les mérites d'une dévaluation de la livre n'ont pas assez réfléchi aux réalités profondes de l'économie britannique, et prescrivent un traitement tout à fait inapproprié à sa maladie actuelle ». Une dévaluation de dix ou quinze pour cent, écrit-il, « n'améliorerait pas notre situation, car la Grande-Bretagne n'a pas la capacité de production inemployée nécessaire pour développer ses exportations ; et les importations, qu'elles soient agricoles, de matières premières ou autres, ne pourront être réduites, comme on le voit depuis l'instauration de la taxe de 15 % sur les importations. De plus, une telle dévaluation ne suffirait pas à calmer la spéculation et conduirait ailleurs à des dévaluations en chaîne, qui feraient perdre l'avantage temporairement gagné — ou, dirais-je, volé — par la Grande-Bretagne... La dévaluation, ou l'introduction d'un régime de taux de change flottant, démontrerait qu'au lieu d'avoir le courage de prendre des décisions impopulaires, nous avons préféré nous en remettre à un douteux tour de passe-passe économique. Ce serait pénaliser ceux qui ont fait confiance au sterling et récompenser ceux qui, gouvernements ou individus, ont ôté à l'or sa fonction, pour le plus grand préjudice de l'économie du monde libre. Au total, la dévaluation ne serait qu'un expédient douteux ; il faut lui préférer la mise en place d'un contrôle des prix et des salaires efficace, et la réduction de nos dépenses à l'étranger. »

Il conclut par un rappel de ses nostalgies :

« Nous aurions dû réduire nos dépenses à l'étranger tout

de suite après la guerre. L'exemple allemand et italien montre que c'était possible et que la Grande-Bretagne peut encore, si elle s'y décide, retrouver une position au moins égale à celle des autres puissances occidentales ».

Cet article reçoit un énorme écho à Londres. Wilson lui est très reconnaissant de son soutien. La City lui en veut d'être si peu hostile aux "rouges".

Avec cet article, Siegmund est à l'apogée de son influence anglaise : libre de tout conformisme, sans modèle ni préjugés, exprimant, dira-t-il plus tard, « des vues de gauche non conformistes » et lançant des « remarques choquantes, voire provocantes » : « Pensez donc, dit-il en imitant ses adversaires, l'autre jour, ce type a dit qu'il était un électeur flottant[207] !... »

Pour autant, son article n'aura pas d'effet, car il est trop tard pour modeler ou infléchir le cours des choses, trop tard pour que Wilson suive ses conseils. Et Siegmund assistera avec rage à l'agonie de la livre, puis à celle de Bretton Woods.

Car il faut maintenant payer les dettes, et la spéculation va agir plus vite que les améliorations structurelles. L'hiver passe dans l'attente des échéances de mars et novembre. En mars 1967, le Royaume-Uni parvient à rembourser ses dettes aux banques centrales[161]. Tout va vers le mieux. Mais, en juin, la fermeture du Canal de Suez, la Guerre des Six jours entre Israël et ses voisins arabes, suivies, en septembre, par la grève des dockers, provoquent une chute des exportations et une montée des importations anglaises avec de nouveaux emprunts à faire. Voici le coup de grâce. Wilson décide alors de renationaliser le fer et l'acier à bas prix.

Au même moment, sans qu'on sache encore si c'est pour « irriguer pendant le déluge », comme l'écrira Jacques Rueff, ou pour remplacer un dollar vacillant, le F.M.I., lors de sa réunion annuelle à Rio de Janeiro en septembre, décide de créer une nouvelle source de liquidités interna-

417

tionales[161], les D.T.S. (droits de tirage spéciaux) ! Bretton Woods se disloque.

En octobre, chacun sait que l'Angleterre n'aura pas les moyens de payer sa dette et on s'attend à une dévaluation imminente. Les sorties de capitaux s'accélèrent. Il n'y a pas d'issue, nul ne résiste plus. L'échéance attendue de novembre 1967 arrive sans qu'aucune planche de salut n'ait été trouvée. Il faut rembourser ou bien dévaluer, afin de tenter de réduire le déficit et d'enrayer l'hémorragie de capitaux. On décide de dévaluer.

Les 11 et 12 novembre, les gouverneurs des principales Banques centrales, réunis à Bâle, discutent de l'ampleur d'une éventuelle dévaluation. Le 14, le Gouvernement britannique rend public le chiffre du déficit commercial d'octobre, le plus important de l'histoire anglaise[161]. Le 16, le Cabinet discute de la dévaluation. Le 17, pour défendre la livre, la Banque d'Angleterre vend encore plus d'un milliard de dollars, soit l'équivalent de plus de trois cents millions de livres.

Le 18, Wilson, sous la pression du F.M.I., se résigne, après trois ans de bataille, à une dévaluation de 14,3 % : la livre chute de 2,80 dollars — son cours depuis 1949 — à 2,40 dollars. Le taux de l'escompte passe à 8 %, les impôts sur les sociétés sont augmentés, les dépenses publiques encore une fois réduites, sans que soient touchées les principales dépenses à l'étranger[35].

Ce qui aurait pu n'être qu'un réajustement technique six ans auparavant va déclencher à présent un désastre financier à l'échelle planétaire.

LE DOLLAR A LA DÉRIVE

La chute de la livre entraîne, entre autres, celle des devises espagnole, danoise et israélienne, et place le dollar en première ligne. Comme Siegmund l'a prévu, la monnaie américaine est alors immédiatement menacée, car chacun s'attend à une réévaluation du prix de l'or en dollar, après sa réévaluation en livre. Et, pour la première fois dans l'histoire, les Banques centrales d'Europe, pour défendre le dollar, doivent en acheter en vendant de l'or. De plus, la guerre au Viêt-nam aggrave le déficit américain[163], qui passe de 1,6 milliard en 1966 à 3,2 milliards de dollars en 1967.

Au lendemain de la dévaluation anglaise, le Président Johnson publie une déclaration rappelant sa volonté de maintenir le prix de l'or à 35 dollars l'once[161]. Mais personne n'y croit plus : il y a beaucoup trop de dollars hors d'Amérique. Le 26 novembre, à Francfort, les gouverneurs des banques centrales du « pool de l'or » décident de poursuivre les ventes d'or, afin de soutenir les taux de change existants[161] ; et le 30, le F.M.I. prête à nouveau 1,4 milliard de dollars à l'Angleterre pour lui permettre de tenir son nouveau cours qui, dans un premier temps, va aggraver inévitablement son déficit.

A la fin de l'année 1967, on s'attend donc, de plus en plus, à une hausse de l'or ; une vague d'achats de métal précieux entraîne le risque d'un décrochage de son cours sur le marché libre par rapport au cours officiel. Le « pool » vend alors des lingots pour un montant total de 2 milliards de dollars. Tout cela ne peut durer.

Signe dérisoire : en janvier de l'année suivante, après la bataille, Wilson se décide enfin à retirer les forces britanniques à l'est de Suez[35]...

Le débat sur le cours de l'or est maintenant sur la place publique. Le 28 février 1968, un sénateur américain très influent, Jacob Javits, réclame ouvertement la suspension de la convertibilité du dollar et l'abandon du pool de l'or[161]. L'effet est désastreux. Pendant ce temps, comme prévu par Siegmund, les déficits anglais s'aggravent. En mars, pour les réduire le projet de budget pour 1968, présenté par le Chancelier de l'Échiquier James Callaghan, ponctionne 2 % sur le pouvoir d'achat, et retient une ancienne suggestion de Nicolas Kaldor : pour renchérir les importations sans dévaluer à nouveau, on oblige les importateurs à un dépôt de garantie de six mois en devises, égal à 50 % de la valeur des marchandises importées. Le solde des services commence à s'améliorer, mais, comme Siegmund l'a également prévu, les exportations n'ont pas suffisamment redémarré pour compenser la hausse du coût des importations provoquée par la dévaluation, qui relance l'inflation et les revendications salariales.

Aux États-Unis, rien ne parvient non plus à réduire le déficit de la balance des paiements. On est encore en situation de plein emploi, mais la guerre du Viêt-nam accroît importations et inflation. L'excédent commercial américain baisse. Les spéculateurs s'attaquent au dollar. S'attendant à ce qu'il soit dévalué, chacun veut acheter de l'or en échange[163]. Rien n'incite donc les industriels à rapatrier leurs capitaux aux États-Unis, ce qui aggrave d'autant les déficits. En janvier 1968, une loi vient limiter strictement les quotas d'investissements étrangers, jusquelà facultatifs, et, pour l'appliquer, le Trésor crée un Bureau de l'Investissement direct étranger.

Siegmund se rend alors moins souvent aux États-Unis. Il estime que ce pays, qui n'épargne plus assez pour investir chez lui, est en danger ; il pense que le gigantisme de ses institutions financières et leur désir de profit à court terme va le perdre. Il note avec humour dans son cahier[214] personnel qu'« un Américain ne se pose plus que deux questions : "Où puis-je garer ma voiture ?" et "Comment perdre dix kilos ?" »

On vend à présent de l'or, et beaucoup, pour empêcher la dévaluation du dollar. De novembre 1967 à mars 1968, les principales banques centrales écoulent pour 3 milliards de dollars de métal précieux afin de tenter de calmer le marché. En vain. En mars, alors que l'offensive du Têt est un échec pour le Vietcong et que le général Westmoreland réclame 200 000 GI's de plus[163], Johnson demande au Congrès de voter une surtaxe pour continuer à financer la guerre : celui-ci refuse. La crise est là.

A Londres, le 8 mars, le pool vend 100 tonnes d'or ; le 13, 175 ; le 14, au moins 225, et peut-être même 1 000 pour tenir les cours. Dans la nuit du 14 mars, Johnson téléphone à Wilson pour lui demander de fermer le marché de l'or de Londres, afin d'éviter l'hémorragie du métal précieux de Fort-Knox. Wilson sollicite l'avis de Siegmund, qui considère cette mesure comme inévitable. Le 15, Wilson ferme le marché pour quelques jours, pour la première fois depuis sa création. La confiance dans le dollar s'effondre alors. Les 16 et 17, les principaux ministres des Finances se réunissent d'urgence à Washington[161]. On s'attend à ce qu'ils décident une hausse de l'or, comme prévu dans les textes de Bretton Woods. Mais, en réalité, soucieux de fiction politique plus que de réalités financières, ils décident en fait de laisser flotter l'or sans en changer le cours officiel, mettant ainsi un terme aux activités de leur pool et instaurant un double marché de l'or : l'honneur est sauf. Le dollar flotte, mais sans qu'on ait à l'avouer.

Car la réalité est que la conversion du dollar en or n'est plus possible ; les autorités monétaires laissent le cours de l'or commercial se former par le jeu de l'offre et de la demande ; l'étalon de fait devient le dollar. Bretton Woods a vécu, sans avoir jamais vraiment fonctionné. L'Amérique peut maintenant s'endetter sans risque : elle n'a plus rien à rembourser. Le plan White resurgit intact des cendres de Bretton Woods.

La livre, elle, n'est plus rien : sa part dans le commerce international est tombée à 7 %. « L'héritage de la droite, écrit alors Wilson[35], a pesé sur presque toutes les décisions du gouvernement pendant cinq ans, sur les cinq années et huit mois que nous avont été au pouvoir. »

Un mois plus tard, en avril 1968, Johnson décide de

421

désengager l'Amérique de la guerre au Vietnam et de ne pas se représenter aux élections de novembre.

APOGÉE ANGLAISE

En ces années d'écartèlement des monnaies, Siegmund poursuit son métier de banquier auprès des entreprises anglaises : il rapporte beaucoup d'argent à sa banque et lui vaut une influence croissante. En mars 1966, pour le vingtième anniversaire de la fondation de S.G. Warburg and Co, il laisse le *New Yorker* publier sur son compte un très long article, repris ensuite dans un livre[175] : « Lui qui a la réputation de n'avoir jamais perdu une seule bataille d'O.P.A., de passer plus de la moitié de son temps hors d'Angleterre, d'être écouté aussi bien à Washington qu'à Downing Street, est toujours entouré de secrétaires, dictant en voiture, passant des coups de fil qui valent des millions de dollars... »

En lisant ce texte flatteur, auquel il n'a pas peu contribué, même s'il n'y paraît guère, on pourrait penser que Siegmund se prend au sérieux, qu'il a renoncé à cette modestie dont il a fait sa règle. Peut-être. Mais il sait toujours aussi la vérité des ambitions et l'absurdité des choses, et note pour lui-même ce jour-là : « La clé du bonheur réside dans l'illusion de voir du sens dans le non-sens[214] ». Et encore : « La plupart des choses que nous faisons, heureuses ou malheureuses, nous glissent comme du sable entre les doigts. Quelques-unes nous restent dans les mains comme des cailloux, et ce sont les seules qui comptent[214] ».

Le mois suivant, pour fêter le même événement, *Time* lui consacre un autre article qui résume et complète le long portrait du *New Yorker* ; il est à nouveau présenté comme le « banquier dont la croissance a été la plus rapide de toute la City », celui qui « a secoué la paresse de la

City en y introduisant l'organisation et la discipline allemandes. »

Il conclut cette année-là bien des affaires importantes. C'est ainsi qu'il aide à bien des fusions et des coups d'état contre des directions paresseuses.

Il est aussi à l'apogée de son rôle dans la politique économique anglaise. Non seulement, on l'a vu, il s'est trouvé au cœur du débat sur la dévaluation, mais il se mêle également beaucoup de politique industrielle.

Au début de 1966, pour faciliter les fusions d'entreprises auxquelles les banques marchandes ne se consacrent pas suffisamment à son goût, George Brown imagine de faire renaître la Bankers Industrial Development Company d'avant-guerre, dirigée à l'époque par le major Albert Pam, de Schröders[146], et projette de créer une sorte de banque d'affaires publique, qu'il appelle l'Industrial Reorganization Corporation, à laquelle il assigne un rôle de "catalyseur industriel" lorsque les fusions nécessaires ne se font pas naturellement[146]. Malgré l'opposition de toute la City, qui y voit la menace d'une concurrence déloyale de la puissance publique, et grâce aux efforts d'Éric Roll l'I.R.C. est créée et dotée d'un budget de 150 millions de livres. Ses services sont gratuits, et pour des conseils détaillés, elle oriente vers les banques marchandes. Son premier président est celui de Courtauld, Sir Frank Kearton, et George Brown demande à Ronald Grierson, qu'il connaît à peine, d'en devenir le directeur général[146]. Siegmund le laisse y aller, en principe pour deux ans. Plusieurs personnalités pressenties avant lui ont refusé, et sans doute est-il bon, pense Siegmund, d'avoir un homme dans la place.

Car, à l'inverse de la City, Siegmund voit dans l'action de l'I.R.C. la perspective de nombreuses nouvelles affaires pour sa maison. Et il a raison : d'emblée il participe, par ce biais, à la création d'I.C.L., résultant de la fusion de huit entreprises d'informatique, à la prise de participation

423

de Chrysler dans Rootes Motors, et à l'association de E.C. et d'English Electric.

L'I.R.C. l'associe, l'année suivante, à la fusion de B.M.C. et de Leyland, constituant alors un des plus grands groupes automobiles hors d'Amérique. Pendant des mois, Siegmund va jouer au négociateur subtil sur les deux points majeurs qui conditionnent le succès des pourparlers[167] : quel sera le poids relatif des deux entreprises dans le groupe, et qui, du président de l'une ou de l'autre, d'Harriman ou de Stokes, deviendra Président de l'ensemble ? C'est lui qui, après maintes péripéties, et après arbitrage de Harold Wilson en personne, trouvera la structure acceptable ; c'est lui qui évaluera le poids relatif des firmes dans l'ensemble, en fonction de ses propres prévisions sur leurs perspectives industrielles et financières à long terme ; c'est lui qui rédigera le communiqué final d'accord et dictera le choix d'Harriman comme président ; c'est enfin lui qui, suivant le plan qu'il a arrêté dès le premier jour, éliminera ensuite Harriman, le jour même de son entrée en fonction comme président, au profit de Black, le plus jeune directeur de Leyland, après d'impitoyables affrontements.

Ronald Grierson s'oppose alors à ce qu'il considère comme un « mariage forcé », et quitte l'I.R.C. pour devenir vice-président d'English Electric. Ce départ amène Siegmund à choisir un nouveau « fils adoptif », Peter Spira, qui gère le département international. Cette année-là encore, Mercury aide à faire passer Orion, où travaillait le père de David Scholey, dans le giron d'une grande compagnie d'assurances hollandaises, National Nederlanden. S.G. Warburg est toujours le premier vendeur mondial d'euro-émissions en nombre, et le troisième en montant.

Les profits du groupe en font toujours la première banque de la City, avec Morgan Grenfell. Siegmund n'en garde pour lui-même qu'une très faible part, moins intéressé que jamais par l'argent. En septembre, il note : « Si l'argent a quelque vertu, dans ce monde de capitalisme pervers, ce n'est que celle de protéger notre vie privée dans une société qui souffre par-dessus tout d'excessive indiscrétion[214]. »

L'année suivante, il engage de nouveaux cadres prestigieux : et d'abord sir Éric Roll qui a quitté l'administration, quand Brown a démissionné des Affaires économiques, pour entrer chez lui le 31 mars 1967 comme directeur exécutif. Puis un ancien ministre hollandais des Affaires étrangères, Van der Beughel, et un comte italien. Nul n'est à l'abri de ses sollicitations. Il glisse ainsi à Bruno Kreisky, alors sans fonctions gouvernementales : « Si vous vouliez maintenant entrer dans les affaires, ne faite rien sans m'en parler ». D'autres, tel Sir Robert Armstrong, secrétaire général du gouvernement britannique, entendront plus tard la même invite.

Éric Roll témoigne de ce qu'est à cette époque le charme de Siegmund, et la distance qu'il sait prendre vis-à-vis des choses : « Il pouvait être détendu jusque dans les moments de grand drame, appréciant l'aspect sportif dans toutes transactions, particulièrement quand la compétition était rude. Il trouvait ça souvent drôle, exerçant son sens de l'humour jusque dans les moments de plus forte tension. Quand les affaires l'exigeaient, il ne s'épargnait aucun effort, y compris en assistant à des soirées qu'il détestait plus que tout. Une des images qui me revient à l'esprit est celle de Siegmund dans telle ou telle réunion importante (à Downing Street, au Bilderberg, voire même à une conférence annuelle des banquiers de Siemens), je le vois se tenir immobile, apparemment absorbé dans ses pensées, dans un coin, entouré par la foule... Malgré cela, les gens venaient invariablement à lui. Un de ceux qui le connaissaient le mieux disait qu'il agissait comme un aimant, y compris sur les taxis, par exemple quand il quittait l'Opéra par un soir de pluie. Il exerçait certainement une sorte de rayonnement magnétique qui attirait les gens, les affaires et aussi — bien que les médias évitent de le dire — les informations[135]. » Avec l'âge, ses traits se sont accusés. Sa haute taille, sa tête trop grande pour ses épaules, son regard toujours extrêmement concentré sur son interlocuteur comme si rien d'autre n'existait, fascine et impressionne de plus en plus.

Cette même année, David Scholey devient administrateur de la banque et fait son apparition dans le cercle des « fils adoptifs. » Il pousse Siegmund à s'intéresser à un courtier d'assurances, Matthews Wrightson, au conseil de laquelle il est entré l'année précédente. Siegmund l'achètera et le fera fusionner avec celui qu'il possède depuis longtemps, Stewart Smith. L'opération lui donnera un grand pouvoir de placement pour ses propres emprunts. Cette année-là, Morgan Grenfell agira pareillement et achètera 20 % du plus grand courtier des Lloyds, Willis Faber.

Mercury compte alors plus de 350 employés. L'élite anglaise n'aime toujours pas beaucoup cet ex-Allemand qui réussit magnifiquement dans toutes les affaires mondiales qu'il touche, tout en conseillant un Premier ministre travailliste à Londres. Et lui ne l'aime guère non plus ; en août 1967, il note : « Faire un effort est considéré comme de mauvais goût par la haute société[214] » ; ou encore : « Quand on a affaire à des gens sans intérêt, on doit se concentrer avec eux sur des choses sans importance[214]. »

Mais cette distance à l'égard de son propre environnement ne le gêne plus, car il est assez riche et puissant pour ne plus faire désormais que ce qui l'amuse, et choisir ses clients. L'année suivante, sa maison lance, avec le président de Plessey, John Lliark, une OPA sur English Electric, qui la refuse et résiste. Sentant qu'elle va échouer, Siegmund reprend lui-même l'affaire en main et suggère plutôt de réaliser une fusion à l'amiable. Lliark s'y refuse, Warburg se retire, et l'OPA échoue[55]. Le lendemain, Siegmund déclare au *Financial Times* : « Nous n'avons gagné toutes les batailles que parce que nos clients ont suivi nos conseils. Il y a des gens que nous refusons comme clients. Nous ne demandons à ceux-ci que deux choses : être honnêtes, et être des hommes d'affaires de qualité ».

L'article le présente comme « le banquier qui porte le rachat d'une firme au rang d'œuvre d'art », et le décrit comme « un homme qui parle posément, à l'air grave, à la limite du sombre, et dont l'allure légèrement voûtée est plus celle d'un professeur que d'un homme d'argent. »

A l'époque, il évalue lui-même sa propre fortune à cinq millions de livres, qu'il laisse ostensiblement le soin de gérer à des experts de sa banque. Mais, dit-il, « je n'ai ni Rolls-Royce, ni yacht, ni chevaux de course, ni propriété. » Et sans doute est-il ce jour-là, à soixante-six ans, à la veille d'un vrai départ : il a l'âge qu'avait Max quand lui-même, Siegmund, quitta Hambourg. Son fils n'est plus à la banque : il a quitté la Grande-Bretagne pour vivre aux États-Unis.

A Hambourg, la situation ne s'est pas beaucoup modifiée. Max, le fils d'Éric, âgé de 18 ans, vient d'Amérique, où il est né, et entre comme stagiaire chez Brinckmann Wirtz & Co.

Le conflit entre les deux branches de la famille est alors à son comble. En avril 1966, *Time Magazine* présente avec finesse les différences entre les deux hommes : Éric est « athlétique et peu compliqué », alors que Siegmund est un « intellectuel, plutôt mystérieux. » Tous deux ont le désir de « restaurer le passé glorieux du clan ». La banque de Hambourg est prestigieuse : « Les banquiers de toute l'Europe, dit Éric, envoient leurs plus brillants rejetons se former chez Brinckmann », mais Éric doit y « partager le pouvoir avec les Brinckmann et les autres associés... »

Siegmund, lui, ne partage son pouvoir à Londres avec personne.

Au total, rien ne le retient plus. Il décrit lui-même son équipe comme étant « sa famille. » « Il lègue, dit l'article du *Financial Times*, beaucoup à sa brillante équipe ; mais on peut se demander si plusieurs pourront maintenir ce qu'un seul a réussi ».

ISRAËL CORPORATION

Siegmund connaît mal Israël où il se rend pour la première fois au début de 1960. Très ému par sa visite au kibboutz de Degania où son cousin Fritz vient de rejoindre ses enfants, il suit avec passion les affaires de ce pays. Il n'est pas sioniste, non plus qu'antisioniste. Israël l'intéresse, et il n'y aide que ce à quoi il croit. Pas l'Agence Juive de son cousin, parce que « je ne crois en aucun chauvinisme, ni américain, ni anglais, ni israélien », mais l'Institut Weizmann, et à Londres le *Jewish Observer*, parce qu'il est libéral. Il porte un vif intérêt aux relations entre Israël et l'Allemagne, et quand, le 14 mars 1960, Ben Gourion rencontre Adenauer à l'Hôtel Astoria de New York, Siegmund attache à l'événement une très grande importance.

Il se veut citoyen du monde, attaché à une morale, non à un peuple. Il ne se mêle guère à la communauté juive de Londres, qui ne l'aime pas beaucoup ; il le lui rend bien. En 1961, il note pour lui-même : « La moitié de l'élite du peuple juif dans les pays anglo-saxons est conservatrice ; quant à l'autre moitié, elle est réactionnaire[214] ».

Sa religiosité fait corps avec sa vie, même s'il est trop universaliste pour s'attacher à une foi unique. En 1962, il note : « On doit pouvoir remplir le vide moral de notre temps par une religion fondée sur des éléments esthétiques et éthiques, mais sans le complexe du péché[214]. »

Cette année-là, Fritz meurt à Degania, dernier survivant des fils de Moritz et premier Warburg depuis des siècles

— un millénaire, peut-être — à être inhumé en terre d'Israël. En 1964, sa fille Anna, mariée en Israël, a une fille, Sarah, qui naît à Paris.

Très lié au Docteur Foerder, devenu président de la Banque Leumi, il introduit son titre à la Bourse de Londres. Après que, le 7 mars 1965, ont été établies des relations diplomatiques entre l'Allemagne fédérale et Israël, Siegmund se rend souvent dans ce pays. Il y voit Foerder et les dirigeants politiques. En décembre 1966, le Docteur Foerder lui dit à propos d'un ennemi commun : « Cet homme-là perd beaucoup à être connu[214]. » Il note cette phrase qui l'a beaucoup séduit. Là commence la plus étrange opération financière à laquelle il ait été associé en Israël.

Au printemps 1967, il est invité par le gouvernement d'Israël, avec André Meyer, John Schiff et d'autres grands banquiers du reste du monde, à un voyage entre Gibraltar et Tel-Aviv, à bord du *Queen Elizabeth*. La croisière a lieu après la Guerre des Six jours, et chacun y est alors appelé à faire un don important à Israël. Tous acceptent. Siegmund est fort surpris de constater que les plus riches donateurs viennent du Mexique et du Brésil, et non plus d'Europe ou d'Amérique. Au cours de ce voyage, l'idée est émise par le ministre israélien des Finances de l'époque, Sapir, de créer un organisme destiné à canaliser des capitaux européens à destination d'Israël.

On le met sur pied pendant l'hiver suivant. S.G. Warburg et Kuhn Loeb s'en chargent. Siegmund en devient co-président avec Astore Maïer, un banquier italien ; et Harvey Kruger, qui vient de Kuhn Loeb, en devient directeur aux côtés d'un Israélien, Jacob Tsur, ancien directeur général du ministère du Commerce. L'objectif initial est d'attirer 100 millions de dollars. C'est difficile : on n'en récolte que 27 millions. L'affaire est difficile à gérer, car quiconque apporte 1 million de dollars a droit à un poste d'administrateur. Avec cet argent sont conclues deux grosses opérations : l'achat d'une compagnie maritime, la Z.I.M., et celui de raffineries de pétrole. Mais Siegmund, qui s'en est beaucoup occupé au début, prend peu à peu ses distances avec cette affaire, qu'il trouve peu conforme à ses propres méthodes de travail.

Les affaires juives continuent pourtant de l'intéresser, mais pas sur le terrain financier. Ainsi, en 1970, il apprend qu'Élie Wiesel, dont il a lu les ouvrages avec passion, se trouve à Londres pour la sortie d'un livre. Il appelle son éditeur, Lord Weidenfed, et lui demande de lui organiser une rencontre. La conversation dure deux heures. On parle d'Israël, de judaïsme. Élie Wiesel découvre un « personnage extraordinaire, calme, curieux, érudit. Il y avait en lui un humanisme d'une force étonnante. Cet ancien réfugié est un homme de lettres qui n'a pas écrit, un philosophe qui n'a pas construit de système... Avec lui, pas de futilités, pas de potins. Il parle court, simple, intense, avec autorité, sans qu'il soit jamais question de lui ou de sa famille. »

Siegmund propose à Élie Wiesel de l'aider dans tous les projets qu'il voudra, pour la paix au Moyen-Orient ou pour la défense des Droits de l'Homme. Wiesel décline son offre, mais cette rencontre marque les débuts d'une longue fréquentation entre le grand banquier et le grand écrivain, chacun fasciné par l'autre.

Cette année-là, Israël Corporation plafonne : les capitaux viennent moins. Naît alors l'idée d'y attirer des capitaux non-juifs. Il s'agit d'abord, par l'intermédiaire d'un banquier de Genève, Rosenbaum, de capitaux allemands ; car ceux-ci bénéficient désormais, en s'investissant en Israël, des mêmes avantages fiscaux que ceux consentis par l'Allemagne pour l'investissement à Berlin, en Espagne et dans certains pays en développement ; on entreprend de faire collecter ces capitaux par la banque des syndicats allemands. Siegmund n'aime plus du tout ça. Et quand, en avril 1971, Edmond de Rothschild entre au conseil d'Israel

Corporation, il lui suggère de le remplacer à la présidence, puis laisse même sa place d'administrateur à l'un de ses cadres et s'en va sur la pointe des pieds. Bien lui en prend : il a senti avant les autres que toute cette histoire allait mal finir.

ANTICIPER LE JAPON

Voici qu'un autre pays de ses ancêtres revient sur le devant de la scène.

Écarté de l'aide américaine après la guerre, le Japon[57], en 1962, est encore aux yeux des spécialistes européens un pays du tiers monde[148]. Siegmund s'y rend pour la première fois avec deux autres banquiers anglais (Alexander Hood, un des patrons de Schröder, et Edmund de Rothschild). Il y retrouve les héritiers des Mitsui et des Takehashi dont son oncle Max fut le conseiller au début du siècle. « Nous y avons passé trois semaines, raconte-t-il[207], et j'ai été très impressionné. Ces gens-là font un énorme effort pour bien faire ce qu'ils ont à faire, beaucoup plus que les Européens », et « ils mettent dans leur travail un mélange unique d'extrême discipline et d'infinie autocritique... A cette époque, il était encore très difficile de placer une seule action ou obligation japonaise en Europe. Les gens pensaient que le Japon était en très mauvais état et qu'il lui faudrait cinquante ans pour se redresser[207]. » Or, Siegmund perçoit dès ce premier contact que le Japon est une future grande puissance où il se sent bien, parce qu'il y trouve les qualités qu'il apprécie entre toutes : le sérieux, le style, le sens du détail, la vision à long terme, l'intérêt pour les choses au-delà de l'argent. Comme lui, les Japonais savent allier une très vieille sagesse à une grande modernité.

Il y fait la connaissance d'un extraordinaire personnage, comme son double japonais, Jiro Shirasu, principal colla-

431

borateur du Premier ministre Yoshida et qui dispose d'une influence considérable. Diplômé de Cambridge à l'époque où il était lui-même en stage à Londres , il a été le fondateur du M.I.T.I., il a assisté à la Conférence de Paix de San Francisco comme conseiller de la délégation japonaise, et a joué un rôle important, entre le Général McArthur et les autorités japonaises, dans la gestion des affaires financières de son pays. Le respect qu'il s'est acquis dans les négociations, et sa connaissance extrême des hommes, lui permettent d'exercer un pouvoir considérable sur les divers cabinets japonais d'après-guerre, hors de toute fonction ministérielle ou politique. Shirasu lui présente alors Akamura, le président de Nomura, le plus grand trust financier du pays, et le convainc de s'intéresser au marché nippon.

A son retour en Europe, seul de tous les banquiers d'Occident d'alors, Siegmund se fait l'avocat du Japon, et il obtient de quelques-uns de ses clients qu'ils placent 10 % de leurs portefeuilles en titres japonais. Nul n'aura à le regretter : ni lui, ni ses clients, ni le Japon. Et sa relation avec Shirasu, dont le second fils viendra par la suite en stage chez lui à Londres, deviendra une amitié.

Comme chaque fois, son intérêt pour le pays dépasse le simple cadre de la finance ; il se passionne pour la culture japonaise et lit tout ce qu'il trouve sur le sujet. En février 1963, il note dans son cahier ce proverbe japonais : « Si l'eau est trop pure, le poisson n'y nagera pas[214] » ; il aurait aimé écrire cette phrase qui, pour lui, est une façon élégante de dire le refus de l'absolu, la haine du totalitarisme et la force de la tolérance. Comme s'il découvrait des similitudes entre deux vieilles sagesses, celle de son peuple et celle d'Orient.

Mais les affaires sont les affaires et il décide aussi de pénétrer sur le marché japonais : dès le début 1963, il envoie Peter Spira et Ian Fraser à Tokyo rechercher des clients, et, à la fin de l'année, il émet depuis New York un emprunt pour la ville de Tokyo, de 22,5 millions de dollars, garanti par le gouvernement japonais ; c'est le premier emprunt à l'étranger de la ville de Tokyo après la guerre, c'est aussi le premier emprunt japonais garanti par le gouvernement nippon ; puis, de Londres, il fait la première émission euro-obligataire convertible pour une entreprise japonaise, Thoray.

A partir de là, le Japon devient un client assidu de l'euromarché, à court et à long terme, et passe beaucoup par S.G. Warburg pour les euro-émissions. En 1965, Siegmund lance un second emprunt en eurodollars pour Thoray, d'un montant de 15 millions de dollars, puis réédite l'opération pour le compte des plus grandes entreprises japonaises : Olympus, Mitsubishi, Fuji, la banque de Tokyo, Thoray, Tokyu et Tujo. Une fois de plus, sa passion des contacts « gratuits », son art de savoir manifester aux autres de la considération, vont le payer de retour.

« ESCRO »-ÉMISSIONS

Cependant que s'effondre la fiction de Bretton Woods et que prolifèrent dangereusement les eurodollars, le marché des euro-émissions connaît, lui, ses premiers craquements et ses rares escroqueries.

En 1968, le déficit extérieur américain se réduit quelque peu et n'est plus que de 1,3 milliard, mais les dépenses militaires à l'étranger explosent, avec l'enlisement vietnamien[163]. Le marché des euro-émissions, qui a stagné en 1967 autour de 1,5 milliard de dollars, double cette année-là (cent trente émissions pour un montant total de 3 milliards de dollars). Parmi les emprunteurs en figurent certains qui feront défaut un peu plus tard.

Ce sera d'abord le cas pour un emprunt de 10 millions de dollars, organisé par S.G. Warburg pour le compte d'une compagnie, la « Famous Schools Overseas Corporation », puis celui d'un emprunt convertible de 25 millions de dollars émis en juin pour le compte d'une société totalement inconnue, « I.C.C. International ». Pourtant, son président, Robert Vesco, aurait dû — on verra pourquoi — attirer l'attention. Kuhn Loeb et d'autres banques sont victimes de ce même genre d'ennuis[204], dont les prêteurs et les banquiers font les frais. Ennuis plutôt rares, si on les rapporte à la taille du marché. Signe même de l'exceptionnelle prudence des banques d'investissement, à la différence des banques commerciales qui, à court terme, prêtent à tout va sur l'euromarché, à des taux faibles, parce qu'aucune garantie n'y est nécessaire. Elles y perdront beaucoup par suite de faillites et de moratoires.

Car, pour satisfaire les considérables besoins en capital des multinationales, en Europe et ailleurs, il faut maintenant organiser des emprunts de plus en plus énormes. Et c'est alors que Siegmund a l'idée d'un *euro-fonds*, empruntant plusieurs millions de dollars sous forme d'euro-obligations convertibles, pour les investir ensuite dans des euro-émissions d'entreprises non désignées à l'avance[204].

En Europe, le franc, qui a résisté à la vague consécutive à la dépréciation du dollar, subit le contrecoup des événements de mai 68 et est attaqué ; mais le général de Gaulle, à l'issue d'un Conseil des Ministres exceptionnel, un samedi après-midi de novembre, suspend une dévaluation qui paraissait décidée.

A la fin de cette année, devant la persistance du déficit extérieur des États-Unis, Johnson, en fin de mandat, durcit encore la politique monétaire américaine. L'Administration de Washington essaie même de restreindre les prêts commerciaux à l'étranger des grandes banques, sans pour autant supprimer les limites mises en 1937 aux rémunérations des dépôts à terme. Ces décisions fédérales provoquent encore une hausse des taux d'intérêt américains, qui aggravera la crise financière des villes endettées et celle des agents de change, tel Bache & Co.

Richard Nixon devient Président en janvier 1969, et poursuit la lutte contre l'inflation, considérée maintenant comme le mal prioritaire ; mais la guerre du Vietnam aggrave le déficit de la balance des paiements, qu'on néglige encore, dans la mesure où on n'a plus à sortir d'or pour le financer.

L'économie américaine s'est profondément transformée : cette année-là, 4 500 grandes fusions ont lieu, 25 des 500 plus grandes entreprises américaines sont absorbées par des conglomérats, et le banquier d'affaires y joue un rôle considérable. A Wall Street aussi, le paysage change : la législation du New Deal commence à sauter sous les coups de boutoir de la concurrence et des exigences de profit. Malgré le Steagall Act, la frontière entre les deux sortes de banques s'estompe, et chacun veut tout faire. Les grandes banques commerciales voient leurs marchés classiques perdre dangereusement de leur rentabilité et cherchent alors à damer le pion aux vieilles maisons de conseil financier, qui, elles, se renouvellent mal. Chez Lehman, le petit-fils des fondateurs, plus préoccupé de chevaux de course que de banque, meurt en 1969, laissant une collection de tableaux évaluée à 75 millions de dollars. Sa mort provoque dans la firme un certain chaos et des départs. Kuhn Loeb, encore dirigée par John Schiff, souffre de difficultés analogues : ses profits baissent et ses marges déclinent. First Boston, Morgan, Salomon et Kidder tiennent encore bon face aux géants. Il faut alors placer les énormes trésoreries des entreprises américaines qui ralentissent leurs investissements faute de rentabilité.

Commence alors l'ère de la spéculation, source de gains fantastiques, entretenue par les hésitations monétaires des gouvernements ; s'y placent des eurodollars et leurs détenteurs y gagnent bien plus que dans les euro-émissions.

Depuis la libération du prix de l'or, on s'attendait, en effet, à une hausse de son cours sur le marché libre. Mais, à la surprise générale, le prix du métal jaune se maintient autour

435

de 40 dollars. Et comme la spéculation, impatiente, n'a pas eu raison du dollar, elle se déplace alors vers l'Europe, mettant en jeu des sommes maintenant considérables. Le 29 avril 1969, le ministre allemand des Finances, F. J. Strauss, suggère publiquement que son pays pourrait réévaluer sa monnaie dans le cadre d'un réalignement multilatéral[161]. La spéculation contre le mark est alors immédiate et, du 30 avril au 9 mai, la Bundesbank doit absorber 4 milliards de dollars pour tenir sa parité. Le 9 mai, le Cabinet allemand repousse la réévaluation « pour l'éternité[161] », et instaure, le 12, de nouveaux contrôles aux entrées de capitaux. Le 28 juillet, au moment où les D.T.S. entrent en vigueur, le franc est à son tour attaqué, car sa situation s'est dégradée depuis quelques mois. Le 8 août, la France accepte enfin la dévaluation refusée six mois plus tôt. La spéculation se reporte alors une nouvelle fois contre le mark et le 29 septembre, la République Fédérale d'Allemagne ne résiste plus et décide de laisser flotter sa monnaie[161]. Le 24 octobre, une fois la situation stabilisée, on lui fixe un nouveau cours, réévalué de 9,3 %. Fin octobre, la spéculation abandonne le mark pour le dollar et les réserves allemandes diminuent de plus de 5 milliards de dollars[161], y compris par une vente d'or aux États-Unis pour un montant de 500 millions de dollars.

Sur le marché international des capitaux, les euro-émissions, à la différence des eurodollars, n'augmentent plus guère ; et le niveau de 1968 ne sera plus atteint avant 1971. Londres reste le cœur du marché du dollar offshore, à court et à moyen terme : même les dollars italiens prêtés à des entreprises italiennes[204] sont traités à la City ! Les banques américaines s'y installent, plus nombreuses que jamais, et y offrent aux multinationales venues d'Amérique les services des banques universelles[147] : acheter une entreprise, décider un investissement, emprunter, gérer des actifs ; obtenir des crédits à court terme, placer de l'épargne sur le marché de l'eurodollar... Elles peuvent tout faire, sauf placer les euro-émissions aux États-Unis ou à des citoyens américains.

Les banques universelles d'Allemagne et de Suisse commencent à leur tour à concurrencer chez elles ces banques américaines, ainsi que les banques anglaises dont la capacité de placement s'avère trop faible. S.G. Warburg, jusque-là sans conteste la première banque sur le marché, doit céder sa place en 1969 à la Deutsche Bank, tout en continuant à croître avec le marché.

Les escroqueries se multiplient. Ainsi « Paribas-New York-Securities » place 25 millions de dollars d'obligations convertibles au nom d'une « Equity Funding Corporation » qui se révèle par la suite avoir truqué ses bénéfices en annonçant des ventes fictives de polices d'assurances[204]. Avec la plupart des grandes banques américaines et anglaises, S.G. Warburg se fait prendre dans cette affaire et y laisse une part de ses bénéfices de l'année.

Cette année-là aura lieu la plus retentissante faillite de ce marché. Elle est l'œuvre de Bernie Cornfeld, dont l'« Investors Overseas Services », créée en 1956 pour vendre des titres de fonds de placements aux soldats américains à l'étranger, et qui gère en 1968 deux milliards de dollars d'épargne placés dans des émissions de toute nature, avec un rapport considérable[204]. Déjà, un peu plus tôt, à la fin de l'année précédente, Bruno Kreisky, a reçu la visite d'un étrange messager, qui lui demande de prendre la direction d'I.O.S.-Autriche avec un salaire énorme. Kreisky refuse évidemment, mais téléphone à Siegmund à Londres pour lui raconter l'histoire. « Vous avez eu raison, et pas seulement pour ce qui vous concerne : personne ne devrait toucher à ça. Dans quelques années, ce sera la plus grande faillite du siècle. » Cornfeld est en effet entré dans un processus cumulatif très dangereux : quelle que soit l'euro-émission, fût-elle la moins sûre, il en achète chaque fois 10 %. Plusieurs banquiers, et des plus honorables, l'assistent comme placeurs, ou bien l'incluent dans des

« syndicats » dont ils sont chefs de file. Quand les taux montent, au printemps de 1969, les difficultés commencent pour I.O.S. qui doit supporter le coût des emprunts qu'elle a garantis, jusqu'à ce qu'elle trouve des clients à qui les placer[204]. Pour assurer sa trésorerie, elle émet alors elle-même des emprunts par l'intermédiaire de structures complexes dont une banque-fantôme, « Investor Bank of Luxemburg ». En juillet, elle n'honore même plus ces emprunts-là[204]. En septembre, la boule de neige continue de grossir. Pour pouvoir payer, au début de 1970, elle émet un emprunt de 11 millions d'actions d'une valeur nominale de 10 dollars. Six chefs de file et 116 autres banques acceptent de participer au placement de ces titres. Apparemment, pour I.O.S., c'est la consécration[204]. S.G. Warburg, le premier, imité un peu plus tard par Kuhn Loeb, Hambros et N.M. Rothschild, refuse d'en être. Bien leur en prend. Si, juste après l'émission, les actions montent à 25 dollars, en avril 1970, la crédibilité d'I.O.S. commence à être entamée et le cours tombe à 4 dollars. N.M. Rothschild propose de racheter le tout pour un dollar pièce, ce que Cornfeld refuse hautement[204]. Peu après, I.O.S. est vendue à Robert Vesco, au nom d'une société « I.C.C. » qui s'approprie 224 millions de dollars de l'actif d'I.O.S. et s'enfuit avec... En 1972, I.O.S. est déclarée en faillite. Vesco vit aujourd'hui à Cuba, et Cornfeld à Los Angeles.

En 1970, alors que la création d'eurodollars entre banques est en pleine explosion, créant entre elles de nouvelles solidarités douteuses, le marché des euro-émissions stagne toujours : on ne place encore que 2,7 milliards de dollars, alors que circulent plus de cent milliards d'eurodollars[204]. Plus de cent-vingt offres sont faites dans l'année. Une offre est désormais organisée en quelques jours. La City attire à présent les plus grandes banques. Walter Wriston, le président de la City Bank de New York, résume bien à Anthony Sampson les raisons pour lesquelles les banques américaines choisissent Londres pour s'y installer : « Le marché de l'eurodollar existe à Londres parce que les gens pensent que le gouvernement anglais ne le fermera pas. C'est la principale raison, et cela s'explique par mille ans d'histoire[147]. »

Paris vient toujours au deuxième rang, loin derrière Londres. D'autres marchés apparaissent à Francfort, Amsterdam, Zurich, Bâle, Genève, Milan, Vienne et même Nassau, Beyrouth, Tel-Aviv, Hong-Kong et Singapour[204]. Pour y placer des titres, plusieurs banques anglaises — Schröder, Hambros, Rothschild — y organisent des filiales communes avec des banques locales, mais, peu à peu, les défont pour y installer leurs propres bureaux.

Le déficit de la balance des paiements des États-Unis commence à se creuser. La balance commerciale connaît encore un excédent de 5 milliards de dollars ; la balance des revenus du capital est également positive, grâce aux revenus à l'étranger des entreprises américaines ; mais, du fait de la guerre du Vietnam, le déficit de la balance des services se creuse jusqu'à égaler, en cette année 1970, l'excédent commercial. Aux États-Unis, nul ne se préoccupe du problème[159]. La théorie à la mode à Wall Street est celle du *benign neglect* : autrement dit, ce n'est pas le dollar qui est surévalué, mais les autres monnaies qui sont sous-évaluées. Walter Wriston déclare même, parlant de l'Allemagne : « Personne n'a un excédent de sa balance des paiements s'il n'en veut pas[147] ».

Mais les syndicats américains, eux, voyant se développer le chômage avec le déficit extérieur, réclament un retour au protectionnisme pour réduire les importations. En vue de réduire le déficit, le Président Nixon décide enfin non plus de s'opposer à la sortie des capitaux, comme ses prédécesseurs l'ont fait, mais de les attirer, et, pour cela, d'élever les taux en abandonnant les régulations mises en place par F.D. Roosevelt[161].

Certains[204] croient que ces mesures vont ruiner Londres

et renvoyer le marché de l'eurodollar sur New York. Il n'en est rien : la rentabilité du capital reste plus faible aux États-Unis qu'ailleurs ; et même si les dépenses militaires se mettent à y baisser un peu, le mal est fait : inflation et déficit de la balance des paiements ont engendré un déficit commercial et compromis les dernières chances de Bretton Woods.

OUBLIER LONDRES

La lassitude vient de l'absence de raison d'être. En novembre 1968, Siegmund note : « Une des grandes faiblesses de notre temps est le souci de se fabriquer une image[214]. » Lui ne tient plus à se donner une image, ni à rien d'autre. Pourquoi d'ailleurs continuer ? Pour qui ? Sa fille vit en Israël. Son fils a mis fin à « Cripps-Warburg and Co » pour partir s'installer aux États-Unis. Déjà lui-même songe à s'éloigner ; mais il veut auparavant conforter sa maison.

Et sans en parler chez lui à personne, il reçoit des offres de fusion d'autres banques, Hill Samuel et Jim Slater. Il n'est pas le seul, à l'époque, à envisager de pareils changements : dans les *merchant banks* qu'elles ont fondées à Londres, la plupart des familles perdent de leur influence. Guiness Mahon n'est plus dirigée par la famille. Seule Baring est encore gérée par trois frères Baring : John, Nicholas et Peter. Partout le système familial de direction par un collège de partenaires laisse place à des services spécialisés et hiérarchisés, avec des dirigeants salariés, responsables de l'investissement, de la gestion des fonds ou de l'émission des titres. De plus, les banques commerciales, avec leur anonymat, leur bureaucratie et leur technologie, empiètent de plus en plus sur le domaine réservé des *merchant banks*, et leurs intérêts se mêlent : National Grinley achète Brandt, Midland achète Samuel

Montagu, et Hambros même vend 10 % de son capital à Prudential Insurance Company of America[147].

Siegmund arrête son choix : il essaie de fusionner avec Hill Samuel ; et, à l'été 1969, il discute d'accord : la société s'appellera-t-elle « Warburg-Hill-Samuel & Co » ou bien « Hill-Warburg-Samuel & Co » ? qui dirigera ? On se met d'accord. Mais on renonce, parce que les deux états-majors, consultés, se sont révélés incapables de concilier leurs stratégies. Siegmund entend que sa firme reste spécialisée dans le conseil financier, et s'abstient donc d'entrer dans le métier boursier : pour lui, ce n'est pas de la « haute banque ». Chez Hill Samuel on dira après coup : « Nous pensions qu'il fallait offrir un spectre de services financiers plus large qu'il ne le pensait[147]. »

Une fois le projet enterré, Siegmund renonce à se développer à Londres : après tout, on peut continuer à croître ailleurs. C'est d'ailleurs l'époque où l'Angleterre recommence à s'intéresser à l'Europe. Après le départ de l'Élysée du Général de Gaulle en avril 1969, les pourparlers d'adhésion interrompus en mars 1967 peuvent reprendre. Le 14 janvier 1970, Wilson confirme la volonté anglaise de les entamer, mais c'est Heath qui le fait, en juin, après que les conservateurs aient gagné les élections d'avril.

La mort de son cousin Jimmy, l'homme finalement sans influence, l'affecte beaucoup cette année-là.

Siegmund s'intéresse alors à autre chose que la politique. Il note dans son cahier : « La passion ne peut être belle sans excès[214]. » Sans doute est-il trop éloigné de Wilson pour être déçu par la défaite travailliste. Sans doute l'entrée de la Grande-Bretagne dans l'Europe a-t-elle trop tardé pour l'intéresser encore vraiment.

Pourtant, quand, le 28 octobre 1971, le Parlement anglais ratifie enfin l'adhésion à la C.E.E., Siegmund en est content : « Je pense pouvoir dire que je suis un bon Européen, écrit-il. J'ai cru en l'intérêt pour la Grande-Bretagne de rejoindre les pays du Continent bien avant que la C.E.E. n'existe, et je suis triste que cela ait pris si longtemps. Dommage : nous nous serions épargnés bien des éléments protectionnistes du Traité de Rome[209]. »

HAMBOURG, À DEMI

Siegmund n'a pas encore renoncé, après trente ans d'échecs, à rendre le nom de la famille à la banque de Hambourg. A présent qu'il est installé à Francfort, il s'essaie à une nouvelle stratégie : faire fusionner les deux établissements allemands.

Mais il a alors des soucis avec S.G. Warburg-Francfort, dont la marche laisse à désirer ; il souhaite la vendre et se prépare à en acheter une autre, plus grande, une banque commerciale provinciale de la région de Francfort, Effecten Bank, fondée par une famille Hahn avant-guerre, et assez bien implantée. Richard Daus est très hostile à cet achat. Siegmund décide de passer outre et l'acquiert sans le prévenir. Quand Richard Daus l'apprend, il vient à Londres dire que si cela se fait, il partira, ou plutôt fera jouer l'accord de rupture. Siegmund lui répond : « Avez-vous les moyens de racheter votre part ? » et il maintient sa décision. S.G. Warburg monte alors avec Parisbas, le groupe Vogt et M.M. Warburg, un très astucieux holding, dont il n'a que 27,50 % et qui contrôle 50 % de l'ensemble. Le nom en devient "Effecten-Warburg". Richard Daus reprend alors son autonomie et Gert Whitman, qui n'est pas d'accord non plus avec la décision de Siegmund, s'associe avec Richard Daus, de Marbella où il vit maintenant. Siegmund en est furieux.

Pour ne pas avoir à mener ces deux combats de front, Siegmund cède à Brinckmann : on va mettre les deux noms sur la banque de Hambourg ; mais il pose certaines conditions subsidiaires qui témoignent à nouveau de sa passion du nom : on ne mettra pas « E.M. Warburg », mais

442

« M.M. Warburg » ; on fera figurer Warburg avant Brinckmann ; on laissera le nom de Wirtz, malgré sa mort déjà ancienne. En outre, on développera le lien avec S.G. Warburg à Londres, en augmentant l'échange d'administrateurs. Au bout de six mois de discussion, le 6 janvier 1970, la banque de Hambourg devient « M.M. Warburg, Brinckmann & Wirtz ». Éric est aussi ravi de ce succès commun.

Le lendemain, le *Times* écrit : « Pendant quinze ans, Sir Siegmund et sa famille ont œuvré à réintégrer le nom de Warburg dans celui de la banque... Le nom est de nouveau sur la porte. La famille Brinckmann, menée par l'octogénaire Rudolph Brinckmann, n'a pas, croit-on comprendre, accueilli ce changement d'un bon œil. » C'est le moins qu'on puisse dire.

Deux morts étranges alors : allant enregistrer cet accord à la Mairie, Rudolf Brinckmann s'effondre sur la Rathaus Platz de Hambourg, victime d'une crise cardiaque. La même année meurt aussi Gert Whitman, complice de Siegmund depuis quarante ans, avec qui celui-ci vient juste de se fâcher.

Aujourd'hui encore, la brochure de la très opulente banque de Hambourg, résume cet épisode dans ce style inimitable qui permet en général aux banquiers de gommer les aspérités de leur propre trajectoire, rendant quasiment impossible le travail de l'historien : « Éric est revenu à Hambourg en 1956. Son nom a ensuite de nouveau figuré dans celui de la banque, qui s'était fortement développée après la guerre sous l'appellation Brinckmann & Wirtz ; le nom actuel préserve les deux traditions. » On pouvait difficilement faire plus œcuménique.

Ce même jour de janvier 1970, Siegmund franchit une nouvelle étape dans son retrait : lui qui a finalement renoncé à fusionner son groupe en quitte la présidence effective, pour en devenir Président d'honneur. Deux « Oncles », Coke et Korner, quittent les conseils de la

Banque et de Mercury où ils siégeaient encore ; D. Scholey, P. Spira, Ira Wender en font alors partie avec Éric Warburg et Hans Wüttke.

En novembre 1972, Siegmund notera : « Les êtres humains naissent et meurent comme les animaux ou les plantes — les amis, eux, ne meurent jamais[214]. » Peut-être pense-t-il alors à Gert Whitman, effaçant, avec le temps, le souvenir de l'ultime fâcherie.

PORT-FRANC, MARCHÉS FLOTTANTS

Les marchés des changes sont devenus très incertains, la poursuite de la guerre du Vietnam a largement ouvert la voie à l'inflation, aux déficits, à la précarité monétaire. En juin 1970, le dollar canadien se met à flotter. Partout dans le monde, les besoins en capitaux des entreprises et des États s'accroissent plus vite que l'épargne. Les taux d'intérêts augmentent, aggravant la récession, et la monnaie se crée sur le marché de l'eurodollar, aggravant l'inflation. Tout le monde s'attend à ce que les taux continuent encore de monter. Aussi les banques hésitent-elles à prêter à long terme à taux fixe, alors qu'il y a tant à gagner à spéculer à court terme ; et les euro-émissions ont du mal à se placer. Les entreprises en déficit sont alors acculées à emprunter à court terme et celles qui sont profitables songent à spéculer plutôt qu'investir.

Siegmund n'aime pas ça. Il veut en rester à de vraies opérations de prêt et ne pas se mêler de spéculation.

Là surgit une innovation considérable qui, en l'espace de quelques mois, à l'échelle de la planète entière, va modifier la nature de tous les marchés de l'argent, les faisant basculer dans l'incertitude absolue : pour la première fois depuis des siècles, on va emprunter de l'argent à long terme à un taux changeant à brefs intervalles. Comme toujours en matière d'influence sur une innovation, plusieurs financiers se disputent l'honneur d'avoir été à son origine. Ce qui est sûr, c'est que tous, à un moment ou à un autre, reconnaissent l'avoir soumise à Siegmund Warburg, et tous admettent qu'il a été le premier à l'avoir comprise, mise en forme et fait aboutir. Le plus probable de ces initiateurs est un financier alors inconnu, jeune directeur chez Bankers Trust International Limited à Londres, Evan Galbraith, futur ambassadeur du Président Reagan à Paris au début des années 1980. D'après les témoins les plus fiables[204], c'est lui qui imagine, en février 1970, de lancer une euro-émission dont le taux d'intérêt variera tous les six mois. Ses supérieurs sont sceptiques et ne se voient pas proposer pareil emprunt à l'un de leurs clients. Galbraith en parle alors à d'autres banques, pour qu'elles s'y essaient en l'associant à l'opération. Toutes refusent. Seul Peter Spira, alors encore principal lieutenant de Siegmund, mais déjà en concurrence sévère avec David Scholey, s'intéresse à son idée et, comme on fait toujours dans ces cas-là chez S.G. Warburg, le conduit dans le bureau de Siegmund lorsque celui-ci se trouve à Londres, en avril. Très intéressé, Siegmund « sophistique » l'idée avec David Scholey, devenu un grand expert en la matière. En quelques jours, il a trouvé à qui proposer l'opération, pour quel montant et à quel taux. Il sait que le meilleur emprunteur possible du moment pour ce genre de titre est l'E.N.E.L. (Électricité d'Italie), qui a besoin, pense-t-il, de 150 millions de dollars sur dix ans ; il sait qu'elle peut payer 7 %, soit 0,75 % au-dessus du taux des prêts à six mois. Comme toujours, sa fabuleuse intuition des marchés s'avère juste : Spira va voir les Italiens et l'affaire se conclut en mai 1970. Dans la foulée, on renouvellera l'opération pour Pepsico, puis pour General Cable et pour le gouvernement argentin, avec Bankers Trust comme chef de file associé[204].

Telle est la première émission à taux flottant, même si certains voient dans une très modeste émission de juillet

1969, réalisée par Dreyfus Offshore Trust, pour un montant de 14,7 millions de dollars, une sorte de préfiguration de ce type d'opération[204]. Depuis lors, ce genre de technique s'est beaucoup développée et plus de la moitié des euro-émissions s'effectuent ainsi aujourd'hui.

Certains pensent qu'un autre étrange aventurier de la finance, lui aussi à l'époque chez Bankers Trust à Londres, un dénommé Zombanakis, en eut le premier l'idée. D'autres disent que la paternité en reviendrait à Bob Genillard, qui travaille lui aussi à la City, devenue à l'époque un lieu unique de créativité financière.

Un observateur, David Potter, écrira plus tard : « Je me rappelle que Siegmund, Bob Genillard et Evan Galbraith ont tous affirmé avoir eu cette idée dans leur bain, au point qu'un journaliste a pu se demander quelle pouvait être la baignoire capable de recevoir ensemble ces trois maestri[204]. »

FIN DE BRETTON WOODS

Cette première émission se révélera d'ailleurs une erreur pour les prêteurs, car en novembre 1970, contrairement aux prévisions du début de l'année, les taux d'intérêt chutent aux États-Unis : pour la première fois depuis dix ans, un président américain choisit de lutter contre la récession plutôt que contre l'inflation. Les capitaux affluent alors en masse vers l'Europe : au cours du premier trimestre, 22 milliards de dollars sortent des États-Unis. Là, devant ce qui apparaît désormais comme un double *"benign neglect"*, à l'égard du dollar et de l'inflation, la fuite de l'or de Fort-Knox se poursuit ; et les réserves d'or américaines sont insuffisantes, face aux masses d'eurodollars, pour espérer rendre crédible le maintien de la convertibilité. Car, malgré les pressions américaines, trop nombreux sont ceux qui demandent de l'or en échange de leurs dollars.

Au début de 1971, Nixon crée auprès de lui.un Conseil de Politique économique internationale, pour essayer de porter un diagnostic d'ensemble sur la situation du dollar. Il nomme à sa tête Peter G. Peterson, alors jeune président de Bell & Howell, à la fin du printemps 1971. Peterson rédige un rapport, sans doute le texte qui aura exercé le plus d'influence sur la politique économique américaine de l'après-guerre, même s'il ne fait que mettre en mots ce qui flotte dans l'air du temps. Il y constate que l'Amérique n'est plus dominante face au Japon et à l'Europe, et qu'on « risque d'apporter de vieilles réponses à de nouvelles questions[163] ». Il considère que Bretton Woods est un fardeau pour les États-Unis où le coût du travail est devenu trop élevé, mais il ne mentionne pas la guerre du Vietnam comme une des causes des difficultés américaines. Il critique la politique agricole de l'Europe, entre autres systèmes d'aide au commerce, oubliant de rappeler que ce sont les États-Unis qui ont exclu l'agriculture du G.A.T.T. lors de sa fondation[163]. Il recommande de ne pas prendre de mesures protectionnistes, qui, dit-il, constitueraient un aveu d'échec, mais de développer la productivité en Amérique et de réformer les institutions monétaires internationales pour libérer les États-Unis du fardeau que Bretton Woods leur impose[163].

Le 4 avril 1971, le Secrétaire au Trésor américain, John Connally, déclare à la presse que les États-Unis ne s'attendent pas à une modification des taux de change. Les marchés ne croient pas à ce pronostic et, ce même mois, la République Fédérale d'Allemagne encaisse 3 milliards de dollars de devises de spéculateurs qui cherchent à fuir la devise américaine[161]. le 26 avril, le ministre allemand de l'Économie, Karl Schiller, propose d'endiguer cette avalanche en organisant le flottement concerté de toutes les monnaies européennes, et le Secrétaire américain au Trésor répète qu'« aucune modification de la structure des parités de change n'est nécessaire ni envisagée[161]. » Mais rien n'y fait. Le 5 mai, la Bundesbank encaisse encore un milliard de dollars dans la première heure d'ouverture des marchés, puis suspend les opérations de change. Les 8 et 9 mai, les ministres des Finances de la C.E.E., réunis d'urgence, repoussent la proposition de flottement concerté présentée par Karl Schiller[161]. Le 9, l'Autriche et la Suisse, qui n'y tiennent plus, réévaluent leur monnaie, respectivement de 5 et de 7,1 %. Le 10, la République Fédérale et les Pays-Bas laissent flotter leurs propres monnaies. Le 28, imperturbable, Connally déclare encore à Munich : « Nous ne dévaluerons pas. Nous ne modifierons pas le prix de l'or. »

Il n'est pas sans argument pour le dire, car, en fait, la situation du dollar n'est pas en soi catastrophique et les réserves américaines couvrent une proportion respectable des dettes publiques, comme le remarque Michel Aglietta : « En 1913, à l'apogée du soi-disant régime de l'étalon-or, le ratio des réserves officielles de l'Angleterre sur les engagements liquides à l'égard des institutions officielles étrangères était de 38 %. Ce même ratio de liquidités pour les États-Unis était de 95 % à la fin de 1967, c'est-à-dire à le veille des premiers craquements du système de Bretton Woods. En juillet 1971, à la veille du coup de force de Nixon, il était tombé à 40 %, sensiblement au même niveau qu'en 1913. Le caractère inéluctable de l'abandon de la convertibilité normative du dollar (...) est, pour le moins, sujet à caution, si l'on s'en tient à cet indicateur[197]. » Mais c'est compter sans les eurodollars qui vont déséquilibrer le navire, comme des tonneaux mal arrimés.

Le 20 juillet 1971, malgré l'interdiction du commerce privé de l'or depuis 1934, s'ouvre à Los Angeles un marché à terme pour les pièces d'or : il fait apparaître une dévaluation *de facto* du dollar[159]. Sur ordre de Washington, ce petit marché est fermé dès le lendemain ; mais le mal est fait. Pire encore, le 9 août, une commission du Sénat préconise publiquement la dévaluation du dollar. La France et la Suisse s'apprêtent à organiser des doubles marchés afin de résister à la spéculation que chacun sait maintenant inévitable. Le dimanche 15 août, Nixon convoque une réunion de travail à Camp David, destinée en apparence à préparer le budget de la Défense, avec Mac-Namara, Arthur Burns, John Connally et son adjoint Paul Volcker[159]. Le soir même, il vient à la télévision annoncer des mesures de relance économique, de réduction des impôts, de blocage des prix et des salaires. Dans son intervention, on retrouve tous les thèmes du rapport Peterson : il mentionne à cinq reprises le traitement « injuste » des autres pays, et à sept reprises l'action des « spéculateurs internationaux[159] ». Il annonce la création d'une taxe de 10 % sur toutes les importations, jusqu'à ce que les autres pays aient adopté une autre politique de change, modifié leur politique commerciale et augmenté leurs propres dépenses militaires. Il ne fait absolument aucune allusion à la guerre du Viêt-nam. Il déclare enfin : « J'ai donné ordre au Secrétaire Connally de suspendre temporairement la convertibilité du dollar en or... A présent que les autres nations ont une économie vigoureuse, le moment est venu pour elles de porter une juste part du fardeau de la liberté dans le monde... Les États-Unis n'ont plus à affronter la concurrence avec une main liée derrière le dos. »[163]

Le lendemain, toutes les Bourses, sauf Tokyo, sont fermées. Le sous-secrétaire d'État Volcker réunit à Londres les gouverneurs-adjoints des Banques centrales et leur annonce : « Le dollar n'est pas dévalué, il flotte. » Connally, toujours aussi impertubable, déclare : « Le prix officiel du dollar en or n'est pas modifié. » Dean Acheson écrit à l'époque : « Vous ne pouvez pas importer, payer des intérêts et laisser le capital américain disponible pour tout le monde, sans courir à la catastrophe... Ce qui peut fonctionner désormais, ce sont deux systèmes monétaires simultanés : un pour les banques, un autre pour le commerce[163]. »

A vouloir maintenir la fiction, on tue le réel. Car certains y croient encore : du 16 au 20 août, la banque du Japon, s'évertuant à maintenir le taux de change, absorbe deux milliards de dollars. Le 19 août, la France repousse encore une fois la proposition allemande de flottement concerté des monnaies européennes, et instaure un double marché des changes[161]. Le 22, le directeur général du F.M.I., P. Paul Schweitzer, suggère, à la télévision américaine, qu'on clarifie les choses et qu'on décide une dévaluation du dollar par rapport à l'or, et que l'Amérique apporte sa « contribution » à la restauration de la stabilité monétaire[159]. A l'automne, rien n'est stabilisé.

Pour la première fois depuis 83 ans, les États-Unis connaissent un déficit commercial, de 2 milliards de dollars ; et le déficit de leur balance des paiements atteint cette année-là 9,2 milliards de dollars. Rien ne va plus. A la fin de cette année 1971, on va même jusqu'à soumettre au Congrès un projet de loi visant à réduire les importations et les investissements américains à l'étranger, par l'institution de quasi quotas.

Le 13 décembre, les présidents américain et français, Nixon et Pompidou, se rencontrent aux Açores et y annoncent ensemble leur accord sur une dévaluation du dollar et une réévaluation « de certaines autres monnaies. » Le 17, lors d'une réunion au Smithsonian Institute de Washington, le Groupe des Dix s'accorde sur un réalignement des monnaies et une dévaluation de 7,89 % du dollar. Le franc suisse et le mark montent ; le dollar, la lire, la livre, le yen et le franc français baissent[161].

Sur l'Euromarché, le rôle du franc suisse, du yen et du mark en sort renforcé. La création de liquidités internationales est alors totalement abandonnée à la concurrence des banques privées[172]. Les euro-émissions stagnent, car elles rapportent moins que la spéculation à court terme[204].

Leur montant global est de 3,2 milliards de dollars en 1971, soit seulement autant qu'en 1968.

LONDRES, UNE DERNIÈRE FOIS

L'Angleterre une fois passée sous leur direction, au printemps 1970, les conservateurs s'emploient à casser ce qu'ont fait les travaillistes, dans la City comme ailleurs : l'IRC et l'encadrement du crédit sont supprimés, on crée un système de réserves obligatoires et on renonce à intervenir sur le marché des fonds d'État. Mais, en janvier 1972, la chute du dollar est l'occasion d'une nouvelle crise de la livre, et aggrave l'inflation qui atteint 8 %. Il y a alors près d'un million de chômeurs. Le budget de 1972, comme celui de l'année précédente, est un budget de relance et de réduction des impôts. Mais, en novembre, devant les dérapages inflationnistes, le gouvernement décrète une pause des prix et des salaires[35]. La livre se stabilise.

Le 1er mai 1972, le Royaume-Uni décide de rejoindre le serpent communautaire et l'on peut croire un moment à un retour à l'esprit de Bretton Woods. Le 12 mai, dans un discours prononcé à Montréal, le gouverneur de la Banque Fédérale américaine, Arthur Burns, réclame un « processus de reconstruction » d'un nouveau système monétaire, et en énonce dix principes[161]. Le 16 mai, George Shultz succède à John Connally au poste de Secrétaire au Trésor. A Londres, on a encore choisi une parité trop haute, rien ne peut enrayer le mouvement de spéculation : à la mi-juin, le Royaume-Uni perd 2,5 milliards de dollars de réserves en six jours. Le 23 juin, la livre sterling quitte à nouveau le serpent de la C.E.E. et se met à flotter[161].

La City est alors en pleine effervescence. Avec la libération progressive des contrôles et l'exacerbation de la concurrence américaine, les banques anglaises veulent avoir le droit de se doter des moyens de mener la guerre. Peu à peu s'affaiblissent les séculaires démarcations entre banques marchandes et banques commerciales, dictées par la tradition et la vieille prudence, protectrice des épargnants. Toutes les banques s'intéressent désormais au leasing, au factoring, à l'assurance, à l'immobilier. Par exemple, une nouvelle législation permet d'ajouter aux profits des banques ceux faits dans l'immobilier, et donc d'augmenter les dépôts autorisés. Toutes les banques s'y engagent à fond, soit en achetant des promoteurs — comme Hambros, qui acquiert une société de promotion immobilière en lui vendant son propre immeuble —, soit, comme S.G. Warburg ou N.M. Rothschild, en créant des fonds de placements dans l'immobilier.

Par ailleurs, pour augmenter leur capacité de placement de titres, les *merchant banks* cherchent à obtenir la clientèle des organismes sociaux pour gérer leur portefeuille de titres. S.G. Warburg est le premier, là encore, à y songer et à y réussir. A partir de 1972, il gère le Post Office Pension Fund et lui achète un groupe immobilier, English and Continental Property, pour 95 millions de livres.

Cette année-là, le marché de l'euro-émission s'anime : Siegmund émet un euro-emprunt pour I.C.I. C'est la première fois que celle-ci fait appel à quelqu'un d'autre que Schröder & Wagg : Siegmund est bien toujours l'un des maîtres mondiaux de ce marché qu'il a tant contribué à créer. Celui-ci s'accélère : 218 émissions au total pour un montant de 5,5 milliards de dollars en un an. A la fin de 1972, S.G. Warburg n'est dépassée que par White Weld, la Deutsche Bank et Morgan. Depuis l'opération menée pour Autostrade Italiane, dix ans auparavant, Siegmund Warburg n'en a pas moins dirigé lui-même 62 émissions[204] : Portée par la vague, sa maison croît au rythme du marché.

Il est aussi le premier à Londres en matière de conseil financier, le premier dans le domaine des O.P.A., et il réussit, à la fin de l'année, l'un de ses plus beaux coups : Trust House Forte, cible d'une offre publique d'achat, l'appelle à l'aide et il parvient à faire échouer l'offre malgré l'opposition de la moitié du conseil de la firme[55]. Il conseille aussi, en novembre de la même année, le Maxwell Joseph Group dans sa tentative d'O.P.A. contre le brasseur Watney and Reid, bien géré et appuyé par son personnel, et dont l'activité est sans lien aucun avec celle du groupe Maxwell, hormis la volonté de ce dernier d'édifier l'un des tout premiers conglomérats d'Europe[55]. La bataille est rude. Au beau milieu de l'empoignade, en janvier 1973, Harold Wilson, redevenu chef de l'opposition, se prononce publiquement contre Siegmund dans un article du *Times* : « Beaucoup de gens s'alarment, se sentent frustrés de se sentir de simples pions dans les grandes manœuvres de certains. Leur avenir et celui de leur famille risquent ne plus dépendre de leur propre attitude, mais d'une lointaine décision sur l'octroi de crédits industriels ou bien de subtiles transactions entre financiers. »[55] Voilà Siegmund traité de « financier » par celui dont il a été le proche conseiller contre les « gnomes » !

Pour la seconde fois, après l'affaire Plessey, l'opinion publique et la presse se tournent contre lui. Mais il n'en sort pas moins victorieux, ayant su bénéficier de l'aide et des capitaux de Prudential Insurance Company.

En finir avec Hambourg

En apparence, tout va bien pour lui en Allemagne. Il a désormais son nom à Hambourg et à Francfort, il y connaît tous ceux qui comptent dans la banque et l'industrie : Hermann Abs, Merckle, président de Bosch, Wilfried Gut, président de la Deutsche Bank, Nordhof, celui de Volkswagen, avec qui il parle beaucoup de graphologie. Quand il se rend à Francfort, il est le centre d'une certaine vie financière. Il descend au Schlöss Cromberg, un château-hôtel non loin de la ville, où banquiers et industriels se succèdent pour le voir.

Siegmund propose alors, une fois de plus, à Éric Warburg et à Brinckmann de faire fusionner M.M. Warburg, Brinckmann, Wirtz avec Effecten-Bank, pour créer une grande banque d'affaires rayonnant sur toute l'Allemagne.

Mais les points de vue sont décidément trop éloignés et l'accord échoue à l'automne 1973. Le lendemain, Siegmund télexe à Hans Wüttke, qui ne supporte plus la situation : « Renoncez, quittez Hambourg. » Il télégraphie simultanément à Hugo Ponto, président de la Dresdner Bank : « Hans Wüttke est libre, prenez-le. Merci. » Il en est ainsi fait et Wüttke devient un des directeurs généraux de cette banque. Ce jour-là, Siegmund note dans son cahier cette superbe phrase de Metternich, en français : « Cette affaire finira comme toutes les affaires, d'une manière quelconque[214]. »

EN PASSANT PAR PARIS

A la veille de la hausse du pétrole, il continue de croire à sa propre gageure : rester très influent dans un monde de gigantisme, tout en se refusant à être grand soi-même. Mais il pense à présent que Londres risque de perdre sa place comme centre des dollars off-shore : par suite des migrations de dollars, il voit les ports-francs de l'argent se multiplier et New York renaître ; il pense que l'activité financière internationale va revenir en Amérique, avant que Tokyo ne prenne, plus tard, le relais. Or, depuis sa rupture avec Kuhn Loeb et les débuts du marché des euroémissions en 1964, il ne possède plus outre-Atlantique qu'une petite société, S.G. Warburg Inc., qui lui sert de base opérationnelle et où il reçoit les visiteurs quand il y vient. Il faut donc s'y réinstaller et y être très fort, afin d'y organiser les énormes opérations dont ont besoin les entreprises américaines aussi bien qu'étrangères : cette année-là, par exemple, A.T.T. emprunte pour plus d'un milliard de dollars. Il se résigne alors à revenir en force à New York. Mais il ne veut pas le faire seul, et pas avec une banque anglaise : il a déjà essayé, peu avant, de racheter l'une d'elles, et il a pu constater qu'il en était vraiment trop original pour qu'une telle opération fût possible.

A présent qu'il a repris goût aux affaires, il recherche ailleurs un allié, européen, avec qui mener une affaire de grand style, une affaire de "haute banque". Il cherche d'abord un partenaire en Allemagne. Mais c'est le moment, on l'a vu, où échoue son ultime tentative de regrouper sa banque avec celle de Hambourg.

Il choisit alors la Banque à Paris et des Pays-Bas. Presque rien ne l'y prépare *a priori* : il connaît mal la France, elle l'intéresse peu, sauf pour sa littérature, qu'il lit dans le texte, et pour son histoire, qu'il connaît bien. Ses relations avec la rue d'Antin sont certes étroites, depuis les temps héroïques, au commencement des années 50, de la vente des titres d'Éricsson et de son amitié avec Jean Reyre. Plusieurs cadres de cette banque, tel Pierre Haas, devenu directeur de Paribas International, ont fait des stages chez lui et s'y sont initiés au jeu de l'eurodollar, dès les débuts du marché. Et quand, en 1969, Jacques de Fouchier, le fondateur de la Compagnie Bancaire, prend d'assaut Paribas, Siegmund maintient ses liens avec la banque et y découvre un autre grand financier, fondateur comme lui d'une institution à partir de rien.

Paribas est alors une très importante banque d'affaires et de dépôts, dix fois plus grosse que Warburg, avec 40 agences en France, présente dans toute l'Europe, dotée de puissantes filiales industrielles et d'un pouvoir considérable. Sa filiale bruxelloise est la quatrième banque belge, ses filiales suisse et hollandaise sont très puissantes. Mais elle n'est pas présente en Allemagne et ne dispose à New York que d'une petite banque d'investissements, créée en 1962, Paribas Corporation. Jacques de Fouchier souhaite lui aussi, maintenant, pour les mêmes raisons que Siegmund, s'installer à New York, et le faire avec une banque marchande anglaise. Du fait des quelques liens entre les deux maisons, il pense à S.G. Warburg. Aussi, en mars 1973, quand Jacques de Fouchier et Siegmund G. Warburg déjeunent ensemble à Paribas, il est normal que la question soit évoquée. On ne saura jamais qui des deux a raison de croire qu'il a eu le premier l'idée de proposer à l'autre de débarquer conjointement aux États-Unis : « Nos deux maisons sont complémentaires : l'une possède de nombreux professionnels internationaux très mobiles, l'autre, de puissantes filiales et des fonds de placements importants ; l'une a des clients de très haut niveau partout dans le monde, l'autre la clientèle des plus grandes entreprises industrielles du continent. »

On tombe vite d'accord sur l'idée de rechercher une affaire à racheter en commun aux États-Unis, et sur l'annonce immédiate d'une perspective d'accord entre les deux maisons, qui est faite le 8 avril 1973.

Siegmund, qui ne siège plus au conseil d'aucune de ses sociétés, accepte alors, pour la première fois de sa vie, d'accorder une assez brève interview à *l'Investor Chronicle* de Londres. Il y explique qu'en tant qu'Européen, il s'est toujours désolé de l'absence de l'Angleterre dans la Communauté et qu'à présent qu'elle y est entrée, les banques des dix pays devront s'unir, sans supprimer l'autonomie de leur style, de leur gestion, de leur réseau international. Très complémentaire de Paribas, il aspire ainsi « à couvrir un terrain plus large et à faire croître leurs relations lentement, organiquement... Un plus un devrait faire beaucoup plus que deux... Je n'envisage pas de fusion avec Paribas. Ce serait dommage de perdre notre caractère, et acquérir une trop grande taille, dans nos métiers, est dangereux... Mais il ne faut pas nourrir d'idées préconçues sur l'avenir et je ne juge même pas nécessaire d'essayer de prévoir ce qui va suivre[209]. »

456

Et il laisse entendre qu'ils vont aller à Wall Street ensemble. « Au dernier chapitre de ma vie, être impliqué dans la naissance d'une institution franco-anglaise à New York serait une œuvre à laquelle je serais heureux de contribuer[209] ». En fait, tel est bien l'essentiel du projet, mais nul ne le sait encore à l'extérieur. A l'été, les discussions se poursuivent, les deux hommes se voient beaucoup. Au soir d'un dîner, le 22 juillet 1973, Siegmund note que Jacques de Fouchier lui a dit : « Il y a deux sortes d'imbéciles, les optimistes et les pessimistes[214]. » C'est une de ces maximes cinglantes qu'il aurait aimé formuler lui-même. Décidément, on peut faire affaire ensemble !

Fin août, l'accord technique est mis au point entre Pierre Moussa, l'adjoint de Jacques de Fouchier, et Sir Éric Roll : on échangera des titres en Europe ; on fera fusionner les filiales que chacun possède à New York en une filiale commune, et on cherchera une banque américaine à acheter. Puis vient la discussion sur le nom. Là, Siegmund s'occupe lui-même de la question : il insiste pour que son nom figure en tête dans l'appellation de la banque de New York : plus familier de Wall Street que les Parisiens, il sait que l'usage finit toujours par y réduire une appellation énumérative au seul premier nom de la liste, et il veut éviter à tout prix l'ordre alphabétique, pour lui le pire. Jacques de Fouchier accepte, contre l'avis de sa direction générale, parce que, dit-il, « on laisse toujours le plus petit passer d'abord... »

A la fin de l'été, un compromis est élaboré, l'opération est prête. Elle est annoncée en novembre. Deux sociétés sont créées : l'une en Europe, « Paribas-Warburg », à laquelle il est fait apport de 25 % de la Banque de Paris et des Pays-Bas France, de 20 % ses filiales en Hollande et en Suisse et de 25 % de S.G. Warburg Inc. ; une autre aux États-Unis, « Warburg-Paribas », qui rachète et fusionne « Paribas Corporation » et « S.G. Warburg Inc ». Lord Roll entre aux conseils de la Banque et de la Compagnie

Financière de Paris et des Pays-Bas ; Pierre Moussa devient administrateur de S.G. Warburg & Co et de Mercury Securities.

L'EXCRÉMENT DU DIABLE

1973 commence mal pour le dollar : l'aggravation du déficit commercial américain, qui a atteint 6 millards de dollars l'année précédente, donne le sentiment que la dévaluation des Açores a été insuffisante. Le 12 février, les marchés des changes sont de nouveaux fermés en Europe et au Japon, et les États-Unis annoncent une nouvelle dévaluation de 10 %, qui ne suffit d'ailleurs pas à calmer les marchés[161]. Les milliards d'eurodollars à court terme existants constituent une masse énorme dont nul ne voit comment arrêter la croissance, et qui enchaîne toutes les banques du monde en une solidarité des imprudences. Le 1er mars, devant la crise du dollar, les banques centrales européennes rachètent 3,6 milliards de dollars, puis ferment aussitôt leurs marchés. Le 4 mars, les ministres des Finances de la C.E.E. étudient à Bruxelles un flottement concerté et, le 11, l'annoncent pour six monnaies, la livre et la lire flottant indépendamment. Le mark se réévalue alors de 3 %.

Siegmund est désabusé. Il ne croit plus que la société capitaliste soit capable de sortir de cette crise financière sans une réelle maîtrise de ses dettes à court terme qui sera, pense-t-il, très difficile à réaliser sans tragédie. La prolifération des prêts de toute sorte sur l'Euromarché l'affole. Il voit avec inquiétude revenir l'usage du crédit à court terme pour financer indirectement les armes, comme si l'eurocrédit remplaçait à présent les vieux bons "Mefo" de naguère.

Pour lui, tous ces maux viennent de la mesquinerie et de la frivolité qui ont pris le pas, en Europe et en Amérique, sur l'initiative et l'esprit d'entreprise, et de ce que tout est devenu trop grand, trop impersonnel dans les processus de décision du capitalisme. A ses yeux, comme à ceux de tous ses ancêtres, la "collégialité" a toujours engendré la lourdeur et interdit l'action.

Il note alors : « La Seconde Guerre mondiale était supposée être un combat entre la dictature et la démocratie. Elle a abouti à une victoire de la bureaucratie[214]. »

A cette époque, il serait bien devenu marxiste, si le marxisme n'était à ses yeux si peu créateur. Il rêve maintenant d'un système social où l'argent n'exercerait pas pareille domination sur le monde, où la culture permettrait un autre usage du temps. Il est sûr — et le dit à qui veut l'entendre — que la situation actuelle ne peut ni ne va durer.

Et il voit déjà, par-delà les désastres à venir, le monde renaître autour du Pacifique, là où ne règne pas la bureaucratie.

Il songe alors à quitter l'Angleterre où il a tout construit, et qu'il aime, mais où il pressent une nouvelle fois, quarante ans après, que tout va mal finir. Non qu'il s'attende à voir de nouvelles dictatures surgir en Europe, mais il sent partout renaître, après l'économie de la dette, celle de la violence. Pas tout de suite celle de la guerre, mais déjà celle de ses démons.

En novembre 1973, juste après la guerre du Kippour et la première hausse des produits pétroliers, il note aussi dans son cahier[214] : « Le pétrole, cet excrément du diable... ».

CHAPITRE VI

Ultime refuge
(1973-1982)

LES DÉPARTS

A l'été 1921, en pleine crise de Weimar, Max Warburg commande à l'archiviste de la ville de Hambourg, Edouard Rosenbaum, la rédaction d'une première version de l'histoire de sa banque. Il définit alors avec précision ce qu'il souhaite y trouver : « Il doit être su, et j'attache une grande importance à cela, combien le développement d'une telle firme est gouverné par la chance, et combien le développement économique est beaucoup plus dépendant d'événements de hasard et de tendances lourdes que de prétendues activités individuelles consciemment dirigées. La description devrait être entourée d'un certain sentiment d'humilité à l'égard de ces forces. Car bien des gens souffrent d'une estime d'eux-mêmes exagérée ; surtout les dirigeants de banques qui, quand ils rédigent leur rapport annuel avec trois ou six mois de recul, sont enclins à parer leur action d'un degré de prescience qui, en réalité, n'a jamais existé[136]. »

Relisant ce texte un jour de 1973, Siegmund en sourit : en fin de compte, Max et lui se ressemblent. Son temps non plus n'est pas dépourvu d'« événements de hasard » ni de « tendances lourdes ». Et, comme son aîné, mais plus sincèrement que lui, pense-t-il, il a le souci de se cacher

461

derrière « événements » et « tendances », de nier son influence sur les gens et les choses, de se montrer comme un jouet du temps, spectateur sans importance d'une Histoire modelée par des forces implacables.

Mais il pense que la modestie affichée par Max, en cette journée de 1921, est loin de correspondre à ce qu'il fut en réalité : resté trop longtemps aux affaires, dix-sept ans encore après ces propos, il a fini par abandonner sa banque dans les pires conditions.

Lui-même ne veut pas commettre la même erreur. Il écrira d'ailleurs, pensant sûrement à son arrière-cousin : « Je n'ai pas voulu répéter la faute d'autres, dans la même position, qui ne se sont pas retirés suffisamment tôt, ou qui n'ont pas délégué leurs responsabilités... J'ai toujours été obsédé par la crainte quasi cauchemardesque de n'avoir pas su préparer un nombre suffisant de successeurs capables de maintenir originalité et imagination. J'ai fait tout mon possible pour y arriver[175]. »

Cette obsession est si présente qu'à ce moment-là, il a déjà fait trois pas vers la sortie de sa banque, et envisage d'accomplir le dernier. Et cette fois, ce ne sera pas une retraite, mais, comme quarante ans auparavant, une sorte d'exil inconscient, refus masqué de l'ordre en devenir, rébellion même, peut-être, contre un monde devenu à ses yeux presque aussi inacceptable que celui qu'il laissa jadis à Berlin.

Le premier pas a eu lieu en 1960, avant même qu'il ait atteint soixante ans. Ce n'était qu'apparence. Certes, il s'est alors quelque peu détaché juridiquement de sa banque, mais nul ne saurait dire qu'il s'en est éloigné. Il vient de gagner la guerre de l'Aluminium. Il entre au Comité d'Acceptation et retrouve une réelle fortune. Son fils est à la Banque. Il dispose d'un réseau à l'échelle mondiale et peut espérer contrôler Kuhn Loeb. Il a donc beaucoup trop à faire pour partir, et son âge ne justifierait pas qu'il se retire. L'Angleterre en difficultés vient de passer, en revenu par tête d'habitant, derrière l'Allemagne, mais la City n'en souffre guère.

Quatre ans plus tard, quand il quitte la présidence de la Banque pour ne garder que celle de Mercury Securities, il est au plus haut : il vient d'émettre la première euro-obligation au monde. Sa banque s'installe dans d'austères bureaux à Gresham Street ; il ouvre une banque Warburg à Francfort. Mais il a reçu deux coups sur la tête : son fils a quitté S.G. Warburg, et lui-même a perdu toute chance de contrôler Kuhn Loeb. Il sait, même s'il s'y résigne mal, que sa banque ne sera jamais plus dirigée par un Warburg. Ronald Grierson lui paraît désormais le successeur désigné. Il affirme de façon péremptoire, dans un discours « d'adieu » à ses cadres : « Il a toujours été dans nos ambitions de mettre en place une structure de direction sérieuse, capable de se régénérer elle-même, dégagée du népotisme, fondée sur l'intégrité, l'humilité, le courage et l'efficacité. » Pourtant, ce départ n'est encore qu'apparence, car, en réalité, tout ne fait que commencer pour lui : la migration du capital, qu'il attend depuis dix ans, lui ouvre des marchés immenses ; New York vient à lui, à Londres dont il fait un port-franc du dollar, et il rêve encore de reprendre la banque de Hambourg. De plus, Wilson vient d'arriver au « numéro Dix », et il est amusant d'être à la fois le maître de la City et l'un des conseillers, même lointain, d'un Premier ministre haï des puissances d'argent. Encore une fois, rien ou presque n'est modifié dans son emploi du temps. Il garde son bureau et reste le patron incontesté de sa maison, qu'Henry Grunfeld dirige avec lui. Le seul changement notable est son absence, de plus en plus fréquente, des réunions du matin, où il s'ennuie ; le reste l'amuse toujours autant ; car si l'Angleterre vient de passer, en revenu par tête d'habitant, derrière la France, ce déclin n'empêche pas l'explosion créatrice de la finance internationale de faire bien vivre la City.

Le troisième pas vers la sortie a lieu six ans plus tard, le

1er janvier 1970, quand, à soixante-huit ans, il abandonne
la présidence de Mercury Securities à Henry Grunfeld,
lui-même remplacé à la tête de la Banque par un nouveau
venu, ancien haut fonctionnaire de Sa Majesté, Sir Eric
Roll. Ce jour-là, Siegmund a atteint son objectif principal
et a renoncé à beaucoup d'autres : il est au sommet des
banques d'Europe et d'Amérique, il a réussi la délicate
création de British Leyland, il est le banquier de l'élite de
l'industrie européenne. Son nom revient sur la Ferdinandstrasse. Il est le maître incontesté du marché mondial
des euro-émissions en pleine croissance. David Scholey
succède à Peter Spira dans la course à la succession.

Mais lui-même rejette de plus en plus une part de ce
qui l'environne : il n'aime plus cette économie occidentale
qu'il sait au bord du gouffre, ni ses banques devenues des
bureaucraties et vivant des dettes qu'elles font faire aux
autres. Malgré sa reconnaissance et son admiration pour
son pays d'adoption, il critique de plus en plus souvent ce
qu'il appelle sa « frivolité ». Et il est furieux quand, le jour
de son départ, le *Times* écrit de lui, avec une inconsciente
ironie, « qu'il est un banquier infatigable qui quitte rarement son bureau avant sept heures du soir ». Mais, là
encore, il ne change rien à ses habitudes, ni à sa présence à
Gresham Street.

Son quatrième pas vers le départ, le dernier, a lieu trois
ans plus tard, à la fin de 1973. Mille raisons en sont
données par cent témoins qui jurent de leur bonne foi : sa
femme, disent les uns, n'aime plus beaucoup la vie en
ville ; lui-même, disent d'autres, souhaite s'éloigner d'une
maison qu'il voit avec quelque inquiétude grandir, au risque de se pétrifier ; d'autres encore affirment qu'il entend
échapper à ses réunions qui revêtent désormais un tour
formel qu'il déteste, ou encore qu'il veut se donner le
temps de revenir sur le choix de son successeur. De fait, il
sait trop combien les institutions peuvent se tromper dans
leurs choix pour ne pas figer le sien ni s'en remettre à un

organe collectif. « Quand le patron d'une grande entreprise s'en va ou meurt, note-t-il, ne nous leurrons pas, les actionnaires n'ont aucun rôle dans le choix du successeur, il est choisi par le Conseil, un peu comme le pape est élu par les cardinaux, coopté par le système. Et souvent, je crois, un Conseil ne choisit pas nécessairement la plus forte personnalité, mais celle qui s'inscrit le plus aisément dans la machinerie bureaucratique[207]. »

D'autres enfin pensent qu'il veut fuir une crise qui va, à son avis, bouleverser sa maison au point de la rendre méconnaissable, et qu'il souhaite, par la répétition de l'exil d'il y a juste quarante ans, redevenir, sans le savoir lui-même, un vigile à l'affût des destructions et des haines, mémoire des périls passés, guetteur des menaces futures.

Et il s'en va. Après ce départ, son influence sera alors vraiment celle à laquelle il a toujours aspiré : planétaire et mystérieuse, envahissante et indétectable.

BLONAY

Comme pour son premier exil, une fois sa décision prise, il mène les choses rondement. A peine installé dans sa nouvelle résidence, il notera d'ailleurs : « L'analyse excessive d'une situation peut aisément conduire à la paralysie[214]. »

Le choix de son nouveau domaine doit un peu au hasard : trois ans plus tôt, un ambassadeur autrichien qu'il a connu par Bruno Kreisky, Éric Thalberg, l'a invité à passer quelques jours en Suisse dans sa maison, à Blonay, petit village près de Vevey. L'endroit lui plaît : Blonay n'est ni trop loin ni trop près de ce qui lui tient le plus à cœur : l'Allemagne, qui occupe son temps, et Zurich, qui occupe son esprit. Pourtant, il n'aime pas spécialement la Suisse. Mais il l'apprécie et la respecte pour sa rigueur et son travail, et il y compte quelques amis, tel celui qu'il dit par coquetterie reconnaître comme le plus grand banquier du monde, André Meyer, installé depuis longtemps non loin de là, à Crans-sur-Sierre[129]. En tous cas, ce n'est pas, comme d'autres, par attrait pour les bas taux d'imposition du fisc helvétique.

Deux ans après cette première visite, Thalberg l'informe qu'un terrain jouxtant le sien est à vendre. Il l'achète au début de 1973, vend sa propriété italienne de Grosseto où il ne va plus, et fait construire une maison à son idée, sans se presser. Il veut une vraie maison, non une résidence de vacances, gravitant autour de ce qui compte le plus pour lui, ses livres : une architecture simple, un grand salon, beaucoup de chambres d'amis, une immense terrasse et, surtout, au centre du rez-de-chaussée, une énorme bibliothèque regroupant enfin en un lieu unique et à leur aise tous les livres qu'il aime et qui le suivent dans tous ses déménagements, certains depuis plus de soixante ans. Et, dans cette bibliothèque ouverte en permanence sur la salle à manger, il installe un télex qui crépite toute la journée et une partie de la nuit. Quelques beaux meubles. Quelques beaux tableaux. Rien de très affecté.

A la fin de 1973, tout est prêt et, quand s'achève la guerre de Kippour, il vend son appartement d'Eaton Square et s'installe à Blonay. Il trouve un couple d'Espagnols pour assurer le service et les loge dans la maison. Il y est désormais très souvent, toujours avec sa femme. Sa secrétaire vient de temps en temps de Londres et loge à Montreux. Dans un coin, des valises toujours prêtes pour un départ parfois soudain pour Londres, New York, Tokyo ou Francfort.

Sa vie à Blonay est une semi-retraite. Il lit, beaucoup plus encore qu'à Londres, et agence en un projet d'ouvrage les phrases, de lui ou d'autres, qu'il collecte depuis longtemps. Mais, en réalité, il travaille aussi beaucoup à surveiller Gresham Street. Il dépouille de nombreux télex, en

dicte d'autres, téléphone à travers le monde et reçoit beaucoup d'amis ou de clients de sa banque. Presque tous ceux
qui sont cités dans ce livre, s'ils sont alors encore en vie, y
viennent au moins une fois. Certes, ce n'est ni la gastro-
nomie ni la gaieté qui a pu les attirer à Blonay :
l'ambiance est plus que simple, et, lorsqu'il veut distrairè
ses invités, Siegmund les emmène dîner à l'hôtel Victoria,
à Glion, ou dans l'un des innombrables restaurants des
bords du Lac.

Le reste du temps, c'est-à-dire encore six mois par an, il
voyage au moins autant qu'avant, et lorsqu'il vient à Londres, il descend au Savoy. Il se sent en fait de moins en
moins anglais, de plus en plus citoyen du monde.

Il quitte Londres sans déplaisir. Non qu'il n'ait gardé
une immense gratitude et beaucoup d'admiration pour le
pays qui a construit la City, vaincu Hitler, fait survivre la
liberté, et où lui-même a bâti sa propre gloire, mais il se
souvient des vexations du début, des brimades de la guerre, de l'ironie des années cinquante, des ragots, ensuite,
sur l'origine de son argent. Et il en dit parfois, lorsqu'il est
déprimé, beaucoup de mal à qui veut l'entendre, pour
ensuite le regretter. Avec son art inimitable de la litote, Sir
Éric Roll témoigne qu'à cette époque, il « hait le cynisme
et l'autosatisfaction, qu'il considère comme responsables
de bien des faiblesses britanniques[135]. » D'autres l'ont entendu se montrer plus sévère encore et dire l'Angleterre
condamnée au déclin, « parce que tout n'y est qu'avarice
et frivolité ».

Sa critique s'étend d'ailleurs à toute l'élite occidentale,
« arrogante, médiocre, faite d'incertitude et de fuite des
responsabilités[214] ». Il note qu'« il y a là des gens assez
pervers pour mettre leur point d'honneur à ne pas être
originaux[214]. » Il s'inquiète de voir monter en Europe,
dans les banques et ailleurs, de grises bureaucraties incon-
trôlables : « La promotion y est fondée, aujourd'hui plus
encore qu'hier, sur la cooptation de la médiocrité par la

467

médiocrité[214]. » Tout ce qu'on a toujours refusé chez les Warburg.

Lorsqu'il part, il veut que la rupture avec son propre passé soit totale. Le grand essayiste anglais George Steiner, qu'il a connu au début des années cinquante jeune professeur de littérature comparée à Cambridge, et qui devient son intime au début des années soixante-dix, en est témoin : quand il demande à Siegmund s'il doit accepter le poste qu'on lui offre à l'Université de Genève et quitter Cambridge et l'Angleterre, Siegmund lui répond sans hésiter : « Oui, bien sûr ; mais si vous partez, vous devez tout quitter : on ne joue pas l'exil, on doit devenir citoyen du pays où l'on habite. » C'est ce qu'il a fait, lui, en quittant Berlin ; c'est ce qu'il fait, encore aujourd'hui, en quittant Londres ; ou presque, car s'il ne change pas de nationalité, il obtient en quelques mois, grâce à ses amis banquiers suisses, un statut très privilégié dont bien peu d'étrangers bénéficient et qui en fait ce qu'il appelle lui-même joliment un « étranger de distinction ».

FUIR L'ÉCONOMIE DE GUERRE

Son analyse du monde dont il s'éloigne est alors très pessimiste, sans être schématique. Il n'a d'ailleurs pas le goût des théories simples, et il le dit d'une formule qui lui ressemble bien : « Je déteste ceux qui résument le monde à un seul mensonge[214]. » Il n'aime pas les théories à la mode, surtout pas l'idée selon laquelle la « crise » ne serait que passagère, simple transition difficile entre deux périodes de stabilité. Il note avec un humour cruel, en novembre 1973, dans le déluge de commentaires de bazar sur la hausse du pétrole : « Une période de transition, ce n'est qu'une période située entre deux autres périodes de transition[214]. »

En fait, son pessimisme théorique vient de sa pratique : il a essayé de faire bouger le monde à travers l'argent, qui

468

fut, pense-t-il, l'outil de sa raison. Et il a découvert, par là, l'impuissance du rationnel. Archétype de l'homme raisonnable vaincu par le fanatisme et les lois du pouvoir, il n'aime pas ce qui vient, et l'analyse avec sévérité. Il y voit une nouvelle victoire de l'irrationnel, la preuve que le XXᵉ siècle est plus le siècle des dictatures et des idéologies que celui de la finance.

Et il enrage de voir les dirigeants de ce monde, incapables d'éviter les mêmes erreurs, oublier, dans l'insouciance et l'inaction, les leçons de l'Histoire : celle de 1929 à New York, de 1931 à Londres, de 1933 à Berlin, de 1938 à Munich, de 1967 à Londres. « Quelques-uns des pires crimes, note-t-il, sont moins provoqués par un acte que par l'inaction ou l'indifférence[214]. »

Car ce qui se passe maintenant ressemble, pense-t-il, à ce qu'il a vécu quarante ans auparavant, sans en être pourtant la simple réédition. Il se souvient que, lorsqu'il y est venu, l'Angleterre prêtait encore son argent au monde et était une grande nation. Il l'a vue s'éloigner de la vraie puissance, refuser les nouvelles technologies, manquer sa formation professionnelle ; il a vu ses chefs d'entreprises y devenir parfois des notables de province ou des administrateurs coloniaux. Après la guerre, il a vu le monde occidental dans son ensemble recommencer autrement les mêmes erreurs que celles que dénonçait son cousin quarante ans plus tôt : on n'a pas fait l'Europe, on a oublié l'or, on a financé la croissance par la dette[207]. Et si, comme avant-guerre, la superpuissance en déficit se décide enfin à freiner ses prêts, elle ne peut rien contre les milliards qui circulent déjà, sans contrôle, hors d'elle, nourrissant la dette du monde, sans que, comme dans les années trente, nul ne sache comment la rembourser ni même comment ne pas la rembourser.

Il voit donc le capitalisme s'engluer dans le gigantisme, générateur de bureaucratie, obstacle à l'esprit d'entreprise et à la liberté. « Compte tenu des sommes en jeu, ce ne sont plus des individus, mais des institutions qui gouvernent notre monde... On appelle encore ça du capitalisme, or c'est on ne peut plus différent. C'est entre le capitalisme d'avant 1914 et le mercantilisme du XVIIIe siècle... Et le danger est que plus une firme devient importante, plus difficile il devient de la traiter comme un ensemble de personnes, et plus on y devient esclave d'une énorme machinerie technocratique[207]. »

Il s'attend alors à ce que, privés de tout ressort, les pays riches soient bloqués dans leur croissance par cette bureaucratisation, et par leur gaspillage de l'énergie. Il voit déjà une grande part de la machine financière mondiale ne plus tourner que par les ventes d'armement, financées, directement ou indirectement, par des crédits accordés aux acheteurs de ces mêmes armes, opportunément rendus solvables, pense-t-il, par la hausse du pétrole. Comme dans les années trente avec les bons « Mefo », l'économie de la dette se nourrit de l'économie de la guerre. Lui-même s'évertue à ne pas prêter à ces gens-là et à mettre en garde les plus grandes banques américaines, qui se laissent prendre au piège du profit pour couvrir des risques, et à celui du risque pour faire des profits : « Si vous continuez ainsi, tout explosera un jour. Et ça commencera dans les bidonvilles de Saõ Paulo », dit-il à ses amis banquiers new-yorkais.

Peu de pays échappent à sa critique. L'Allemagne ? « Trop dépendante des exportations ». L'Angleterre ? « Trop frivole ». L'Amérique ? « Trop bureaucratique ». Israël ? « Trop militariste ». Il sait que l'action nécessaire peut s'avérer difficile : « Parfois, il faut provoquer une catastrophe pour en empêcher une autre[214] ». Mais, en tout cas, on ne pourra retarder l'échéance au-delà de la fin de la décennie quatre-vingt. Il y aura alors soit une généralisation absolue de l'étalon dollar, soit la guerre, soit, dans la meilleure hypothèse, l'annulation de la dette mondiale et le développement du tiers monde, grâce à la création d'une monnaie neuve, qu'il voudrait voir assise sur les Droits de Tirages Spéciaux et les matières premières[207]. Au-delà, pense-t-il, trois pays domineront la finance mondiale : le Japon, les États-Unis et la Suisse[207] ; et une croissance équilibrée retrouvera ses droits.

Dès le début de 1974, il dit tout cela à ceux qu'il rencontre, tel Bruno Kreisky, et leur annonce que la crise est là pour longtemps. Le Chancelier d'Autriche, qui a justement soutenu une thèse à l'Université de Stockholm sur les erreurs des économistes en 1929, en est si impressionné qu'il réorganise l'économie de son pays dans la perspective d'une crise prolongée. Bien lui en prend : l'Autriche, pendant dix ans, connaîtra le plus bas taux de chômage de l'Occident.

L'INFLUENCE, DE LOIN

Une fois installé à Blonay, il fait tout comme André Meyer, son voisin de Crans-sur-Sierre, pour donner à croire qu'il n'a plus de pouvoir : « J'ai une certaine influence, reconnaît-il en 1980, mais je ne suis pas opérationnel. Que signifient deux ou dix conversations téléphoniques par jour ? Ce n'est pas beaucoup plus que maintenir le contact avec certains amis... Les plus récentes opérations se sont faites sans moi, sauf qu'elles résultent de relations que j'ai nouées au fil des années... Je n'ai participé à aucune discussion interne ou externe à ce propos. Les dirigeants m'appellent quand apparaissent dans le paysage de vieilles relations à moi. Ils ont besoin d'utiliser mes contacts. Les propositions et les engagements... sont faits sans qu'on m'en parle[207]. »

La seule chose qu'il concède est qu'il a dû batailler pour faire accepter à certains de ses clients de travailler avec sa banque sans travailler avec lui : « Un des moments les plus difficiles a été, il y a plusieurs années, quand tel industriel de nos clients, à qui j'avais dit que Henry Grun-feld et David Scholey prendraient soin de lui, refusa... J'ai tenu bon[207]. »

Mais la réalité n'est pas si simple : il reste en fait le maître absolu de sa maison. Tous les jours, il reçoit enco-re, dans la même grosse enveloppe jaune, les deux dossiers dont le contenu fut défini il y a plus de trente ans. Le télex crépite sans arrêt, lui apportant notes, comptes ren-dus de réunions et de négociations en cours, état des mar-chés, niveaux des commissions. Il s'intéresse aux moindres détails des affaires et téléphone dix fois par jour à Éric Roll, à Henry Grunfeld, à David Scholey, voire même à des cadres subalternes ou à des jeunes de sa firme, pour poser des questions ou donner des instructions. Au demeu-rant, Scholey, Roll, Grunfeld ne prennent pas le risque de décider quoi que ce soit sans lui téléphoner, ou même, lorsque c'est important, sans venir le voir. Et, dans ce cas, ils découvrent qu'il en connaît souvent plus long qu'eux-mêmes sur l'état de telle ou telle affaire. Sir Éric Roll se souvient : « Si je voulais savoir, de mon bureau, ce qui se passait à New York, Francfort, Milan, et surtout à Gres-ham Street, le moyen le plus sûr et le plus rapide était de lui téléphoner à Blonay[216]. »

PÉTRODOLLARS

La hausse des prix du pétrole détourne les flux de capi-taux et aggrave le désordre des monnaies amorcé cinq ans plus tôt : après la première hausse d'octobre 1973, les gouverneurs des Banques centrales réunis à Bâle le 12 no-vembre suppriment le double marché de l'or, qui n'est plus que fiction. Le 23 décembre, les prix du pétrole doublent encore[143]. Beaucoup d'autres choses changent en 1974 : en février, la grève des mineurs anglais a raison du gouver-nement Edward Heath ; en avril, le président français

Georges Pompidou meurt ; en mai, Willy Brandt doit démissionner à Bonn après l'affaire Guillaume ; le 9 août, Richard Nixon quitte la Maison Blanche après l'affaire du Watergate ; Gerald Ford le remplace, qui dénonce l'inflation comme l'ennemi public numéro un.

Les pays pétroliers deviennent alors vraiment détenteurs de capitaux et ils exportent 55 milliards de dollars l'année suivante[204] ; les pays d'Europe, quand à eux, cessent de l'être. C'est comme si, brusquement, une partie de l'épargne de l'Europe et du Japon avait été prise pour être donnée aux pays pétroliers.

Et l'incertitude règne sur le placement que ceux-ci vont en faire. Beaucoup croient que cet argent, dès lors qu'il n'est plus européen, va revenir aux États-Unis. Et l'Amérique fait d'ailleurs en sorte que Wall Street redevienne l'entrepôt mondial de l'argent : en février 1974, on y fait disparaître les dernières bribes de la taxe d'égalisation des intérêts de 1963, et les banques américaines sont autorisées à prêter sans restrictions à l'étranger. Tous les contrôles limitant la sortie de capitaux hors des États-Unis sont éliminés. L'« Employee Retirement Income Security Act » autorise même les fonds de pensions américains à investir à l'extérieur[81].

Or l'argent du pétrole est loin d'affluer à New York : en 1974, 14 milliards de pétrodollars vont s'y placer, contre 7 milliards pour l'Europe, 11 à destination du tiers monde, tandis que 23 se convertissent en euro-dollars[204]. Les banques américaines ne veulent pas prendre le risque de prêter à moyen terme à l'étranger depuis New York et préfèrent prêter à plus court terme à l'Amérique latine. La masse des eurodollars à court terme explose, atteignant presque la masse monétaire allemande, et près de deux fois celle de la France !

Le marché des euro-émissions se recroqueville pour un temps. Malgré la tourmente qui l'assaille, la City reste le premier port-franc de l'argent. Un excellent observateur de cette époque, Jean Baumier, constate : « Il y a plus de banques américaines dans la City qu'à New York. On y traite au moins un quart des eurodollars en circulation dans le monde, plus de la moitié des transactions sur l'or, une grande partie des opérations de change. Le chiffre d'affaires du Stock Exchange est supérieur à celui de tous les marchés boursiers d'Europe réunis[9]. »

L'apparition des nouveaux prêteurs donne alors son plein sens au boycott dont sont victimes, depuis la création de l'État d'Israël, plusieurs banques, telles à Londres S.G. Warburg, Lazard et Rothschild. Cette « liste noire » constitue pour elles en principe un sérieux handicap, car elle leur interdit toute participation aux emprunts émis par les pays membres, comme au placement de leurs fortunes privées. Jusque-là, ses effets avaient été à peu près dépourvus d'importance, car ces opérations étaient plutôt rares. Mais il s'agit à présent de beaucoup d'argent, l'essentiel même du marché ; et aucune banque, même très amie, ne résiste plus à pareille situation.

Ses anciens collègues français, allemands, japonais, autrichiens, suisses, s'excluent du jour au lendemain des très nombreux montages dont S.G. Warburg est le chef de file, et refusent de l'associer aux leurs. Tout se fait dans l'hypocrisie la plus pure : on ne prend plus « les Warburg » au téléphone, on les évite ; tous les prétextes sont bons : « Je n'ai plus rien pour vous dans cet emprunt, car tout est déjà placé à d'autres banques... Je ne peux participer aux vôtres, car je suis trop engagé ailleurs. » Le Foreign Office, auquel Siegmund s'adresse, tout comme la Banque d'Angleterre, font comme s'ils ne voyaient rien et ne bougent pas — en tout cas, pas assez à son gré[207].

Les résultats ne se font pas attendre : au « hit parade » des euro-émissions, S.G. Warburg descend de la troisième place mondiale en 1973, derrière la Deutsche Bank et le Crédit Suisse, à la dixième en 1974 ; et même, durant les six premiers mois de 1975, à la seizième position. Terrible coup qui menace la Banque, dont ce marché constitue une part essentielle des profits. Et cela, alors que ce même marché redescend à 3,7 milliards en 1973, et à 1,9 milliard en 1974[204].

Siegmund a déjà vécu la pareille, quarante ans auparavant, et il est bien décidé, cette fois, à ne pas céder. De Blonay, il recourt à tous les moyens pour contraindre ses anciens obligés à ne pas accepter le chantage, et n'hésite pas à user des plus brutales menaces : « Dites-moi, cher ami, on me dit que vous aussi vous cédez à ce chantage ? En soi, je trouve ça très mal, et très injuste envers nous. Dois-je comprendre que vous sympathisez avec l'antisémitisme ? J'ajoute qu'il ne faut pas vous y tromper : si vous faites ça, vous aurez affaire à nous. Nous avons autant de moyens de rétorsion que ces gens-là[207]. »

Et il fait ce qu'il dit : par exemple, il rompt sur-le-champ tout contact avec une banque de Vienne dont le nouveau président a cédé au boycott. Il en prévient le Chancelier : « Non seulement ce monsieur se laisse influencer par le boycott, mais, de surcroît, je vous signale qu'il vous critique, vous, gouvernement socialiste, alors qu'il dirige une banque d'État. Je n'admets pas qu'un dirigeant s'oppose à son actionnaire et je vous préviens que j'interdis désormais à quiconque travaillant avec moi d'avoir le moindre rapport avec cette banque, aussi longtemps que ce monsieur en sera président. » Et ainsi sera fait, jusqu'au remplacement dudit.

LONDRES EN TÉLÉCOMMANDE

Au moment où il quitte Londres, il laisse sa maison au sommet de la gloire : une « maison de services », dit-il modestement — en fait, la première banque d'Europe pour les fusions, la troisième banque mondiale pour les euro-émissions. La situation de son pays d'adoption s'est aggravée : la hausse des prix du pétrole et le laxisme salarial exacerbent les déséquilibres anciens, l'inflation s'accélère ; en janvier 1974, le déficit extérieur, égal à deux fois celui de toute l'année 1973, est le plus élevé de toute l'histoire britannique, et un quart seulement en est imputable au pétrole[35]. Siegmund en est consterné. Et ce n'est pas le retour, le 4 mars 1974, des travaillistes et de Wilson aux affaires, qui l'attirerait de nouveau à Londres. Wilson qui, juste après le choc pétrolier, lache les brides de l'économie et augmente le pouvoir d'achat des salaires de 6 % en six mois[35]. Nul n'est surpris que l'inflation passe alors à 16 %, puis à 24 %. Wilson devra démissionner deux ans plus tard, laissant à Callaghan la charge de la crise, juste après que Margaret Thatcher fut devenue le nouveau leader du Parti conservateur.

Les travaillistes proposent de nouvelles nationalisations, mais en abandonnent vite l'idée. Anthony Wedgewood Benn, secrétaire d'État à l'Industrie, recrée l'I.R.C., dissous par Heath, sous l'appellation d'Office National de l'Entreprise, holding d'État doté cette fois d'un milliard de livres à placer dans des entreprises. En mars 1975, Benn propose la nationalisation de Leyland, naguère créée par l'I.R.C., qui, très mal gérée, connaît de graves difficultés[35]. Votée le 3 juillet 1975 avec une dotation de 2,8 milliards de livres, elle ne rétablit en rien la situation de la firme.

Comme toutes les places occidentales, la City est très touchée par la hausse du pétrole. Toutes les activités financières liées de près ou de loin à l'énergie en pâtissent. Hambros, par exemple, perd beaucoup d'argent dans l'armement naval. Brandt, qui a trop investi dans l'immobilier lors du récent boom, est en quasi faillite et doit quitter — énorme scandale ! — le Comité d'Acceptation. Siegmund, qui se souvient de la quasi-banqueroute de M.M. Warburg à Hambourg, quarante ans plus tôt, du fait d'erreurs analogues, se retire à temps du marché sans y laisser beaucoup de plumes.

476

Les banques les plus menacées par la hausse des taux, qui réduit leur rentabilité, doivent se vendre ou fusionner avec d'autres : Montagu à Midland, Anthony Gibbs à Hong Kong and Shanghaï Banking Corporation, Arbuthnot Latham à plusieurs étrangers, Guiness Mahon à Lewis & Peat, une société de commerce. Plusieurs empires bancaires édifiés dans les années 60, tels ceux de Jim Slater ou de Pat Matthews, tremblent sur leurs bases ; Slater Walker est sauvée par la Banque d'Angleterre, mais son fondateur doit démissionner[147]. L'on n'aide pas beaucoup les « nouveaux venus ». Heureusement, la banque de Siegmund n'est pas en péril ; sinon, il n'aurait pas trouvé grand monde pour lui venir en aide.

Sur les autres places, les banques d'affaires souffrent tout autant de la hausse des taux consécutive à celle du prix du pétrole : à Wall Street, si Merril Lynch, Salomon et Goldman Sachs résistent, Kuhn Loeb et Lehman Brothers sont en difficulté. W.E. Hutton, Loeb Roades, Hayden Stone, Horn Blower, White Weld disparaissent[81]. En Allemagne, le 26 juin 1974, la banque Herstatt est en faillite, et en septembre 1974, le Crédit Suisse annonce que sa filiale de Lugano a perdu 33 millions de livres en spéculant sur les changes[204]. Seules certaines banques nationalisées françaises s'en sortent plutôt bien, contrepartie heureuse d'une prudence rare.

En ces années difficiles, toutes les mutations en germe dans le passé s'accélèrent : il faut davantage de spécialistes, et des établissements de plus grande taille. Les banques commerciales prennent le pas sur les banques d'affaires et vivent de plus en plus sur leur terrain. Les organigrammes se complexifient, y compris dans les banques qui restent d'investissements ou d'affaires. On dénombre à présent 40 administrateurs chez Warburg, 37 chez Kleinwort, 27 chez Lazard, 31 chez Morgan Grenfell.

En quittant Londres, Siegmund souhaite absolument

477

mettre en place une structure permettant d'empêcher qu'on laisse après lui grossir sa firme.

Pour cela, il organise d'abord sa succession : Henry Grunfeld qui a 70 ans décide de quitter la présidence de la Banque et celle de Mercury Securities pour partager avec Siegmund le poste de « Président ». Lord Roll lui succède à la tête de Mercury Securities et de la Banque. Peter Spira quitte la Banque pour devenir directeur financier de Sotheby Parker Bennet, et David Scholey devient, à quarante et un ans, le nouveau successeur désigné. Deux ans plus tard, c'est lui qui tiendra la conférence de presse annuelle de présentation des résultats.

Siegmund réforme l'organisation de sa maison en la simplifiant : son agence de publicité, Masius Wyne William, implantée désormais en Europe, à New York, en Australie, en Afrique du Sud, fusionne avec une autre agence, elle américaine, d'Arcy MacManus, qu'il ne contrôle qu'en partie. Il rassemble tous ses intérêts dans l'assurance dans une seule de ses compagnies, Stewart Wrightson, qu'il transforme en filiale de la banque et non plus du holding. Brandeïs Goldschmidt, qui gagne cette année-là plus de 1,5 million de livres, est isolée du reste.

Siegmund accepte enfin, que son groupe contribue à conseiller des gouvernements fort endettés du Tiers Monde, auquel les banques américaines s'obstinent à prêter sans limite à court terme ; et il entre dans une troïka, formée avec Lazard-Paris et Kuhn Loeb, pour aider l'Indonésie, puis le Gabon, le Nigeria et le Costa-Rica, entre autres. C'est H.C. Van der Wyck, familier de l'Indonésie, qui s'en occupe pour lui.

NEW YORK DE NOUVEAU

Au même moment, d'autres s'installent à New York, tels Hambros et Morgan Grenfell qui s'associent à l'autre grande banque d'affaires française, Suez. Jacques de Fouchier et Siegmund, quant à eux, cherchent de plus en plus un associé américain pour en faire autant. Mais c'est difficile, car là-bas tout bouge vite. Ce ne peut plus être Kuhn Loeb qui, après de larges pertes sur le marché hypothécaire, est à la dérive. Frederick Warburg meurt cette année-là ; John Schiff, qui la dirige encore de très loin, essaie en vain de la faire fusionner avec Shearson Hayden Stone, puis avec Paire Webber, puis avec Eastman Dillon[81].

Ce ne peut être non plus Lehman Bros : certes, Paribas l'invite encore systématiquement dans le « syndicat » d'euro-émissions dont il a la direction ; mais Lehman est en crise : ce n'est plus qu'un agrégat d'associés très âgés qui valent chacun plusieurs dizaines de millions de dollars et dont on n'est plus le patron que parce qu'on est le plus riche[81]. En octobre de cette année 1973, cette galaxie de millionnaires, dont le seul et unique mobile est le profit, se donne pour président un nouveau venu dans la maison, dont on a déjà parlé, Peter G. Peterson, qui, après son rapport au Président Nixon, juste avant la chute du dollar, a été nommé secrétaire au Commerce, à 44 ans. Il est assisté par Louis Gluksmann, un Hongrois engagé comme *trader* (c'est-à-dire comme négociant de titres) en 1962 par Bobby Lehman, et qui y gagne maintenant deux millions de dollars par an[198]. Quand Peterson, pour redresser la maison, décide de s'associer à la Banque Commerciale Italienne, ni Paribas ni S.G. Warburg n'ont plus rien à voir avec lui.

Aucune autre grande banque d'investissements à New York n'étant disponible, on cherche alors à s'adresser à une banque de province, et c'est ainsi que surgit Becker. Créée en 1893 à Chicago, elle a plus tard traité du papier commercial, puis est devenue l'un des premiers opérateurs sur le marché monétaire et boursier américain, et, à égalité avec Goldmann Sachs, le leader du marché national pour

479

les effets financiers[81]. Intermédiaire privilégié de nombreuses sociétés européennes, intervenant comme émetteur ou comme emprunteur sur le marché des dollars à court terme, c'est aussi un opérateur non négligeable sur celui des Bons du Trésor américains. Elle traite 3 % des transactions du New York Stock Exchange, ce qui est considérable.

Or, à ce moment, les employés, qui possèdent la totalité du capital de Becker, ne peuvent faire face aux besoins du développement de la firme. Et à la fin de 1973, leur président, Paul Judy, vient à Londres pour y chercher les associés qu'il ne trouve pas en Amérique. Il y rencontre Siegmund, lequel est intéressé. Simultanément, un des directeurs généraux de Becker, Dan Good, obtient d'un de ses amis, ancien directeur financier de Hammer et ami de Pierre Haas, un rendez-vous chez Paribas. Good l'informe que Becker cherche des associés[81]. En décembre 1973, un mois après leur propre accord, Paribas et Warburg mettent en commun cette idée. On décide de négocier et, quatre mois plus tard, en avril 1974, l'accord est conclu : « SG Warburg-Paribas Inc » apporte 25 millions de dollars à A.G. Becker et reçoit en échange 40 % de son capital, avec option pour augmenter ultérieurement sa part au-delà de 50 %. Un holding commun est constitué entre AG Becker et « Warburg Paribas », avec trois filiales : l'une pour le marché monétaire (« AG Becker »), l'autre pour le courtage boursier (« AG Becker Securities ») et la troisième pour l'*investment banking* (« Warburg-Paribas-Becker ») : là encore, Siegmund a veillé en personne au nom...

Il était grand temps pour Becker de trouver du capital, car, dès le mois de mai suivant, la libération des tarifs des commissions de Bourse réduit la rentabilité des courtiers new-yorkais dont Becker est un des importants. Les grandes banques américaines, à l'affût de profits, croient avoir gagné[81]. En réalité, elles ont aussi souffert, car la hausse des coûts poussera à la hausse des taux et réduira les bénéfices que les banques pensaient trouver dans ces réformes.

Siegmund est heureux : il a désormais l'outil dont il rêvait pour tenter à nouveau ce qu'il voulait faire avec Kuhn Loeb, vingt ans auparavant : l'équivalent de ce qu'est maintenant Morgan Stanley ou Lazard — une très grande banque d'influence. Il sait que ce sera long : « Cela prendra dix ou quinze ans. Après tout, il a fallu des années à André Meyer pour imposer Lazard à New York... Lazard était une toute petite firme quand il est venu à New York en 1940, et la période faste n'a commencé qu'en 1960, et encore, à la fin des années 60, avec l'arrivée de son plus gros client, I.T.T.[207]. »

Au début, tout va bien entre les deux "divas" de la finance. Elles font d'autres affaires ensemble. Entre les cadres, les contacts sont multiquotidiens, et les dirigeants se réunissent tous les trois mois. Pendant trois ans, l'association est profitable à tous : les titres de Paribas rapportent une part croissante des profits de Warburg.

Mais, avec le succès, se révèlent les ambiguïtés de l'accord : on a imaginé, selon le modèle d'Unilever, un corps à deux têtes, mais chacun, même s'il s'en défend, rêve secrètement, en fait, d'avaler l'autre. En outre, Paribas et Warburg ne mettent pas dans Becker toutes leurs affaires américaines : elles restent concurrentes dans l'ingénierie financière et dans la garantie d'emprunt. De plus, les méthodes de gestion sont radicalement différentes : alors que Paribas ne suit Becker que de loin, comme ses autres filiales, Siegmund, lui, entend contrôler New York comme il contrôle Londres : il y envoie quelques personnes de qualité, et se fait envoyer des rapports détaillés. Siegmund lui-même, de Blonay, téléphone souvent au Président de Becker, Paul Judy, et, comme à l'accoutumée, il sait très vite tout sur la firme. Enfin, la parité des deux actionnaires soulève de délicats problèmes opérationnels, analogues à ceux qu'il a déjà connus en 1930 avec

481

Berliner Handels Gesellschaft à Berlin et, en 1963, avec Kuhn Loeb à New York.

L'ÉCONOMIE DE LA DETTE, DE NOUVEAU

Au début de 1975, Gerald Ford ne change rien d'essentiel à la politique économique de Nixon, et l'Amérique s'enfonce dans la dépression. Le taux de chômage passe de 5,5 % en janvier à 9 % en mai 1975. La chute des investissements et de la demande de logements des ménages est considérable. La crise engendre une pénurie de capitaux et une hausse des taux d'intérêt qui pénalise ceux dont les dettes se sont accumulées. Ainsi, au début de 1975, la ville de New York, avec 7 milliards de dollars de dettes, est, comme d'autres municipalités, au bord de la faillite. Les titres se placent mal. Le plus grand revendeur de titres américain, W.T. Grand, est au bord de la faillite[204].

Le dollar est très instable et, pour le soutenir, le 1er février 1975, les gouverneurs des Banques centrales d'Allemagne, de Suisse et des États-Unis décident d'une politique d'intervention concertée sur les marchés[161]. Ce mois-là, la Réserve Fédérale vend 600 millions de dollars de devises étrangères, tirés en vertu des accords entre banques[161]. Les monnaies, toutes flottantes les unes par rapport aux autres, sont hésitantes. Nul n'a les moyens de contraindre l'Amérique à l'équilibre. Même le serpent communautaire est vidé de tout sens, car il ne constitue pas en soi une devise. Rien n'est plus prévisible.

Les banques américaines, à la recherche de profits pour survivre, se lancent dans les marchés spéculatifs et se concurrencent elles-mêmes par leurs filiales à l'étranger qui jouent de l'eurodollar plus qu'elles ne financent l'industrie.

Le 1er mai 1975, pour relancer l'économie, Ford fait baisser les taux d'intérêt — ils passent de 13 % en août

1974 à 6,5 % en mai 1975 — et fait voter la plus forte réduction d'impôts de l'histoire américaine : 22,8 milliards de dollars. Comme, simultanément, les dépenses fédérales augmentent de 19 %, le déficit budgétaire atteint alors 71,2 milliards de dollars, contre 43 l'année précédente. A l'inverse, la balance des paiements s'améliore : après l'équilibre de 1973 et 1974, elle réalise un excédent de 11 milliards de dollars en 1975.

Wall Street, dans cette atmosphère moins lourde, se dépouille de plus en plus de ses contraintes afin d'attirer les capitaux. Les commissions bancaires et boursières étant libres, tous les investisseurs se mettent alors à les discuter ; banques et courtiers voient alors leurs profits baisser brutalement. Comme l'année précédente, les prêts à court terme s'accélèrent et les banques commerciales, attirées par des profits plus aisés que dans les pays développés, prêtent beaucoup à l'Amérique latine et à l'Asie : plus de 30 milliards de dollars par an, soit plus que ce qui est octroyé à ces pays par les institutions publiques d'aide au développement. En 1975, leur dette totale atteint 180 milliards de dollars, dont près de la moitié auprès de banques commerciales.

En même temps, tout se remet en place, avec une formidable plasticité : les multinationales obéissent de plus en plus aux règles bancaires d'Amérique et doivent assainir leur bilan. Les prêts à long terme se redressent : alors qu'en 1974, année noire, on n'avait émis que 81 émissions pour 1,9 milliard de dollars, en 1975, on en émet 248 pour 8,3 milliards de dollars, record absolu, très au-dessus des 5 milliards de 1972[204]. Il y a réellement un changement d'échelle, qui se confirmera les années suivantes.

Voici donc revenu, après quarante ans, le règne de l'économie de la dette. Et de manière débridée : par exemple, l'emprunt émis en octobre par Kidder Peabody, Paribas, le Crédit Suisse et Nomura pour le compte de la C.E.C.A., d'abord fixé à 50 millions de dollars, est relevé ensuite à

100 millions[204]. Le rythme des opérations devient trois fois plus rapide que l'année précédente. Il s'écoule maintenant moins de deux jours entre les premiers contacts de l'emprunteur avec un ou plusieurs chefs de file possibles et le moment où, les banques garantes des emprunts étant trouvées, l'accord est réalisé, le "syndicat" constitué, la bataille sur les commissions et les conditions terminée. Le marché fonctionne désormais 24 heures sur 24, cinq (sinon sept) jours sur sept, à l'échelle planétaire. Ainsi, Siegmund place un emprunt de la C.E.C.A. pour 125 millions de dollars par téléphone, entre Noël 1975 et le Jour de l'An 1976[204], et, selon son habitude, en ne s'engageant à le prendre que quand il est sûr d'en placer l'essentiel[204].

Pourtant, au classement d'*International Investor*, S.G. Warburg, en 1975, malgré l'aide de Becker, n'est pas encore remontée plus haut que la douzième place, même si elle reste la seule banque d'affaires à figurer parmi les dix premiers emprunteurs en marks, et la seule banque marchande anglaise parmi les dix premières émettrices de la Communauté européenne. Un an plus tard, elle aura néanmoins retrouvé son rang mondial : quatrième des chefs de file[204] au classement d'*Euromoney*.

TRENTE ANS APRÈS

1976 est une année étrange. Trente ans après la fondation de S.G. Warburg, le monde rencontre des problèmes qu'on peut considérer, sans forcer exagérément la comparaison, comme voisins de ceux de l'immédiat après-guerre.

Comme il y a trente ans, on parle des statuts du F.M.I. : les 7 et 8 janvier 1976, à Kingston en Jamaïque, le Comité Intérimaire du F.M.I. en organise l'accroissement des quotes-parts. Comme il y a trente ans, les monnaies sont en difficulté : le 15 mars, la France n'ayant pu réduire ses déficits extérieurs, le franc quitte à nouveau le serpent communautaire. Comme il y a trente ans, l'Amérique s'inquiète de la menace du chômage et le Congrès reproche au Président Ford de ne pas relancer suffisamment l'économie, bien que le déficit budgétaire soit déjà de 66,4 milliards de dollars et l'inflation de 6 %. Comme il y a trente ans, les Américains reprochent à leur gouvernement de dépenser trop d'argent en Europe.

Comme il y a trente ans, l'Angleterre est en crise monétaire et économique : chômage et inflation ; et, malgré l'ouverture de puits de pétrole en mer du Nord, chute de la livre qui passe de 2 dollars au 1er janvier à 1,56 dollar en octobre. Comme il y a trente ans, Londres sollicite un prêt du F.M.I., cette fois pour un montant de 3,9 milliards de dollars, en échange duquel, comme il y a trente ans, le F.M.I. exige que le gouvernement britannique s'astreigne pour l'avenir à des économies budgétaires[35]. Comme il y a trente ans, un Livre Blanc sur la politique industrielle dénonce la faiblesse des investissements, le poids de l'État sur le marché financier, la pénurie d'épargne, l'intérêt insuffisant des *merchant banks* pour ce secteur ; il recommande le développement d'un secteur privé « dynamique, vigoureux et profitable », et une politique de relance « donnant priorité au développement industriel sur la consommation et même sur nos objectifs sociaux[35]. »

Mais, si l'Angleterre se débat dans les mêmes difficultés, avec un niveau de vie à peine deux fois plus élevé qu'il y a trente ans, la banque de S.G. Warburg, elle, est devenue dans le même temps une institution, à la fois anglaise et mondiale, reflet de l'écart entre la situation de la City et celle du reste du pays.

En avril, son trentième anniversaire est l'occasion d'un grand dîner réunissant tous les directeurs de S.G. Warburg. Siegmund, venu de Blonay pour l'occasion, peut être fier de lui : sa banque est, en profit net, la première banque marchande de la place, et de très loin.

Le groupe a atteint la plénitude de son organisation : Mercury Securities possède les trois quarts de la banque S.G. Warburg, dont les 25 % restants appartiennent à Paribas avec qui, en juin 1976, ont été achetés 20 % du capital d'une toute petite banque canadienne, Canadian Commercial and Industrial Bank, à Edmonton. S.G. Warburg contrôle Becker aux États-Unis, une banque en Suisse, une autre à Francfort, elle a des intérêts à Tokyo, à Hong-Kong et à Luxembourg. Mercury contrôle également Brandeïs (dont les profits quintuplent cette année-là, et qui achète International Minerals and Metals), de l'assurance, de l'armement naval (trois bateaux en Norvège), 25 % de Paribas, un conseil de fonds de retraite, M.P.A., avec des agents dans toute l'Europe et en Australie, Warburg Investment Management, et enfin deux agences de publicité, Masius Wynne Williams et d'Arcy-Mac-Manus.

Cette année-là, la Banque organise en outre le rachat de Félix Stowe Docks par European Ferries, défend Garton & Artagent contre une tentative de prise de contrôle, et organise le sixième de toutes les augmentations de capital britanniques. La liste de ses clients anglais est impressionnante : British Petroleum, Imperial Cheminal Industries, Reed International, Trust House Forte...

Mais, lorsque cet anniversaire est fêté, Siegmund peut surtout être satisfait d'avoir retrouvé pleinement son rang sur un marché de l'eurodollar toujours en pleine explosion, les taux d'intérêt y étant très intéressants : durant le seul mois de janvier 1976, on émet autant d'euro-émissions que dans toute l'année 1974[204] ! Pour toute l'année, on en lance 346, soit près d'une par jour, pour 15 milliards de dollars, soit le double du montant de l'année précédente, elle-même déjà exceptionnelle, même si cela ne représente que la moitié du montant des eurocrédits à court terme. D'énormes émissions sont lancées : S.G. Warburg partage avec la Deutsche Bank la direction de l'emprunt de

486

100 millions de dollars d'I.C.I. ; le 14 mars 1976, la C.E.E. émet, avec la Deutsche Bank comme chef de file, un emprunt de 300 millions de dollars, soit plus du double du record précédent ; un autre de 500 millions de dollars suit trois semaines plus tard, pour le même emprunteur[204]. On est loin des 15 millions d'Autostrade !

Cette année-là, S.G. Warburg and Co est redevenue la première banque britannique, le quatrième chef de file mondial sur le marché des eurodollars ; elle dirige 52 euroémissions en 1976, soit plus que toutes les autres banques anglaises réunies[204].

Les salaires y restent raisonnables : le président de la Banque gagne 39 000 livres par an, les directeurs de 20 000 à 32 500 livres, alors que leurs homologues des filiales américaines de banques anglaises gagnent trois fois plus avant impôt, sept fois plus après. Cette année-là, dans son rapport annuel, le président, Sir Éric Roll, devenu Lord Roll, demande « au gouvernement anglais d'agir contre les impôts trop élevés qui pénalisent les cadres des banques. »

Mais Siegmund s'inquiète de voir ces succès entraîner une paralysie de sa banque : il a peur de voir ses cadres faire comme « ces gens qui s'attachent plus à éviter l'échec qu'à remporter un succès[214] », et il s'inquiète de la taille prise par la firme. « Nous sommes aujourd'hui trop grands, de part et d'autre de l'Atlantique. C'est la rançon du succès. On accepte trop de clients, et la qualité du service s'en ressentira. Il faut savoir refuser des affaires et les passer à d'autres[207] », dit-il publiquement un peu plus tard. Il note dans son cahier, quelques jours avant son anniversaire : « Nos efforts vont dans la mauvaise direction quand nous n'avons pas le courage de dire non[214]. »

En ce jour de fête, les dirigeants du Crédit Suisse, qui viennent, en rachetant White Weld, de devenir son plus terrible concurrent dans les euro-émissions, lui envoient une de ces coupes d'argent qu'il affectionne, avec, gravé dessus, ce seul mot : "Admiration".

L'ASCENSEUR DE GRESHAM STREET

L'année suivante, ceux qui croyaient la crise passagère doivent déchanter : l'Amérique continue de s'enfoncer dans la récession et la situation financière mondiale ne s'améliore pas. Jimmy Carter remplace Gerald Ford à la Maison Blanche et engage une politique d'expansion économique plus prononcée, espérant réduire le chômage dont Ford a enrayé la croissance. Il décide une forte hausse des taxes sur les produits pétroliers, qui réduit le déficit budgétaire à 45 milliards de dollars. Les profits augmentent, mais le rythme de l'inflation s'accélère ; la croissance et la création d'emplois restent inférieures aux espérances. Surtout, la balance des paiements retrouve un déficit de 14 milliards, et le déficit commercial atteint 32 milliards. Le risque américain commence à faire fuir certains prêteurs[204]. L'Europe soutenant le dollar en l'achetant, importe son inflation. Pour utiliser ces dollars hors d'Amérique, les banquiers rivalisent d'inventivité : on crée des certificats de dépôts à taux flottant, des garanties de cours de change...

Wall Street n'est pas épargnée par les difficultés : Kuhn Loeb est maintenant en déroute et trouve enfin un acheteur pour 18 millions de dollars, Lehman Bros, dont le capital est de l'ordre de 60 millions de dollars[81] : montants dérisoires au regard de celui de leurs affaires. Fin d'une époque. Le président de Lehman, Peterson, est nommé président directeur général de l'ensemble, qui garde le nom de Lehman Brothers, et John Schiff en est nommé président honoraire. Pour garder encore tant soit peu un nom qui évoque tout un pan de l'histoire financière américaine, on crée une filiale internationale sous l'appellation de « Kuhn Loeb-Lehman Brothers International[197] ».

Entre Paribas et Warburg, tout va de moins en moins bien. Chacune continue d'utiliser d'autres banques américaines pour ses affaires et S.G. Warburg recrée sa propre antenne à New York à côté de "Warburg-Becker-Paribas". En septembre, il se rend en Amérique. Il n'aime pas la façon dont la maison est dirigée. Surtout, Warburg-Paribas ne parvient pas à entrer, comme il l'espérait, sur le marché des émissions d'outre-Atlantique, les emprunteurs européens et japonais préférant recourir aux services de banques américaines. Il se fâche avec les dirigeants, et note à son retour qu'une secrétaire de Becker, Mrs Russ, lui a dit : « Il faut être un peu détesté pour être respecté[214]. » Lui l'est, respecté.

A Londres, la faiblesse du dollar ne l'empêche pas de rester la devise des deux tiers des euro-émissions, seulement concurrencé par le deutschmark. Les pays européens, rendus déficitaires par les hausses pétrolières, empruntent plus de la moitié du total, le reste allant aux autres pays consommateurs : Japon, Canada, Australie[204]. Les montants des euro-émissions à placer augmentent de jour en jour ; il faut avoir les reins solides pour tenir sur le marché. Il arrive même que, pour emporter une offre, un chef de file s'engage seul, en quelques secondes, à placer une grosse émission, sans s'assurer à l'avance d'aucun associé : c'est le cas de l'Union de Banque Suisse qui prend seule, un jour de 1977, le risque de placer un emprunt à six ans de 200 millions de dollars pour Mobil International[204]. Les gouvernements les plus sérieux empruntent eux aussi sur ces marchés et évitent autant que possible d'emprunter à court terme. Ainsi, le gouvernement suédois émet en juin un emprunt à moyen terme de 200 millions de dollars, le gouvernement australien un autre de 250 millions de dollars en septembre. Cette année-là, on lance 363 euro-émissions pour un montant total de 18 milliards de dollars, soit encore plus que les 346 émissions pour 15 milliards de dollars de l'année précédente. S.G. Warburg en organise 66 pour 3,7 milliards de dollars en tant que chef de file ; elle redevient le second placeur mondial en nombre d'émissions, toujours derrière la Deutsche Bank, et le troisième en montant, toujours derrière la Kredit Bank et le Crédit Suisse. La première banque française, le Crédit Lyonnais, n'est que neuvième[204].

La City n'est plus qu'une place sans guère de relations avec l'Angleterre, ni même avec les banques anglaises : S.G. Warburg est maintenant la seule banque britannique à figurer parmi les vingt premières sur ce marché. C'est dire la rare compétence de ses hommes, l'exceptionnelle valeur de ses analyses et la sûreté de ses placements.

En Grande-Bretagne, la livre, une fois de plus, se stabilise aux dépens de l'investissement ; et James Callaghan, qui remplace Harold Wilson, ne peut, avec son Chancelier de l'Échiquier Dennis Healey, juguler la hausse des salaires : en juillet 1977, l'opposition des syndicats fait céder Callaghan, comme elle a fait céder Wilson avant lui[35], et porte la hausse salariale réelle à 14 %.

Cette année-là, *Business Week* dresse un bilan terrible de l'Angleterre et de la City, décrivant Siegmund comme « le survivant d'exception », et sa banque comme « la principale puissance de la City, toujours dirigée par télex et par téléphone de Suisse par Siegmund qui a su se spécialiser dans les deux domaines les plus profitables, le conseil financier et la garantie internationale. »

Malgré le succès, Siegmund persiste à maintenir à Gresham Street les règles de ses débuts. Toujours pas de nom sur la porte. Un rapport annuel toujours austère. Des horaires sans limite. En cas de grève d'électricité, dit-on, on travaille aux chandelles. Un des cadres raconte aussi : « J'attendais l'ascenseur quand je fus dépassé par un groupe de quatre personnes (Warburg, Grunfeld, Roll,

Scholey) qui prirent l'escalier. Après ça, je n'ai plus pris l'ascenseur pendant plusieurs mois. » En réalité, ils allaient déjeuner au 1er étage...

« La plupart des observateurs de la City, écrit alors le *Times*, attribuent son succès à son travail d'équipe, fanatiquement exigeant, avec juste assez d'innovation pour rester toujours en tête du peloton ». Et son exigence est intacte. En février, il note pour lui-même : « Une des qualités d'un bon dirigeant est de ne tenir aucun compte, autant que faire se peut, des médiocres[214] », et encore : « Les gens médiocres, quand ils ont de l'influence, l'exercent dans la mauvaise direction[214]. »

David Scholey, plus que jamais le successeur désigné, devient alors vice-président de la Banque. Mais Siegmund ne renonce pas à diriger ; et, de là où il est, il veut essayer de réduire la taille du groupe. Il désire vendre, élaguer les branches mortes et redevenir petit. Il cède d'abord une de ses agences de publicité, Masius Wynne Williams, qui souhaite devenir américaine, à l'autre, d'Arcy MacManus ; puis il cherche à vendre Brandeïs-Goldschmidt, dont les profits baissent des trois-quarts : être marchand de métaux sans contrôler les sources de matières premières devient en effet presque impossible.

La débâcle de Belgrade

L'année suivante, l'Amérique plonge au fond de la crise commencée plus de dix ans auparavant. Malgré une forte croissance, le chômage américain tourne toujours autour de 6 %, l'inflation s'accélère, le déficit commercial atteint 39 milliards de dollars et celui de la balance des paiements reste à 14 milliards. Mais la crainte d'une inflation plus forte encore porte à nouveau les taux d'intérêt américains à une hausse vertigineuse : ils commencent l'année à 7,5 % et la finissent à 12 %. La confiance en l'Amérique

491

est désormais très largement atteinte, et l'État fédéral est à son tour considéré comme un emprunteur à risque. En avril, pour la première fois dans l'histoire du pays, une entreprise, Beatrix Food, peut s'endetter à l'étranger à un prix de l'argent plus bas que le gouvernement lui-même[204]. Washington est aux abois. Carter et son Secrétaire au Trésor sont en désaccord sur la politique à mener et ne s'adressent presque plus la parole.

C'est à ce moment que le 1er juin 1978, Pierre Moussa remplace Jacques de Fouchier à la tête de Paribas et Pierre Haas succède à Pierre Moussa à la présidence de "Paribas-Warburg", qu'il partage avec David Scholey. Becker est alors devenue une des premières banques américaines pour les effets de commerce et l'ingénierie financière ; mais elle est restée quelque peu provinciale, ne s'est pas imposée sur le marché des titres et des emprunts, et souffre de la récession américaine.

Ailleurs, la dette appelle la dette : l'Argentine, le Venezuela, le Mexique, les Philippines empruntent à guichets ouverts sur le marché de l'eurodollar et aux banques commerciales de New York. A Londres, devant le chute du dollar, le marché des euro-émissions se ralentit ; on n'émet plus cette année-là que pour 12 milliards de dollars en 248 émissions. La Banque Mondiale y emprunte 500 millions de dollars à un taux de 5 % pour consolider ses propres prêts.

Mais, au début d'octobre 1978, la crise américaine des paiements devient si patente que, sur le marché des euro-émissions, personne ne veut plus des dollars, et on ne peut plus guère placer que des marks. Partout, l'inflation redémarre, nourrie par les dollars que les banques centrales achètent pour soutenir la devise américaine. En Grande-Bretagne, comme en juillet de l'année précédente, Dennis Healey fixe à nouveau un objectif de 5 % pour la hausse des salaires, mais la barrière est largement franchie, d'abord par les ouvriers de Ford qui obtiennent une hausse de 17 %, puis par les routiers et les cantonniers. La politique des revenus amorcée par les travaillistes est réduite à néant[35].

A Washington, la confusion est à son comble ; fin octobre, la situation devient même catastrophique sur les marchés des changes. Le dollar s'effondre, faute de confiance en la politique. Jimmy Carter convoque alors, le 27, le Secrétaire au Trésor, Michael Blumenthal, à la Maison Blanche : c'est le premier tête à tête entre les deux hommes depuis près d'un an. Blumenthal dresse un tableau catastrophique de la situation, et menace de démissionner si rien n'est fait pour réduire l'inflation et renforcer le dollar. Le Président Carter, toujours obsédé par la croissance, reste très peu favorable à des mesures restrictives. Il charge cependant Blumenthal de préparer un plan de soutien du dollar. Et tout recommence comme à Londres treize ans auparavant.

Le lendemain 23 octobre, le Sous-Secrétaire au Trésor, Salomon, contacte William Dale, un des directeurs du F.M.I., et lui demande un prêt de 5 milliards de dollars en Droits de Tirage Spéciaux pour les États-Unis, puis il part pour Bâle présenter les autres mesures envisagées par Blumenthal pour soutenir le dollar et entasser des réserves : il demande à émettre 10 milliards de dollars de Bons du Trésor en devises étrangères, et des prêts pour 6 milliards de dollars à la R.F.A., 5 au Japon et 4 à la Suisse. Soit, au total, 30 milliards de dollars. Les gouvernements allemand, japonais et suisse donnent leur accord. De son côté, le Président de la Banque Centrale prépare une hausse d'un point du taux de l'escompte et un accroissement du taux de réserve des banques afin de réduire la masse monétaire. Le dimanche 29, à Londres, le *Sunday Times* évoque l'imminence de mesures très importantes que Salomon dément catégoriquement. Le lundi 30, le plan est prêt. Le mercredi 1er novembre, jour de l'ouverture de l'assemblée générale du F.M.I. à Belgrade, les marchés européens étant fermés pour la Toussaint, le Président Carter, visiblement bouleversé, entouré de Blumenthal et de Miller, annonce la création d'un fonds d'intervention de 30 milliards de dollars pour soutenir le dollar, des ventes d'or du Trésor américain sont multipliées par 5 et la hausse de l'escompte à 9,3 %.

Les jours suivants, le dollar remonte. L'Europe continue d'importer l'inflation américaine en le soutenant, et crée, en décembre, le Système Monétaire Européen. La Grande-Bretagne reste à l'écart. Mais, dès le mois suivant, les événements d'Iran et l'annonce de futures hausses des prix du pétrole réorientent la devise américaine à la baisse. Rien n'est joué.

Pour Siegmund, la fin de cette année est surtout marquée par un voyage au Japon au cours duquel, le 6 novembre, l'Empereur et le Premier ministre de l'époque, Fukuda, lui remettent la plus haute distinction japonaise, le premier Ordre du Trésor Sacré. La citation en est très élogieuse : « La banque S.G. Warburg contribue très largement au développement économique du Japon, grâce à la grande lucidité et aux immenses compétences de Monsieur Warburg. Il y a tout lieu de continuer à faire confiance à Monsieur Warburg et d'espérer beaucoup de lui qui connaît si bien le Japon. »

RETOUR A L'ORDRE MONÉTAIRE

Sans doute faut-il voir dans la débâcle de Belgrade un tournant important dans l'histoire financière de l'après-guerre : certes, le bateau va d'abord pour un temps continuer à aller sur son erre ; en 1979, l'inflation américaine, pour la première fois à deux chiffres, dépasse les 11 %, bien que la croissance de la masse monétaire baisse de moitié. Et la chute du dollar n'empêche pas le déficit commercial d'avoisiner les 40 milliards de dollars, alors même que la balance des paiements s'équilibre. Et au début de l'année suivante, bien que le déficit budgétaire diminue de moitié, le dollar continue de chuter.

Mais en octobre 1979, le nouveau Président de la Banque Fédérale, Paul Volcker, adopte une politique plus rigoureuse encore. Il décide une nouvelle et massive hausse des taux d'intérêt, de 12 à 16 %, et limite à 4 % la croissance de la masse monétaire : lors du second choc pétrolier, en novembre, le déficit extérieur est brusquement réduit à zéro. L'Europe cesse alors de soutenir le dollar et peut commencer à lutter contre son inflation.

A Wall Street, cette année-là, l'incertitude sur le dollar rend les marchés fébriles et aggrave les risques ; la concurrence devient de plus en plus acharnée et les décisions demandent à être prises dans des délais de plus en plus rapides. Les banques se regroupent pour résister : ainsi, par exemple, la fusion des activités internationales de la First Boston, qui a déjà racheté White Weld, avec celles du Crédit Suisse, en un « Crédit Suisse First Boston », est une grande mutation[81].

Chez Becker, Paul Judy en est arrivé à ne plus supporter l'omniprésente tutelle de Siegmund. En juin 1979, il quitte la présidence, tout en restant conseiller de la maison. Pour lui trouver un remplaçant, Siegmund repousse la suggestion de ses adjoints de recourir aux services d'un chasseur de têtes : « Mais non, cela ne servirait à rien ! Tous les bons candidats, nous les connaissons... » Il consulte Ira Wender, son avocat à New York, rencontré en 1964 et devenu l'un de ses « fils adoptifs », dont il a fait en 1970 le président de sa petite banque américaine S.G. Warburg Inc, redevenu avocat après l'achat de Becker en 1974. A son instigation, il constitue un comité composé des trois plus hauts cadres de Becker et leur demande de se chercher eux-mêmes un président ; ils s'y essaient, mais aucun des candidats proposés ne parvient à séduire Siegmund et, au bout de six mois, le comité décide alors de choisir Ira Wender lui-même. Chez S.G. Warburg et à Paribas, on acquiesce.

Siegmund s'occupe alors beaucoup de Becker, et les deux associés européens y prennent une part croissante du capital. Les plus grands noms de l'industrie et de la finance américaines, japonaises et européennes, y compris la C.E.C.A., qui a quitté Kuhn Loeb en déroute, confient maintenant leurs transactions à S.G. Warburg. Elle fait aussi de belles affaires, là où la concurrence entre Paris et Londres ne joue pas : dans le domaine des fusions et des acquisitions de sociétés américaines par des entreprises d'Europe, attirées par la faible valeur du dollar, comme celle du cimentier américain Coplay Cement par les Ciments Français, l'achat d'Illinois Prospectives Ltd par U.K. National Coal.

A Londres, le marché des euro-émissions s'est installé à un très haut niveau. A côté des 200 milliards de dollars de prêts en dollars à court terme consentis en l'espace de quinze ans au Tiers-Monde par les banques commerciales, on a lancé dans le même temps 1954 émissions, pour un total de 60 milliards de dollars, sur lequel Siegmund a réalisé 355 émissions pour 12,5 milliards de dollars[204]. Sur cette période, il figure au quatrième rang mondial pour le nombre d'emprunts placés, au septième pour le montant total[204].

En Angleterre, la gestion de la crise par l'austérité fait des ravages : en 1979, le P.N.B. hors pétrole est inférieur de 5 % à ce qu'il était en 1975. Le 3 mai, les travaillistes perdent les élections, Margaret Thatcher devient Premier ministre et supprime aussitôt ce qui subsiste du contrôle des changes. Le Banking Act aligne la législation bancaire britannique sur celle de la Communauté Européenne[35]. Un fonds de protection des dépôts est créé, géré par la Banque d'Angleterre et par des banquiers désignés par le Trésor, dont David Scholey. Malgré ces efforts, l'inflation s'accélère, la récession et le chômage se généralisent.

Le microcosme de la City reflète alors de moins en moins la réalité anglaise et de plus en plus les rapports de force mondiaux : parmi les 355 banques étrangères qui y sont installées, les banques japonaises y supplantent désormais les banques américaines et collectent plus de dépôts en devises qu'elles ; Français, Allemands, Arabes (telles la Saudi International Bank ou l'Arab Banking Corporation of Bahrein) s'y activent également[204].

Cette année-là, Effecten Warburg Bank crée avec S.G. Warburg et la banque Leu de Zurich une filiale commune au Luxembourg, devenue une place d'euro-émissions importante, sous le nom de « Société des banques S.G. Warburg et Leu. » L'année suivante, S.G. Warburg augmente encore son chiffre d'affaires anglais de 30 %. Elle organise avec Rothschild un financement destiné à British National Oil Corporation, le rachat d'Avery par General Electric, et l'émission d'actions de British Petroleum.

Mais, prétend Siegmund, lui-même n'a pris aucune part à ces affaires[207]. David Scholey rejoint alors Éric Roll comme coprésident de la Banque et vice-président de Mercury Securities.

Aux États-Unis, en 1980, malgré la cure d'austérité, la machine américaine ne se rétablit pas. Seule revient à l'équilibre sa balance des paiements, et encore à quel prix : un déficit budgétaire de 60 milliards de dollars, une inflation supérieure à 13 %, une croissance ralentie, un chômage en hausse. Ailleurs, signe de la profondeur de la récession, la création monétaire internationale, c'est-à-dire celle d'eurodollars, se ralentit très sensiblement. Les pays pétroliers prêtent moins. Les réserves officielles en dollars des Banques centrales, après avoir progressé de 20 % par an au long des années 70, atteignent 300 milliards à la fin de 1980, puis stagnent. Le dollar représente toujours 80 % des réserves en devises. Au total, la masse des eurodollars en circulation atteint, semble-t-il, les mille milliards de dollars, même si circulent à ce propos les estimations les plus fantaisistes.

Alors que l'économie réelle piétine, le marché financier prospère : en un an, on lance 310 euro-émissions pour un montant total de 18,8 milliards de dollars, et S.G. Warburg y occupe toujours la troisième place mondiale.

Par ailleurs, soucieux de mieux s'installer en Suisse, en mars 1981, Siegmund décide de racheter un tiers du capital d'une petite banque très imaginative, la SODITIC, dirigée à Genève par Maurice Dwek, dont Paribas Suisse possède déjà un tiers.

A la mi-1981, les cours du pétrole et des matières premières chutent et la désinflation commence. Les émissions annuelles d'euro-émissions augmentent à nouveau au-delà du record de 1977 et atteignent 26 milliards de dollars, alors que les prêts à court terme en euromonnaies atteignent 133 milliards de dollars.

Pour résister aux conséquences de la levée du contrôle des changes, qui fait fuir en masse les capitaux, la City décide d'attirer chez elle les banques étrangères : ainsi le saint des saints, le Comité d'Acceptation, s'ouvre-t-il à des banques étrangères.

En juin, après deux ans de négociations menées par Henry Grunfeld et son président A.O. Creutziger, Mercury Securities vend Brandeïs-Goldschmidt à Péchiney. Fin d'une époque.

« INVESTISSEMENT POUR LA PAIX »

Siegmund se sent sans attaches, et s'accepte enfin sans pouvoir dans les affaires du monde. Au fond, pense-t-il, son influence a toujours été très faible. Depuis que la politique lui a été interdite, dans son pays d'origine comme dans son pays d'adoption, il n'a pas pu vraiment — ni essayé sérieusement — de jouer un rôle. Il se souvient que la Wilhelmstrasse ne l'a pas soutenu quand il s'est trouvé menacé par les nazis et que le Foreign Office ne l'a pas davantage protégé quand il a été boycotté par quelques pays pétroliers.

Son universalisme le ramène alors un peu à son identité juive, qui, jusque-là, n'avait jamais beaucoup compté pour lui. Il dévore les livres d'Élie Wiesel, comme *La Nuit*, qu'il lit en allemand et qu'il aime, dit-il, pour leur "valeur éthique". A ses amis, il explique qu'il n'est ni sioniste, ni antisioniste, mais que les affaires d'Israël l'intéressent davantage que par le passé. Il voit beaucoup Nahum Goldman, dont il se sent très proche. Plus passionné par la morale et la Loi que par un sol, il supporte mal l'idée qu'un Juif puisse ne pas se montrer aussi exigeant que, selon lui, le requiert le Livre. Israël — qu'il appelle en privé, en allemand, notre *Sorgenkind*, notre « enfant à problèmes » — le préoccupe beaucoup : parce que c'est Israël, parce que le Moyen-Orient peut devenir détonateur de guerre mondiale, et parce que, de ses premières années en Angleterre, lui reste la passion d'aider les réfugiés, les déracinés. Et les Palestiniens, à ce titre, l'intéressent aussi à présent.

Mais il ne veut pas pour autant nuire à Israël et arrête, semble-t-il[55], de financer une revue publiée à Londres, la *Jewish Observer and Middle-East Review*, quand elle devient trop hostile à l'égard de Jérusalem.

Au cours de ces années-là, il se rend encore à quelques rares reprises en Israël, voir sa fille. Et en 1974, quand Israel Corporation connaît une faillite retentissante, il est bien content de ne plus en être.

Mais, à cette époque, l'essentiel de son intérêt se porte sur le rapprochement entre Israël et l'Égypte, dont il sera un témoin actif et un acteur masqué, comme il sied à l'homme d'influence : en transmettant de l'un à l'autre les signaux importants qu'il reçoit, à Londres ou à Blonay, d'Américains, d'Israéliens, d'Égyptiens et de Palestiniens, il accélérera la connaissance des uns par les autres. En cela, l'histoire de cette page essentielle de l'après-guerre vaut d'être contée, du moins pour ce qu'il est possible d'en dire aujourd'hui.

En novembre 1976, le Président Sadate déclare à des parlementaires américains qu'il est prêt à s'entendre avec Israël et qu'il appartient au Président Carter de prendre une initiative. Les réactions, tant du côté arabe que du côté israélien, à quelques exceptions près, sont plutôt négatives.

Tout ne se déclenche qu'un peu plus tard, en avril 1977, quand des élections en Israël opposent Peres à Begin. Bruno Kreisky est alors en voyage officiel à Damas où le Président Sadate, qu'il connaît bien, lui téléphone : « Passez donc me voir au Caire avant de rentrer en Autriche ». Kreisky accepte. Sadate, qui le reçoit au Caire en grandes pompes, lui dit alors : « Voilà, j'ai réfléchi, je suis prêt à rencontrer les Israéliens après les élections, à Salzbourg ou ailleurs. Je veux m'entretenir avec lui sans préalables. En attendant, je voudrais rencontrer des Juifs importants d'Europe et d'Amérique. Pouvez-vous les choisir pour moi ? »

En rentrant, Kreisky téléphone à l'industriel autrichien Karl Kahane, puis à Siegmund Warburg. Il leur raconte son entrevue avec Anouar El-Sadate et leur demande de constituer un tel groupe. Enthousiastes, les deux hommes établissent ensemble une première liste : Edmond de Rothschild à Paris, Marcus Seif à Londres et quelques Juifs américains qui, contactés, hésitent, sollicitent l'avis de certains à Jérusalem, qui leur font connaître leurs réticences, ce dont Siegmund est très amer.

Le 17 mai, le Likhoud remporte les élections. Le 21 juin, Begin devient Premier ministre et son gouvernement obtient la confiance de la Knesset. Tout semble alors bloqué et Siegmund désespère de voir Israël répondre à cette main tendue. En septembre et octobre, malgré une intense activité diplomatique, il n'y a toujours pas d'accord sur les conditions dans lesquelles pourrait se tenir une conférence internationale à Genève. Siegmund est alors à New York, pour s'occuper du sort de A.G. Becker, et il y rencontre des émissaires des deux camps commence à imaginer, avec d'autres, un grand plan de développement économique pour le Moyen-Orient.

Le 9 novembre, le Président Sadate, s'adressant au Parlement égyptien, franchit le pas : il est prêt à se rendre en Israël et à s'exprimer devant la Knesset, sans conditions. Tout va alors très vite : le 11, Begin répond qu'il est favorable à ce voyage ; le 14, dans deux interviews à CBS, Sadate dit attendre une invitation officielle ; Begin répond que, tout comme Sadate, il ne pose aucune condition préalable à ce voyage et transmet une invitation officielle par le truchement de diplomates américains ; le 17, Sadate accepte et, après avoir rencontré Assad à Damas, débarque à Jérusalem le 19. Le 20, il s'adresse à la Knesset, et, après une conférence de presse tenue en commun avec Begin, quitte Israël le 21.

Après ce mois intense, la situation s'enlise. Les partisans de la paix s'impatientent. Un peu plus tard, Siegmund, qui suit les évènements avec une vive passion, écrira à un ami très proche ses impressions sur l'attitude du gouvernement du pays qu'il appelle toujours « notre *Sorgenkind* » : « Vous comme moi avons été plongés dans un commun désespoir quand nous avons senti que la formidable chance offerte à Israël par l'initiative de paix n'était pas saisie par le gouvernement de Tel-Aviv par suite d'un étrange mélange d'étroitesse de vues, d'exigence et d'auto-intoxication. »

Il reste alors en contact étroit avec Bruno Kreisky qui le tient informé de tout, et rencontre à plusieurs reprises le directeur de l'information du Président Sadate, le journaliste égyptien Ali El-Samman, à qui il fait passer certains messages sur ce qu'il apprend.

Ainsi s'organise la rencontre du Président Sadate, lors

de son passage à Paris, le 13 février 1978, avec des dirigeants juifs à l'Hôtel Marigny. Aux côtés de Siegmund se trouvent Edmond de Rothschild, Nahum Goldman, Karl Kahane et Lord Goodman. Là encore, plusieurs ont refusé de venir. La rencontre est longue. Sadate les invite à venir en Égypte. Siegmund ne s'y exprime guère : il estime n'avoir pour l'instant aucun rôle à jouer, pas plus que les Juifs de la Diaspora : la balle est dans le camp des responsables politiques israéliens. Le lendemain, Sadate se rend à Rome et y rencontre Paul VI.

Siegmund va alors inciter Israël à accepter la main tendue de Sadate. Il multiplie les contacts téléphoniques avec ses amis et décide, fait unique pour lui, de rédiger un appel à la paix, qu'il souhaite faire cosigner par plusieurs personnalités influentes de Londres. Il l'écrit dans la nuit du 17 février, l'expédie à certains de ses amis, mais tous refusent de le signer. Très amer, il se résoud à le publier en son seul nom, le lendemain, dans le *Times*. C'est une véritable profession de foi, expression de ses rapports au judaïsme et aux sionismes. En voici l'essentiel :

« Si l'initiative de Sadate venait à échouer, aucun leader arabe ne pourrait la reprendre avant plusieurs années (...). Les deux fondateurs de l'État d'Israël, Chaïm Weizmann et David Ben Gourion, croyaient profondément que le legs et l'idéal du Judaïsme doivent inspirer les objectifs et le comportement de l'État d'Israël. Je les ai souvent entendus s'exprimer ainsi, avant et après 1948, et émettre des critiques à l'endroit de l'opposition nationaliste étroite qui, dans leur pays, s'est souvent opposée à leurs hautes ambitions. Pour une communauté, la création des conditions d'une existence assurée ne se confond pas avec le nationalisme opportuniste. Alors que tout ami d'Israël — et j'en suis un de toujours — doit être conscient de la nécessité de doter Israël de tous les moyens de protection possibles, il est contraire à cet objectif de se battre pour ceux des gains territoriaux qui, au lieu d'augmenter sa sécurité, ne feraient qu'accroître pour lui les dangers et les risques. La création et le développement d'implantations dans les territoires occupés vont exposer Israël, et les colons en particulier, à des risques artificiellement provoqués, insensés aux yeux de ceux qui prient pour un Israël fier et lucide. De nombreux Juifs, dans et hors Israël, applaudissent à l'initiative du Président Sadate et plaident pour une réponse positive et imaginative d'Israël. »

Énorme esclandre dans la City et la Communauté juive britannique. Il en est très fier : homme libre, sûr de sa morale, il nargue ceux qui se tiennent cois : « De nombreux Juifs, dans et hors d'Israël, partagent mon point de vue, mais ne veulent pas l'exprimer publiquement pour ne pas paraître manquer de loyauté à l'égard d'Israël. En fait, la loyauté obéit à des principes moraux qui transcendent toute autre sorte de fidélité. Chacun devrait voir les immenses bénéfices que retirerait le Moyen-Orient des efforts conjoints des Juifs et des Arabes. »

Quelque jours après, il écrit au Président Sadate pour donner un sens à son silence pendant leur rencontre : à ses yeux, l'importance et la dimension de celle-ci rendaient les mots inutiles. Il termine sa lettre en disant : « Sachez que, quel que soit l'avenir, jamais un non-Juif n'a pesé et ne pèsera positivement dans l'histoire du peuple juif autant que vous-même. »

Quelques mois passent avant que Begin, au terme de longues médiations de Cyrus Vance, n'accepte d'engager des pourparlers. Le 8 août 1978, la Maison Blanche annonce une rencontre entre Carter, Sadate et Begin pour le 5 septembre, à Camp David. L'accord, conclu le 17, est rendu public le 18. Le cabinet égyptien l'approuve le 19, malgré la démission du ministre des Affaires étrangères. La Knesset le ratifie le 28.

Siegmund rencontre en février 1979, à l'Hôtel Pierre à New York, le Docteur Ashraf Ghorbal, alors ambassadeur d'Égypte à Washington ; il lui explique qu'il réfléchit à un plan économique qu'il appelle *"Investissement pour la Paix"*, en vue d'inciter les investisseurs européens et américains à s'intéresser au Moyen-Orient ; dans son esprit, il faut que les peuples soient convaincus que la paix entraînera la prospérité, et que la stabilité économique de la région sera une garantie pour la paix.

En septembre 1979, il adresse une deuxième lettre au Président égyptien. Il y insiste auprès de Sadate sur l'importance de la durée dans les négociations avec Israël : « De votre patience, Monsieur le Président, dépend tout l'avenir de la paix dans cette région du monde ». A cette lettre, Sadate répond par un message que lui communique la semaine suivante Ali El-Samman à Blonay : « Je n'épargnerai pas mes efforts, lui dit Sadate. Si vous entendez un jour un de vos amis en Israël dire que j'ai fait montre de patience dans les négociations, sachez que c'est l'attitude d'un homme aussi noble que vous envers moi qui a été à l'origine de cette patience. »

En janvier 1980, le ressentiment de Siegmund envers Begin est tel qu'il refuse même de recevoir le doctorat *honoris causa* de l'Université de Jérusalem, créée par son oncle Félix, et refuse de se rendre en Israël aussi longtemps que Menahem Begin y sera au pouvoir. Le mois suivant, il confirme ses vues dans une lettre à un ami : « La seule loyauté qui s'impose est celle que je dois aux principes, et non pas aux peuples ni aux gouvernements. Je crois que la politique de colonies sur la rive occidentale [du Jourdain] est contraire aux intérêts d'Israël, car non seulement elle l'expose à de grands périls, mais elle porte atteinte à la grande cause fondatrice d'Israël, celle qui en fait une communauté exemplaire bâtie sur la Justice et l'Humanité. Je crois qu'Israël doit protéger sa sécurité de toutes les façons possibles, mais je pense que la politique étroitement nationaliste de Begin met en péril la sécurité du pays au lieu de la renforcer ». Il ajoute : « Je ne vois aucun espoir d'amélioration d'ici à la prochaine élection d'un nouveau Président des États-Unis qui, quel qu'il soit, exercera des pressions dès le printemps 1981. »

Au même moment, il écrit une troisième lettre au Président Sadate, qui lui est remise en mains propres dans sa maison de campagne de sa ville natale, Mite Abou Elkomé ; il y développe ses propositions pour un plan économique pour le Moyen-Orient, évoquées un an auparavant à New York. Un mois plus tard, un samedi soir de mars 1980, Sadate l'appelle à Blonay : « Camp David représente non seulement un accord entre États, mais une ère nouvelle dans les rapports entre le peuple d'Égypte et la Diaspora. » Le temps empêchera l'un et l'autre d'aller plus loin.

Siegmund continue de financer l'Institut Weizmann et d'aider toutes sortes de gens de bonne volonté de la région, de ces Justes qui, de part et d'autre, prenant tous les risques, contribuent à rapprocher les points de vue.

Le moment n'est pas encore venu de savoir le détail de tout ce qu'il fit là, ni ce que d'autres firent avec lui, sinon que, là comme en d'autres lieux, Sir Siegmund Warburg a su se montrer, au sens propre du mot, irremplaçable.

NUIT AMÉRICAINE

Voici l'histoire de la brusque destruction d'une banque, comme il en arrive souvent en signe avant-coureur des grandes crises, juste avant que tous les clignotants ne s'affolent et que les manettes ne répondent plus. Car, chez Becker, l'alliance anglo-franco-américaine tourne maintenant vraiment mal. Dès la nomination de Wender à la fin de 1979, on recrute du personnel, mais sans gagner assez de commissions pour les payer. Comme les autres *investment banks* de New York, Wender cherche alors à combler les pertes en orientant la banque vers un marché qui paraît prometteur mais qu'elle ne pratiquait pas jusqu'ici, celui, très spéculatif, des obligations américaines, à la fois en en émettant et en en vendant. Sa situation ne s'améliore pas : et la co-direction exige l'accord quotidien des deux associés, à Paris et à Londres, voire à Blonay, alors qu'à Wall Street les autres banques prennent leurs décisions dans la minute, sous peine de perdre leurs clients. Alors l'inévitable se produit : à la fin de 1980, Becker laisse paraître quelques déficits. Informés par Ira Wender, David Scholey et Pierre Haas, conjointement présidents du condominium, décident d'engager davantage leurs deux maisons dans leur commune filiale, bien que cette stratégie ne fasse pas l'unanimité à Londres, certains redoutant que Paribas ait plus que S.G. Warburg les capacités financières d'en tirer profit.

Au début de 1981, la situation devient vraiment très difficile : A.G. Becker annonce pour l'exercice écoulé un profit de 4 millions de dollars dans le courtage de détail et les opérations internationales, ce qui est fort peu par rapport à un chiffre d'affaires de 251 millions de dollars.

Dans la banque, métier volatile, l'atmosphère a tôt fait de se dégrader. Plusieurs dirigeants importants partent, tels Paul Judy, John F. Donahue et Albert Kobin. En mai 1981 s'ouvre la perspective d'une nationalisation de Paribas et Ira Wender ne s'en montre guère enthousiaste, pour ne pas dire moins. En octobre, au moment où cette décision se joue à Paris, Siegmund Warburg décide, en accord avec Jacques de Fouchier, de maintenir ses liens avec Paribas, même nationalisée ; et il s'oppose à Ira Wender et à Pierre Moussa. Le 26 de ce mois, en pleine crise rue d'Antin, après que Paribas eut cédé le contrôle de ses filiales bancaire suisse et industrielle belge à des intérêts étrangers, Jacques de Fouchier revient remplacer son successeur à la tête de Paribas, et conduit la nationalisation de sa maison, jusqu'à la nomination à sa tête, le 16 février

1982, de Jean Yves Haberer, alors directeur du Trésor au Ministère des Finances.

Siegmund vient alors à Paris et fait savoir sa loyauté à l'égard des nouvelles règles du jeu bancaire français. Il garde sa participation dans Paribas nationalisée, et Lord Roll est nommé au conseil d'administration de Paribas.

A New York, A.G. Becker continue de perdre de l'argent et, entre mars et mai 1982, licencie 250 de ses 2 500 employés. Les rumeurs commencent à courir sur ses comptes[81]. Au début juin, pour calmer le jeu, Wender annonce que les pertes ne sont que de 2 millions de dollars pour les six mois écoulés, ce qui ne fait en réalité que confirmer l'existence de sérieux problèmes. Il ajoute que la société dispose, en capital, des moyens de faire face aux obligations imposées par le New York Stock Exchange, ce qui aggrave encore l'inquiétude générale[81].

Siegmund, informé de ces déclarations, en est ulcéré : il sait d'expérience qu'une banque d'affaires n'est qu'un fragile réseau d'individus, collaborateurs et clients, et que quelques rumeurs, détruisant la confiance en elle, peuvent la jeter bas en l'espace de quelques jours. La semaine suivante, d'autres cadres importants partent, emmenant leurs compétences et leurs relations ; des clients se retirent, des comptes se ferment. Siegmund, furieux de la maladresse de Wender, vient plusieurs fois à Paris pour convaincre son partenaire Paribas, encore perplexe, de demander sa démission, qui interviendra finalement le 1er juillet 1982. Ira Wender partira, convaincu qu'il a été sacrifié pour avoir tenté de garder la balance égale entre Paribas et Warburg.

En même temps, pour réduire à néant les rumeurs qui font du tort à la firme, et à la demande même de ses cadres actionnaires, Warburg et Paribas portent à 51 % leur part dans le capital de Becker. Il reste à trouver un nouveau patron. Paribas, qui ne veut pas d'un homme venu de Londres, afin de ne pas déséquilibrer le condominium, souhaite qu'on désigne un Américain expérimenté. Siegmund, qui ne veut pas voir s'installer une personnalité trop forte, susceptible d'échapper à son contrôle, avance l'idée d'une solution provisoire, trouvée dans la firme elle-même : John G. Heimann et Dan Good. Le 9 juillet, lors d'un conseil d'administration de Becker à Chicago, Pierre Haas annonce l'augmentation de capital et la nomination comme co-présidents de ces deux cadres, et celle d'un directeur général de Paribas, Hervé Pinet, à leurs côtés. Daniel Good est chez Becker depuis 18 ans, c'est lui qui a organisé le premier contact avec Paribas. John G. Heimann, ironie du sort, a été pendant huit ans fondé de pouvoir chez E.M. Warburg-Pincus, avant de devenir superintendant des banques de New York, puis Contrôleur de la Monnaie de Jimmy Carter, jusqu'à l'élection de Ronald Reagan en novembre 1980, avant d'entrer chez Becker en février 1981.

Jean-Yves Haberer demande à Siegmund de se rendre à New York avec lui pour installer l'équipe de direction et démontrer aux cadres l'engagement de leurs actionnaires européens. Siegmund tergiverse : il considère qu'il a fait ses adieux à New York et redoute que son retour n'alimente les rumeurs sur Becker. Il suggère même de limiter son séjour à une réunion discrète dans un hôtel de l'aéroport Kennedy, mais J.Y. Haberer lui objecte que cette semi-clandestinité serait pire que tout. Finalement, un séminaire de deux jours est organisé ouvertement à l'hôtel Pierre. Deux jours durant, Siegmund bataille ferme pour motiver les cadres de Becker, leur fournir des consignes stratégiques, répondre à leurs questions. Tous les témoins de ces journées disent son extraordinaire vitalité, sa rage de convaincre, sa volonté de remettre de l'ordre, son regret d'avoir laissé d'autres diriger, qui l'ont déçu.

Fragile sursaut d'une banque à l'agonie. A Wall Street, à l'époque, les banques changent vite de mains : ce même jour, 17 juillet, un fonds arabe, l'« Al Saghan », à la fois saoudien, koweitien et bahreinien, achète pour 40 millions de dollars le quart du capital de Smith, Barney, Harris, Upham & Co, maison-mère de la quinzième banque d'investissements américaine.

DERNIERS ACTES

L'essentiel de cette année — sa dernière — est consacré à l'Allemagne. Blonay devient un lieu de rendez-vous des dirigeants allemands, et lui-même se rend souvent, en voiture de location avec chauffeur, de Blonay à Francfort ou à Munich. Il n'y compte plus beaucoup de relations influentes : Hans Wüttke, entré au directoire de la Dresdner Bank, l'a quittée en 1980 pour devenir vice-président exécutif de la Société Financière Internationale, une filiale de la Banque Mondiale à Washington. Et il ne souhaite plus avoir de rapports avec M.M. Warburg, Brinckmann, Wirtz & Co.

La vieille maison est alors toujours très brillante, troisième des quatre-vingts banques privées allemandes qui subsistent, sur les deux mille existant en Allemagne au XIXᵉ siècle. Chez Warburg, Brinckmann, Wirtz, dit la brochure de la banque, on travaille « avec sobriété et pragmatisme, selon la devise hanséatique : *la substance plus que l'apparence*, qui pourrait être aussi celle de la banque ». Elle possède une filiale à Francfort, une autre au Luxembourg, et contrôle une banque de Nuremberg. Son actif est de 1,4 milliard de dollars. Elle a 400 employés, dont 12 y collaborent depuis les années 50. C'est aussi un des principaux agents de change d'Allemagne. Elle est dirigée par quatre associés égaux, responsables sur leurs actifs : Max Warburg, qui a remplacé son père retiré à Kösterberg, Christian Brinckmann et deux autres : H.D. Sandweg, également président de la Bourse aux Valeurs de la ville, et Hans Shecke.

Les derniers mois de la vie de Siegmund sont aussi marqués par son désir d'être encore plus présent au Japon, puissance dominante de l'avenir, qu'il a vu croître depuis vingt ans. Il a l'idée d'y prendre pied avec Mercury Securities par une opération conjointe avec Rio Tinto, mais il n'a pas le temps de la mettre sur pied. Dans la même direction, il laisse Peter Stormonth Darling négocier à Hong-Kong, principal marché financier de l'Asie, la création avec la Bank of East Asia d'une banque commune qui reçoit le nom d'« East Asia Warburg Ltd », ce qu'il a quelque mal à accepter. En juillet 1982, Scholey fonde aussi à Londres, avec une compagnie d'assurances japonaise, la « Dai Ichi Mutual Life Insurance Co », une compagnie financière commune sous le nom de « Dai Ichi Warburg ».

L'ultime affaire dont il a connaissance est la dissolution, en septembre, d'une opération montée un an auparavant avec une compagnie d'assurances américaine, Aetna Life, l'Aetna Warburg Investment Management, créée pour gérer de l'argent de la Fondation Ford, de Standard Oil of Indiana et d'I.B.M. Aetna tient à présent à acheter une banque anglaise ; mais S.G. Warburg n'est pas à vendre. Aussi se sépare-t-on. Warburg reprend ses affaires sous l'appellation de « Warburg Investment Managment International ».

Sa maison est plus forte que jamais : en juillet 1982, Lord Roll annonce pour l'exercice 1981 un profit net de 13 millions de livres, en hausse de 10 % sur selui de l'année précédente et de 30 % sur celui de 1979. La banque vaut maintenant 140 millions de livres et gère pour 5 milliards de titres. Le dividende distribué reste modeste, comme d'habitude. C'est toujours la banque d'affaires la plus rentable de la City et la troisième sur le marché mondial des euro-émissions, qui double encore pour atteindre cette année-là 47 milliards de dollars : on est loin des 143 millions de l'année d'Autostrade. S.G. Warburg est

510

présente à Londres, New York, Francfort, Genève, Tokyo et Hong-Kong. Siegmund est vraiment le seul banquier du siècle à avoir fait lui-même de la banque qu'il a créée une institution internationale.

REGARDS SUR SA VIE

Le 20 juillet, rentrant de son équipée à New York, Siegmund montre quelques signes de fatigue. Sait-il à ce moment qu'approche le terme ? Certes, il en joue depuis quelque temps : « Vous serez bien contents quand vous serez débarrassés de moi », répète-t-il autour de lui. Mais, comme la plupart des gens de sa sorte, il se croit indestructible, et toute son action demeure tendue vers l'avenir. Pourquoi en irait-il autrement, d'ailleurs : il n'est pas malade, rien de menaçant n'affecte sa santé.

Sans doute, comme tout homme de qualité, et comme le lui a appris sa mère, fait-il régulièrement le compte de ses propres actions et les juge-t-il sévèrement, selon les exigeants critères hérités de son judaïsme hambourgeois. Mais il a la conscience tranquille. Il pense qu'il a été tout à la fois juste et efficace. « Il est difficile, dit-il, de combiner générosité et discernement, mais cela vaut la peine d'essayer. » Il a essayé chaque jour de sa vie.

Il ne se reproche rien : « Dans ce siècle atroce, nul ne pourrait reprendre quoi que ce soit à mon comportement », déclare-t-il à un ami. Ni dans ses rapports avec sa femme, ni dans l'éducation de ses enfants, ni dans son attitude vis-à-vis de ses amis, même si, avec les uns ou les autres, son extrême exigence et son impitoyable jugement ont pu briser quelques rêves ou enfoncer quelques faiblesses.

En ces derniers mois de sa vie, plusieurs l'entendent dire, citant Thomas Mann, qu'une vie achevée suppose d'avoir atteint tout à la fois les plus hauts degrés de la joie

511

et ceux de la souffrance. De ce point de vue, pense-t-il, sa vie aura été une réussite : la double ruine de sa jeunesse, celle, morale, de son père, puis la sienne, proprement financière, ont été suivies du spectacle des souffrances de sa mère durant ses quinze dernières années, qu'il n'a jamais pu oublier et qui « furent, dit-il, le prix payé pour la joie d'être près d'elle[211] ».

Il sait qu'il doit beaucoup aux autres et d'abord à Henry Grunfeld, son plus vieil ami encore vivant, qui lui dit un jour de 1981 : « Nous croyons tous deux aux mêmes exigences morales » et à qui il répond : « Vous n'auriez pu faire ce que nous avons fait sans moi, et je n'aurai pu le faire sans vous. » Il sait qu'il a redonné vie, une dernière fois peut-être, à l'un des plus grands noms de fortune d'Occident, et qu'il a influé, autant qu'un homme peut le faire par la raison, sur le torrent de l'Histoire. Mais il sait aussi qu'en inventant le meilleur de la finance du siècle, il n'a pu empêcher d'autres d'aller à la facilité et de porter à son paroxysme l'économie de la dette, faisant surgir une nouvelle fois le spectre de la guerre.

Il a, comme il le dit lui-même, « voulu qu'avec lui le monde ne soit pas aussi mauvais qu'il l'aurait été sans lui ». Et telle est peut-être l'ultime définition de sa réussite, la marque la plus exacte de l'influence qu'il a voulu avoir.

Il sait également, comme le lui dit ces jours-là Henry Grunfeld, que son principal apport aura été « l'exemple qu'il a donné pour faire évoluer la banque ». Il a voulu faire de S.G. Warburg and Co la « Morgan Stanley » de l'Europe, et il l'a fait. Il a aimé agir. Il a réussi, comme il l'a toujours voulu, à rester aussi petit en taille que grand en influence, remportant de superbes parties, sans jamais en revendiquer le mérite.

Il ne se voit pas comme le plus grand banquier contemporain : il place avant lui André Meyer, le plus riche, et Herman Abs, le plus puissant. Mais il est heureux d'être resté l'irréductible marginal, l'étranger victorieux, qu'aucune victoire n'aura convaincu d'accepter d'entrer dans les cercles du conformisme : un « prince puritain et romantique », dit de lui George Steiner.

Difficile de savoir s'il a atteint à sa propre vérité. Lui-même note d'ailleurs en novembre 1980 : « La vérité est aussi kaléidoscopique que la vie », et il n'a guère la nostalgie de l'absolu.

Lorsqu'il considère l'état de ses affaires, il n'est aucune décision qu'il regrette, sauf, dit-il deux ans avant sa mort, dans une « proportion relativement réduite de cas ». Et, dans ces cas-là, il n'a perdu de l'argent que « de temps en temps ; mais cela ne m'ennuie pas. J'ai aujourd'hui beaucoup plus d'argent que je n'ai jamais songé en gagner, mais l'argent est pour moi absolument secondaire[207] ».

De l'argent, il en a quelques dizaines de millions de dollars, ce qui est beaucoup moins que maints autres banquiers ou spéculateurs à Londres, Tokyo, Hong-Kong ou New York. Il a laissé le plus gros dans son entreprise. Il n'a pas non plus collectionné les objets, hormis beaucoup de beaux livres, quelques meubles précieux et quelques vieilles boîtes en argent. Charles Sharp dit de lui : « Ce qui m'a le plus impressionné, c'est le peu d'attention qu'il a accordé à ses propres intérêts financiers, personnels ou familiaux. Ayant eu à m'occuper de ses placements, ainsi que des opérations liées à son installation en Suisse, j'ai toujours eu le plus grand mal à susciter chez Sir Siegmund un intérêt quelconque pour ses affaires financières personnelles ou celles de sa famille, y compris quand de grosses sommes étaient en jeu[222]. »

Lui qui hait l'irrationnel et le fanatisme a toujours conçu le métier de banquier comme un moyen d'agrandir la sphère de la rationalité, et non de gagner de l'argent. Il a su d'avance le tragique de son destin : refaire fortune sans aimer l'argent, penser rationnellement dans un monde de folie, aspirer à la sagesse dans un siècle de barbarie.

Décidément, pense-t-il, si lui, homme de haute finance, a eu si peu d'influence en ce siècle, c'est qu'il n'est pas le siècle de l'argent mais celui de la spéculation et du pouvoir.

Pour le reste, il a gardé assez de distance avec lui-même pour ne pas prêter d'importance à la foire aux ambitions. Il sait et aime à répéter que « la vie n'est qu'une maladie mortelle[214] », et que « la clef du bonheur réside dans l'illusion de trouver du sens là où il n'y a que du non-sens[214] ».

Il est d'ailleurs conscient de ses échecs, et sait qu'ils résident là où était pour lui l'essentiel : sa dynastie s'arrête avec lui ; il n'a pas réussi à revenir vraiment en Allemagne ; sa passion de la politique est restée lettre morte, et, surtout, beaucoup de gens l'ont déçu. Il a eu, il le sait, tendance à surestimer ceux qu'il a rencontrés, à trop s'enthousiasmer a priori, à toujours croire que l'autre ressemblait à l'image qu'il en avait. « Je suis confiant et je prends tout trop à cœur. Si quelqu'un se montre amical et poli, je prends cela volontiers pour de la gentillesse. Mais Grunfeld, sagement, me souffle que la personne en question pourrait bien vouloir quelque chose de nous[207]. » Il s'est ainsi souvent brûlé les doigts avec de prétendues amitiés ou avec de fausses passions. « J'ai appris à prendre les gens somme ils sont. Ce qui m'ennuie, c'est quand je fais confiance à quelqu'un et qu'il me laisse tomber. Ça m'est arrivé plusieurs fois. Ma femme dit que dans certaines relations avec les gens, je ne suis qu'un bébé. C'est une de mes faiblesses, je suis trop confiant. Cela me déprime et m'ennuie, les seules choses à m'affecter vraiment sont les déceptions que les gens me donnent à éprouver. Ça, je le prends trop à cœur[207]. »

Il pense aussi souvent, comme à des échecs, aux livres qu'il a depuis longtemps en tête et qu'il n'a pu encore écrire : d'abord une autobiographie qu'il a abandonnée (« un autre que moi s'en chargera », a-t-il dit à plusieurs amis) ; puis un recueil d'aphorismes, presque achevé à présent, et dont il est assez fier. Il en trouve le titre : « *Anthologie pour Chercheurs* ». Il les a écrits ou choisis au fil de ses lectures, les a agencés en un étonnant jeu de miroirs, de Butler à Talleyrand, de Goethe à Dostoïevsky, de Trollope à Balzac. Mais le temps lui manque pour le faire publier et, après sa mort, ni sa femme ni ses amis ne voudront le faire, gardant même caché à tous ce manuscrit, dont sont extraites les pensées de lui citées ici[214]. Au demeurant, sans doute aurait-il lui-même trouvé le temps de le faire éditer s'il l'avait vraiment souhaité.

Il a aussi beaucoup travaillé à un autre livre sur l'éducation[175]. Quarante ans de relations avec les jeunes et de passion d'enseigner lui en ont fourni la matière. A la banque, jusqu'au dernier jour, il vient réunir les nouveaux arrivés, pour le plaisir de répondre à leurs questions et de dérouler devant eux l'extraordinaire tableau des réseaux entrecroisés de la finance mondiale ; ou encore à Zurich durant l'ultime été de sa vie, il abandonne une réunion d'affaires pour aller déjeuner seul avec des étudiants presque inconnus à la cantine de l'Université. Il projette d'y dénoncer la formation de masse dispensée dans les universités, usines produisant en série, selon des modèles imposés par la mode, des étudiants en quête de diplômes plutôt que de connaissances. Il y proposerait[175] une auto-éducation permanente, généralisant les méthodes qu'il a mises au point pour ses propres cadres.

Rien de cela ne sera publié. Sans doute est-ce en fait parce qu'il ne l'a pas vraiment voulu, s'acharnant lui-même à effacer sa propre trace : pas de livre, pas de fondation, ni à Jérusalem (« c'est pour Félix »), ni en Angleterre (« c'est pour Aby »), pas de chaire en Amérique non plus (« c'est pour Paul »).

Sans doute aussi voit-il simplement la mort comme un ultime exil, dont on ne revient plus.

Probablement se plaît-il avant tout à laisser le souvenir

515

d'avoir su séduire les autres : « Si je meurs demain, dit-il cet été-là à un ami, la chose dont j'aurai été le plus reconnaissant à la vie, ce sont mes amitiés. » Et comme on ne survit vraiment, pense-t-il, que dans le souvenir des autres, il se sait assuré de quelque chose comme une fugace éternité.

Souvent, durant les longues soirées sur la terrasse de Blonay où l'on regarde couler le jour, Siegmund pense à la famille et à son histoire. Qu'il en a parlé, de cette famille, depuis son enfance ! Qu'il a disserté sur son déclin, son histoire et ses tours ! Au fond, il n'en est jamais vraiment sorti. Il n'a jamais oublié cette jeunesse qui, pour l'éternité, s'est figée, dans la tendresse et la nostalgie, comme de vieux jouets oubliés.

Cette terrasse... Comme celle où, il y a vingt ans, cent mètres plus bas, sa tante Olga rédigeait ses Mémoires, tandis qu'un écrivain russe, autre déraciné d'un paradis perdu, passait, échangeait quelques mots avec elle, et avec son chapeau de paille démodé, prenait le funiculaire pour aller chasser les papillons : Vladimir Nabokov. Ou encore, celle d'Aby S., dans sa maison de la Baltique, encore quarante ans auparavant, où les enfants écoutaient les histoires de la famille et se juraient entre eux, à voix basse, de ne pas devenir banquiers, pour ne pas être tristes...

MORT DE SIEGMUND

Il voyage encore aux États-Unis en juillet, en Allemagne en août, puis, ce même mois, en Angleterre où il rencontre Japhet, le nouveau président de la Banque Leumi, avec qui il parle longuement de leurs jeunesses, l'une et l'autre allemandes. Siegmund lui envoie peu après le texte qu'il a écrit sur sa mère. Japhet y reconnaît la sienne, à la musique près.

A la mi-août, fatigué, il rentre à Blonay où quelques amis viennent encore le voir. Il y assiste à la crise des changes dont il attendait plutôt les manifestations au Brésil et qui sévit au Mexique, incapable de faire face au paiement des intérêts de sa dette de 80 milliards de dollars. Une crise qui manque d'emporter l'Amérique dans la nuit du 15 août : celle-ci doit, pour sauver ses propres banques, accorder à Mexico deux prêts d'un milliard de dollars chacun, et, le 20 août, pousser ses banques à accepter un moratoire de trois mois ; puis des discussions avec le F.M.I. débouchent sur un rééchelonnement de la dette mexicaine et l'octroi de crédits de la B.R.I., du F.M.I. et des banques commerciales. Premiers craquements auxquels il s'attendait.

Le 3 septembre, il dîne avec Bruno Kreisky, Karl Kahane et Hans Thalberg à l'hôtel Victoria de Glion. On plaisante, on discute du Moyen-Orient, de la tragédie de Beyrouth où la bataille fait rage, et de la grande fête que prépare à son intention Lady Warburg pour le 30 septembre 1982, au Claridge de Londres, à l'occasion de son 80ᵉ anniversaire, pour les seuls cadres de la banque. Cette date l'obsède, comme une limite infranchissable. Les invitations sont parties deux mois plus tôt et beaucoup de réponses sont déjà parvenues, avec des vœux auxquels Eva Warburg répond, car Siegmund est trop fatigué pour le faire lui-même. On promet de s'y revoir, on se dispute pour payer l'addition, on se quitte tard.

Le reste du mois, il bouge peu, lit beaucoup, et, encore une fois, parcourt la tétralogie de *Joseph*, de Thomas Mann, qu'il a découvert il y a près de cinquante ans. La maladie le tient. Les docteurs l'ennuient, sauf le sien, un vieil ami qui vient de Londres. Il déteste se soigner. Il note encore dans son journal cette recommandation aux médecins : « Si vous n'êtes pas à même de perpétuer la

517

santé, vous devriez plutôt abréger la vie que la prolonger[24]. »

Le 22 septembre, il se rend encore à Munich pour assister à une réunion où il retrouve Henry Grunfeld, venu le rejoindre de Londres ; c'est la dernière fois qu'ils se voient, au bout de quarante-cinq années de distante intimité. « Après cette réunion, nous restâmes seuls quelques minutes, racontera un peu plus tard Henry Grunfeld. Il avait conclu la réunion en disant qu'il était ennuyé, et je lui demandai pourquoi. Il était très frêle, très fatigué, il me répondit : "Ce qui m'ennuie le plus dans notre banque, c'est l'auto-satisfaction, le fait que quelques succès récents risquent de rendre certains de nos amis à Londres trop contents d'eux." » On croit l'entendre tel qu'il s'exprimait déjà un demi-siècle plus tôt.

Le mardi 28, Siegmund est sérieusement frappé par la maladie cérébrale qui va l'emporter. La réception à Londres est annulée. Le jeudi, jour de son anniversaire, il peut lire un dernier article le concernant, celui d'un éditorialiste du *Daily Mail*, Patrick Sergeant, qui souhaite un heureux anniversaire au « plus grand banquier de la City de Londres depuis la guerre. Il reste une énigme. Homme placide, presque timide, quand vous regardez son large front et sa tête magnifique, vous pensez vous trouver en présence d'un intellectuel ou d'un philosophe plutôt que d'un banquier dur et tenace, d'un maître des marchés. Où qu'il soit, nous lui souhaitons d'heureux moments. Il les mérite, car il laisse ce monde en meilleur état qu'il ne l'a trouvé. »

Au cours de ces dernières semaines, il ne parle plus qu'allemand et certains se rappellent qu'il connaît encore par cœur le discours qu'il avait fait, le jour de sa Bar Mitzvah, soixante-dix ans plus tôt, à Urach. Quelques jours après ses quatre-vingt ans, sur ordre de son médecin, il est transporté en avion-ambulance à Londres où il meurt le 18 octobre. Le 22, son corps est incinéré, en la seule présence de sa femme, de ses deux enfants, de son médecin et de sa secrétaire. Il l'a voulu ainsi : il avait coutume de dire : « Je ne vais jamais aux enterrements, je préfère m'occuper des gens de leur vivant. »

Il confie à sa femme le soin de léguer sa bibliothèque à Saint-Paul School, l'école privée de Londres où Anna a fait ses études, et de quoi créer un fonds pour l'éducation des enfants du personnel de sa banque. A sa mort, on annonce partout dans Londres l'imminent départ des meilleurs de ses 1 180 employés. Aucun n'a lieu.

Les jours suivants, la presse anglaise publie sur lui quelques articles, très élogieux, mais guère nombreux. Comme si l'Angleterre avait encore du mal à accepter d'honorer l'un des plus grands financiers de son histoire. Le *Times* écrit : « Il fut le principal auteur de la renaissance de la City. Être banquier n'était pas pour lui un métier, c'était une vocation, un art plutôt qu'un simple artisanat dont les compétences peuvent s'enseigner. Sa force de caractère, sa capacité d'approfondir tout problème de façon systématique, sa combinaison unique de hardiesse dans la conception, d'imagination et de créativité dans l'exécution, sa prudence absolue et son attention méticuleuse aux détails sont devenues légendaires à Londres et sur toutes les places financières du monde. » Le *Financial Times* écrit à peu près la même chose : « Siegmund était le plus influent banquier de Londres depuis la guerre. Il a apporté des changements radicaux dans la pratique de la finance. Son indifférence à la taille modeste de son bilan reflétait la préférence qu'il accordait à l'influence exercée sur ses clients, en tant que conseiller et guide, plutôt que comme prêteur. » Ailleurs, quelques brefs articles, rien de plus.

POUR EN FINIR AVEC SIEGMUND

Tout va très vite : en trois ans s'effacent les ultimes traces de sa présence ; celles qu'il a oublié d'effacer lui-même comme celles qu'il a volontairement laissées derrière lui. Sa femme meurt huit mois plus tard. Sa fille vit à Tel-Aviv avec sa petite fille. Son fils est banquier dans le Connecticut. Aucun de ses petits-enfants ne s'appelle Siegmund. Sa banque est transformée de fond en comble : elle quitte Francfort, redevient petite à New York et opère depuis Londres, Genève, Zurich et Tokyo sur le marché mondial et à très grande échelle.

Cet épilogue aussi vaut d'être conté pour conclure. Là finissent en effet une histoire, un monde, une culture.

A sa mort, sa banque se réorganise autour d'un président d'honneur, Henry Grunfeld, de deux présidents, Lord Roll et David Scholey, et de quatre directeurs généraux. Cinq dirigeants gagnent maintenant plus de 150 000 livres chacun par an ; le salaire moyen annuel des employés du groupe est de 16 000 livres. 65 cadres sont associés aux bénéfices : l'austérité n'est plus de mise. La banque quitte l'immeuble de Gresham Street et s'installe à nouveau sur King William Street, cette fois au 33, dans un grand immeuble neuf et fonctionnel, non loin de la Tamise. Certains employés ont du mal à déménager. Le nom ne figure toujours pas sur la porte.

La puissance anglaise du groupe est considérable. Ses profits passent de 13 millions de livres en 1982 à 17 en 1983, et 23 en 1984, soit une rentabilité de 15 % pour les actionnaires. Avec les réserves, les profits atteignent même 35 millions de livres, soit 25 % du capital. C'est alors la première *merchant bank* de la City en termes de rentabilité, la troisième pour les profits, la septième en termes d'actifs. C'est, avec Morgan Grenfell, le premier conseiller industriel anglais et elle domine le marché de l'émission de titres : G.E.C., Granada, Grand Metropolitan, Hawker Siddeley, I.C.I., Reuters, Tate, sont ses plus constants clients. Elle est le banquier de British Telecom et le restera après la dénationalisation, même si, pour son offre de privatisation, le gouvernement s'est fait représenter par

Kleinworth Benson. S.G. Warburg réalise vingt fusions par an, pour une valeur supérieure au milliard de livres, et gère 6 milliards de livres pour ses clients, dont les plus gros fonds de pensions, ceux du Post Office, du National Coal Board et de British Railways.

Elle reste le leader du marché des euro-obligations en sterlings et la troisième banque mondiale sur le marché des euro-émissions, après la Deutsche Bank et le Crédit Suisse-First Boston. En septembre 1983, elle émet la première euro-émission à taux flottant exprimée en livres, pour le compte de la S.N.C.F., puis une autre pour le gouvernement irlandais. Sur ce marché qui atteint 47 milliards de dollars en 1982 comme en 1983, pour respectivement 608 et 526 émissions, S.G. Warburg peut être fier de son bilan : au total, en l'espace de vingt ans, sur les 3 730 euro-émissions lancées pour un montant de 186 milliards de dollars, S.G. Warburg en a placé, comme chef de file, près du tiers, soit 906 pour 60 milliards de dollars. Elle est au total la quatrième banque en nombre d'émissions faites et la cinquième en montant placé derrière les géants suisse et allemand, alors que la première banque française, la B.N.P., n'est que sixième.

En finir avec New York

A New York, la baisse de l'inflation, la fin de la régulation et la hausse des taux d'intérêt rendent les prêts à l'Amérique plus rentables. Il faut être de plus en plus grand pour collecter le maximum d'épargne à moindres frais et spéculer sans trop de risques. Aussi, l'une après l'autre, s'entrouvrent les barrières mises, après la crise de 1929, à la croissance de la taille des banques, et s'ouvrent les supermarchés de la finance.

Le premier est créé par la Bank of America qui, le 25 novembre 1981, acquiert, pour 53 millions de dollars, le plus grand courtier de gros américain, Charles Schwab, qui gère des services de titres et des plans de retraite[81]. Le lendemain, la Los Angeles Security Pacific National Bank crée une filiale de même type. En mai 1982, le Federal Home Land Bank Board autorise les caisses d'épargne à vendre des titres. En septembre, l'Administration allège les contraintes imposées par le Glass Steagall Act et en dispense certaines banques, à l'exception des six mille établissements membres du Système de Fédéral Réserve. Les banques américaines empruntent alors à court terme, sans retenue. Par leurs technologies de communication, de centralisation des données et de gestion des marchés, elles deviennent vraiment mondiales et peuvent maintenant offrir aux épargnants américains des titres de tous les pays. Et comme, pour être vendu, fût-ce en partie, à des résidents américains, un titre étranger doit toujours passer par un banquier américain, le marché des titres revient pour une part à New York, même si l'épargne américaine continue de fuir au même rythme à l'étranger. Ainsi, un tiers du capital de British Aluminium et d'I.C.I. et la moitié de celui de Glaxo basculent à New York.

A l'inverse, et cela devient l'essentiel, les banques de Wall Street peuvent également offrir aux capitaux étrangers des titres américains, publics ou privés. Wall Street, qui continue de représenter les deux tiers du marché mondial des titres (contre 17 % à Tokyo et 7 % à Londres), redevient le pôle d'attraction des capitaux de toute nature.

Pour attirer et gérer des sommes aussi énormes, il faut maintenant organiser les émissions et le placement des titres d'une façon de plus en plus standardisée. On a donc moins besoin de l'expertise spécialisée des petites banques d'affaires et de plus en plus de grands réseaux, capables à la fois de draîner l'épargne de masse et de gérer un stock considérable de titres. Ainsi American Express offre-t-elle dix-huit services différents, Prudential & Sears 14, Merril

Lynch, dont le bilan se monte à plus d'un milliard de dollars, 12, et les grandes banques commerciales 5. Merril Lynch qui, dans les années 60, ne plaçait pas de fonds mutuels, dispose maintenant de 4 000 revendeurs à travers le pays pour placer des polices d'assurance, des fonds de trésorerie, des bons d'État et de l'immobilier[81]. Les agents de change, les banques d'affaires, les banques commerciales se rapprochent et voient leurs activités se concurrencer. Les banques commerciales espèrent même obtenir à nouveau le droit de garantir des émissions d'obligations et celui de s'implanter sur tout le continent américain, qu'elles avaient perdu en 1933. Seules Morgan Stanley et Goldman Sachs, contrôlées par un petit nombre d'actionnaires privés, et non cotées, restent encore à l'écart du mouvement général.

Dans cette immense explosion new-yorkaise, aussi brutale que fut celle des euro-émissions à Londres en 1976, les réputations se jouent et se perdent en quelques heures, et il faut atteindre une taille planétaire pour pouvoir résister aux chocs. En 1982, Lehman, qui réalise encore 15 millions de bénéfices avant impôt par mois, avec un capital de 250 millions de dollars, est en difficulté. Cette année-là, Peterson appelle enfin à ses côtés Gluksmann, qui exige aussitôt le départ de son patron[198]. Dix mois plus tard, Lehman est vendu à Shearson, lui-même racheté au bout de quelques mois par American Express. Et dans cette tourmente, presque toutes les banques d'affaires étrangères sont proprement expulsées de Wall Street. Quelques mois après la mort de Siegmund, S.G. Warburg, qui entend à présent se concentrer sur Londres décide de quitter Becker, qui va le payer cher. Tout se joue alors très vite.

A la fin de 1982, Becker semble pourtant redevenir tant soit peu profitable. Devenue la quatorzième banque d'affaires américaine, elle semble capable de résister à la concurrence. Mais, chez Warburg, David Scholey, Henry

523

Grunfeld et Éric Roll ont déjà décidé de s'en séparer . cela ne sert à rien d'être à New York si l'on n'est pas le maître ; or, à Londres il faut être très grand pour pouvoir tout y faire ; il convient donc de couper les branches mortes ou inutiles. Aussi, en mars 1983, vingt ans presque jour pour jour après le déclenchement de l'euro-émission destinée aux autoroutes italiennes, et moins de six mois après la mort de Siegmund, S.G. Warburg revend à Paribas sa part dans Becker, et se contente de rouvrir un petit bureau à New York. Ses quelques cadres détachés aux États-Unis rentrent à Londres. Les liens entre Paribas et Warburg ne sont pas rompus sur le champ, car chacun conserve encore 25 % de l'autre et l'on maintient les affaires communes en Australie et au Canada. Mais, deux mois plus tard, on décide d'en finir, même si Paribas conserve encore 6,5 % du capital de Mercury et si les deux anciens associés continuent de s'accorder la clause de la maison la plus favorisée et à s'inviter mutuellement dans leurs conseils.

A New York, la compagnie, rebaptisée A.G. Becker-Paribas, résiste au début tant bien que mal, privée des affaires venues de Londres. En juin, Heimann, qui en assure toujours la vice-présidence, déclare à la presse : « La firme doit évoluer vers la banque internationale. » C'est le moins qu'on puisse dire... Hervé Pinet, qui la préside, ajoute : « Tout va bien : la maison est en bonne forme et gagne de l'argent.[81] » En réalité, six mois plus tard, face à la concurrence des grands, eux-mêmes en crise, Becker commence à perdre de l'argent, et même beaucoup. Un an plus tard, le 5 août 1984, Paribas accepte la fusion de Becker avec le géant de Wall Street, Merril Lynch, mi-courtier mi-banque, dont il devient le premier actionnaire avec 3,3 % du capital.

GRAND DEPUIS LONDRES

La forme des banques s'ajuste toujours aux exigences de la finance de leur temps : avant la guerre, les gouvernements américain et anglais devaient émettre des emprunts à l'étranger pour combler leurs déficits et avaient les banques nécessaires, dont Kuhn Loeb était l'exemple superbe. Au temps de Bretton-Woods, il leur fallait emprunter leurs propres devises aux autres Banques centrales, et les banques commerciales le faisaient pour elles. Aujourd'hui, ils peuvent les emprunter librement sur les marchés, à New York, à Londres ou ailleurs, et il faut pour cela des supermarchés de la finance.

Et parce qu'aucune nation n'est prête à prendre le relais du dollar pour devenir prêteuse de sa propre devise aux pays en déficit, le monde, gorgé d'eurodollars et de dollars américains, voit sa dette augmenter sans limite. Au déficit commercial grandissant de l'Amérique s'ajoute alors un déficit des paiements dû surtout au service de la dette, qui inverse la loi du XXe siècle. À nouveau, comme au XIXe siècle, l'Amérique doit attirer les capitaux du monde par ses taux d'intérêt, en une gigantesque pompe aspirante. A l'inverse, ses investissements et ses prêts à l'étranger s'effondrent, jusqu'à se réduire à zéro.

Mais à la différence du XIXe siècle, l'Amérique peut ainsi emprunter sa propre devise au monde : sa dette entraîne son déficit et son déficit aggrave sa dette ; en 1983, le déficit commercial de l'Amérique quadruple ; en 1984, il double encore, pour atteindre 160 milliards en 1985 ; le tout assorti d'une perspective de déficit budgétaire de 200 milliards, financé pour moitié par des capitaux étrangers...

Au total, l'Amérique, onze fois moins peuplée que le tiers monde, est maintenant sept fois plus endettée que lui. Et, depuis janvier 1985, pour la première fois depuis 1917, elle doit plus au reste du monde que celui-ci ne lui doit, et

525

possède moins d'actifs à l'étranger que l'étranger n'en possède chez elle.

Alors, comme dans toutes les crises financières, depuis le xixe siècle, les taux de change s'affolent : le nombre de journées où les taux de change varient de plus 1 % passe de 3 en 1982 et 1983, à 6 en 1984 et à 11 en avril 1985[219].

Dans cette tourmente, pour demeurer au moins à la première place financière de l'Europe dans un pays qui n'est plus la première puissance industrielle, la City doit à son tour contrer l'attraction exercée sur les capitaux par Wall Street. Tout alors doit y changer de taille : il ne s'agit plus de placer des fortunes de 100 000 dollars, mais de 5 millions de dollars ; il ne faut plus trouver preneurs pour des emprunts de 15 millions, mais de 500 millions de dollars. Pour cela, il faut donc disposer de tous les moyens d'attirer l'argent des trésoriers et des spéculateurs, et, par exemple, créer, à l'image de New York, un London International Financial Futur Exchange, hors du London Stock Exchange, pour gérer les contrats à long terme sur les devises, lieu de profits spéculatifs et de ruines énormes.

De plus, pour permettre aux banques de grandir à Londres comme à New York, en intégrant les marchés domestiques et internationaux et en devenant aussi des courtiers géants de la finance, il faut faire sauter les barrières dressées depuis des siècles pour protéger les épargnants des conflits entre ceux qui placent les titres et ceux qui gèrent des fortunes. En avril 1983, le gouvernement britannique somme la City de mettre fin à la distinction entre *broker* et *jobber*, autorise le regroupement de compagnies d'assurances anglaises et étrangères, réduit les droits de timbre, libère les commissions sur les valeurs étrangères et supprime le monopole de quelques-uns dans l'introduction des bons du Trésor. Mais il limite, dans un premier temps, les participations que les banques peuvent prendre dans ces intermédiaires boursiers à 29,9 % de leur capital, et retarde ces prises de participations jusqu'en mars 1986.

S.G. Warburg and Co décide alors, pour affronter les quatre monstres américains — Morgan Stanley, Goldman Sachs, First Boston et Salomon Bros —, de devenir le plus grand à Londres.

Elle liquide Effecten-Warburg à Francfort et se renforce en Asie où, comme toutes les banques américaines et anglaises, elle essaie de s'implanter, réussissant dès la seconde année d'existence d'East Asia Warburg à faire des profits.

En novembre 1983, elle passe à l'offensive : David Scholey, ayant vendu Becker, achète pour 41 millions de livres (payées avec 8 % des titres Mercury) 29,5 % d'un jobber, Akroyd & Smithers, appartenant à la famille d'un de ses directeurs, Andrew Smithers. Simultanément, Akroyd a négocié de son côté avec un agent de change détenu à 29 % par Charter — qui fait lui-même partie du groupe Oppenheimer d'Afrique du Sud —, Rowe & Pitman, l'agent de change de la Reine, et l'un des deux plus grands du marché, gérant 18 % de tous les titres étrangers en Grande-Bretagne, mais très menacé par la libération des commissions et la suppression de son monopole de placement des titres d'État à la Bourse.

En janvier 1984, S.G. Warburg rachète à son tour Rowe & Pitman, et, en février, ajoute à l'ensemble un spécialiste des bons du Trésor, Mullen & Co, que son président, Nigel Althau, quitte alors pour entrer à la Banque d'Angleterre, et y concurrencer ainsi le nouveau groupe.

Cette année-là, cinquante autres mariages de ce type ont lieu : Samuel Montagu achète l'agent de change Greenwell & Co, Charter House Japhet s'associe à un autre agent de change, Kitcat, Rothschild à un marchand de titres, Smith, Buckmaster and Moore au Crédit Suisse, Quilter & Goodison à Skandia, Hambros et la Société

Générale à Strauss, Thurnbull. Seule la Lloyd's Bank a renoncé à acheter un courtier.

Le 14 août 1984, sous la pression du marché, la limite de 29,9 % est levée, et la fusion totale des quatre établissements est décidée. Mercury Securities achète donc le reste du capital des trois autres pour un total de 126 millions de livres, payé en partie en titres de Mercury. Akroyd est évalué à 75 millions de livres, Rowe & Pitman à 42,5, Mullen à 8,6. Au printemps 1986, un nouveau holding contrôlera l'ensemble, possédé à 73 % par Mercury (il est prévu que cette part diminuera par la suite), 20 % par Akroyd, 2 % par Rowe & Pitman et 0,5 % par Mullens.

Il aura belle allure : Warburg a plus de 130 clients industriels, Rowe & Pitman est le premier *broker* de Londres et gère 1,3 milliards de livres de fonds d'épargne, qui s'ajoutent à ceux de Mercury Securities, doublant ainsi son capital. S.G. Warburg deviendra la première *merchant bank* anglaise, de la taille de Morgan Stanley à Wall Street, avec 1 700 employés. Barclay, avec dix fois plus de dépôts, restera son seul concurrent anglais. Le dernier « fils adoptif » de Siegmund en deviendra Président. « Le bateau traversera la ligne quand le départ sera donné », dit-il. Ce sera en avril 1986, quarante ans exactement après la création de S.G. Warburg and Co.

Le nom donné à l'ensemble reste longtemps en question. On emploie d'abord indifféremment Mercury International, *Rowak* (pour Rowe, Warburg et Akroyd), ou *Swarm...* Ou encore ce pourrait être, comme le propose un journaliste, « *Pegasus,* le cheval ailé à quatre pattes, en lieu et place de Mercure, messager ailé à deux jambes... » C'est finalement *Mercury International Group* qui est retenu.

Certains y voient des risques : trop grand ? trop complexe ? trop centré sur Londres ? trop anonyme ? trop conflictuel ? « Si le monde s'internationalise vraiment, dit un banquier américain, Warburg est en danger d'imploser en

Grande-Bretagne. Ce pourrait être une des grandes victimes sur le marchés des capitaux des années 80. » Que dirait-il aujourd'hui, celui qui écrivait il y a à peine quatre ans : « Nous sommes trop grands de part et d'autre de l'Atlantique, c'est la rançon de notre succès. Si vous avez de plus en plus de clients, la qualité du service ne peut que s'en ressentir. C'est notre problème. A Londres, nous sommes certainement trop gros » ?

Peut-être Siegmund n'aurait-il pas agi autrement, ne voyant rien d'autre à faire face au déferlement des géants américains. En tout cas, s'il ne l'avait pas fait, il aurait été l'un des seuls dans la City à rester "petit" : car il ne reste aujourd'hui presque plus rien des 18 *merchant banks,* des 17 *jobbers* et des 205 *brokers* qui y régnaient il y a deux ans encore.

Mais ces changements dans la taille des banques n'ont aucune raison d'aider à la résolution des problèmes financiers internationaux. Au contraire, comme dans les crises précédentes, ils ne font sans doute que précéder et accélérer les cataclysmes.

A l'échelle du monde, le plus incertain reste en effet à venir : le retour à l'équilibre sans crise financière supposerait en effet que les banquiers fassent de nécessité vertu et maintiennent leurs prêts aux pays endettés, que les pays en développement aggravent leur politique de rigueur, que les pays industriels maintiennent leur équilibre des paiements sans dégrader leur croissance, que les déficits budgétaires se réduisent partout et que les taux d'intérêt baissent massivement : peu vraisemblable scénario[219].

En réalité, l'Histoire nous apprend que le plus probable est qu'un jour la dette aura raison des débiteurs — ou des créanciers. Si c'est le tiers monde qui ne paie pas sa dette, les banques américaines en supporteront l'essentiel et seront mises en tutelle, voire nationalisées par l'État fédéral. Si, au contraire, c'est l'Amérique qui ne paie pas sa dette par une baisse massive du dollar et un protectionnisme, ce sera l'Europe et le tiers monde qui en pâtiront.

Les gigantesques machines de l'industrie financière accoucheront alors, dans la douleur, d'un autre monde, et, par delà de nouvelles chutes du dollar et de considérables catastrophes sociales, financières et militaires, on assistera à l'apparition de nouveaux refuges, annonçant un univers de banques géantes régnant sur un marché unifié, informatisé, ininterrompu, où prévaudra peut-être une monnaie unique. Dans cette complexité de grandes machines, l'argent deviendra un objet comme les autres, produit en série et fondé sur tous les titres imaginables.

Mais il ne faut pas s'y tromper : malgré l'apparente rationalité des chiffres et les masses immenses en jeu, l'influence du financier n'y sera pas plus grande qu'elle n'est aujourd'hui. Le jeu, la spéculation, l'irrationnel, la politique feront la loi du monde et celle de la fortune. Sans doute, malgré cela, dans les interstices des grands appareils bancaires et spéculatifs, parviendront à se faire leur place de nouveaux financiers, vigiles du temps à venir, essayant de nouveau, sans doute encore en vain, de faire prévaloir la raison contre la folie, le calcul contre le risque, sans pourtant trop s'occuper en général, eux non plus, ni de la dignité des peuples, ni du travail des hommes.

Il y a quelque quinze ans, Siegmund avait été frappé en lisant cette remarque d'Oscar Wilde : « Un homme ne peut connaître dans sa vie que deux tragédies : ne pas obtenir ce qu'il désire ou l'obtenir. » Sans doute lui-même a-t-il connu les deux, allant jusqu'au dernier sommet accessible dans la Haute Banque, tentant d'influer par elle

530

sur le cours des choses, réussissant, une dernière fois peut-être, à recoller les éclats brisés d'une famille, à redonner valeur à un Nom et une puissance à des souvenirs. Mais rien de plus.

Accélérateur d'une révolution qui le dépasse, plaque sensible des folies de ce siècle, austère aventurier, homme d'audace et vieux sage, il a été, au cœur de ses démences, un des rares hommes d'influence de ce siècle, c'est-à-dire en définitive un homme de séduction.

Superbe réussite aux yeux des autres, sa vie, sans doute éloignée de ce qu'il en attendait, démontre à qui en douterait encore qu'il n'y a pas de groupe tapi derrière le Politique et qui le manipule. Que l'influence de ces financiers-là, gens de raison et non de force, de paix et non de guerre, n'est au fond que très marginale. Elle montre aussi qu'il est des lieux, de Londres à New York, de Hambourg à Tokyo, où la qualité d'un peuple et l'élégance d'une société créent les conditions de superbes aventures d'hommes libres, dans l'injustice collective.

Vigile désenchanté, ruiné par une crise, à la source de ce qui a retardé l'autre, il participe, par son extraordinaire instinct des mouvements, sa haute culture, sa morale de Juste et son aura de mystère, de ce que l'Europe et le peuple juif auront donné de meilleur à notre temps.

Regard étonné sur nos folies, tragiquement conscient de la vanité des passions et de l'impuissance de la lucidité, il a choisi, en définitive, de s'oublier lui-même dans l'exigence dérisoire de la perfection. Et, toujours fidèle à l'enseignement de ses pères, tel qu'il se répète depuis la nuit des temps, « il a mis l'essentiel dans sa vie, sans vraiment l'y chercher ».

Sans doute est-il trop tôt pour connaître cet essentiel. Et Siegmund n'aurait certainement pas voulu qu'on le découvrît.

J'espère seulement, sans trop y croire, qu'il aura aimé qu'on le cherche.

UN HOMME D'INFLUENCE

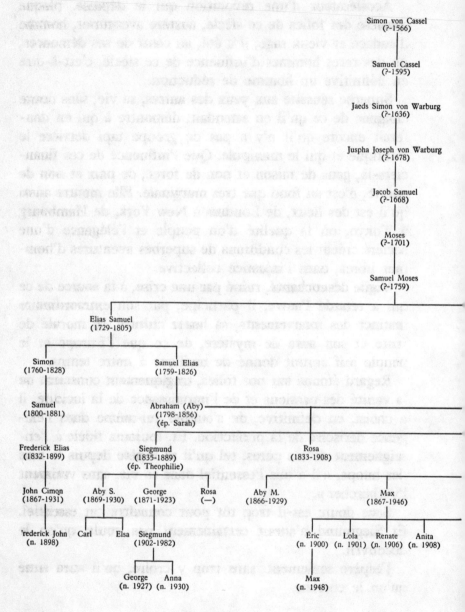

Simon von Cassel
(?-1566)

Samuel Cassel
(?-1595)

Jaeds Simon von Warburg
(?-1636)

Juspha Joseph von Warburg
(?-1678)

Jacob Samuel
(?-1668)

Moses
(?-1701)

Samuel Moses
(?-1759)

Elias Samuel
(1729-1805)

Simon
(1760-1828)

Samuel Elias
(1759-1826)

Samuel
(1800-1881)

Abraham (Aby)
(1798-1856)
(ép. Sarah)

Frederick Elias
(1832-1899)

Siegmund
(1835-1889)
(ép. Theophilie)

Rosa
(1833-1908)

John Cimon
(1867-1931)

Aby S.
(1869-1930)

George
(1871-1923)

Rosa
(—)

Aby M.
(1866-1929)

Max
(1867-1946)

'rederick John
(n. 1898)

Carl

Elsa

Siegmund
(1902-1982)

Éric
(n. 1900)

Lola
(n. 1901)

Renate
(n. 1906)

Anita
(n. 1908)

George
(n. 1927)

Anna
(n. 1930)

Max
(n. 1948)

ARBRE GÉNÉALOGIQUE

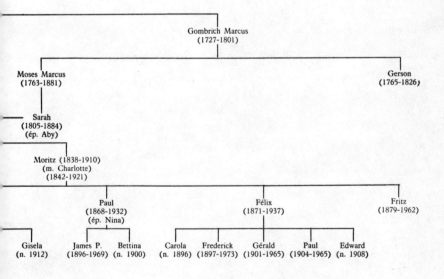

Remerciements

Les banquiers n'aiment pas que l'on parle d'eux, et la banque S.G. Warburg and Co n'est pas différente des autres. Elle n'a d'ailleurs, pas plus que la famille de Siegmund, été associée à la rédaction de ce livre et aux vues qui y sont exprimées.

Nul autre que moi n'a voulu cet ouvrage. Les archives, secrètes par nature, des banques d'affaires et des chancelleries ne m'ont été communiquées qu'avec réserves, mais j'ai pu bénéficier d'exceptionnels témoignages, écrits et oraux. Il faut souligner la difficulté de la recherche des sources d'une histoire dont le principal intéressé s'est acharné à effacer lui-même la trace, ne laissant de lui presque aucun texte, aucune correspondance, aucune archive, et pour ainsi dire presque aucune confidence. Certes, il est question de lui dans quelques rares documents publics, dont deux remarquables *Histoires de la famille*. La première [137], commencée en 1923, l'ignore presque ; la seconde [55], en 1975, ne lui consacre qu'une dizaine de pages. Par ailleurs, un long portrait de lui, rédigé en 1965, vaut surtout par la longue conversation que Siegmund a eue avec son auteur [175]. Il n'a en outre accordé que deux interviews, l'une brève, en 1975, l'autre fouillée, en 1980, due au très remarquable travail de Cary Reich [207]. Il existe aussi une sorte de journal intime [214], recueil d'idées et non de faits, auquel j'ai pu, le premier, avoir accès, comme à d'autres Journaux ou Mémoires non publiés de certains membres de la famille, en particulier ceux de son cousin Max [210] et de sa cousine Elsa [215]. Enfin, il est aussi question de lui et de sa famille dans de très nombreux livres d'histoire, et dans toute la presse financière internationale depuis le début du siècle.

Mais ces sources écrites se contredisent et visent souvent à enjoliver le rôle de tel ou tel ; l'essentiel, l'irremplaçable vient des témoignages, très longuement recueillis et recoupés, de tous ceux qui l'ont connu de très près personnellement et professionnellement et dont les principaux ne veulent pas être cités.

J'assume seul la responsabilité du choix de la version que j'ai retenue pour un événement, lorsque plusieurs existent.

Je remercie Serge Waléry, assistant à l'Université de Paris IX, qui a bien voulu m'aider à mettre au point bibliographie et index, Margit Danel qui a traduit pour moi de l'allemand certains documents, et Christiane Ademi, Christine Contini et Annick Proye qui ont assuré la difficile dactylographie des manuscrits successifs de ce livre.

Notes bibliographiques

1. ABELLA I. et TROPPER H. *None is too many. Canada and the Jews of Europe (1933-1948).* Lester and Orpen Dennys Publishers, 1983.
2. AGAR H. *The Saving Reminant : An Account of Jewish Survival.* New York. Viking, 1960.
3. ALLEN W.S. *Une petite ville nazie. 1930-1935.* Paris. Laffont, 1967.
4. ATTLEE C.R. *The Labour Party in Perspective and Twelve Years Later.* Londres. V. Gollancz, 1949.
5. BALBACH A.B. *The mechanics of intervention in exchange markets.* Federal Reserve Bank of Saint-Louis, 1978.
6. BARNOUW E. *Tube of Plenty. The Evolution of American Television.* New York. Oxford University Press, 1975.
7. BARON S.W. *Histoire d'Israël : Vie sociale et religieuse,* 5 volumes. Paris. P.U.F., 1957-1964.
8. BARRY E.E. *Nationalization in British Policy. The Historical Background.* Londres. Jonathan Cape, 1965.
9. BAUMIER J. *Ces banquiers qui nous gouvernent.* Paris. Plon, 1983.
10. BELIN J. *Problèmes monétaires.* Paris. I.E.P. Les cours de droit. Fascicule 3, 1954-1955.
11. BELIN J. *Problèmes monétaires, 1929-1945.* Paris. I.E.P. Les cours de droit. Fascicules 5, 6 et 7, 1958-1959.
12. BENTWICH N. *They found refuge. An account of British Jewry's work for victims of Nazi oppression.* Londres, 1956.

13. BERSTEIN S. et MILZA P. *L'Allemagne 1870-1970*. Paris. Masson, 1971.

14. BEVAN A. *In place of fear*. Londres. Heinemann, 1952.

15. BIRMINGHAM S. *Our crowd*. New York. Harper and Row, 1967.

16. BLOOMFIELD A.I. *Monetary Policy under the International Gold Standard*. New York. Federal Reserve Bank, 1959.

17. BLOOMFIELD A.I. *Short-term capital movements under the pre-1914 Gold Standard*. Princeton University Press, 1963.

18. BLOOMFIELD A.I. *Patterns of fluctuation in international investment before 1914*. Princeton University Press, 1968.

19. BLUM J.M. *Roosevelt and Morgenthau*. Boston. Houghton Mifflin Company, 1970.

20. BOYER R. et MISTRAL J. *Accumulation, inflation, crises*. Paris. P.U.F. « Économie en liberté ». 2ᵉ édition, 1983.

21. BRANDON H. *In the Red. The struggle for Sterling*, 1964-1966. André Deutsch, 1966.

22. BRAUDEL F. *Civilisation matérielle, économie et capitalisme*. Paris. A. Colin, 1979 (3 volumes).

23. BRITTAN S. *Treasury under the Tories, 1951-1964*. Harmondsworth. Penguin Books, 1964.

24. BROWN M.S. et BUTLER J. *The production, marketing and consommation of copper and aluminium*. New York. Frederick A. Praeger Publishers, 1968.

25. BURNS J.M.G. *Roosevelt. The Lion and the Fox*. New York. Harcourt Brace Jovanovitch, 1956.

26. CAIRNCROSS A.K. *Home and Foreign Investment*. Cambridge University Press, 1953.

27. CALDER A. *L'Angleterre en guerre, 1939-1945*. Paris. Gallimard N.R.F., 1972.

28. CALLEO D.P. *The Imperious Economy*. Cambridge, Massachusetts. Harvard University Press, 1982.

29. CAROSSO V.P. *Investment Banking in America*. Cambridge, Massachusetts. Harvard University Press, 1970.

30. Castellan G. *L'Allemagne de Weimar, 1918-1933*. Paris, 1969.

31. Caves R. *American Industry : Structure, conduct, performance*. 4ᵉ édition. Englewood Cliffs, New Jersey. Prentice Hall Inc., 1977.

32. Cecil L. *Albert Ballin*. Princeton, New Jersey. Princeton University Press, 1970.

33. Champion P.F. et Trauman J. *Mécanismes de change et marché des euro-dollars*. Paris. Economica, 1978.

34. Channon D.F. *British Banking Strategy and the International Challenge*. Londres, 1977.

35. Charlot M. *L'Angleterre, 1945-1980*. Paris. Imprimerie Nationale, 1981.

36. Chouraqui J.-C. *Le marché monétaire de Londres depuis 1960*. Paris. P.U.F., 1969.

37. Clapp E. *The Port of Hamburg*. New Haeven, Connecticut. Yale University Press, 1911.

38. Clarke W.M. *The City in the World Economy*. Londres, 1965.

39. Craig Gordon A. *Germany, 1866-1945*. Oxford History of Modern Europ, Clarendon Press, 1978.

40. Cripps R.S. *Democracy alive*. Londres. Sidgwick and Jackson, 1946.

41. Dauphin-Meunier A. *La Banque. 1919-1935*. Paris. Gallimard, 1936.

42. Dauphin-Meunier A. *La Cité de Londres*. Paris. Gallimard, 1940.

43. Dauphin-Meunier A. *L'économie allemande contemporaine. 1914-1942*. Paris. F. Sorlot, 1942.

44. Davis S.I. *The Euro-Bank : its origins, management and outlook*. Macmillan, 1980.

45. Delmer S. *La république de Weimar*. Paris, 1971.

46. Delvert J. *Le Japon*. Paris. Centre de Documentation universitaire, 1975.

47. Denizet J. *Inflation, dollar, euro-dollar*. Paris. Gallimard, 1971.

48. Droz J. (sous la direction de). *Histoire de l'Allemagne*, 4 volumes. Hatier, 1970-1976.

49. Duroselle J.-B. *Histoire diplomatique de 1919 à nos jours*. Paris. Dalloz, 1978.
50. Einzig P. *The Euro-bond Market*. Londres. Macmillan, 1969.
51. Einzig P. *Parallel money markets*. Londres. Macmillan. 2 volumes, 1971-1972.
52. Einzig P. et Quinn B.S. *The Euro-dollar System*. Londres. Macmillan. 6ᵉ édition, 1977.
53. Eisenberg J. et Gross B. *Un Messie nommé Joseph*. Paris. Albin Michel, 1983.
54. Estorick E. *Stafford Cripps*. Londres. Heinemann, 1949.
55. Farrer S. *The Warburg*. Londres. Michael Joseph, 1975.
56. Feingold. *The Politics of Rescue*. New Brunswick Rutgers University Press, 1970.
57. Fistie P. *La rentrée en scène du Japon*. Paris. Armand Colin et Fondation Nationale des Sciences politiques, 1972.
58. Foot M. *Harold Wilson. A pictorial biography*. Londres. Pergamon Press, 1968.
59. Foot M. *The Politics of Harold Wilson*. Harmondsworth, Penguin Books, 1968.
60. Fraser L. *All to the good*. Londres.
61. Fritsch T. *Mein streit mit dem Hause Warburg*.
62. Gerbet P. *La construction de l'Europe*. Paris. Imprimerie Nationale, 1983.
63. Goddin S.G. et Weiss S.J. *U.S. Banks Loss of Global Standing*. Richmond. Robert F. Damé, 1981.
64. Goetschin P. *L'évolution du marché monétaire de Londres. 1931-1952*. Annemasse. Ambilly, 1958.
65. Goiten S.G. *Letters of Medieval Jewish Traders*. Princeton University Press, 1973
66. Goldman N. *Autobiographie. Une vie au service d'une cause*. Paris. Fayard, 1971.
67. Goldsmith R.W. *Financial intermediaries in the American Economy since 1900*.
68. Gombrich E.H. *Warburg Aby. An Intellectual Biogra-*

phy. University of London. The Warburg Institute, 1970.

69. GORCE P.M. de LA. *La prise du pouvoir par Hitler. 1928-1933*. Paris. Plon, 1983.

70. GRIFFITHS B. *Competition in Banking*. Westminster Institute of Economic Affairs, 1970.

71. GROSS N. (Edited by). *Economic History of the Jews*. Jerusalem. Library of Jewish Knowledge. Keter Publishing House. Jerusalem, 1975.

72. GROSSER A. *L'Allemagne de notre temps*. Paris. Fayard, 1970.

73. GUILLEN P. *L'Allemagne de 1848 à nos jours*. Paris. Nathan, 1970.

74. HABER E., SCHIFF Z. et YARRI E. *L'année de la Colombe : Jérusalem, 1977; Camp David, 1978*. Paris. Hachette, 1979.

75. HACKETT J. et A.-M. *L'économie britannique. 1945-1965*. Paris. Armand Colin, 1966.

76. HACKETT J. et A.-M. *La vie économique en Grande-Bretagne*. Paris. Armand Colin, 1969.

77. HART P.E., VITTON M.A. et WALSHE G. *Mergers and concentration in British industry*. Cambridge University Press, 1973.

78. HERMANT M. *Les paradoxes économiques de l'Allemagne moderne*. Paris. Armand Colin, 1931.

79. HILBERG G.R. *The Destruction of European Jews*. Chicago Quadrezle Books, 1961.

80. HOBSON O.R. *How the City works*. Londres. New Chronicle Book Department, 1955.

81. HOFFMAN P. *The Dealmakers. Inside the world of investment banking*. New York. Doubleday and Company Inc., 1984.

82. HOWSON S. *Sterling's managed float : the operation of the Exchange Equalization Account, 1932-1939*. Princeton, New Jersey. International Finance Section ; Department of Economics. Princeton University. Princeton studies in International Finance, n° 46. Novembre 1980.

83. IACOCCA L. *Iacocca.* Toronto, New York. Bantam Books, 1984. Trad. fr. Éd. Robert Laffont, Paris, 1985.

84. BEN ISRAËL M. *Espérance d'Israël.* Librairie philosophique. J. Urin, 1979.

85. JEANNENEY J.-M. et BARBIER-JEANNENEY E. *Les économies occidentales du XIXᵉ siècle à nos jours.* Paris. FNSP. Collection « Diagrammes », 1985.

86. KELF-COHEN R. *British Nationalization, 1945-1973.* Londres. Macmillan, 1973.

87. KEDOURIÉ. *Le Monde Juif.* Éditions Flammarion.

88. KELLET R. *The merchant banking arena.* Londres. Macmillan, 1967.

89. KEYNES J.M. *The Economic consequences of the peace.* Londres. Macmillan, 1920.

90. KEYNES J.M. *Carl Melchior*, 1920. (Notes dans *Collected Writings,* Londres. Macmillan, nᵒˢ 16, 17 et 18.)

91. KLEIN C. *Weimar.* Paris. Flammarion, 1968.

92. LAUFENBURGER H. *Crédit public et finances de guerre, 1914-1944.* Paris. Librairie Médicis, 1944.

93. LAVERNY P. *L'Euro-dollar et ses problèmes.* Paris. P.U.F., 1975.

94. LELART M. *Les opérations du Fonds Monétaire International.* Paris. Œconomica, 1981.

95. LINDERT P.H. *Key Currencies and Gold.* Princeton University Press, 1969.

96. MACDOUGALL D. *Studies in Political Economy.* 2 volumes. Londres. Macmillan, 1975.

97. MACRAE H. *Capital City : London as a financial Center.* Londres. E. Methuen, 1973.

98. MACRAE N. *The London Capital Market : Its structure, strains and management.* Londres. Stapple Press, 1955.

99. MAGNIFICO G. *L'Europe par la monnaie.* Paris, Limoges.

100. MALAN F. *Les offres publiques d'achat : l'expérience anglaise.* Paris. L.G.D.J., 1969.

101. MANN T. *Appels aux Allemands.* Paris, 1968.

102. MANN T. *Joseph et ses frères. Joseph le nourricier.* Paris. Gallimard. Collection "L'Imaginaire", 1980.

103. MANN T. *Les exigences du jour*. Paris. Grasset, 1976.

104. MANN T. *Esquisse de ma vie*. Paris. Gallimard, 1967.

105. MANN T. *Considérations d'un apolitique*. Paris. Grasset, 1975.

106. MARTIN J.-P. *Les finances publiques britanniques, 1939-1945*. Paris. Éditions M. Th. Génin, 1956.

107. MARTIN J.S. *All Honorable Men*. Boston. Little Brown and Co, 1950.

108. MAYER M. *The Fate of the dollar*. New York. Times Books, 1980.

109. MIQUEL P. *La grande guerre*. Paris. Fayard, 1983.

110. MONNET J. *Mémoires*. Paris. Fayard, 1976.

111. MORLOT H. *Banque de l'Empire d'Allemagne*. Dijon. Imprimerie Eugène Jacquot, 1911.

112. MORSE J. *How British Banking has changed*. Londres. University of London, 1982.

113. MORTON F. *The Rotschilds*. New York. Atheneum., 1962.

114. MOURRE Michel. *Dictionnaire Encyclopédique Historique*. Éditions Bordas.

115. ODELL J.S. *U.S. International monetary policy*. Princeton University Press, 1982.

116. OLDEN R. *Stresemann*. Paris. Gallimard, 1932.

117. D'ORMESSON W. *La Crise mondiale de 1857*. Paris.

118. PARKINSON R. *Peace for our time*. Londres. Ruppert-Hart Davis, 1971.

119. PASCALLON P. *Le système monétaire international*. Paris. Les Éditions de l'Épargne, 1982.

120. PETERSON E.N. *Hjalmar Schacht. For and against Hitler*. Boston. Christopher Publishing House, 1954.

121. PIETTRE A. *L'économie allemande contemporaine, 1945-1952*. Paris, 1952.

122. PLENDER J. *That's the way the money goes. The financial institutions and the nation's savings*. Londres. A. Deutsch, 1982.

123. POLLARD S. *The development of British economy, 1914-1950*. Londres. E. Arnold, 1962.

124. POLLARD S. *The wasting of the British economy*. Londres. Croom Helm, 1982.

125. PORTER M. E. *Competitive strategy. Techniques for analyzing industries and competition*. New York. The Free Press, 1980.

126. RAPHAËL F. *Judaïsme et capitalisme*. Paris. P.U.F., 1982.

127. REDSLOB A. *De l'hégémonie à l'intermédiation du centre financier de Londres*. Thèse Sciences Économiques. Paris I, 1976.

128. REDSLOB A. *La Cité de Londres : structures, marchés, réglementations*. Paris. Œconomica, 1983.

129. REICH C. *Financier. The biography of André Meyer*. New York. William Morrow and Co, 1983.

130. REID M.I. *The secondary banking crisis, 1973-1975*. Macmillan, 1982.

131. REVELL J. *Changes in British banking*. Londres. Hill Samuel, 1968.

132. RIVAUD A. *Les crises allemandes, 1919-1931*. Paris. Armand Colin, 1932.

133. ROBBINS K. *Munich 1938*. Londres. Cassel, 1968.

134. ROBSON W.A. *Nationalized Industry and public ownership*. Londres. G. Allen and Unwin, 1960.

135. ROLL E. *Memoirs*. Crowdes Hours. Londres, 1985.

136. ROSENBAUM E. *M.M. Warburg and Co, Merchant bankers of Hamburg*. Londres. Leo Baeck Institute. Yearbook nº 7, 1962.

137. ROSENBAUM E. and J. SHERMAN. *M.M. Warburg and Co*. Londres. C. Hurst and Co, 1979.

138. ROSIER B. *Croissance et crise capitaliste*. Paris. P.U.F., Économie en liberté. 2ᵉ édition, 1984.

139. ROTH C. *The Jewish contribution to civilization*. Cincinnati Union of American Hebrew Congregations, 1940.

140. ROTH C. *Histoire du peuple juif*. Paris. Stock. 2 volumes, 1980.

141. RUEFF J. *Œuvres complètes*. Paris. Plon. Tome 1 : *De l'aube au crépuscule : autobiographie*, 1977.

142. RUEFF J. *Œuvres complètes*. Paris. Plon. Tome 2 : *Théorie monétaire*, 2 volumes, 1979.

143. SALAMA M. *Les marchés financiers dans le monde*. Paris. P.U.F., 1980.

144. SAMPSON A. *Anatomie de la Grande-Bretagne*. Paris. Laffont, 1963.

145. SAMPSON A. *The new anatomy of Britain*. Londres. Hodder and Stoughton, 1971.

146. SAMPSON A. *The changing anatomy of Britain*. Londres Hodder and Stoughton, 1982.

147. SAMPSON A. *Les banquiers dans un monde dangereux*. Paris. Laffont, 1982.

148. SAUTTER C. *Japon : le prix de la puissance*. Paris. Seuil, 1973.

149. SAYERS R.S. *Financial Policy, 1939-1945*. Londres. Longmans, Green and Co, 1956.

150. MAC SCAMMEL W. *The London discount market*. Londres. Elek Books, 1968.

151. SCHACHT H. *Mémoires d'un magicien*, 2 volumes. Paris. Amiot-Dumont, 1954.

152. SCHLESINGER A. *The age of Roosevelt*. New York. Houghton Mifflin, 3 volumes, 1957, 1959, 1960.

153. SÉDILLOT R. *Histoire de l'or*. Paris. Fayard, 1972.

154. SHAW E.S. *Money and Finance. New York. M. Dekker, 1976.*

155. SHINWELL E. *Mémoires*. Londres, 1970.

156. SHINWELL E. *I've lived through it all*. Londres. V. Gollancz, 1973.

157. SHIRER W.L. *The rise and fall of the Third Reich*. New York. Simon and Schuster, 1960. Trad. fr. Le Livre de Poche.

158. SHONFIELD A. *British Economic Policy since the war*. Harmondsworth, Penguin Books, 1958.

159. SIMONNOT P. *L'avenir du système monétaire*. Paris. Robert Laffont, 1972.

160. SIMPSON M.A. *Hjalmar Schacht in perspective*. La Haye. Mouton, 1969.

161. SOLOMON R. *Le système monétaire international.* Œconomica, 1979.

162. SPIEGELBERG R. *The City. Power without Accountability.* Londres. Blond and Briggs, 1973.

163. STEVENS Q.W. *Vain Hopes, Grim Realities.* New York, New Winbinks, 1976.

164. THOMPSON R.W. *Winston Churchill.* Paris. Éditions France Empire, 1965.

165. TRIFFIN R. *Gold and the dollar crisis.* Yale University Press, 1960.

166. TUCHMAN B.W. *The March of Folly.* New York. Knopf, 1984.

167. TURNER G. *The Leyland papers.* Londres. Eyre and Spottwood, 1971.

168. TURNER H.A. *Stresemann and the politics of the Weimar Republic.* Princeton, Princeton University Press, 1963.

169. UHLMAN F. *Il fait beau à Paris aujourd'hui.* Paris. Stock, 1985.

170. VAGTS A. *M.M. Warburg and Co. Ein Bankhaus in der Deutschen Weltpolitik 1905-1933.* Wiesbaden, 1958.

171. VAN DORMAEL A. *Bretton Woods : birth of a monetary system.* Londres. Macmillan, 1978.

172. WALLICH H.C., MORSE C.J. et PATEL I.G. *La crise monétaire de 1971.* Washington D.C. The Per Jacobson Foundation, 1972.

173. WARBURG J.P. *The long road home.* New York. Doubleday, 1964.

174. WASSERSTEIN B. *Britain and the Jews of Europe, 1939-1945.* Oxford. Institute of Jewish affairs, 1979.

175. WECHSBERG J. *The merchant bankers.* Londres. Weidenfeld and Nicholson, 1966.

176. WEIZMAN E. *La bataille pour la paix.* Paris. Hachette, 1981.

177. WEIZMANN C. *Naissance d'Israël.* Paris. Gallimard. N.R.F., 1957.

178. WIENER M.J. *English culture and the decline of industrial spirit, 1850-1950.* Cambridge University Press, 1981.

179. WIESEL E. *La Nuit.* Éditions de Minuit, 1958.

180. WILLIAMS L.J. *Britain and the World Economy, 1919-1970*. Londres. Collins, 1971.

181. WILSON H. *The relevance of British Socialism*. Londres. Weidenfeld and Nicholson, 1964.

182. WORSWICK G.D.N. et ADY P.H. *The British Economy, 1945-1950*. Oxford University Press, 1952.

183. WORSWICK G.D.N. et ADY P.H. *The British Economy, 1951-1959*. Oxford University Press, 1962.

184. YAFFE J. *The American Jews*. New York. Random House, 1968.

185. YOUNG G.K. *Merchant banking : practice and prospects*. Londres. Weidenfeld and Nicholson, 1966.

186. YOUNG G.K. *Finance and World Power ; a political commentary*. Nelson, 1968.

187. ZWEIG S. *Le monde d'hier. Souvenirs d'un Européen*. Paris. Belfond, 1982.

OUVRAGES COLLECTIFS ET DIVERS

188. *Les papiers de Stresemann*. Publiés par H. Bernhard. 3 volumes. Plon, 1932-1933.

189. *Peace-making in the Middle East*. Edited by Lester. A. Sobel. New York. Checkmark books. Factson File Inc., 1980.

190. *Les problèmes actuels du crédit*. Conférences organisées par la Société des Anciens élèves de l'École Libre des Sciences Politiques. Paris. Librairie Félix Alcan, 1930.

191. *La Banque des Règlements Internationaux et les réunions de Bâle*. Publication du cinquantenaire. 1930-1980. Bâle, mai 1980.

192. *25ᵉ rapport annuel de la B.R.I.* 13 juin 1955. R. AUBOIN. La Banque des Règlements Internationaux, 1930-1955.

193. *The Power of the last*. Essays for Eric HOBSBAWM. Cambridge. Maison des Sciences de l'Homme and Cambridge University Press, 1984.

194. *U.S.-Mexico Relations*. Edited by C.W. REYNOLDS and C. TELLO. Stanford University Press, 1983.

PÉRIODIQUES

195. ABADIE J.-P. *Les règles monétaires imposées aux banques centrales à travers l'édification d'une zone monétaire*. Cahiers du CERNEA n° 7, mars 1985.

196. AGLIETTA M. *Le système monétaire international est-il possible ?* Critiques d'Économie Politique n° 26-27, janvier-juin 1984.

197. AGLIETTA M. *L'endettement de l'émetteur de la devise-clé et la contrainte monétaire internationale*. C.E.P.I.I. Document de travail 85-03, juin 1985.

198. AULETTA K. *Article sur Lehman Bros*. Fortune, 1984.

199. COOPER R.N. *The gold standard : historical facts and future prospects*. Brooking papers on economic activity n° 1, 1982.

200. COUSSEMENT A.M. *When the bonds went round Luxemburg in a van*. Euromoney, février 1981.

201. CRANE D.B. et HAYES S.L. *The evolution of international banking competition and its implications for regulation*. Journal of Bank Research., 1983. Spring, vol. 14, Number 1, p. 39.

202. DUDLEY L. et PASSEL P. *The war of Viet-Nam and the U.S. balance of payments*. Review of economics and statistics., nov. 1968, pp. 437-442.

203. HELMANN J. New York Times, 11 juin 1955.

204. N° spécial Euromoney. *A history of eurobond market*.

205. *Warburg S.G.* Time, avril 1976.

206. *Warburg S.G. Inc*. International Investor, 1983, Cary Reich.

207. *The confessions of Siegmund Warburg*. International Investor, mars 1980.

208. *WARBURG S.G. The exceptional survivor*. Business Week, 14 mars 1977, p. 62.

209. Investor Chronicle, 1973. Interview de Siegmund Warburg.

DOCUMENTS NON PUBLIÉS

210. WARBURG MAX. *Aufzeichningen*. New York, 1952 (Privately Printed).

Notes personnelles de Sir Siegmund Warburg :
211. Sur sa mère, Lucie KAULLA.
212. Sur Stefan ZWEIG.
213. Sur Carl MELCHIOR.
214. Journal Intime. « An anthology for Searchers ».

215. Journal Elsa WARBURG (Melchior) : « Random Memories ».
216. *"A gathering of the members of S.G. WARBURG and Co. Ltd. to commemorate SIR SIEGMUND GEORGE WARBURG, 1902-1982. London, 12th january 1983, in the Guildhall".*
217. *Investment banking through four generations*. Kuhn LOEB and Co, 1955.
218. *A century of investment banking*. New York. Kuhn LOEB and Co, 1967.
219. Conférence à l'Insitut Supérieur de Banque du Gouverneur de la Banque de France, 5 juillet 1985.
220. GARDNER R.W. *"Sterling Dollar Diplomacy"*. Aspen Institute for Humanistic Studies, août 85.
221. Notes personnelles de P. HAAS.
222. Notes personnelles de G. SCHARP.

Index

INDEX

INDEX

Bialik (Chaïm Nachman), 168.
Bischoffsheim, 45, 55, 60.
Bischoffsheim & Goldsmith (Banque), 54, 63.
Bismarck (Otto von) 39, 46, 52, 53, 55, 56, 62, 67, 69, 70.
Bleichroder (famille), 45, 86.
Bleichroder (Samuel), 39, 63.
Bleichroder S. (Banque, Berlin) 86, 63.
Blessing (Karl), 411.
Blith, 174.
Bloch (Victor), 315, 320, 341.
Blohm & Voss (Chantiers navals), 99.
Blomberg (général von), 9, 229.
Blum (Léon), 168, 226, 227.
Blumenthal (Michael), 493, 494.
B.N.C.I., 303, 328, 329.
B.N.P., 521.
Boden Kreditanstalt, 180.
Bolton (Sir George), 381, 390.
Bombieri (Carlo), 385, 401.
Bonaparte (Napoléon), 40.
Bonnet (Georges), 238.
Borchardt (F.), 202.
Bosch (Firme), 207, 243, 453.
Bovenizer (Georges), 166, 332.
Bragance (Catherine de), 33.
Brandeïs, 230, 312, 368, 486.
Brandeïs (Franz), 62, 217, 335, 336.
Brandeïs Goldschmidt Co, 64, 74, 100, 158, 212, 217, 232, 250, 261, 292, 312, 333-335, 395, 478, 491, 498.
Brandt (Willy), 263, 473.
Brandt (Firme), 440, 476.
Brazilian Warrant Company, 315.
Brest-Litovsk (traité de), 123.
Bretton Woods, 272, 274, 275, 288, 307, 323, 324, 327, 329, 338, 339, 371, 373, 394, 406, 411, 415, 417, 418, 421, 433, 440, 525.
B.R.I. (Banque des Règlements Internationaux), 169-172, 175, 183, 185, 188, 197, 203, 254, 255, 272, 274, 276, 307-310, 345, 353, 373, 412, 517.
Briand (Aristide), 146, 166, 167.

Brinckmann (Christian), 353, 368, 509.
Brinckmann (Rudolph), 168, 184, 211, 245, 260, 292, 296, 299, 304-306, 308, 354, 391, 442, 443, 454.
Brinckmann Wirtz & Co, 260, 292, 293, 306, 353, 354, 391, 400, 427 443, 454, 509.
Brisk & Pohl, 103.
British Aluminium, 352, 357-363, 522.
British and French Bank, 303.
British Industrial Corporation, 368.
British International Tobacco, 377.
British Leyland, 424, 464, 476.
British Match Corporation, 363, 424.
British National Oil Corporation, 497.
British North Borneo Co, 66.
British Petroleum, 378, 486, 497.
British Printing, 377.
British Railways, 335, 521.
British South Africa Chartered Co, 66.
British Telecom, 520.
Brown Alex & Sons, 48.
Brown (George), 405, 409, 412-414, 423, 425.
Bruck (baron), 52.
Bruckmann, Wirtz, Warburg & Co, 390.
Brüning (Heinrich), 174, 176-178, 182, 185, 187.
Bülow (Prince Bernhard von), 70, 81.
Bundesbank, 308, 312, 411, 436, 448.
B.U.P., 328.
Burma Oil, 377.
Burns (Arthur), 445, 451.
Butler (R.A.), 85, 325, 326, 339.
Buttenwieser (Benjamin), 187, 307.
Byrnes (James F.), 297, 301, 309.

553

Table des matières

*— Londres en télécommande. — New York de
nouveau. — L'économie de la dette, de nouveau. — Trente ans après. — L'ascenseur de
Gresham Street. — La débâcle de Belgrade. —
Retour à l'ordre monétaire. — « Investissement
pour la paix », Camp David. — La nuit américaine. — Derniers actes. — Regards sur sa
vie. — Mort de Siegmund. — Pour en finir
avec Siegmund. — En finir avec New York. —
Grand depuis Londres.*

Cet ouvrage a été composé par C.M.L., Montrouge
et achevé d'imprimer en septembre 1985
sur presse CAMERON,
dans les ateliers de la S.E.P.C.
à Saint-Amand-Montrond (Cher)
pour le compte de la librairie Arthème Fayard
75, rue des Saints-Pères — 75006 Paris

35-14-7399-02
ISBN 2-213-01623-2

Dépôt légal : septembre 1985.
N° d'Édition : 7198. — N° d'Impression : 1643.

Imprimé en France

35-7399-5